CALCUL DIFFÉRENTIEL ET INTÉGRAL 1

VERSION FRANÇAISE
COLETTE MESSIER
Cégep du Vieux-Montréal

JOHN B. FRALEIGH
UNIVERSITÉ DE RHODE ISLAND

Les Éditions Addison-Wesley
Don Mills, Ontario • Reading, Massachusetts
Menlo Park, California • Wokingham, Berkshire
Amsterdam • Sydney • Singapore • Tokyo • Mexico City
Bogotá • Santiago • San Juan

CALCULUS WITH ANALYTIC GEOMETRY

Éditeur Patrick Loze

Révision Cap et bc inc.
Photocomposition Typo Litho composition inc.

Données de catalogage avant publication (Canada)

Fraleigh, John B.
Calcul différentiel et intégral 1

Traduction de: Calculus of a single variable.

ISBN 0-201-17830-3

1. Calcul infinitésimal I. Messier, Colette.
I. Titre.

QA303.F6842214 1987 515 C86-095023-9

Dépôt légal — Deuxième trimestre 1987
Bibliothèque nationale du Québec

Imprimé au Canada

A B C D E — — 91 90 89 88 87

PRÉFACE DE L'ÉDITEUR

Dans la rédaction du présent ouvrage, nous avons tenu à lier *théorie* et *application* afin que, d'une part, le professeur puisse ajuster la matière à sa pédagogie personnelle, et cela selon les besoins de ses étudiants, et que, d'autre part, les étudiants aient un outil de travail permettant d'accéder à un développement mathématique solide. Pour ce faire, nous avons mis l'accent sur une présentation intuitive et pratique des concepts qui s'appuie sur un développement théorique rigoureux.

Dans cet esprit, le livre comporte de nombreux exemples et exercices *pratiques*, permettant l'acquisition d'une habileté technique, plusieurs *applications des concepts* à différents domaines dont la physique, l'administration et l'économie, et enfin, des exemples et exercices d'*approfondissement*, mettant l'accent sur la démonstration de résultats généraux. S'ajoute à cela une grande variété de graphiques donnant une représentation plus concrète des notions qui pour certains resteraient abstraites.

Le volume est divisé en sept chapitres dont le premier contient les notions de base. L'utilisateur pourra y puiser selon ses besoins particuliers. Nous avons mis l'accent sur un certain nombre de méthodes numériques et présenté la fonction ln x à l'aide du concept d'intégrale. Les sujets sont traités de façon à donner à l'utilisateur une marge de manoeuvre la plus large et la plus souple possible; chacun pourra ainsi adapter le contenu à sa capacité d'apprentissage.

Pour terminer, il nous faut dire que l'expérience, l'expertise et la persévérance de Colette Messier ont ajouté à la qualité première de la version anglaise. En fait, elle a fait ce livre sien. D'autre part, nous devons remercier Réjean Fournier, professeur au cégep Limoilou et Denis Viau, du cégep Rosemont, dont les critiques, conseils et encouragements nous ont guidé pour le meilleur.

AVANT-PROPOS

Si le monde qui nous entoure était statique, tout serait figé en un même état invariable, une même position constante. Mais nous vivons dans un monde en perpétuel changement. Le calcul différentiel et intégral s'avère un outil bien utile pour étudier les variations et les mouvements que cela entraîne.

On fait appel au calcul différentiel pour traiter de quantités variables dans les cas où on calculerait normalement un *quotient* si les quantités étaient constantes. Par exemple, lorsqu'un avion se déplace en ligne droite à une vitesse *constante*, cette vitesse peut être calculée au moyen du *quotient*

$$\text{Vitesse} = \frac{\text{Distance parcourue}}{\text{Temps}} .$$

Si la vitesse de l'avion n'est pas constante, alors le quotient ci-dessus représente la *vitesse moyenne* de l'avion au cours de la période écoulée. Cependant, le calcul différentiel permet, si nous connaissons la distance parcourue à chaque instant, d'évaluer la *vitesse instantanée* de l'avion.

On fait appel au calcul intégral pour traiter de quantités variables dans les cas où on calculerait normalement un *produit* si les quantités étaient constantes. Dans l'exemple précédent, si la vitesse de l'avion est constante, alors la distance totale parcourue est donnée par le *produit*

$$\text{Distance parcourue} = \text{Vitesse} \times \text{Temps}.$$

Si la vitesse n'est pas constante mais qu'elle est connue à chaque instant, le calcul intégral permet de calculer la distance parcourue. On peut encore

Figure 0.1

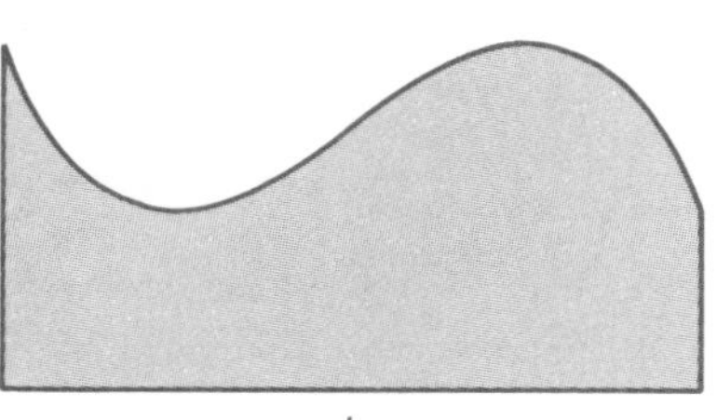

Figure 0.2

penser à l'exemple suivant: l'aire d'un rectangle de base b et de hauteur h est donnée par le *produit* $b \cdot h$ (figure 0.1). Le calcul intégral permet également de calculer l'aire sous une courbe de base b et de hauteur variable (figure 0.2).

On verra que le calcul différentiel et le calcul intégral sont étroitement reliés, à la manière de la multiplication et de la division.

Une grande partie du calcul différentiel et intégral a été développée par sir Isaac Newton (1642-1727) à l'occasion de questions soulevées par les problèmes qu'il étudiait en physique et en astronomie. Indépendamment de Newton et presque au même moment que lui, Gottfried Whilhelm Leibniz (1646-1716) développait une grande partie du calcul différentiel et intégral en utilisant des notations qui ont été préférées à celles de Newton.

Cependant, l'origine du calcul intégral remonte à une époque bien plus lointaine. Ainsi, dès le IIIe siècle avant Jésus-Christ, Archimède effectuait des calculs d'aires de régions du plan suivant des principes apparentés au calcul intégral. Mais c'est au XVIIe siècle, avec des astronomes, mathématiciens et physiciens comme René Descartes (1596-1650), Bonaventura Cavalieri (1598-1647), Pierre de Fermat (1601-1665), John Wallis (1616-1703), Blaise Pascal (1623-1662), Christian Huygens (1629-1695), Isaac Barrow (1630-1677) et James Gregory (1638-1675), sans oublier, bien entendu, Newton et Leibniz, que s'est vraiment développé le calcul différentiel et intégral.

Les travaux de Newton et Leibniz ont permis de rendre cette branche des mathématiques indépendante de la géométrie des Grecs et d'en faire un outil permettant de résoudre une grande variété de problèmes scientifiques. On leur doit notamment la formulation des théorèmes fondamentaux et une généralisation des travaux effectués par leurs contemporains. Bien entendu, le développement du calcul différentiel et intégral s'est poursuivi bien au-delà du XVIIe siècle, avec des mathématiciens comme Jacques Bernoulli (1654-1705), son frère Jean (1667-1748), Leonhard Euler (1707-1783), Joseph-Louis Lagrange (1736-1813), et plusieurs autres. Finalement, on attribue la consolidation des fondements du calcul différentiel et intégral à des mathématiciens du XIXe siècle, tels Bernhard Bolzano (1781-1848), Karl Weiertrass (1815-1897) et Bernhard Riemann (1826-1866).

TABLE DES MATIÈRES

1 FONCTIONS ET GRAPHES 1

1.1 Coordonnées et distance **1**
1.2 Cercles et pente d'une droite **10**
1.3 Équation de la droite **17**
1.4 Fonctions et graphes **23**
1.5 Graphes des fonctions monomiales et des fonctions du second degré **32**

2 LIMITES 40

2.1 Limites des dérivées: une approche intuitive **40**
2.2 Limites **53**
2.3 Limites à gauche et à droite et limites à l'infini **63**
2.4 Continuité **73**

3 DÉRIVÉES 85

3.1 Notion de dérivée et dérivées de fonctions polynomiales **85**
3.2 Dérivées du produit et du quotient de deux fonctions **95**
3.3 Notion de différentielle **101**
3.4 Dérivées des fonctions composées **109**
3.5 Dérivées d'ordre *n* et mouvement **117**
3.6 Dérivées des fonctions implicites **128**

4 FONCTIONS TRIGONOMÉTRIQUES 136

4.1 Évaluation des fonctions trigonométriques et identités **136**
4.2 Courbes représentatives des fonctions trigonométriques **144**
4.3 Dérivées des fonctions trigonométriques **149**

5 APPLICATIONS DE LA DÉRIVÉE 160

5.1 Problèmes de taux liés **160**
5.2 Théorème des accroissements finis **166**
5.3 Points critiques **172**
5.4 Construction de graphiques à l'aide de la dérivée première **178**
5.5 Construction de graphiques à l'aide de la dérivée seconde **185**
5.6 Application de la dérivée à la résolution de problèmes de maximums ou de minimums **194**
5.7 Méthode de Newton **204**
5.8 Application du calcul différentiel à l'économie et à la gestion **210**
5.9 Recherche de primitives **216**

6 L'INTÉGRALE 223

6.1 Sommes de Riemann **223**
6.2 L'intégrale définie **235**
6.3 Théorème fondamental du calcul intégral **243**
6.4 Intégration **249**
6.5 Aire d'une région du plan **255**

7 FONCTIONS TRANSCENDANTES 262

7.1 Fonctions réciproques **262**
7.2 Le logarithme naturel **270**
7.3 La fonction e^x **277**
7.4 Dérivation logarithmique **283**
7.5 Fonctions trigonométriques inverses **286**

ANNEXES 295

1 Algèbre et géométrie — quelques rappels **A-1**
2 Raisonnement par récurrence **A-4**

RÉPONSES DES EXERCICES IMPAIRS A-7

INDEX I-1

FONCTIONS ET GRAPHES

1

Vous connaissez probablement déjà une grande partie des notions exposées dans ce premier chapitre. Le chapitre contient en effet une révision des concepts de la géométrie analytique et de la théorie des fonctions, qui sont la base du calcul. Toutefois, les thèmes abordés dans la section 1.5, soit les graphes des fonctions monomiales et des fonctions du second degré, et les translations d'axes, sont probablement nouveaux pour la majorité d'entre vous. Il est donc recommandé d'y accorder une attention particulière.

1.1 COORDONNÉES ET DISTANCE

COORDONNÉES DE LA DROITE

Le présent ouvrage traite uniquement du calcul dans l'ensemble des nombres réels. Un **nombre réel** est un nombre qui peut s'exprimer sous forme d'un développement décimal illimité positif, négatif ou nul. Par exemple, $3 = 3{,}000\,000\ldots$, $-2/3 = -0{,}666\,66\ldots$ et $\pi = 3{,}141\,592\ldots$ sont des nombres réels. Les nombres réels qui n'ont que des zéros à droite de la virgule, comme $3 = 3{,}000\,00\ldots$ et $-2 = -2{,}000\,00\ldots$, sont des **entiers**. Les nombres réels qui peuvent s'exprimer comme un quotient de deux entiers où le dénominateur est différent de zéro, comme $(-2)/3 = -0{,}666\,666\ldots$, sont dits **nombres rationnels**. Tous les entiers peuvent s'exprimer de cette façon — par exemple $3 = 3/1$ et $-4 = (-8)/2$. Par conséquent, tout nombre entier est également un nombre rationnel. Les nombres réels qui ne sont pas des nombres rationnels sont dits **nombres irrationnels**: π et $\sqrt{2}$ sont des nombres irrationnels. En fait, il existe infiniment plus de nombres irrationnels que de nombres rationnels. Toutefois, les calculs arithmétiques étant plus faciles à effectuer avec des nombres rationnels, nous aurons tendance à utiliser ces derniers plus souvent.

L'identification des nombres réels par des points sur une droite peut se révéler très utile. On parle alors de la **droite numérique**. Il suffit de choisir une droite illimitée à gauche et à droite et, à l'aide de nombres réels, d'en faire une règle de longueur infinie (figure 1.1). On fixe arbitrairement un point 0 sur cette droite, de même qu'un point 1 à droite du point 0. Ces deux points déterminent l'*échelle*. Chaque nombre réel positif r correspond

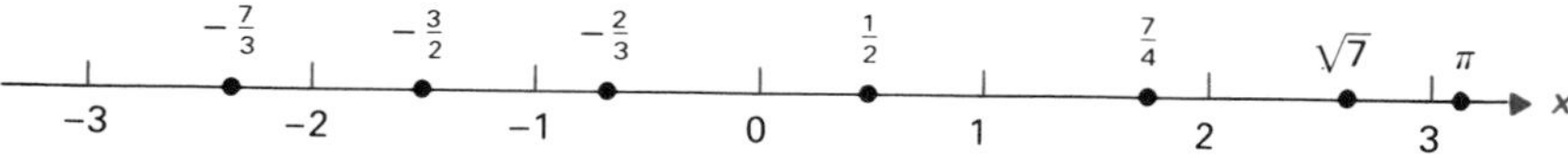

Figure 1.1 Droite numérique.

au point situé à une distance de r unités à droite de 0; de même, un nombre négatif $-s$ correspond au point situé à une distance de s unités à gauche de 0. La flèche indique le sens de parcours positif. Le x à droite de la flèche indique que x représente n'importe quel nombre réel sur la droite. Dans ce contexte, x est une **variable réelle** et la droite est appelée **axe des x**.

Pour des nombres réels r et s, la notation $r < s$ (qui se lit « r est inférieur à s » ou encore « r est plus petit que s ») signifie que r est situé à gauche de s sur la droite numérique. Les trois situations illustrées à la figure 1.2 montrent bien que le critère énoncé ci-dessus est valide peu importe que r et s soient positifs ou négatifs.

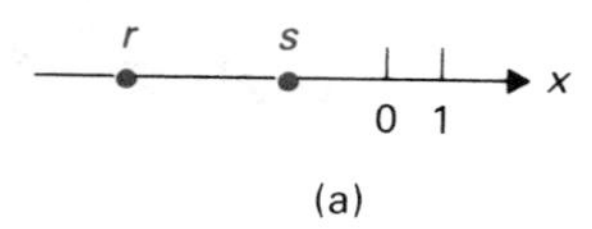

(a)

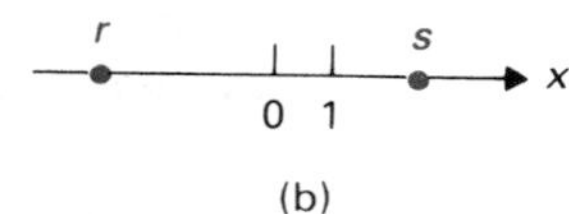

(b)

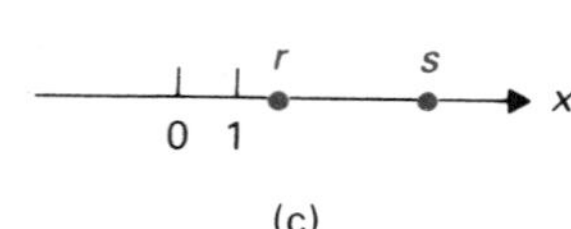

(c)

Figure 1.2 $r < s$

EXEMPLE 1 Si nous nous reportons à la droite numérique de la figure 1.1, nous remarquons que

$$2 < \pi \qquad \text{et} \qquad -2 < 3,$$

puisque 2 est situé à gauche de π et -2, à gauche de 3. Nous remarquons également que

$$-3 < -1$$

puisque, bien que le nombre 3 soit supérieur au nombre 1, le nombre -3 est situé à gauche de -1 sur la droite. Nous constatons de plus que

$$-\tfrac{2}{3} < \tfrac{1}{2}.$$

Un nombre négatif est toujours inférieur à un nombre positif. □

La relation $r < s$ s'écrit également $s > r$ (qui se lit « s est supérieur à r » ou encore « s est plus grand que r »). Par exemple, si nous voulons considérer tous les nombres supérieurs au nombre 2, nous écrivons simplement « tous les $x > 2$ ». La notation $r \leq s$ se lit « r est plus petit ou égal à s » et $s \geq r$ se lit « s est plus grand ou égal à r ».

EXEMPLE 2 Tracer sur la droite les points x qui satisfont à la relation $0 \leq x \leq 2$.

Solution Les points sont représentés sur la figure 1.3 par le segment de droite et les points de couleur contrastante. Les points 0 et 2 satisfont tous deux à la relation. □

Figure 1.3 $0 \leq x \leq 2$

EXEMPLE 3 Tracer sur la droite les points x qui satisfont à la relation $-1 < x \leq 1$.

Solution Les points sont représentés sur la figure 1.4 par le segment de droite et le point de couleur contrastante. Des deux extrémités, seul le point 1 satisfait à la relation. □

Figure 1.4
$-1 < x \leq 1$

L'ensemble des points vérifiant une relation de la forme $a \leq x \leq b$ a une grande importance en calcul différentiel et intégral. On le désigne sous le nom d'**intervalle fermé** $[a,b]$. On dit *fermé* pour indiquer que les deux extrémités, a et b, font partie de l'intervalle. Les points x pour lesquels $a < x \leq b$ constituent l'**intervalle semi-ouvert** $]a,b]$. L'intervalle semi-ouvert $[a,b[$ et l'intervalle ouvert $]a,b[$ sont définis de manière analogue. Ces différents intervalles sont illustrés à la figure 1.5. Précisons que l'intervalle ouvert $]a,b[$ ne possède pas d'extrémités, c'est-à-dire qu'on n'y trouve ni plus grand, ni plus petit nombre.

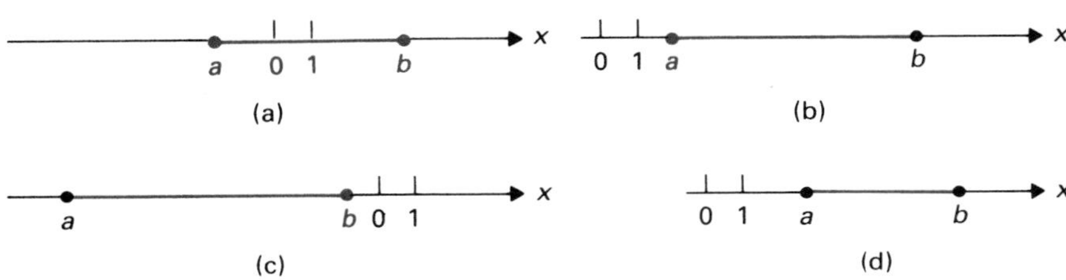

Figure 1.5
(a) Intervalle fermé $[a,b]$;
(b) intervalle semi-ouvert $[a,b[$;
(c) intervalle semi-ouvert $]a,b]$;
(d) intervalle ouvert $]a, b[$.

EXEMPLE 4 Tracer les intervalles $[0,2]$ et $]-1,1]$.

Solution L'intervalle fermé $[0,2]$ est illustré sur la figure 1.3 et l'intervalle semi-ouvert $]-1,1]$, sur la figure 1.4. □

L'annexe 1 contient un résumé des notations et des propriétés des inégalités. Vous trouverez ci-après quatre de ces propriétés.

PROPRIÉTÉS DES INÉGALITÉS

1. Si $a \leq b$, alors $a + c \leq b + c$.
2. Si $a \leq b$ et $c \leq d$, alors $a + c \leq b + d$.
3. Si $a \leq b$ et $c > 0$, alors $ac \leq bc$.
4. Si $a \leq b$ et $c < 0$, alors $ac \geq bc$.

EXEMPLE 5 Les solutions d'une inéquation peuvent parfois s'exprimer sous forme d'intervalle. Exprimer les solutions de l'inéquation $-3 \leq 4x + 5 \leq 7$ sous forme d'intervalle.

Solution L'utilisation des propriétés des inégalités qui suivent permet le raisonnement suivant:

$$-3 \leq 4x + 5 \leq 7,$$

en additionnant -5 à chaque membre, nous obtenons

$$-8 \leq 4x \leq 2,$$

en multipliant chaque membre par 1/4,

$$-2 \leq x \leq \tfrac{1}{2},$$

qui correspond à l'intervalle fermé $[-2,1/2]$. □

La distance d'un point r au point 0 est appelée **valeur absolue** du nombre r et est notée $|r|$. Par exemple,

$$|5| = |-5| = 5,$$

puisque 5 et -5 sont tous deux situés à cinq unités de 0. Ainsi

$$|r| = \begin{cases} r & \text{si } r \geq 0, \\ -r & \text{si } r < 0. \end{cases}$$

EXEMPLE 6 Simplifier l'expression $|6 - |-3|| + |2 - 7|$.

Solution $|-3| = |3|$; par conséquent

$$\begin{aligned} |6 - |-3|| + |2 - 7| &= |6 - 3| + |2 - 7| \\ &= |3| + |-5| = 3 + 5 = 8. \end{aligned}$$ □

EXEMPLE 7 Trouver tous les nombres réels x pour lesquels $|x|/x = 1$.

Solution L'expression $|x|/x = 1$ est équivalente à $|x| = x$, où $x \neq 0$. Pour que l'équation $|x| = x$ soit vérifiée, x doit être positif. Par conséquent, $|x|/x = 1$ a pour solution l'ensemble des $x > 0$. □

EXEMPLE 8 Les solutions d'une inéquation faisant intervenir les valeurs absolues peuvent parfois être exprimées sous forme d'intervalle. Exprimer sous forme d'intervalle les solutions de l'inéquation $|x - 4| \leq 5$.

Solution Comme $|x - 4|$ est la distance du point $x - 4$ à l'origine, $|x - 4| \leq 5$ a la même signification que

$$-5 \leq x - 4 \leq 5.$$

D'après les propriétés des inégalités déjà énoncées, on obtient, en ajoutant 4 à chaque membre,

$$-1 \leq x \leq 9,$$

ce qui correspond à l'intervalle fermé $[-1,9]$. □

EXEMPLE 9 Exprimer les solutions de l'inéquation $|(3 - 2x)/4| \leq 5$ sous forme d'intervalle.

Solution Comme $|(3 - 2x)/4|$ est la distance du point $(3 - 2x)/4$ à l'origine, $|(3 - 2x)/4| \leq 5$ a la même signification que

$$-5 \leq \frac{3 - 2x}{4} \leq 5.$$

D'après les propriétés des inégalités, en multipliant chaque membre par 4, nous obtenons

$$-20 \leq 3 - 2x \leq 20;$$

en additionnant -3,

$$-23 \leq -2x \leq 17;$$

en multipliant par $-1/2$,

$$\frac{-23}{-2} \geq x \geq \frac{17}{-2},$$

ou encore

$$-\frac{17}{2} \leq x \leq \frac{23}{2},$$

qui correspond à l'intervalle fermé $[-17/2, 23/2]$. □

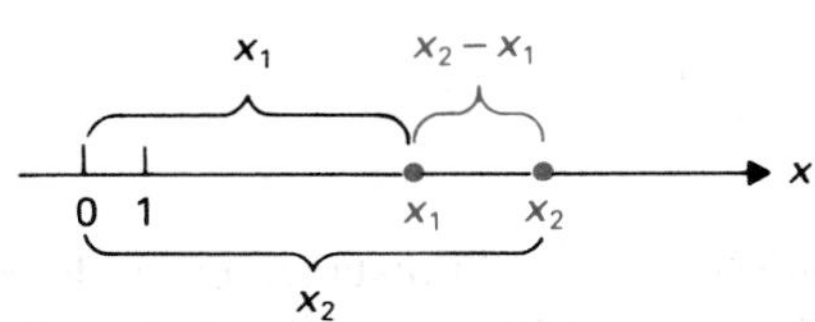

Figure 1.6 Distance entre x_1 et x_2 lorsque $x_1 \leq x_2$.

Considérons maintenant la distance entre deux points quelconques de la droite numérique. La distance entre les points x_1 et x_2 de la figure 1.6 est bien entendu $x_2 - x_1$. Comme la distance est une mesure qui doit être positive ou nulle, nous admettrons sans peine que pour toute paire de points x_1 et x_2 tels que $x_1 \leq x_2$, la distance entre les deux points est $x_2 - x_1$.

EXEMPLE 10 Trouver la distance entre les points -2 et 3 de la droite numérique.

Solution Comme $-2 < 3$, la distance est $3 - (-2) = 5$, ce qu'indique la figure 1.7. □

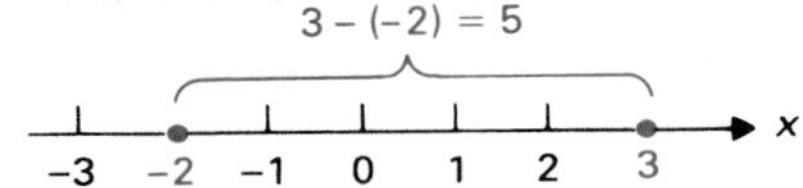

Figure 1.7 Distance entre -2 et 3.

La distance entre deux points quelconques x_1 et x_2 est soit $x_1 - x_2$, soit $x_2 - x_1$; seul le résultat, qui doit être positif ou nul, déterminera le choix. Bien entendu, cette quantité positive ou nulle n'est rien d'autre que $|x_2 - x_1|$. Par conséquent,

> la distance entre deux points x_1 et x_2 est $|x_2 - x_1|$.

Voir les figures 1.6 et 1.8.

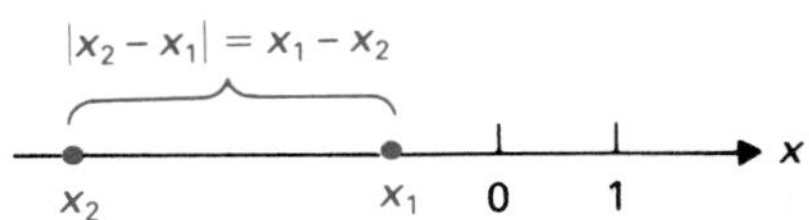

Figure 1.8 Distance entre x_1 et x_2 lorsque $x_1 \geq x_2$.

EXEMPLE 11 Utiliser la formule de la valeur absolue pour trouver la distance entre les points -2 et 3.

Solution Pour les points -2 et 3, on a

$$|3 - (-2)| = |5| = 5,$$

ou encore

$$|(-2) - 3| = |-5| = 5. \quad \square$$

Dans l'exercice 9 de la présente section, on demande de montrer que $(a + b)/2$ est situé à égale distance des points a et b, d'où

> $\dfrac{a+b}{2}$ est le **point milieu** de l'intervalle $[a,b]$.

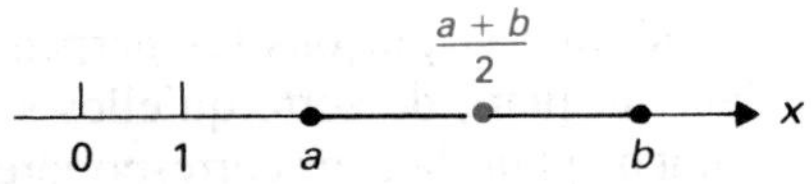

Voir la figure 1.9.

Figure 1.9 Point milieu $(a + b)/2$ de l'intervalle $[a, b]$.

EXEMPLE 12 Trouver le point milieu de l'intervalle $[-1/2, 2/3]$.

Solution Le point milieu est

$$\frac{-\frac{1}{2}+\frac{2}{3}}{2} = \frac{-\frac{3}{6}+\frac{4}{6}}{2} = \frac{\frac{1}{6}}{2} = \frac{1}{12}. \qquad \square$$

Il arrive souvent qu'en plus de vouloir calculer la distance entre deux points x_1 et x_2, nous cherchions à savoir si x_1 est situé à gauche ou à droite de x_2. L'*accroissement* $x_2 - x_1$ que subit x lors d'un déplacement de x_1 vers x_2 est positif si $x_1 < x_2$ et négatif si $x_2 < x_1$. En calcul différentiel, cet accroissement positif ou négatif de x est noté Δx (qui se lit « *delta* x »). Géométriquement,

la distance algébrique $\Delta x = x_2 - x_1$

est la *longueur*, positive ou négative, du ***segment de droite orienté*** de x_1 à x_2.

Il est à remarquer que la distance algébrique, contrairement à la distance, peut prendre des valeurs négatives.

EXEMPLE 13 Trouver les distances algébriques du point 4 au point -2 et du point -8 au point -5.

Solution La distance algébrique de $x_1 = 4$ à $x_2 = -2$ est $\Delta x = x_2 - x_1 = -2 - 4 = -6$. Pour aller de 4 à -2, il faut donc parcourir 6 unités vers la *gauche* (figure 1.10).

La distance algébrique de -8 à -5 est $\Delta x = -5 - (-8) = -5 + 8 = 3$ (figure 1.11). Pour aller de -8 à -5, il faut donc se déplacer de 3 unités vers la *droite*. $\square$

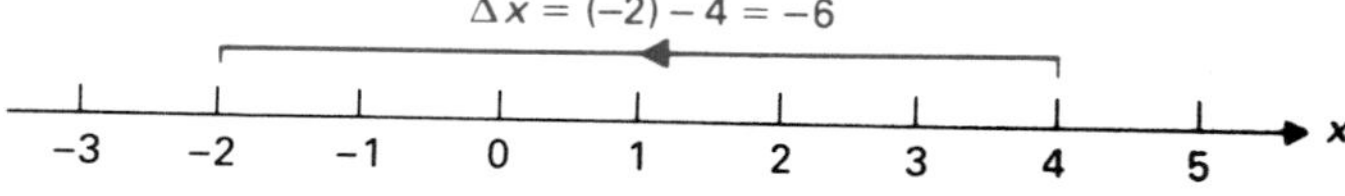

Figure 1.10 Distance algébrique du point 4 au point -2.

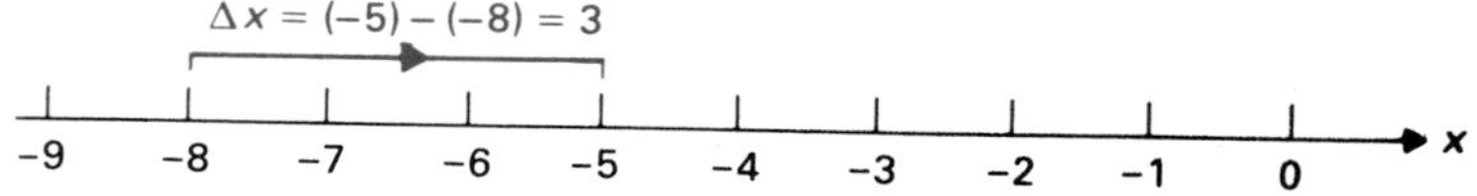

Figure 1.11 Distance algébrique du point -8 au point -5.

COORDONNÉES DU PLAN

Prenons deux reproductions de la droite numérique et plaçons-les perpendiculairement l'une par rapport à l'autre dans un plan, de sorte qu'elles se coupent au point 0 (figure 1.12). À chaque point du plan, faisons correspondre un couple ordonné (x_1, y_1) de nombres ainsi définis: le premier nombre, x_1, indique la position horizontale du point et le deuxième nombre, y_1, en indique

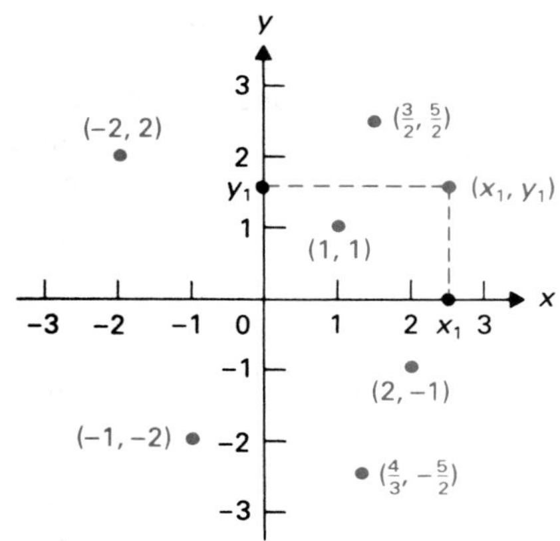

Figure 1.12 Coordonnées du plan.

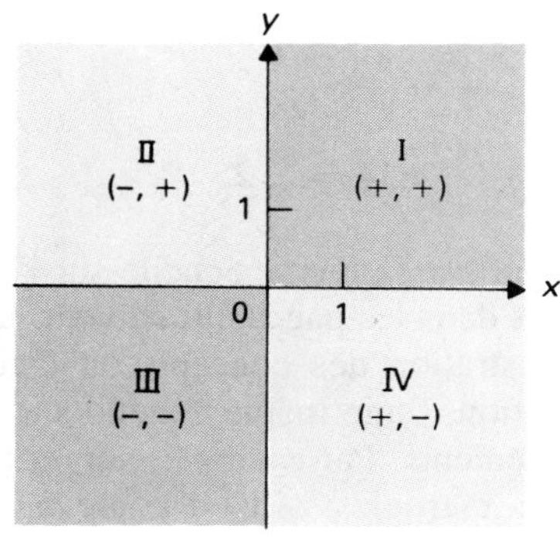

Figure 1.13 Quadrants dans le repère cartésien.

la position verticale. Ce sont les **coordonnées cartésiennes** du point (figure 1.12). Réciproquement, à tout couple ordonné de nombres, tel $(2,-1)$, correspond un point unique du plan.

EXEMPLE 14 Placer les points $(1,1)$, $(-2,2)$, $(-1,-2)$ et $(2,-1)$ sur le plan.

Solution Voir la figure 1.12. □

Les droites tracées en continu sur la figure 1.12 sont appelées **axes de coordonnées**. L'axe horizontal s'appelle **axe des *x*** ou **axe des abscisses** et l'axe vertical, **axe des *y*** ou **axe des ordonnées**, comme l'indiquent les pointes des flèches. Le nombre x_1 est l'**abscisse** du point (x_1, y_1), et le nombre y_1 en est l'**ordonnée**. Les axes de coordonnées subdivisent le plan en quatre portions appelées **quadrants** et caractérisées par le signe des coordonnées des points qui y figurent. Les quadrants sont habituellement désignés par les nombres I, II, III et IV, comme sur la figure 1.13. Le point $(0,0)$ s'appelle **origine**. L'introduction de coordonnées permet ainsi de faire appel à la notion de nombre et à l'algèbre comme instruments de l'étude de la géométrie.

EXEMPLE 15 Représenter graphiquement la région du plan constituée des points (x,y) pour lesquels $x \leq 1$.

Solution Voir la figure 1.14. □

EXEMPLE 16 Représenter graphiquement la région du plan constituée des points (x,y) pour lesquels les relations $-2 \leq x \leq 1$ et $1 \leq y \leq 2$ sont satisfaites.

Solution Voir la figure 1.15. □

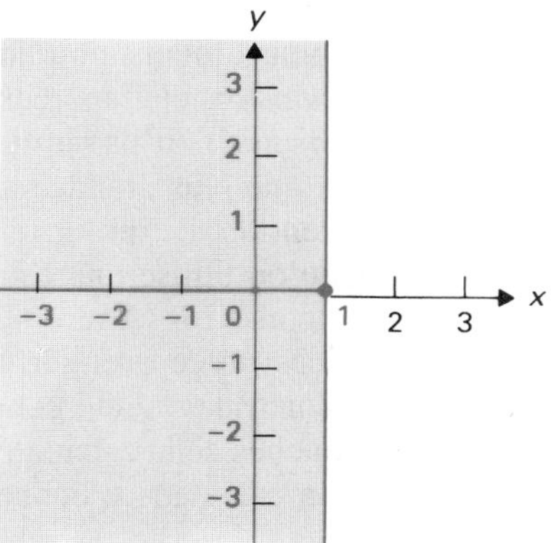

Figure 1.14 Couples (x,y) tels que $x \leq 1$.

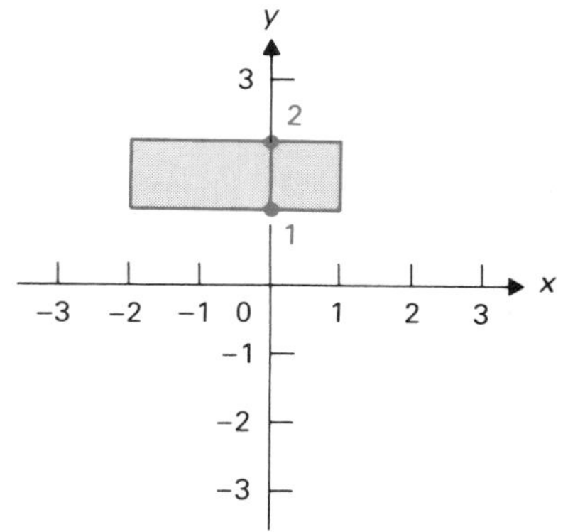

Figure 1.15 Couples (x,y) tels que $-2 \leq x \leq 1$ et $1 \leq y \leq 2$.

Trouvons maintenant la distance qui sépare deux points (x_1,y_1) et (x_2,y_2) du plan. Reportons-nous à la figure 1.16 et posons $\Delta x = x_2 - x_1$ et $\Delta y = y_2 - y_1$, de sorte que $|\Delta x|$ et $|\Delta y|$ représentent les longueurs des côtés de l'angle droit du triangle rectangle représenté sur la figure. La distance entre (x_1,y_1) et (x_2,y_2) est donnée par la longueur d de l'hypoténuse du triangle. Ainsi, par le théorème de Pythagore,

$$d^2 = |\Delta x|^2 + |\Delta y|^2. \quad \textbf{(1)}$$

Comme les termes de l'équation 1 sont élevés au carré, les symboles de valeur absolue sont inutiles; par conséquent $d^2 = (\Delta x)^2 + (\Delta y)^2$, d'où

$$\boxed{d = \sqrt{(\Delta x)^2 + (\Delta y)^2} = \sqrt{(x_2 - x_1)^2 + (y_2 - y_1)^2}.}$$

EXEMPLE 17 Déterminer la distance qui sépare les points $(2,-3)$ et $(-1,1)$ du plan.

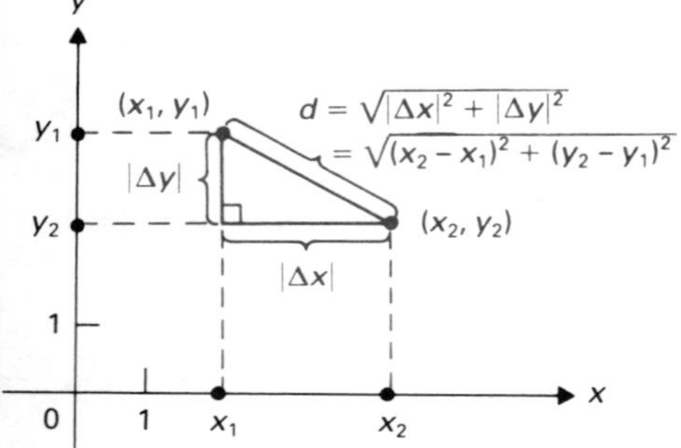

Figure 1.16 Distance entre les points (x_1,y_1) et (x_2,y_2).

Solution La distance est donnée par

$$\sqrt{(-1-2)^2 + [1-(-3)]^2} = \sqrt{(-3)^2 + 4^2}$$
$$= \sqrt{9+16} = \sqrt{25} = 5. \quad \square$$

Jusqu'à présent, nous avons toujours utilisé la même échelle sur l'axe des x et l'axe des y. Comme nous le verrons dans les pages qui suivent, une telle convention permet une meilleure illustration des concepts du calcul différentiel et intégral. Cependant, l'utilisation d'une même échelle sur les deux axes peut parfois présenter des inconvénients. Par exemple, supposons que y représente le coût de fabrication de x articles: s'il en coûte 675 $ pour fabriquer 3 articles, il serait assez embêtant d'avoir à placer le point (3,675) en utilisant la même échelle sur les deux axes. Dans pareille situation, nous pourrions très bien convenir que l'unité de longueur correspondant à 1 article sur l'axe des x représentera 100 $ sur l'axe des y.

UTILISATION DES CALCULATRICES

Les exemples et les exercices faisant appel à l'usage de calculatrices de poche sont facultatifs; nous croyons pourtant qu'ils peuvent jouer un rôle important dans la compréhension et l'appréciation du calcul différentiel et intégral. Nous sommes persuadés qu'ils sauront susciter votre intérêt, notamment parce qu'ils permettent une plus grande variété dans les calculs numériques. Nous n'avons pas l'intention d'exposer ici les différents petits problèmes qui peuvent surgir lorsqu'on utilise une calculatrice car « l'expérience instruit plus sûrement que le conseil » (André Gide).

Les exercices de ce premier chapitre pour lesquels vous devez faire usage d'une calculatrice ont été conçus de manière à vous familiariser avec les différentes touches de la calculatrice de même qu'avec sa logique interne. L'utilisation de la calculatrice débute véritablement au chapitre 2.

EXEMPLE 18 Trouver la distance entre les points $(\sqrt[3]{17},\pi^{4/5})$ et $(-\sqrt{5},\sqrt[4]{63})$.

Solution Il nous faut calculer l'expression suivante:

$$\sqrt{(\sqrt[3]{17} + \sqrt{5})^2 + (\pi^{4/5} - \sqrt[4]{63})^2}.$$

L'ordre dans lequel on doit appuyer sur les touches dépend de la logique interne de la calculatrice. On calculera $\sqrt[3]{17}$ comme $17^{1/3}$, $\pi^{4/5}$ comme $\pi^{0,8}$ et $\sqrt[4]{63}$ comme $63^{0,25}$. La réponse, bien entendu, est exprimée en notation décimale ou scientifique. La calculatrice sur laquelle les calculs ont été effectués a donné pour réponse:

$$4{,}817\ 894\ 05.$$

Une autre calculatrice pourrait exprimer la réponse avec plus ou moins de décimales, ou avoir pour dernière décimale un chiffre différent. Néanmoins, la réponse avec deux *décimales de précision* est bien certainement 4,82; elle sera 4,817 9 si nous l'exprimons avec cinq *chiffres significatifs*. □

RÉSUMÉ

1. L'intervalle fermé $[a,b]$ est l'ensemble de tous les points x tels que $a \leq x \leq b$.
2. La distance d'un point x_1 à un point x_2 sur la droite numérique est donnée par $|x_2 - x_1|$.
3. La longueur algébrique du segment de droite orienté du point x_1 au point x_2 (également appelée la distance algébrique du point x_1 au point x_2) est

$$\begin{aligned}\Delta x &= x_2 - x_1\\ &= \text{point final} - \text{point de départ}.\end{aligned}$$

4. Le point milieu de l'intervalle $[a,b]$ est $(a + b)/2$.
5. La distance entre deux points (x_1,y_1) et (x_2,y_2) d'un plan cartésien est donnée par

$$\sqrt{(x_2 - x_1)^2 + (y_2 - y_1)^2}.$$

EXERCICES

Dans les exercices 1 et 2, tracer, s'il y a lieu, les points x qui satisfont à la relation donnée. (Se reporter aux figures 1.3 et 1.4.)

1. *a*) $2 \leq x \leq 3$ *b*) $x^2 = 4$ *c*) $5 \leq x \leq -1$

2. *a*) $x \leq 0$ *b*) $x^2 < 4$ *c*) $x^2 \leq 4$

3. Trouver la distance entre les points suivants d'une droite numérique:
a) 2 et 5 *b*) -1 et 4 *c*) -3 et -6

4. Trouver la distance entre les points suivants d'une droite numérique:
a) $-5/2$ et 12 *b*) $-8/3$ et $-15/3$
c) $\sqrt{2}$ et $-2\sqrt{2}$ *d*) $\sqrt{2}$ et π

5. Trouver le nombre correspondant aux expressions suivantes:
a) $|3 - 5|$ *b*) $3 - |5|$

6. Trouver le nombre correspondant aux expressions suivantes:
a) $|4 - |2 - 7||$ *b*) $2/|-2|$

7. Trouver toutes les valeurs de x pour lesquelles $|x + 2|/(x + 2) = 1$. (Se reporter à l'exemple 7.)

8. Trouver toutes les valeurs de x pour lesquelles $|x - 3|/(x - 3) = -1$. (Se reporter à l'exemple 7.)

9. Montrer que, quels que soient les points a et b d'une droite numérique, la distance de $(a + b)/2$ à a est la même que la distance de $(a + b)/2$ à b.

10. Trouver le point milieu des intervalles suivants:
a) $[-1,1]$ *b)* $[1,4]$ *c)* $[-3/2,2/3]$

11. Trouver le point milieu des intervalles suivants:
a) $[-6,-3]$ *b)* $[-2\sqrt{2},\sqrt{2}]$ *c)* $[\sqrt{2},\pi]$

12. Trouver la mesure algébrique Δx d'un segment de droite orienté
a) de 2 à 5 *b)* de -8 à -1

13. Trouver la mesure algébrique Δx d'un segment de droite orienté
a) de 3 à -7 *b)* de 10 à 2

Chacune des relations des exercices 14 à 21 a pour solution l'ensemble des points d'un intervalle fermé $[a,b]$. Trouver chacun de ces intervalles. (Les principales propriétés des inégalités se trouvent à l'annexe 1.)

14. $-2 \leq x \leq 3$

15. $6 \leq 3x \leq 12$

16. $4 \leq -4x \leq 8$

17. $-3 \leq x + 2 \leq 4$

18. $3 \leq 2x - 4 \leq 14$

19. $|x| \leq 4$

20. $|x + 1| \leq 4$

21. $|8 - 3x| \leq 5$

22. Par une démarche analogue à celle qui est utilisée dans les exemples 15 et 16, tracer les points (x,y) du plan qui satisfont aux relations suivantes:
a) $x \leq y$ *b)* $x = -y$ *c)* $y = 2x$ *d)* $2x \geq y$

23. Tracer les points (x,y) du plan qui satisfont aux relations suivantes:
a) $x = 1$ *b)* $-1 \leq x \leq 2$
c) $x = -1,\ -2 \leq y \leq 3$ *d)* $x = y,\ -1 \leq x \leq 1$

24. Trouver les coordonnées des points suivants:
a) Le point tel que le segment de droite le reliant au point $(2,-1)$ a pour médiatrice l'axe des x.
b) Le point tel que le segment de droite le reliant au point $(2,-4)$ a pour point milieu le point $(2,1)$.

25. Trouver la distance entre les points suivants:
a) $(-2,5)$ et $(1,1)$
b) $(2\sqrt{3},5\sqrt{7})$ et $(-4\sqrt{3},2\sqrt{7})$

26. Une condition nécessaire et suffisante pour qu'un triangle soit un triangle rectangle est que la somme des carrés des longueurs des deux côtés les plus courts soit égale au carré de la longueur du troisième côté (théorème de Pythagore). L'angle droit est alors l'angle opposé au plus long des côtés. En utilisant cette propriété et la formule de la distance, montrer que les points $(1,5)$, $(3,2)$ et $(7,9)$ sont les sommets d'un triangle rectangle. Trouver l'aire du triangle.

Pour les exercices 27 à 31, utiliser une calculatrice.

27. Trouver le point milieu de l'intervalle $[-2\sqrt{3},5\sqrt{7}]$.

28. Trouver le point milieu de l'intervalle $[\sqrt[5]{23},-\sqrt[4]{50}]$.

29. Trouver la mesure algébrique du segment de droite orienté du point $\sqrt[3]{17}$ au point $-\sqrt[6]{43}$.

30. Trouver la distance entre les points $(-3{,}7,\ 4{,}23)$ et $(8{,}61,\ 7{,}819)$.

31. Trouver la distance entre les points $(\pi,-\sqrt{3})$ et $(8\sqrt{17},-\sqrt[3]{\pi})$.

1.2 CERCLES ET PENTE D'UNE DROITE

CERCLES

Le **cercle** de centre (h,k) et de rayon r est le lieu de tous les points (x,y) situés à une distance r de (h,k) (figure 1.17). En appliquant la formule de la distance de (x,y) à (h,k), il s'ensuit que le cercle est composé de tous les points (x,y) tels que

$$\sqrt{(x-h)^2 + (y-k)^2} = r. \qquad \textbf{(1)}$$

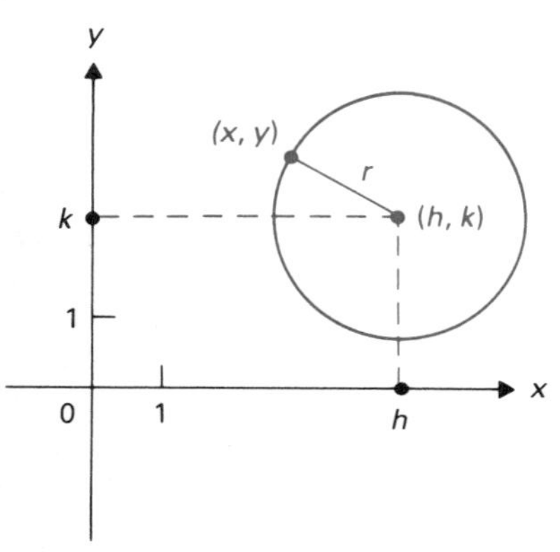

Figure 1.17 Cercle d'équation $(x-h)^2 + (y-k)^2 = r^2$.

En élevant chaque membre de l'équation 1 au carré, nous obtenons la relation équivalente suivante:

$$\boxed{(x-h)^2 + (y-k)^2 = r^2.} \qquad \textbf{(2)}$$

On appelle l'équation 2 l'*équation du cercle*.

EXEMPLE 1 Trouver l'équation du cercle dont le centre est le point $(-2,4)$ et dont le rayon est 5.

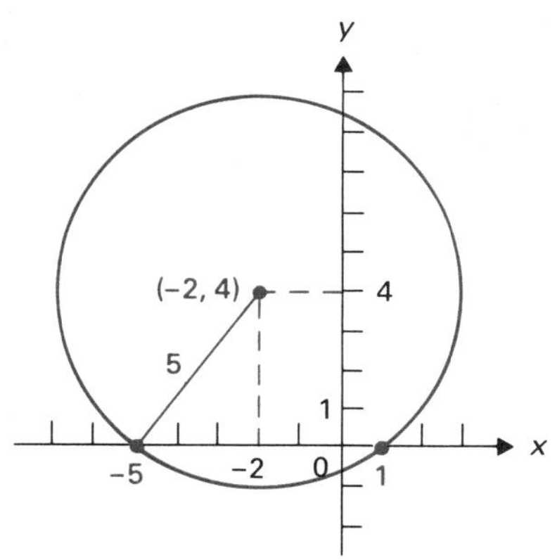

Figure 1.18 Cercle d'équation $(x + 2)^2 + (y - 4)^2 = 25$.

Solution D'après l'équation 2, le cercle a pour équation $[x - (-2)]^2 + (y - 4)^2 = 5^2$, ou $(x + 2)^2 + (y - 4)^2 = 25$ (figure 1.18). □

EXEMPLE 2 Trouver le centre et le rayon du cercle d'équation $(x + 3)^2 + (y + 4)^2 = 18$.

Solution En écrivant l'équation sous la forme

$$[x - (-3)]^2 + [y - (-4)]^2 = (\sqrt{18})^2,$$

et en nous reportant à l'équation 2, nous pouvons déduire que le centre du cercle est le point $(-3, -4)$ et que son rayon mesure $\sqrt{18} = 3\sqrt{2}$. □

Il est à remarquer que

$$x^2 + bx = \left(x^2 + bx + \frac{b^2}{4}\right) - \frac{b^2}{4} = \left(x + \frac{b}{2}\right)^2 - \frac{b^2}{4}.$$

Une expression de la forme $x^2 + bx$ apparaissant dans une équation peut en effet être transformée en une expression de la forme $[x + (b/2)]^2$ par l'addition de $b^2/4$ à chaque membre de l'équation. C'est ce que l'on appelle *compléter le carré*. Ce type d'opération algébrique est utilisé dans l'exemple suivant.

EXEMPLE 3 Montrer que l'équation $3x^2 + 3y^2 + 6x - 12y = 60$ est l'équation d'un cercle.

Solution Divisons d'abord chaque membre de l'équation par 3, coefficient de x^2 et de y^2, ce qui nous donne

$$x^2 + y^2 + 2x - 4y = 20.$$

Complétons maintenant les carrés, afin de retrouver la forme de l'équation 2. Ainsi

$$(x^2 + 2x) + (y^2 - 4y) = 20,$$
$$(x^2 + 2x + 1) + (y^2 - 4y + 4) = 20 + 1 + 4,$$
$$(x + 1)^2 + (y - 2)^2 = 25.$$

L'équation donnée correspond donc au cercle de centre $(-1,2)$ et de rayon 5. □

Comme l'indique l'exemple 3, toute équation de la forme $ax^2 + ay^2 + bx + cy = d$ satisfaite par au moins un point (x_1, y_1) est l'équation d'un cercle. Cependant, il peut arriver qu'aucun point du plan ne satisfasse à une telle équation. Par exemple, aucun point (x,y) du plan ne satisfait à l'équation $x^2 + y^2 = -10$, puisque la somme des carrés de nombres réels ne peut donner un nombre négatif. Il faut donc toujours tenter de ramener une équation de la forme $ax^2 + ay^2 + bx + cy = d$ sous la forme de l'équation 2, comme dans l'exemple 3, pour trouver le centre et le rayon du cercle.

L'équation 2 peut être envisagée d'une autre façon très utile. Posons $\Delta x = x - h$ et $\Delta y = y - k$. L'équation 2 devient alors

$$(\Delta x)^2 + (\Delta y)^2 = r^2. \tag{3}$$

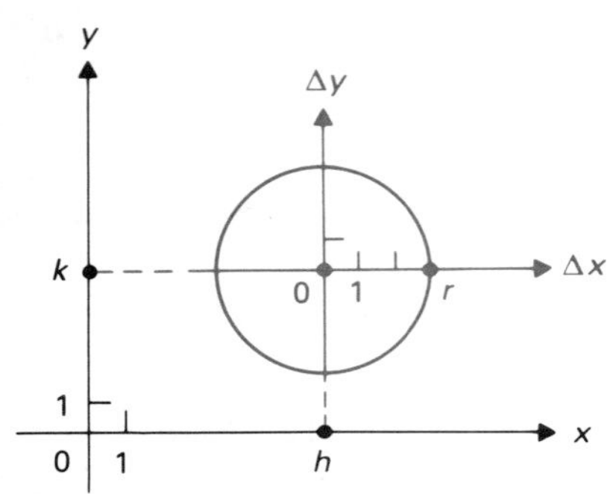

Figure 1.19
$(\Delta x)^2 + (\Delta y)^2 = r^2$.

L'équation peut être interprétée géométriquement si nous considérons un nouvel axe horizontal, « l'axe des Δx », de même qu'un nouvel axe vertical, « l'axe des Δy », le point (h,k) devenant l'origine de ce nouveau système d'axes (figure 1.19). Δx est la distance algébrique du point h au point x et Δy, la distance algébrique du point k au point y. Ainsi, l'équation 3 n'est rien d'autre que l'équation du cercle en fonction du nouveau système d'axes. Nous venons d'effectuer une *translation des axes vers le point* (h,k), méthode qui présente souvent de nombreux avantages. Il convient donc de noter les formules suivantes:

$$\Delta x = x - h$$

$$\Delta y = y - k$$

Formules de translation des axes

L'équation $x^2 + y^2 = r^2$ définit un cercle centré à l'origine du système de coordonnées x,y et de rayon r. D'autre part, l'équation $(\Delta x)^2 + (\Delta y)^2 = r^2$ définit un cercle centré à l'origine du système de coordonnées $\Delta x, \Delta y$ et de rayon r.

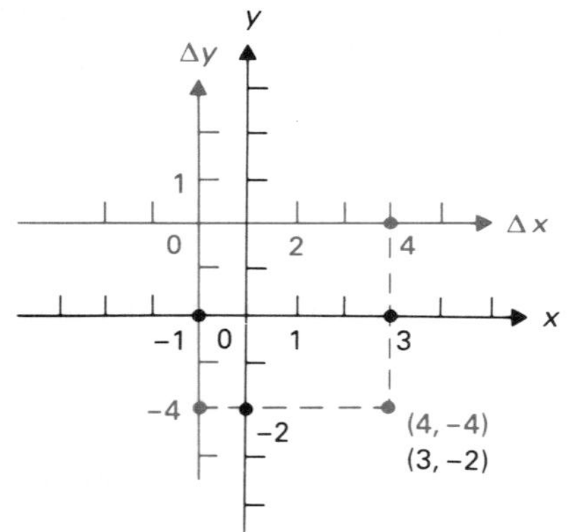

Figure 1.20 Le point $(x,y) = (3,-2)$ a pour coordonnées $(\Delta x, \Delta y) = (4,-4)$.

EXEMPLE 4 On effectue une translation des axes en reportant l'origine du nouveau système d'axes au point $(h,k) = (-1,2)$. Trouver les coordonnées $(\Delta x, \Delta y)$ du point $(x,y) = (3,-2)$ (figure 1.20).

Solution En utilisant les formules de translation $\Delta x = x - h$ et $\Delta y = y - k$, on obtient pour nouvelles coordonnées $\Delta x = 3 - (-1) = 4$ et $\Delta y = -2 - 2 = -4$. Le point cherché est donc $(\Delta x, \Delta y) = (4,-4)$. □

PENTE D'UNE DROITE

On appelle **pente** m d'une droite la variation (nombre d'unités) de la droite vers le haut (ou vers le bas) pour chaque déplacement horizontal de 1 unité de gauche à droite. À la figure 1.21, par exemple, chaque déplacement de 1 unité vers la droite entraîne un déplacement de 3 unités vers le haut (direction positive): la droite a une pente égale à 3. Si une droite est telle que chaque déplacement de 1 unité vers la droite entraîne un déplacement de 2 unités vers le bas (direction négative), comme à la figure 1.22, on dit que la droite a pour pente -2. Une droite horizontale ne monte ni ne descend; pas conséquent la pente d'une telle droite est 0. Une droite verticale monte indéfiniment vis-à-vis d'un point donné. Il est donc impossible de mesurer le déplacement vertical qui correspond à un déplacement horizontal de 1 unité, comme le montre la figure 1.23. Par conséquent,

> la pente d'une droite verticale n'est pas définie.

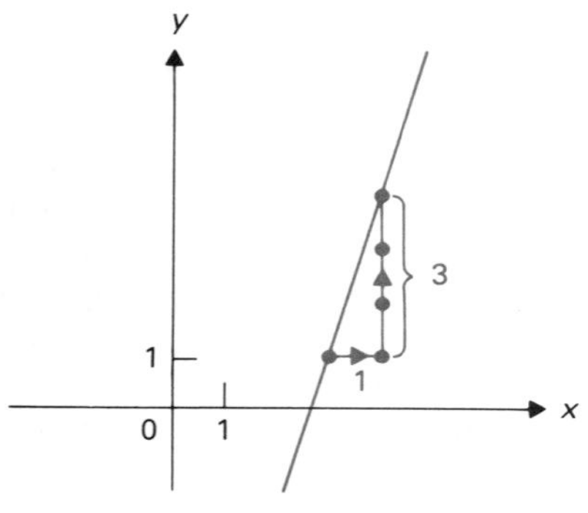

Figure 1.21 Droite de pente 3.

EXEMPLE 5 Trouver la pente de la droite passant par les points (2,4) et (5,16).

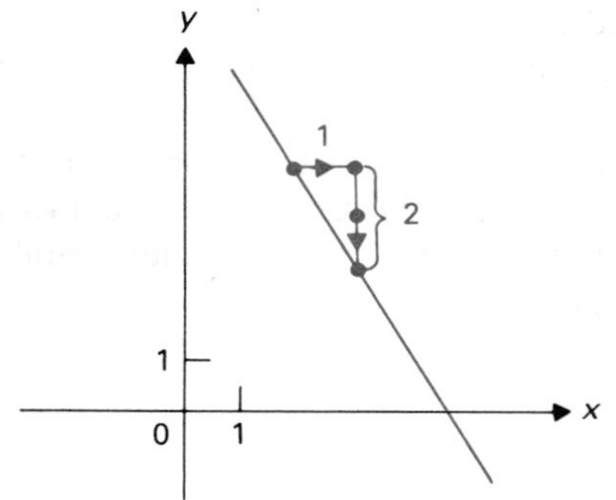

Figure 1.22 Droite de pente −2.

Solution Pour un déplacement de (2,4) à (5,16), on a $\Delta x = 5 - 2 = 3$ et $\Delta y = 16 - 4 = 12$, donc un déplacement de 3 unités vers la droite correspond à un déplacement de 12 unités vers le haut. Comme le déplacement est uniforme, le déplacement vertical par unité de déplacement horizontal vers la droite est donné par $\Delta y/\Delta x = 12/3 = 4$. □

Comme nous l'avons vu dans l'exemple 5, nous pouvons calculer la pente m d'une droite passant par (x_1,y_1) et (x_2,y_2), si $x_1 < x_2$, en calculant Δx et Δy de (x_1,y_1) à (x_2,y_2), et en faisant le quotient des deux quantités. Ainsi,

$$m = \frac{\Delta y}{\Delta x} = \frac{y_2 - y_1}{x_2 - x_1}. \tag{4}$$

Nous supposons que la droite n'est pas verticale, de sorte que $x_1 \neq x_2$. Lorsque $x_2 < x_1$, pour aller vers la droite il faut aller de (x_2,y_2) à (x_1,y_1), ce qui donne

$$m = \frac{\Delta y}{\Delta x} = \frac{y_1 - y_2}{x_1 - x_2} = \frac{y_2 - y_1}{x_2 - x_1}, \tag{5}$$

soit, de nouveau, l'équation 4.

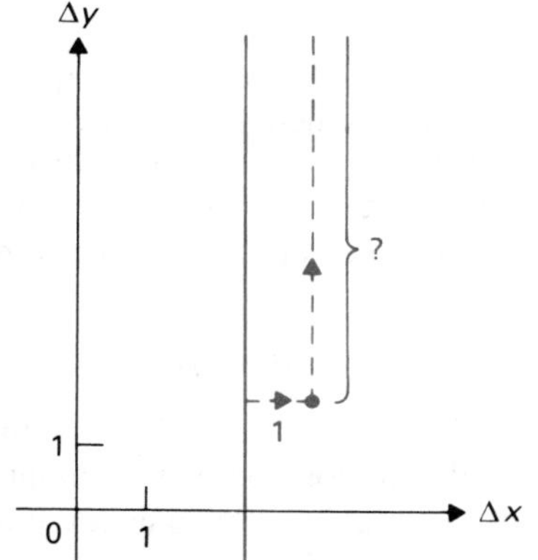

Figure 1.23 Droite verticale: la pente n'est pas définie.

En résumé, la pente m d'une droite non verticale passant par deux points est donnée par

$$m = \frac{\Delta y}{\Delta x} = \frac{\text{Différence des ordonnées}}{\text{Différence des abscisses prises dans le même ordre}} \tag{6}$$

EXEMPLE 6 Trouver la pente de la droite passant par les points (7,5) et (−2,8).

Solution D'après l'équation 6 sur le calcul de la pente,

$$m = \frac{\Delta y}{\Delta x} = \frac{8 - 5}{-2 - 7} = \frac{3}{-9} = -\frac{1}{3}. \quad □$$

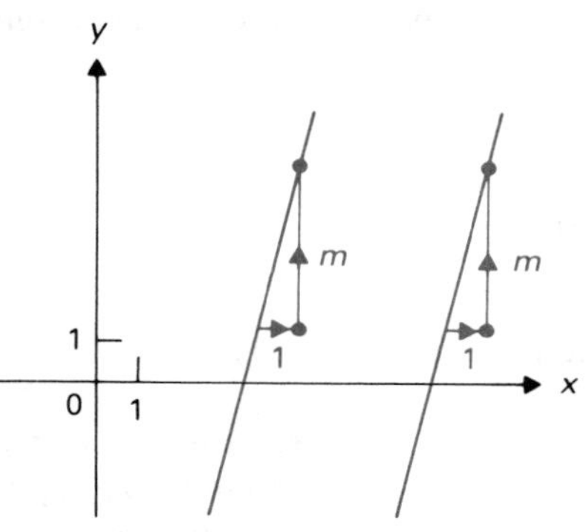

Figure 1.24 Des droites parallèles ont la même pente m.

EXEMPLE 7 Trouver la pente de la droite passant par les points (−3,5) et (−3,11).

Solution $\Delta x = -3 - (-3) = 0$, donc la droite est verticale. La pente de la droite *n'est pas définie*. □

Deux droites sont parallèles lorsqu'elles montent (ou descendent) de la même façon, c'est-à-dire lorsque leur déplacement vertical par unité de déplacement horizontal vers la droite est le même. Par conséquent,

deux droites parallèles ont la même pente.

La figure 1.24 illustre ce résultat.

EXEMPLE 8 Quelle valeur doit prendre c pour que la droite passant par les points $(-1,4)$ et $(1,c)$ soit parallèle à la droite passant par $(0,3)$ et $(4,6)$?

Solution La droite passant par les points $(-1,4)$ et $(1,c)$ a pour pente $m_1 = (c-4)/[1-(-1)] = (c-4)/2$ et la droite passant par $(0,3)$ et $(4,6)$ a pour pente $m_2 = (6-3)/(4-0) = 3/4$. Pour que les droites soient parallèles, les pentes m_1 et m_2 doivent être égales, d'où

$$\frac{c-4}{2} = \frac{3}{4},$$

$$c - 4 = \frac{6}{4} = \frac{3}{2},$$

$$c = 4 + \frac{3}{2} = \frac{11}{2}. \quad \square$$

Trouvons maintenant à quelle condition deux droites sont perpendiculaires. Supposons que deux droites aient respectivement pour pentes m_1 et m_2. Plaçons une nouvelle origine au point d'intersection des deux droites. Comme on le voit à la figure 1.25, les points $(\Delta x, \Delta y) = (1, m_1)$ et $(\Delta x, \Delta y) = (1, m_2)$ sont respectivement sur chacune des droites. Pour ce qui est des angles illustrés sur la figure,

$$\alpha_1 + \beta_1 = 90^\circ, \qquad \text{de sorte que} \qquad \alpha_1 = 90^\circ - \beta_1.$$

Ainsi, pour que $\alpha_1 + \beta_2 = 90^\circ$, il faut et il suffit que $(90^\circ - \beta_1) + \beta_2 = 90^\circ$, ou encore que $\beta_2 = \beta_1$. Un raisonnement analogue nous permet de montrer que $\alpha_1 = \alpha_2$; ainsi les deux triangles sont semblables. Puisque les côtés homologues sont proportionnels, d'après la figure 1.25,

$$\boxed{\frac{m_1}{1} = \frac{1}{-m_2}, \qquad \text{ou encore} \qquad m_1 m_2 = -1.} \qquad \textbf{(7)}$$

La relation 7 est la condition de perpendicularité de deux droites.

EXEMPLE 9 Trouver la pente d'une droite perpendiculaire à celle passant par les points $(6,-5)$ et $(8,3)$.

Solution La droite donnée a pour pente

$$\frac{\Delta y}{\Delta x} = \frac{3-(-5)}{8-6} = \frac{8}{2} = 4.$$

Une droite perpendiculaire aura donc une pente égale à $-1/4$. $\square$

Un aspect géométrique du calcul différentiel consiste à déterminer la pente des droites qui sont « tangentes à des courbes ». La figure 1.26 représente une tangente à une courbe au point $(2,3)$ de cette courbe. Nous ne pouvons encore traiter ce problème dans toute sa généralité, mais nous pouvons tout de même trouver la pente d'une tangente à un cercle en un point

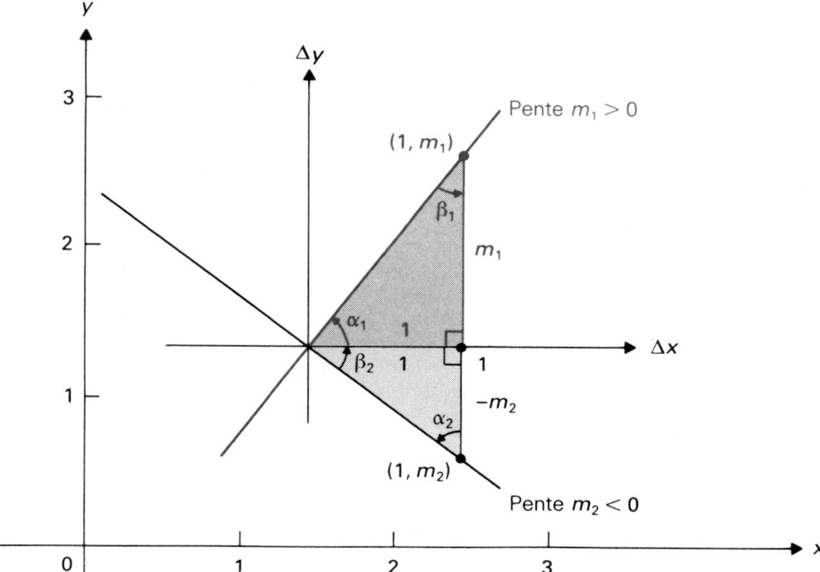

Figure 1.25 Les droites sont perpendiculaires lorsque les deux triangles sont semblables, c'est-à-dire lorsque $m_1/1 = 1/-m_2$.

(x,y). La tangente au cercle en (x,y) est la droite perpendiculaire au rayon en (x,y). La figure 1.27 représente le rayon et la tangente au cercle d'équation $x^2 + y^2 = 10$ au point (1,3).

EXEMPLE 10 Trouver la pente de la tangente au cercle d'équation $x^2 + y^2 = 10$ au point (1,3) du cercle (figure 1.27).

Solution La tangente au cercle est perpendiculaire au rayon au point de tangence. La droite qui porte le rayon passe par (0,0) et (1,3); sa pente est donc $(3 - 0)/(1 - 0) = 3$. Par conséquent, la pente de la tangente est $-1/3$. □

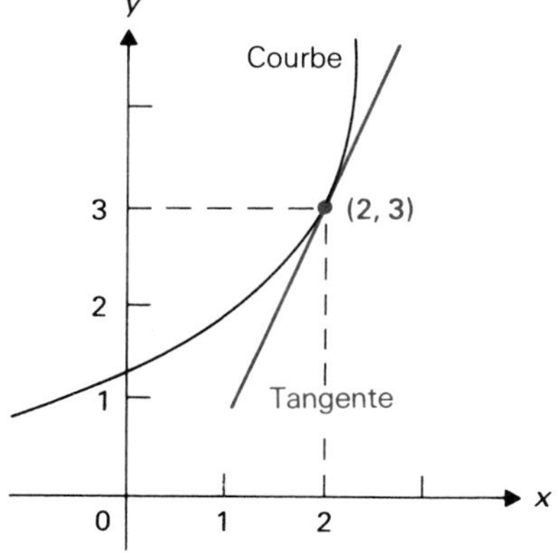

Figure 1.26 Tangente à la courbe au point (2,3).

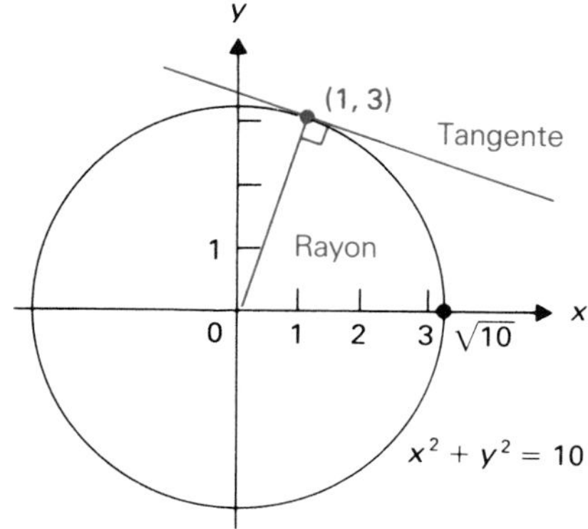

Figure 1.27 Tangente au point (1,3) perpendiculaire au rayon.

RÉSUMÉ

1. Le cercle de centre (h,k) et de rayon r a pour équation

$$(x - h)^2 + (y - k)^2 = r^2.$$

2. Pour trouver le centre (h,k) et le rayon r d'un cercle d'équation $ax^2 + ay^2 + bx + cy = d$, on doit compléter les carrés des termes en x et des termes en y.

3. Le lien entre les coordonnées x,y d'un point et les coordonnées $\Delta x, \Delta y$ obtenues lors d'une translation, où la nouvelle origine est $(x,y) = (h,k)$, est donné par

$$\Delta x = x - h, \qquad \Delta y = y - k.$$

4. La pente d'une droite verticale n'est pas définie. Si $x_1 \neq x_2$, la droite qui passe par les points (x_1,y_1) et (x_2,y_2) a pour pente

$$m = \frac{\Delta y}{\Delta x} = \frac{y_2 - y_1}{x_2 - x_1}.$$

5. Deux droites de pentes respectives m_1 et m_2 sont parallèles si et seulement si $m_1 = m_2$.

Elles sont perpendiculaires si et seulement si $m_1 m_2 = -1$, ou encore

$$m_2 = -\frac{1}{m_1}.$$

EXERCICES

Dans les exercices 1 à 3, trouver l'équation du cercle dont le centre et le rayon sont donnés.

1. Centre (0,0), rayon 5

2. Centre (−1,2), rayon 3

3. Centre (3, −4), rayon $\sqrt{30}$

Dans les exercices 4 à 7, trouver le centre et le rayon du cercle dont on donne l'équation.

4. $(x - 2)^2 + (y - 3)^2 = 36$

5. $(x + 3)^2 + y^2 = 49$

6. $x^2 + y^2 + 8x = 9$

7. $4x^2 + 4y^2 - 12x - 24y = -9/2$

8. Trouver l'équation du cercle dont les points (−1,2) et (5, −6) de la circonférence sont diamétralement opposés.

9. Trouver l'équation du cercle qui passe par le point (5,4) et dont le centre est (2, −3).

10. Trouver les coordonnées $\Delta x, \Delta y$ des points (x,y) suivants, après une translation déplaçant l'origine au point $(h,k) = (-3,2)$.
a) (4,6) *b*) (−1,3) *c*) (0,0)

11. Trouver les coordonnées $\Delta x, \Delta y$ des points (x,y) suivants, après une translation déplaçant l'origine au point $(h,k) = (-4,-1)$.
a) (−3, −2) *b*) (5, −3) *c*) (8, −1)

Dans les exercices 12 à 16, trouver la pente de la droite passant par les points donnés, si la droite n'est pas verticale.

12. (−3,4) et (2,1)

13. (5, −2) et (−6, −3)

14. (3,5) et (3,8)

15. (0,0) et (5,4)

16. (−7,4) et (9,4)

17. Quelle valeur doit prendre b pour que la droite passant par les points (2, −3) et $(5,b)$ ait une pente égale à −2?

18. Trouver la pente d'une droite perpendiculaire à celle passant par les points (−3,2) et (4,1).

19. Quelle valeur doit prendre b pour que la droite passant par les points (8,4) et (4, −2) soit parallèle à la droite passant par les points (−1,2) et $(2,b)$?

20. Quelle valeur doit prendre c pour que la droite passant par les points (3,1) et $(-2,c)$ soit perpendiculaire à la droite passant par les points (4, −1) et (3,2)?

Dans les exercices 21 à 23, utiliser le concept de pente pour déterminer si les quatre points donnés sont les sommets *a*) d'un parallélogramme; *b*) d'un rectangle.

21. $A(2,1)$, $B(3,4)$, $C(-1,2)$, $D(0,5)$

22. $A(3,1)$, $B(2,-4)$, $C(6,3)$, $D(5,-2)$

23. $A(4,0)$, $B(7,2)$, $C(2,3)$, $D(5,4)$

24. Soit D la droite de pente 5 passant par le point (−1,4). Trouver l'ordonnée du point de la droite dont l'abscisse est
a) 2 *b*) −3

25. Soit D la droite de pente -4 passant par le point $(2,-3)$. Trouver l'abscisse du point de la droite dont l'ordonnée est
a) 5 *b*) 0

Dans les exercices 26 et 27, utiliser le concept de pente pour déterminer si les points A, B et C donnés sont colinéaires. [*Indice* Des points sont dits *colinéaires* lorsqu'ils appartiennent à une même droite.]

26. $A(3,-1)$, $B(5,3)$, $C(2,-3)$

27. $A(0,6)$, $B(3,4)$, $C(6,1)$

28. Une particule se déplace le long d'une droite D de pente 3 passant par l'origine, en direction d'abscisses croissantes. Si la particule se déplace à la vitesse constante de 2 unités/seconde, quelle sera sa position 5 secondes après qu'elle ait traversé l'origine?

29. Une particule se déplace le long d'une droite D de pente $-4/3$ passant par le point $(-1,4)$, en direction d'abscisses décroissantes. Si la particule se déplace à la vitesse constante de 4 unités/seconde, quelle sera sa position 5 secondes après qu'elle ait traversé le point $(-1,4)$?

30. Trouver la pente de la tangente au cercle d'équation $x^2 + y^2 - 2y = 4$ au point $(1,-1)$ du cercle. [*Indice* La tangente est perpendiculaire au rayon.]

31. Trouver tous les points du cercle d'équation $x^2 + y^2 + 2x - 4y = 15$ où la tangente a une pente égale à 2. [*Indice* La tangente est perpendiculaire au rayon.]

32. Le point de congélation de l'eau est 0°C (32°F), et le point d'ébullition, 100°C (212°F). Si nous plaçons dans le repère cartésien les points de coordonnées (C, F), où C désigne une température mesurée en degrés Celsius et F, la température correspondante en degrés Fahrenheit, nous obtenons une droite. Trouver la pente de cette droite. Comment peut-on interpréter cette pente?

Pour les exercices 33 à 36, utiliser une calculatrice. Dans les exercices 33 et 34, trouver le centre et le rayon du cercle donné.

33. $x^2 + y^2 + 3{,}157x - 1{,}235y = 3{,}338$

34. $\sqrt{2}x^2 + \sqrt{2}y^2 - \pi^3 x + (\pi^2 + 3{,}4)y = \sqrt{17}$

Dans les exercices 35 et 36, trouver la pente de la droite passant par les points donnés.

35. $(2{,}367,\ \pi)$ et $(\sqrt{3},\ 8{,}9)$

36. $(\sqrt{2} + \sqrt{3},\ \pi - \sqrt{19{,}3})$ et $(\sqrt{\pi} + 1{,}45,\ \sqrt{14} - \sqrt[5]{134})$

1.3 ÉQUATION DE LA DROITE

Soit une droite de pente m passant par le point (x_1,y_1), comme à la figure 1.28. Cherchons quelle condition algébrique doit être remplie pour qu'un point (x,y) appartienne à la droite. Si la pente de la droite qui joint les points (x_1,y_1) et (x,y) est également m, alors cette droite est parallèle à la droite donnée, puisqu'elles ont même pente. De plus, comme les deux droites passent par le point (x_1,y_1), elles seront nécessairement confondues. Par conséquent, pour que le point (x,y) appartienne à la droite, on doit avoir

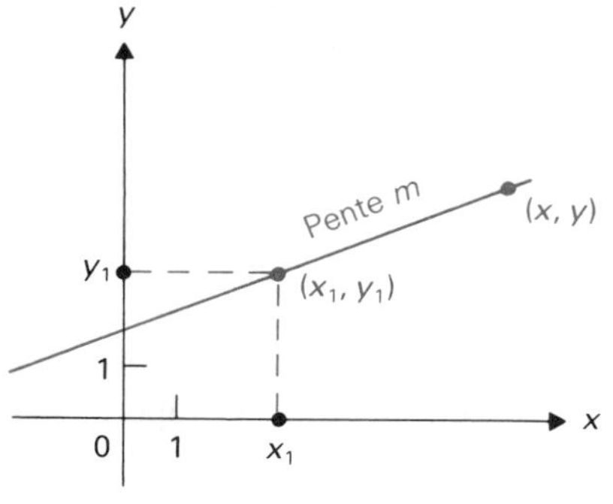

$$\frac{y - y_1}{x - x_1} = m, \tag{1}$$

ou

$$\boxed{y - y_1 = m(x - x_1).} \tag{2}$$

Figure 1.28 Point (x,y) appartenant à une droite de pente m passant par le point (x_1,y_1).

L'équation 2 est appelée l'équation *point–pente* de la droite.

EXEMPLE 1 Trouver l'équation de la droite de pente 7 passant par le point $(2,-3)$, représentée à la figure 1.29.

Solution L'équation cherchée est $y - (-3) = 7(x - 2)$ ou $y + 3 = 7(x - 2)$. Après simplification, on obtient $y = 7x - 17$. Le point $(3,4)$ appartient à cette droite, puisque $4 = 7 \cdot 3 - 17$. □

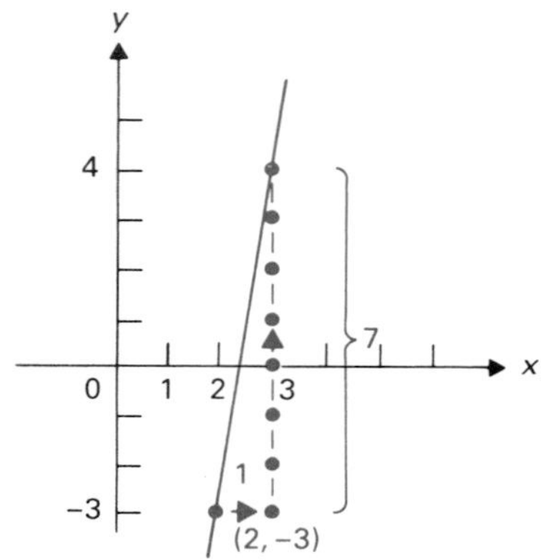

Figure 1.29 Droite de pente 7 passant par le point (2, −3).

Comme nous l'avons vu dans l'exemple 1, on peut également donner à l'équation 2 la forme équivalente

$$y = mx + b, \tag{3}$$

où $b = y_1 - mx_1$. La constante b de l'équation 3 peut être interprétée de la manière suivante: si nous posons $x = 0$ dans l'équation 3, alors $y = b$, et le point $(0,b)$ vérifie l'équation et appartient à la droite. Ce point $(0,b)$ est le point d'intersection de la droite et de l'axe des y, et b est l'**ordonnée à l'origine** de la droite (figure 1.30). L'équation 3 s'appelle ainsi l'équation *pente–ordonnée à l'origine* de la droite. Si la droite coupe l'axe des x au point $(a,0)$, alors a est appelée l'**abscisse à l'origine** de la droite.

EXEMPLE 2 Trouver l'ordonnée et l'abscisse à l'origine de la droite de l'exemple 1.

Solution Puisque l'équation de la droite est $y = 7x - 17$, l'ordonnée à l'origine est -17. Pour trouver l'abscisse à l'origine, il suffit de poser $y = 0$ dans l'équation. Nous obtenons $7x - 17 = 0$, d'où $x = 17/7$. Le point $(17/7,0)$ appartient donc à la droite et l'abscisse à l'origine est $17/7$. □

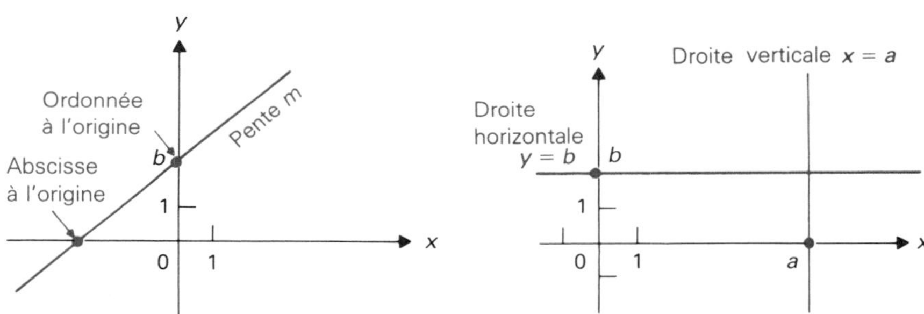

Figure 1.30 Droite d'équation $y = mx + b$.

Figure 1.31 Équations de droites verticale et horizontale.

La pente de la droite verticale passant par le point $(a,0)$ représentée à la figure 1.31, n'est pas définie. Cette droite n'admet donc pas d'équation semblable aux équations 2 et 3. D'autre part, il est bien certain que, pour qu'un point (x,y) appartienne à cette droite, il faut et il suffit que $x = a$. Par un raisonnement analogue, l'équation de la droite horizontale passant par le point $(0,b)$ est $y = b$. Dans tout système de coordonnées, il est important de savoir quel ensemble de points on obtient lorsqu'on fixe une des coordonnées. Dans notre système de coordonnées cartésiennes, $x = a$ est une droite verticale et $y = b$ est une droite horizontale.

EXEMPLE 3 Trouver l'équation de la droite passant par les points $(-5,3)$ et $(-5,7)$.

Solution Comme $\Delta x = -5 - (-5) = 0$, la pente de cette droite n'est pas définie. Il s'agit donc d'une droite verticale, dont l'équation a la forme $x = a$, où a est l'abscisse de chacun des points de la droite. Dans ce cas-ci, la droite a pour équation $x = -5$. □

Pour trouver l'équation d'une droite, il suffit de trouver *un point* sur la droite et *la pente* de la droite, puis d'utiliser l'équation 2.

EXEMPLE 4 Trouver l'équation de la droite passant par les points $(-5,-3)$ et $(6,1)$.

Solution Nous allons résoudre le problème comme suit:

Point $(x_1,y_1) = (-5,-3)$

Pente $m = \dfrac{1-(-3)}{6-(-5)} = \dfrac{4}{11}$

Équation

$$\begin{array}{ccccc} y - y_1 & = & m(x & - & x_1), \\ \downarrow & & \downarrow & & \downarrow \end{array}$$

$$y-(-3) = \frac{4}{11}[x-(-5)],$$

$$y+3 = \frac{4}{11}(x+5)$$

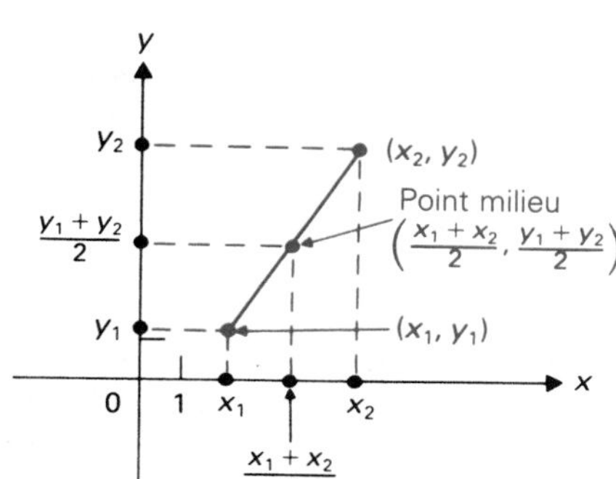

Figure 1.32 Point milieu d'un segment de droite.

L'équation peut être ramenée sous la forme $11y + 33 = 4x + 20$ ou $4x - 11y = 13$. □

Nous avons vu à la section 1.1 que le point milieu de l'intervalle fermé $[a,b]$ de la droite numérique est $(a+b)/2$. La figure 1.32 montre bien que, dans le repère cartésien,

> le **point milieu** du segment de droite joignant deux points (x_1,y_1) et (x_2,y_2) est $\left(\dfrac{x_1+x_2}{2}, \dfrac{y_1+y_2}{2}\right)$

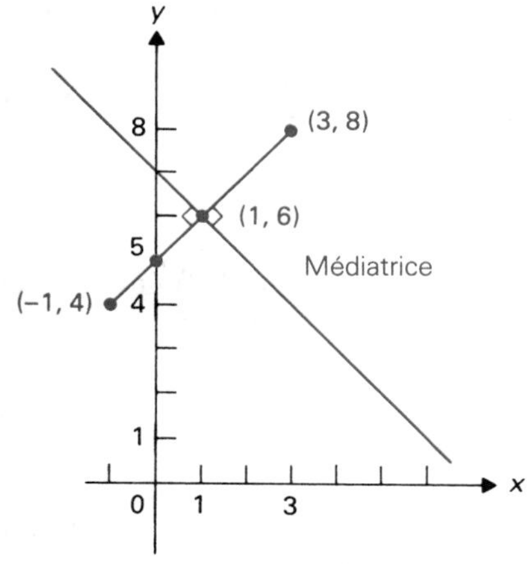

Figure 1.33 Médiatrice du segment de droite joignant les points $(-1,4)$ et $(3,8)$.

EXEMPLE 5 Trouver l'équation de la médiatrice du segment de droite joignant les points $(-1,4)$ et $(3,8)$. Voir la figure 1.33.

Solution Nous devons trouver un point sur la droite et la pente de la droite.

Point Par définition, le point milieu du segment de droite joignant les points $(-1,4)$ et $(3,8)$ appartient à la médiatrice. D'après la formule que nous venons de donner, le point milieu du segment est

$$\left(\frac{-1+3}{2}, \frac{4+8}{2}\right) = \left(\frac{2}{2}, \frac{12}{2}\right) = (1,6)$$

Pente La médiatrice est perpendiculaire au segment de droite dont la pente est

$$\frac{\Delta y}{\Delta x} = \frac{8-4}{3-(-1)} = \frac{4}{4} = 1.$$

La pente de la médiatrice est donc -1.

Équation

$$\begin{aligned} y - y_1 &= m(x - x_1), \\ &\downarrow \quad \downarrow \quad \downarrow \\ y - 6 &= -1(x - 1), \\ y &= -x + 7 \quad \square \end{aligned}$$

EXEMPLE 6 Trouver l'équation de la tangente au cercle d'équation $x^2 + y^2 = 10$ au point (1,3).

Solution

Point (1,3)

Pente La tangente est perpendiculaire au rayon, qui passe par les points (0,0) et (1,3). Le rayon a pour pente $\Delta y / \Delta x = 3/1 = 3$. La tangente a donc pour pente $-1/3$.

Équation (À ce stade-ci, il ne devrait plus être nécessaire de montrer la substitution des nombres dans la formule, comme nous l'avons fait dans les exemples 4 et 5.)

$$y - 3 = -\tfrac{1}{3}(x - 1), \qquad \text{ou encore} \qquad 3y + x = 10. \quad \square$$

Remarquez que toute équation de la forme $ax + by + c = 0$, où a et b ne sont pas tous les deux nuls, détermine une droite. Si $b = 0$, l'équation prend la forme $x = -c/a$, qui correspond à une droite verticale. Si $b \neq 0$, l'équation peut s'écrire sous la forme $y = -(a/b)x - c/b$, qui définit une droite de pente $m = -a/b$ et d'ordonnée à l'origine $-c/b$.

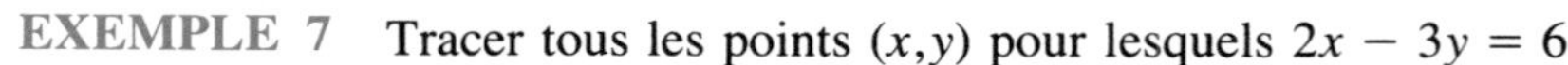

EXEMPLE 7 Tracer tous les points (x,y) pour lesquels $2x - 3y = 6$.

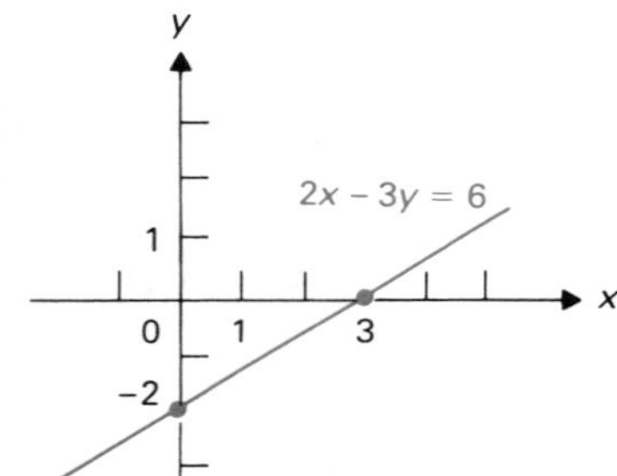

Figure 1.34 Graphe de l'équation $2x - 3y = 6$ tracé au moyen de l'abscisse et de l'ordonnée à l'origine.

Solution Pour résoudre un problème de ce type, certains étudiants ont tendance à faire un tableau contenant une dizaine de points vérifiant l'équation, à placer ces points, puis à tracer d'une main incertaine une droite qui passe plus ou moins par tous ces points. Tout cela est bien inutile car nous savons que $2x - 3y = 6$ est l'équation d'une *droite* et que *deux points suffisent* pour la déterminer entièrement. En posant $x = 0$, nous obtenons -2 comme ordonnée à l'origine. En posant $y = 0$, nous obtenons 3 comme abscisse à l'origine. La droite est représentée à la figure 1.34. □

EXEMPLE 8 Trouver l'équation de la droite passant par le point $(4, -1)$ perpendiculaire à la droite d'équation $2x + 4y = 5$ (figure 1.35).

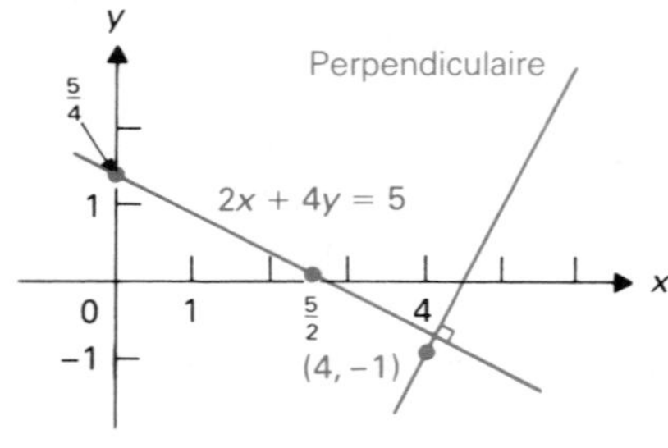

Figure 1.35 Droite passant par le point $(4, -1)$ et perpendiculaire à la droite d'équation $2x + 4y = 5$.

Solution

Point $(4, -1)$

Pente L'équation peut s'écrire sous la forme $4y = -2x + 5$ ou $y = -x/2 + 5/4$ (forme $y = mx + b$). La droite donnée a donc une pente égale à $-1/2$, et la droite cherchée une pente de 2.

Équation $y + 1 = 2(x - 4)$ ou $y = 2x - 9$. □

EXEMPLE 9 Trouver le point d'intersection des droites d'équations $2x + y = 3$ et $x - 5y = 7$, représentées à la figure 1.36.

Solution Nous devons trouver un point (x,y) vérifiant les deux équations à la fois. Résolvons les deux équations simultanément. On a

$$\begin{cases} 2x + y = 3 \\ x - 5y = 7 \end{cases};$$

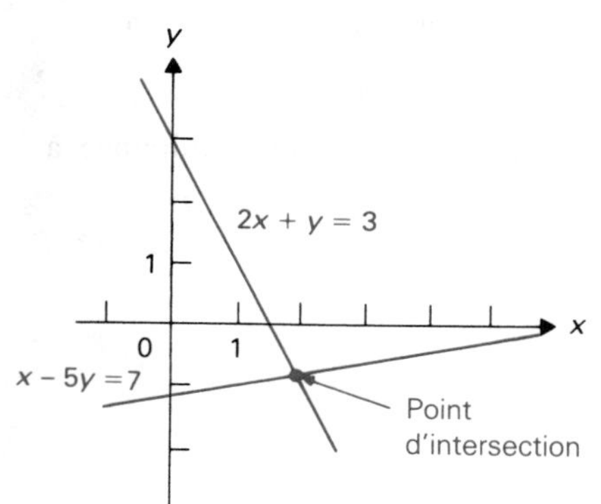

Figure 1.36 Le point d'intersection des droites d'équations $2x + y = 3$ et $x - 5y = 7$ est $(2, -1)$.

en multipliant la 2e équation par -2 et en additionnant les deux équations,

$$\begin{array}{r} \begin{cases} 2x + y = 3 \\ -2x + 10y = -14 \end{cases} \\ \hline 11y = -11. \end{array}$$

Ainsi, $y = -1$, d'où $x = 5y + 7 = -5 + 7 = 2$. Le point d'intersection cherché est donc $(2, -1)$. □

Deux grandeurs P et Q sont *en relation linéaire* si l'une quelconque d'entre elles peut être obtenue de l'autre par la résolution d'une équation linéaire, telle que $Q = mP + b$. Bien entendu, cela signifie géométriquement que les points (P,Q) dont les coordonnées sont des valeurs correspondantes de P et de Q sont colinéaires. Par exemple, les échelles Fahrenheit et Celsius de températures sont en relation linéaire. (On vous demande dans l'exercice 27 de trouver cette relation.) L'exemple qui suit est une illustration de relation linéaire.

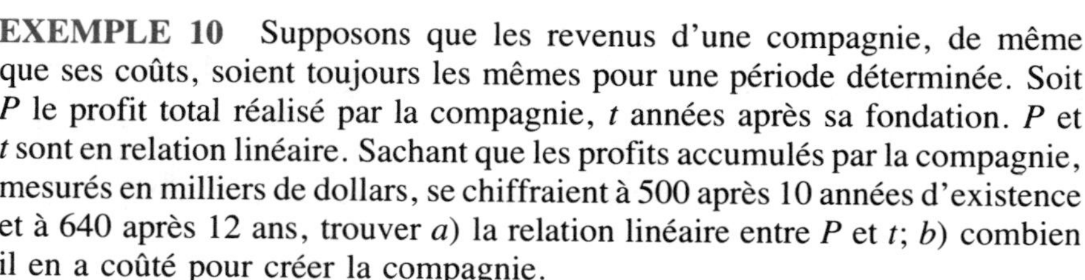

EXEMPLE 10 Supposons que les revenus d'une compagnie, de même que ses coûts, soient toujours les mêmes pour une période déterminée. Soit P le profit total réalisé par la compagnie, t années après sa fondation. P et t sont en relation linéaire. Sachant que les profits accumulés par la compagnie, mesurés en milliers de dollars, se chiffraient à 500 après 10 années d'existence et à 640 après 12 ans, trouver *a*) la relation linéaire entre P et t; *b*) combien il en a coûté pour créer la compagnie.

Solution

a) Nous connaissons deux points (t,P) qui satisfont à la relation: (10,500) et (12,640).

Point (10,500)

Pente $\dfrac{\Delta P}{\Delta t} = \dfrac{640 - 500}{12 - 10} = \dfrac{140}{2} = 70$

Relation linéaire $(P - 500) = 70(t - 10)$, ou encore $P = 70t - 200$

b) D'après *a*, au temps $t = 0$ le profit accumulé est de -200. Cela signifie qu'il en a coûté 200 000 \$ pour créer la compagnie. □

RÉSUMÉ

1. **L'équation d'une droite verticale est de la forme $x = a$.**
2. **L'équation d'une droite horizontale est de la forme $y = b$.**
3. **Pour trouver l'équation d'une droite, il suffit de trouver un point (x_1,y_1) de la droite et la pente m de la droite, puis de former l'équation**

$$y - y_1 = m(x - x_1).$$

4. **$y = mx + b$ est l'équation d'une droite de pente m et d'ordonnée à l'origine b.**

EXERCICES

Dans les exercices 1 à 4, trouver l'équation de la droite de pente m passant par le point P.

1. $P(-1,4)$, $m = 5$

2. $P(2,-3)$, $m = -3$

3. $P(4,2)$, $m = 0$

4. $P(-2,1)$, m non définie

Dans les exercices 5 à 8, trouver l'équation de la droite qui passe par les points P et Q donnés.

5. $P(4,-5)$, $Q(-1,1)$

6. $P(2,5)$, $Q(-3,5)$

7. $P(-3,4)$, $Q(-3,-1)$

8. $P(-1,-2)$, $Q(4,-3)$

9. Trouver l'équation de la droite passant par le point $(-2,1)$ et parallèle à la droite d'équation $2x + 3y = 7$.

10. Trouver l'équation de la droite passant par le point $(-3,-1)$ et perpendiculaire à la droite d'équation $x + 4y = 8$.

11. Trouver l'équation de la droite passant par le point $(-2,5)$ et ayant une abscisse à l'origine de -3.

12. Trouver l'équation de la droite passant par le point $(1,-4)$ et ayant une ordonnée à l'origine de 6.

13. Trouver l'équation de la médiatrice du segment de droite joignant les points $(-1,5)$ et $(3,11)$.

14. Trouver l'équation de la tangente au cercle d'équation $x^2 + y^2 = 25$ au point $(-3,4)$.

Dans les exercices 15 à 17, dire si les droites données sont parallèles, perpendiculaires ou ni parallèles, ni perpendiculaires.

15. $3x + y = 8$, $12x + 4y = -5$

16. $4x - 3y = 6$, $3x - 4y = 8$

17. $6x - 2y = 7$, $x + 3y = 4$

Dans les exercices 18 à 20, trouver la pente ainsi que l'abscisse et l'ordonnée à l'origine des droites données.

18. $7x - 13y = 8$

19. $y = 11$

20. $x = 4$

Dans les exercices 21 à 25, représenter graphiquement les droites données.

21. $x + 2y = 6$

22. $2x - y = 4$

23. $8y = -11$

24. $4x = 9$

25. $4x + 3y = 12$

26. Trouver le point d'intersection des droites d'équations $2x + 3y = 7$ et $3x + 4y = -8$.

27. Trouver la relation linéaire permettant de calculer la température F en degrés Fahrenheit correspondant à une température de C degrés Celsius. (Voir l'exercice 32 de la section 1.2.)

28. On a placé un seau cylindrique sous un robinet pour en recueillir l'eau qui dégoutte. La hauteur h (mesurée en cm) de l'eau dans le seau est en relation linéaire avec le temps t (mesuré en minutes) écoulé depuis la mise en place du seau. À 17 h, le seau contient 2 cm d'eau et à 18 h, 5 cm. Trouver *a*) la relation linéaire entre h et t; *b*) l'heure à laquelle on a placé le seau.

1.4 FONCTIONS ET GRAPHES

FONCTIONS

L'aire d'un cercle est une *fonction* du rayon du cercle; autrement dit l'aire dépend de la mesure du rayon et varie avec elle. Ainsi, lorsqu'on donne une valeur numérique au rayon, l'aire du cercle s'en trouve déterminée. Par exemple, si le rayon mesure 3 unités, alors l'aire du cercle mesure 9π unités carrées. De façon analogue, l'aire d'une surface rectangulaire est une *fonction* de la longueur et de la largeur de celle-ci; l'aire dépend de ces quantités et varie avec elles. Par exemple, un rectangle d'une longueur de 5 unités et d'une largeur de 3 unités a une aire de 15 unités carrées.

La façon dont une quantité Q dépend d'autres quantités et varie avec elles est une des préoccupations majeures des scientifiques. En effet, le fait d'avoir une loi qui permet d'établir Q pour chaque valeur possible des autres quantités est d'une très grande utilité. De telles lois s'appellent des *fonctions*.

DÉFINITION 1.1 Fonction

On appelle **fonction** une loi qui fait correspondre à chaque élément x d'un ensemble X un et un seul élément y d'un ensemble Y. On utilise la notation $y = f(x)$, qui se lit « y égale f de x ».

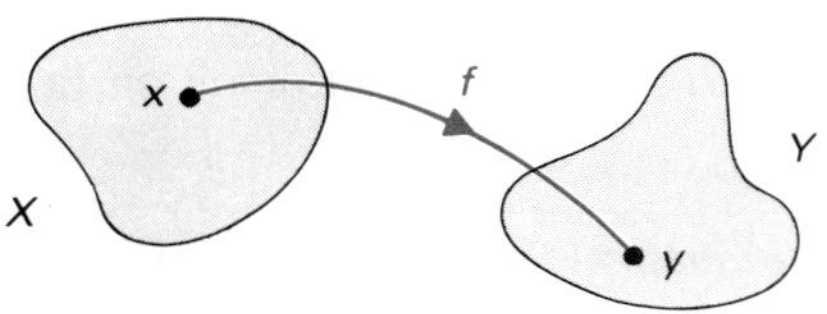

Figure 1.37 Schéma d'une fonction *f*.

Cette définition est représentée schématiquement à la figure 1.37. Jusqu'à présent, nous n'avons utilisé des lettres que pour représenter des nombres. Dans le cas présent, il est bien important de comprendre qu'une fonction f *n'est pas* un nombre, mais plutôt une règle de correspondance. Nous avons tenté de faire ressortir cette nuance à la figure 1.37, en indiquant par la lettre f la flèche de couleur contrastante qui représente la fonction faisant correspondre à l'élément x de l'ensemble X, l'élément y de l'ensemble Y.

Une autre représentation intuitive est aussi fréquemment utilisée dans les ouvrages élémentaires: celle de « boîte magique » (figure 1.38). On place un élément x dans la boîte et il en sort un élément y à l'autre bout. Une calculatrice scientifique est un bon exemple de boîte magique. En effet, si on y introduit une valeur de x et qu'on appuie ensuite sur la touche sin x pour « appliquer la fonction », on verra apparaître aussitôt la valeur de y ($y = f(x) = \sin x$).

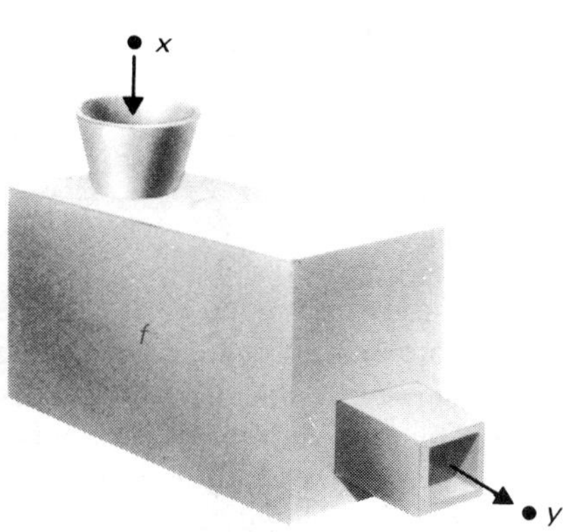

Figure 1.38 Autre schéma d'une fonction *f*: la « boîte magique ».

Soit $y = f(x)$, où x appartient à un ensemble X et y, à un ensemble Y, comme dans la définition 1.1. Puisque y est obtenu à partir de x, on appelle y la **variable dépendante** et x la **variable indépendante**. L'ensemble X de tous les x sur lesquels s'applique la fonction f s'appelle le **domaine de définition** ou plus simplement le **domaine** de la fonction f. L'ensemble de tous les éléments y obtenus en cherchant $f(x)$ pour tous les x de l'ensemble X s'appelle l'**image** de la fonction f. Par abus de langage, on parlera souvent d'une fonction $f(x)$, mais de façon stricte, $f(x)$ est la **valeur** de la fonction f au point x; c'est f qui est la fonction.

Tout au long de cet ouvrage, nous allons nous intéresser aux fonctions dont le domaine et l'image sont des ensembles de nombres réels. Ainsi, lorsque nous écrirons $y = f(x)$, x et y seront tous les deux des nombres réels. De telles fonctions sont des **fonctions réelles d'une variable réelle**.

Lorsqu'on parle d'une fonction f particulière et qu'on écrit $y = f(x)$, il faut indiquer la règle de correspondance f qui permet d'obtenir le nombre réel y à partir d'un nombre réel quelconque x du domaine de f. Il arrive souvent que la règle de correspondance soit donnée au moyen d'une formule. Par exemple, on écrira

$$y = f(x) = x^2, \qquad \text{pour tout } x. \tag{1}$$

Fonction puissance 2

« Pour tout x » indique que le domaine de f est constitué de l'ensemble de *tous* les nombres réels.

EXEMPLE 1 Soit $y = f(x) = x^2 + 3$, pour tout x. Alors $f(-2) = 7$, $f(-1) = 4$, $f(0) = 3$, $f(1) = 4$ et $f(2) = 7$. On voit sans peine que la fonction f est telle que $f(-x) = f(x)$, pour tout x. L'image de f est constituée de tous les $y \geq 3$. □

EXEMPLE 2 Soit $y = f(x) = |x| - 4$, pour tout x. Alors $f(-2) = -2$, $f(-1) = -3$, $f(-1/2) = -7/2$, $f(0) = -4$, $f(1/2) = -7/2$, $f(1) = -3$ et $f(2) = -2$. Remarquez que nous pourrions tout aussi bien calculer $f(9/2)$ ou $f(\pi)$. Plusieurs étudiants ont l'impression que les fonctions ne sont définies que pour des valeurs entières de x. *Il n'en est rien*. Lorsqu'on lit

$$f(x) = |x| - 4, \qquad \text{pour tout } x$$

cela signifie que x peut prendre *n'importe quelle* valeur réelle. L'image de f est constituée de tous les $y \geq -4$. □

Selon la définition 1.1, une fonction f fait correspondre à un nombre x *un et un seul* nombre y. L'*unicité* du nombre y associé à x par la fonction f est une propriété importante de la fonction. Comme nous aurons parfois l'occasion d'extraire des racines carrées, voici la formule de correspondance:

$$y = f(x) = \sqrt{x}, \qquad \text{pour tout } x \geq 0. \tag{2}$$

Fonction racine carrée

Le domaine de cette fonction est constitué de tous les $x \geq 0$, car la racine carrée d'un nombre négatif n'est pas un nombre réel. Vous êtes peut-être habitué à voir $\sqrt{4}$ comme ± 2, puisque 2^2 et $(-2)^2$ donnent tous les deux 4. Néanmoins, pour que $\sqrt{x}$ définisse une fonction, $\sqrt{4}$ ne doit donner qu'*une seule* de ces possibilités. *Pour que* $\sqrt{\text{x}}$ *définisse une fonction, l'expression* $\sqrt{\text{x}}$ *désigne dorénavant la racine carrée* non négative *de* x. Ainsi, $\sqrt{4} = 2$, $\sqrt{0} = 0$, $\sqrt{9} = 3$, etc. La racine carrée négative sera obtenue au moyen de la fonction $-\sqrt{x}$.

Lorsqu'une fonction $y = f(x)$ est définie au moyen d'une formule et que le domaine de la variable indépendante n'est pas précisé, il est d'usage de prendre pour domaine de la fonction l'ensemble de toutes les valeurs de x pour lesquelles la formule peut être calculée et donner pour réponse un nombre *réel*. En particulier,

> on ne doit jamais diviser par zéro, ni extraire la racine carrée (ou quatrième, ou n'importe quelle racine d'ordre pair) d'un nombre négatif.

EXEMPLE 3 Trouver le domaine de la fonction f donnée par $y = f(x) = \sqrt{x-1}$.

Solution Le domaine est constitué de tous les x pour lesquels $x - 1 \geq 0$, soit tous les $x \geq 1$. L'image de f est l'ensemble des $y \geq 0$. □

EXEMPLE 4 Trouver le domaine de la fonction $y = f(x) = (x^2 - 1)/(x^2 - 9)$.

Solution On remarque que $f(2) = 3/(-5)$ et $f(5) = 24/16 = 3/2$, mais que f n'est pas définie en 3 ni en -3 puisque l'on ne peut diviser par zéro. Le domaine de la fonction est donc constitué de tous les $x \neq \pm 3$. □

Il arrivera que nous voulions traiter plus d'une fonction à la fois. Nous utiliserons alors différentes lettres, qui représenteront différentes fonctions. Les lettres f, g et h sont les plus couramment utilisées. Dans les deux exemples qui suivent, nous utiliserons la lettre g pour nous habituer à des lettres autres que f.

EXEMPLE 5 Trouver le domaine de la fonction $g(x) = x/\sqrt{x-3}$.

Solution Nous devons faire attention à deux choses: d'une part, on doit avoir $x - 3 \geq 0$, de sorte que $\sqrt{x-3}$ soit un nombre réel; d'autre part, il faut que $\sqrt{x-3} \neq 0$, puisqu'on ne peut diviser par 0. Or, $x - 3 \geq 0$ signifie que nous devons avoir $x \geq 3$ et $\sqrt{x-3} \neq 0$ est synonyme de $x \neq 3$. Par conséquent, le domaine de g est constitué de tous les $x > 3$. □

EXEMPLE 6 Au début de la section, nous avons affirmé que l'aire A d'un cercle est une fonction de son rayon r. Quelle est cette fonction?

Solution Appelons la fonction g. r est la variable indépendante et A, la variable dépendante. L'aire

$$A = g(r) = \pi r^2, \qquad \text{pour } r \geq 0.$$

La restriction $r \geq 0$ sur le domaine est essentielle, du fait qu'un cercle ne peut avoir un rayon négatif. Nous pourrions, bien entendu, calculer πr^2 pour des valeurs négatives de r, mais cette fois la restriction provient du contexte géométrique d'où est tirée la fonction. □

DÉFINITION 1.2 Égalité de deux fonctions

Deux fonctions f et g sont dites **égales** si et seulement si

1. elles ont même domaine et
2. $f(x) = g(x)$ pour tout x du domaine.

EXEMPLE 7 Montrer que les fonction $f(x) = |x|$ et $g(x) = \sqrt{x^2}$ sont égales.

Solution La fonction f est définie pour tout x. Comme $x^2 \geq 0$ et que l'on peut extraire la racine carrée de tout nombre non négatif, la fonction g est également définie pour tout x. Les deux fonctions ont donc même domaine. Pour $x \geq 0$, $|x| = x = \sqrt{x^2}$, alors que pour $x < 0$, $|x|$ et $\sqrt{x^2}$ donnent toutes les deux la valeur positive $-x$. Par exemple, $\sqrt{(-5)^2} = 5 = |-5|$. Par conséquent, f et g représentent la même fonction. □

Voyons maintenant, à l'aide d'un exemple, l'importance de faire bien attention, lorsqu'on simplifie la formule définissant une fonction, de ne pas modifier la fonction.

EXEMPLE 8 Les fonctions f et g définies par

$$f(x) = \frac{x^2 - 1}{x - 1} \qquad \text{et} \qquad g(x) = x + 1$$

sont-elles égales? Justifier.

Solution Comme

$$\frac{x^2 - 1}{x - 1} = \frac{(x - 1)(x + 1)}{x - 1},$$

on pourrait être tenté de simplifier le facteur $(x - 1)$ au numérateur et au dénominateur et d'affirmer que $f(x) = g(x)$, c'est-à-dire que f et g représentent la même fonction. Remarquez toutefois que la fonction f n'est pas définie au point 1, car substituer x par 1 dans l'expression $(x^2 - 1)/(x - 1)$ entraîne une division par zéro. Par ailleurs, $g(1) = 1 + 1 = 2$. Les fonctions f et g ne sont donc pas égales. Bien entendu, $f(x) = g(x)$ pour tout $x \neq 1$. Si l'on veut simplifier la formule définissant $f(x)$, il faut donc écrire

$$f(x) = x + 1, \qquad \text{pour } x \neq 1. \qquad \square$$

EXEMPLE 9 Soit la fonction $f(x) = x^2 - 3x$. Calculer, en termes de Δx, $f(5 + \Delta x)$ et $[f(5 + \Delta x) - f(5)]/\Delta x$. (Nous allons bientôt rencontrer ce type de problème en calcul différentiel.)

Solution Pour calculer $f(5 + \Delta x)$, il suffit de remplacer x par $5 + \Delta x$ dans la formule $x^2 - 3x$. On obtient

$$\begin{array}{ccccc} f(x) & = & x^2 & - & 3x, \\ \downarrow & & \downarrow & & \downarrow \end{array}$$

$$\begin{aligned} f(5+\Delta x) &= (5+\Delta x)^2 - 3(5+\Delta x) \\ &= [25 + 10(\Delta x) + (\Delta x)^2] - [15 + 3(\Delta x)] \\ &= 10 + 7(\Delta x) + (\Delta x)^2. \end{aligned}$$

Par conséquent,

$$\begin{aligned} \frac{f(5+\Delta x) - f(5)}{\Delta x} &= \frac{[10 + 7(\Delta x) + (\Delta x)^2] - (5^2 - 3 \cdot 5)}{\Delta x} \\ &= \frac{10 + 7(\Delta x) + (\Delta x)^2 - 10}{\Delta x} = \frac{7(\Delta x) + (\Delta x)^2}{\Delta x} \\ &= \frac{\Delta x(7 + \Delta x)}{\Delta x} = 7 + \Delta x \qquad \text{pour } \Delta x \neq 0. \quad \square \end{aligned}$$

EXEMPLE 10 Une fonction $y = f(x)$ n'est pas toujours définie, sur l'ensemble de son domaine, au moyen d'une formule unique. Il peut arriver que l'on utilise différentes formules pour différentes parties du domaine. Ainsi,

$$f(x) = \begin{cases} 2x - 4 & \text{quand } x \geq 3, \\ |x| & \text{quand } -5 < x < 3, \\ 1 + x & \text{quand } x \leq -5 \end{cases}$$

définit une fonction dont le domaine est l'ensemble des nombres réels. On a

$$\begin{aligned} f(5) &= 2 \cdot 5 - 4 = 6 && \text{car } 5 \geq 3, \\ f(-2) &= |-2| = 2 && \text{car } -5 < -2 < 3, \\ f(-7) &= 1 + (-7) = -6 && \text{car } -7 \leq -5. \end{aligned}$$

En somme, *tout* moyen nous permettant de calculer une valeur de y unique pour chaque valeur de x d'un ensemble X de nombres définit une fonction ayant X pour domaine.

GRAPHES DES FONCTIONS

Nous allons maintenant utiliser les notions de géométrie analytique dans le plan, introduites aux sections 1.1 à 1.3, pour représenter graphiquement des fonctions réelles d'une variable réelle. Pour une fonction f donnée, il s'agira de trouver les points (x,y) du plan pour lesquels $y = f(x)$. L'ensemble des points constitue le **graphe*** (ou **courbe représentative**) de la fonction.

* *N.D.L.T.* De façon stricte, le graphe d'une fonction désigne l'ensemble des couples (x,y) de la fonction. Cependant, sous l'influence de l'anglais, l'usage a étendu le sens du mot « graphe », qui est maintenant régulièrement utilisé en tant que synonyme d'expressions comme « courbe représentative » ou « représentation graphique » d'une fonction.

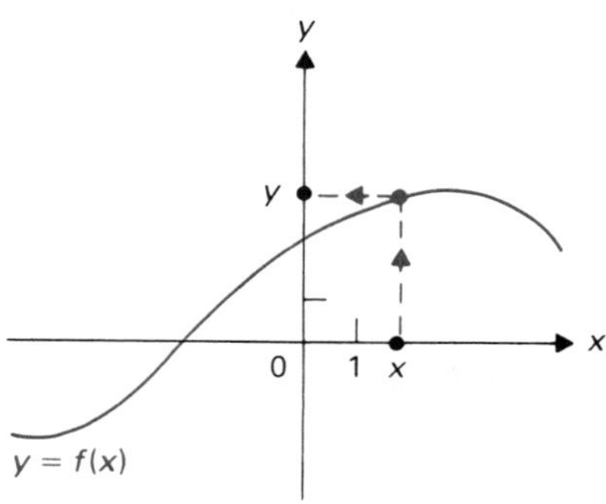

Figure 1.39 Courbe représentative d'une fonction f; obtention de la valeur de y à partir d'une valeur de x connue.

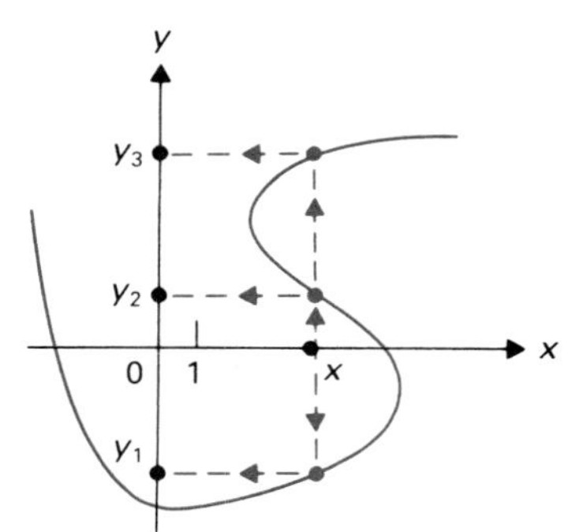

Figure 1.40 Le graphe ne représente pas une fonction car à une valeur de x donnée ne doit pas correspondre plus d'un y.

La figure 1.39 représente le graphe d'une fonction f. On peut interpréter le graphe comme l'outil géométrique qui permet de calculer une fonction en tout point x de son domaine. Ainsi, à partir de x, on se déplace verticalement jusqu'à ce qu'on rencontre le graphe, puis de ce point on se déplace horizontalement pour trouver la valeur de y pour laquelle $y = f(x)$. Ce procédé géométrique est illustré à la figure 1.39 au moyen de flèches.

Il faut se rappeler qu'à une valeur de x donnée, une fonction ne fait correspondre qu'*une* valeur de y. La courbe de la figure 1.40 ne représente donc pas une fonction. En effet, à la valeur de x illustrée correspondent trois valeurs de y, soit y_1, y_2 et y_3. Or, une fonction ne peut pas faire correspondre trois valeurs de y à une même valeur de x. Géométriquement, cela signifie que

> Une droite verticale *ne peut* couper le graphe d'une fonction plus d'une fois.

Par contre, une droite horizontale peut couper le graphe d'une fonction plusieurs fois (figure 1.41), puisque plusieurs valeurs différentes de x peuvent avoir pour correspondant un même y. La figure 1.42 représente graphiquement les notions de *domaine* et d'*image* d'une fonction.

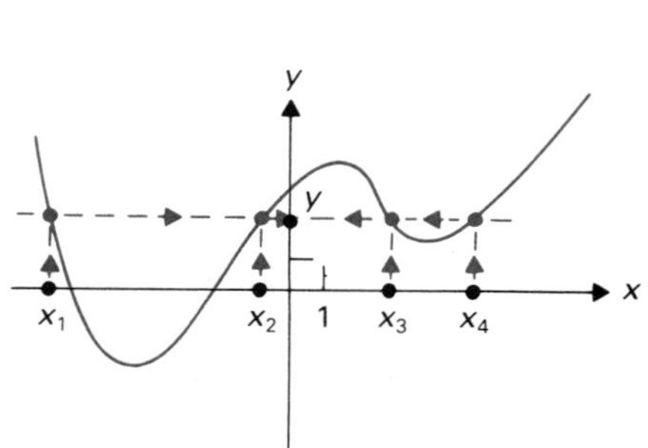

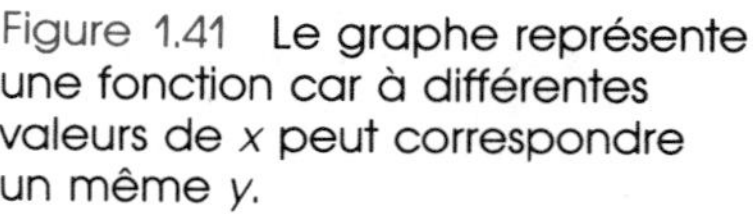

Figure 1.41 Le graphe représente une fonction car à différentes valeurs de x peut correspondre un même y.

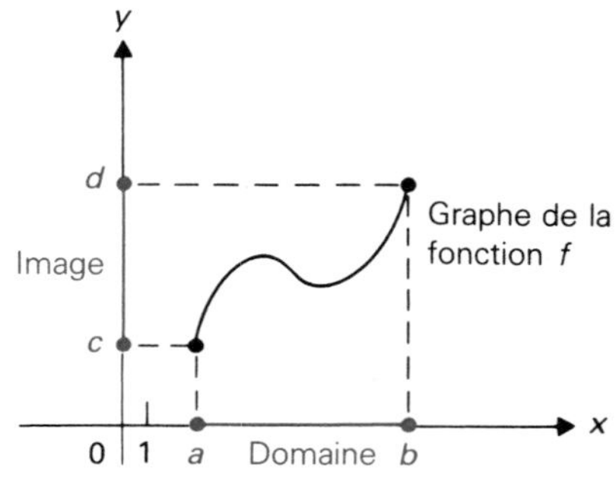

Figure 1.42 Le domaine de f est l'intervalle $[a,b]$; son image, l'intervalle $[c,d]$.

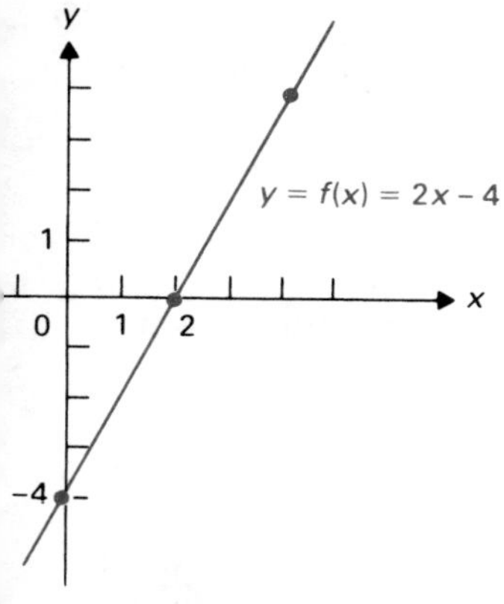

1.43 Courbe représentative
›nction $f(x) = 2x - 4$.

EXEMPLE 11 Tracer la courbe représentative de la fonction $y = f(x) = 2x - 4$.

Solution La courbe représentative de cette fonction est tout simplement la représentation graphique de l'équation $y = 2x - 4$, soit la droite de pente 2 et d'ordonnée à l'origine -4 représentée à la figure 1.43. □

EXEMPLE 12 Tracer la courbe représentative de la fonction puissance 2, $s = g(t) = t^2$.

Solution La courbe représentative est donnée à la figure 1.44. Les axes sont indiqués au moyen des lettres t et s, conformément aux lettres utilisées dans la fonction. Cette courbe sera étudiée avec plus de détails à la prochaine section. □

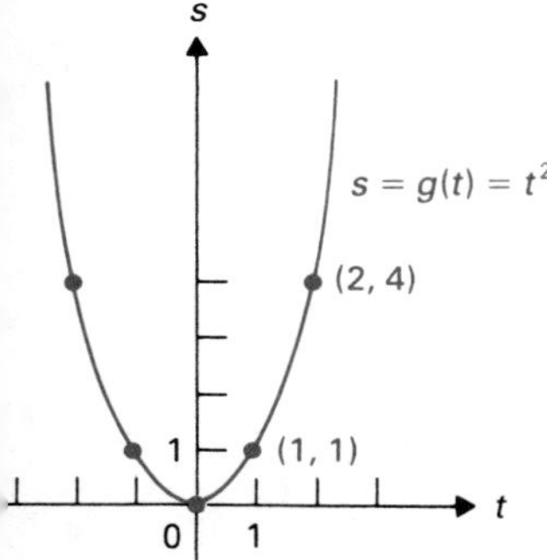

1.44 Graphe de la *fonction* *ce 2*:
$= t^2$.

EXEMPLE 13 Tracer le graphe de la fonction $y = f(x) = |x|$.

Solution Le graphe de la fonction $y = f(x) = |x|$ est donné à la figure 1.45. Remarquons que la fonction $f(x)$ peut également être définie ainsi:

$$f(x) = \begin{cases} x, & \text{si } x \geq 0, \\ -x, & \text{si } x < 0. \end{cases}$$

On vous demande de bien retenir ce graphe. □

EXEMPLE 14 Tracer le graphe de la fonction f de l'exemple 10.

Solution La fonction de l'exemple 10 était définie ainsi:

$$f(x) = \begin{cases} 2x - 4 & \text{quand } x \geq 3, \\ |x| & \text{quand } -5 < x < 3, \\ 1 + x & \text{quand } x \leq -5. \end{cases}$$

Le graphe de la fonction f est donné à la figure 1.46. □

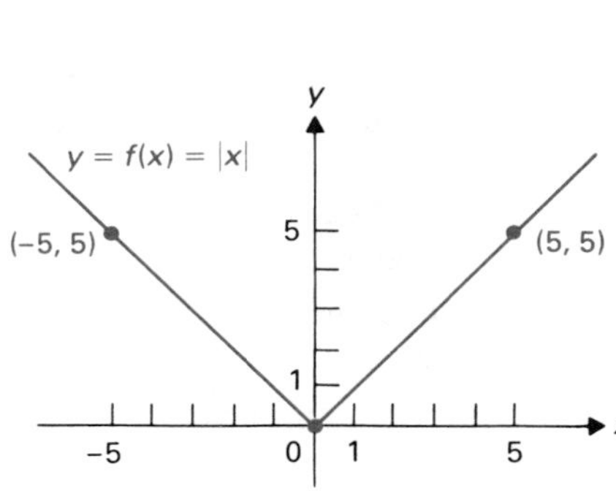

Figure 1.45 Graphe de la *fonction valeur absolue*: $f(x) = |x|$.

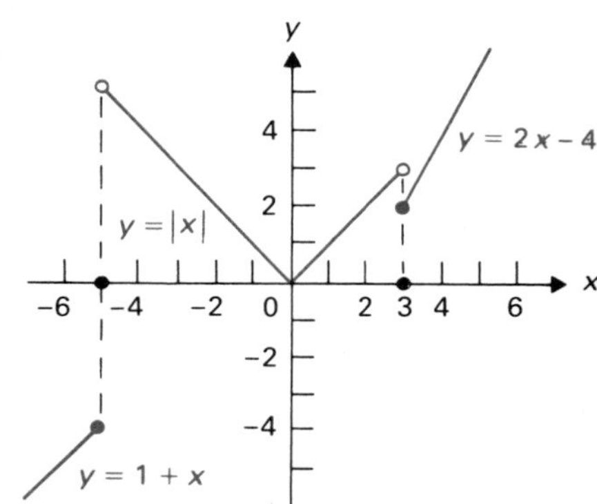

Figure 1.46 Graphe de la fonction

$$f(x) = \begin{cases} 2x - 4 & \text{quand } x \geq 3, \\ |x| & \text{quand } -5 < x < 3, \\ 1 + x & \text{quand } x \leq -5. \end{cases}$$

Tableau 1.1

x	$y = x^4 - 2x^2 + 3$
-2	11
$-\frac{3}{2}$	3,5625
-1	2
$-\frac{1}{2}$	2,5625
0	3
$\frac{1}{2}$	2,5625
1	2
$\frac{3}{2}$	3,5625
2	11

Une façon de tracer le graphe d'une fonction $y = f(x)$ consiste à construire un tableau des valeurs correspondantes de x et de y, à placer les points (x,y) dans le repère cartésien, puis à faire passer une courbe par ces points. Le calcul des valeurs de y est parfois long et fastidieux, mais peut être facilité lorsqu'on utilise une calculatrice. Les exercices pour calculatrice à la fin de la présente section traitent justement de la construction de tableaux et de graphes. On peut avec profit utiliser un ordinateur pour construire des tableaux de plusieurs fonctions importantes. Les graphes des fonctions peuvent être reproduits facilement sur un écran vidéo ou un traceur de courbes.

EXEMPLE 15 Faire un tableau des valeurs de x et de y pour la fonction $y = f(x) = x^4 - 2x^2 + 3$, en prenant pour valeurs de x les unités et demi-unités comprises entre -2 et 2. Tracer la courbe représentative de la fonction.

Solution Les valeurs de x et de y apparaissent au tableau 1.1 et la courbe représentative de la fonction est donnée à la figure 1.47. Il est à remarquer que les deux axes sont gradués suivant des échelles différentes. □

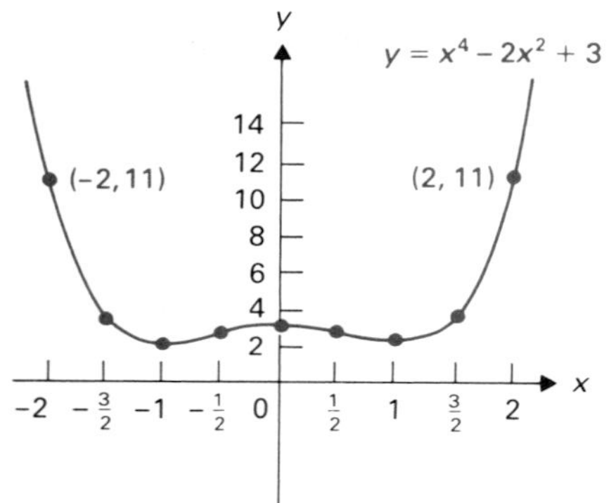

Figure 1.47 Graphe de la fonction $f(x) = x^4 - 2x^2 + 3$.

RÉSUMÉ

1. Si $y = f(x)$, alors x est la variable indépendante et y, la variable dépendante.
2. Si $y = f(x)$, alors le domaine de la fonction f est constitué de toutes les valeurs possibles de la variable x. L'image de la fonction f comprend toutes les valeurs que prend y lorsque x prend les différentes valeurs du domaine de la fonction.
3. Pour chaque x de son domaine, une fonction f ne prend qu'*une seule* valeur $f(x)$. Ainsi, $\pm\sqrt{x}$ *n'est pas* une fonction.
4. Si la fonction $y = f(x)$ est exprimée au moyen d'une formule de puissance de x, alors le domaine de f est constitué de toutes les valeurs de x pour lesquelles $f(x)$ peut être calculée et donner pour réponse un nombre réel. Cela signifie habituellement pour nous d'exclure simplement les valeurs de x qui entraîneraient la division par zéro ou l'extraction de racines d'ordre pair de nombres négatifs.
5. Deux fonctions f et g sont égales si et seulement si elles ont même domaine et si $f(x) = g(x)$ pour tout x du domaine.
6. La courbe représentative (ou graphe) de f est constituée de tous les points (x,y) pour lesquels $y = f(x)$.
7. Pour tracer une courbe représentative, il suffit de construire un tableau des valeurs de x et de y et de placer les points (x,y) dans le repère cartésien (même si cela peut parfois demander beaucoup de travail!).

EXERCICES

1. Exprimer le volume V d'un cube en fonction de la longueur x de l'arête du cube.

2. Exprimer le volume V d'une sphère en fonction du rayon r de la sphère.

3. Exprimer l'aire A d'un cercle en fonction de la circonférence C du cercle.

4. Exprimer l'aire A d'un triangle équilatéral en fonction de la longueur x d'un des côtés du triangle.

5. Jean part d'un point A au temps $t = 0$ et se dirige en ligne droite vers un point B, à une vitesse constante de 5 km/h. Les points A et B sont distants de 35 km l'un de l'autre. Exprimer en fonction du temps t, mesuré en heures, la distance d qui sépare Jean du point B.

6. Sylvie et Louise partent d'un même point au temps $t = 0$, l'une au pas de marche et l'autre au pas de course. Sylvie se dirige vers le nord à une vitesse constante de 5 km/h, alors que Louise se déplace vers l'ouest à une vitesse constante de 8 km/h. Trouver la distance d qui les sépare en fonction du temps t, mesuré en heures.

7. Soit $f(x) = x^2 - 4x + 1$. Calculer
a) $f(0)$ *b)* $f(-1)$ *c)* $f(5)$

8. Soit $g(t) = t/(1 - t)$. Calculer, si possible,
a) $g(0)$ *b)* $g(1)$ *c)* $g(-1)$

9. Soit $h(s) = (s^2 + 1)/(s - 1)$. Calculer
a) $h(-2)$ *b)* $h(-1)$ *c)* $h(3)$

10. Soit $\phi(u) = \sqrt{4 + u^2}$. Calculer
a) $\phi(0)$ *b)* $\phi(2)$ *c)* $\phi(-\sqrt{12})$

11. Soit

$$f(x) = \begin{cases} x^2 - x & \text{quand } x < -3. \\ |x| & \text{quand } -3 \leq x \leq 3, \\ 4x - 5 & \text{quand } x > 3. \end{cases}$$

Calculer
a) $f(1)$ *b)* $f(4)$ *c)* $f(-1/2)$ *d)* $f(-7/2)$

12. Soit

$$g(t) = \begin{cases} (t + 1)/t & \text{quand } t > 0, \\ 4 & \text{quand } t = 0, \\ (t + 3)/(t - 1) & \text{quand } t < 0. \end{cases}$$

Calculer
a) $g(-1)$ *b)* $g(0)$ *c)* $g(-3)$ *d)* $g(1)$

13. Soit $f(x) = x^2$. Exprimer, en termes de Δx,
a) $f(2 + \Delta x)$ *b)* $f(2 + \Delta x) - f(2)$
c) $\dfrac{f(2 + \Delta x) - f(2)}{\Delta x}$

14. Soit $h(s) = s^2 - 3s + 2$. Exprimer, en termes de Δs,
a) $h(1 + \Delta s)$ *b)* $h(1 + \Delta s) - h(1)$
c) $\dfrac{h(1 + \Delta s) - h(1)}{\Delta s}$

15. Soit $g(t) = 1/t$. Exprimer, en termes de Δt,
a) $g(-3 + \Delta t)$ *b)* $g(-3 + \Delta t) - g(-3)$
c) $\dfrac{g(-3 + \Delta t) - g(-3)}{\Delta t}$

16. Soit $f(x) = \sqrt{x - 3}$. Exprimer, en termes de Δx,
a) $f(7 + \Delta x)$ *b)* $f(7 + \Delta x) - f(7)$
c) $\dfrac{f(7 + \Delta x) - f(7)}{\Delta x}$

Dans les exercices 17 à 26, trouver le domaine de la fonction donnée.

17. $f(x) = \dfrac{1}{x}$

18. $f(x) = \dfrac{1}{x^2 - 1}$

19. $f(x) = \dfrac{x}{x^2 - 3x + 2}$

20. $g(t) = \sqrt{t + 3}$

21. $f(u) = \sqrt{u^2 - 1}$

22. $g(t) = \dfrac{\sqrt{t - 2}}{t^2 - 16}$

23. $h(x) = \sqrt{x - 4}$

24. $k(v) = \dfrac{v^2}{\sqrt{9 - v^2}}$

25. $f(x) = \dfrac{x}{|x| - 1}$

26. $f(t) = \dfrac{t + 1}{\sqrt{|t - 3|}}$

Dans les exercices 27 à 34, simplifier l'expression de la fonction. Attention! Il ne faut pas modifier le domaine de la fonction. Si nécessaire, exprimer le domaine explicitement. (Voir l'exemple 8.)

27. $f(x) = \dfrac{2x}{x}$

28. $f(x) = \dfrac{x^2 + 3x}{x}$

29. $g(t) = \dfrac{t^2 - 4}{t + 2}$

30. $g(s) = \dfrac{s - 1}{s^2 - 1}$

31. $f(x) = \dfrac{|x|}{x}$

32. $f(x) = \dfrac{x^2 - 3x + 2}{x^2 - 1}$

33. $f(\Delta x) = \dfrac{(2 + \Delta x)^2 - 4}{\Delta x}$

34. $g(\Delta t) = \dfrac{(-3 + \Delta t)^2 + 2(-3 + \Delta t) - 3}{\Delta t}$

35. À la figure 1.48 est représentée une partie du graphe d'une fonction f. Estimer à partir du graphe
a) $f(0)$ *b)* $f(1)$ *c)* $f(-1)$

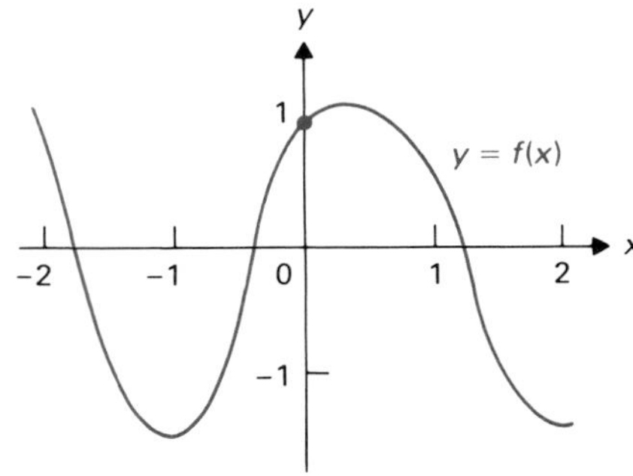

Figure 1.48 Graphe de la fonction de l'exercice 35.

36. À la figure 1.49 est représentée une partie du graphe d'une fonction f. Estimer à partir du graphe
a) $f(0)$ *b*) $f(2)$ *c*) $f(-2)$ *d*) $f(3)$ *e*) $f(-3)$

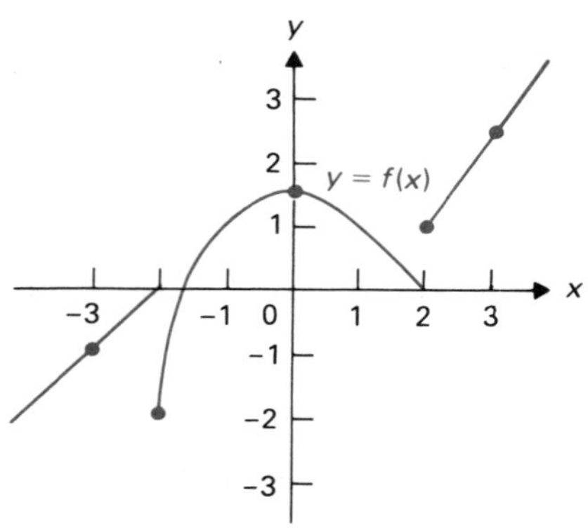

Figure 1.49 Graphe de la fonction de l'exercice 36.

Dans les exercices 37 à 46, tracer le graphe des fonctions données, dans un intervalle comprenant l'origine et faisant ressortir les particularités du graphe.

37. $y = f(x) = x - 1$

38. $y = g(x) = (-x)^2$

39. $s = g(t) = t^2 - 4$

40. $y = f(x) = \sqrt{1 - x^2}$

41. $s = f(r) = -\sqrt{1 - r^2}$

42. $y = f(x) = \dfrac{1}{x}$

43. $y = g(x) = \dfrac{1}{x - 2}$

44. $y = h(u) = \dfrac{-1}{u}$

45. $y = f(x) = |x - 3|$

46. $s = g(t) = \dfrac{1}{|t + 1|}$

47. Construire un tableau des valeurs x et y de la fonction

$$y = f(x) = \frac{x + 1}{x - 1}$$

pour $x = -1, -1/2, 0, 1/2, 3/4, 7/8, 9/8, 5/4, 3/2, 2, 5/2$ et 3. Placer les points dans le repère cartésien et tracer le graphe de f pour $-1 \leq x \leq 3$.

48. Utiliser la même démarche que dans l'exercice 47 pour la fonction $y = f(x) = x^3 - 3x^2 + 2$. (Choisir pour x des valeurs distantes de une demi-unité, en commençant à $x = -3/2$ et en terminant à $x = 7/2$.)

49. (Utiliser une calculatrice.) Construire un tableau des valeurs de la fonction

$$f(x) = \frac{x + 1}{\sqrt{x^3 + 1}}$$

en prenant 11 valeurs équidistantes de x, de $x = 0$ à $x = 10$. Utiliser ces données pour tracer le graphe de la fonction dans l'intervalle $[0,10]$. [*Remarque* Onze valeurs de x engendrent dix intervalles.]

1.5 GRAPHES DES FONCTIONS MONOMIALES ET DES FONCTIONS DU SECOND DEGRÉ

FONCTIONS MONOMIALES

Les *fonctions monomiales*, qu'on appelle également *fonctions puissances*, sont les fonctions obtenues à partir des monômes

$$x, \quad x^2, \quad x^3, \quad x^4, \quad x^5, \ldots, \quad x^n, \ldots$$

ou de leurs multiples. Lorsqu'une fonction est exprimée au moyen d'une formule, nous avons souvent recours à la formule pour désigner la fonction, ce qui est plus court. Ainsi, on parlera de « la fonction $4x^3$ » au lieu de l'expression plus exacte « la fonction f pour laquelle $f(x) = 4x^3$ ».

Il est bien important de connaître les graphes des fonctions monomiales. Nous savons déjà que le graphe de la fonction x est une droite de pente 1 passant par l'origine. Le graphe de la fonction x^2 apparaît à la figure 1.44. Les graphes des fonctions monomiales de la forme x^n passent tous par les points (0,0) et (1,1). Si n est pair, alors le graphe de x^n passe par le point $(-1,1)$; s'il est impair, le graphe passe par le point $(-1,-1)$. Vous trouverez à la figure 1.50 les graphes des fonctions x, x^2, x^3, x^4 et x^5. Remarquez que plus n est grand, plus le graphe se rapproche de l'axe des x, pour les valeurs de x comprises entre -1 et 1. Ainsi, puisque $(1/2)^4 < (1/2)^2$, le graphe de la fonction x^4 est plus rapproché de l'axe des x que ne l'est le graphe de la fonction x^2, pour $x = 1/2$. Au contraire, pour les valeurs de x telles que $|x| > 1$, plus n est grand, plus le graphe de x^n s'éloigne de l'axe des x. Ainsi, puisque $2^5 > 2^3$, le graphe de la fonction x^5 est plus éloigné de l'axe des x que ne l'est le graphe de x^3, pour $x = 2$. La figure 1.51, construite par ordinateur, représente les graphes des fonctions x, x^2, x^3, x^4, x^5 et x^6 sur un même système d'axes. La figure fait clairement ressortir que plus n est grand, plus le graphe de x^n a tendance à se rapprocher de l'axe des x lorsque $-1 < x < 1$ et à croître très rapidement lorsque $x > 1$.

Figure 1.50 Courbes représentatives des cinq premières fonctions monomiales: (a) $y = x$; (b) $y = x^2$; (c) $y = x^3$; (d) $y = x^4$; (e) $y = x^5$.

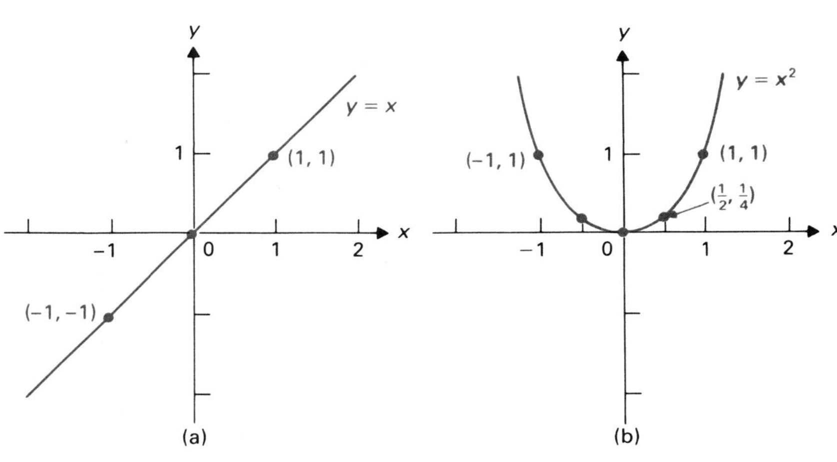

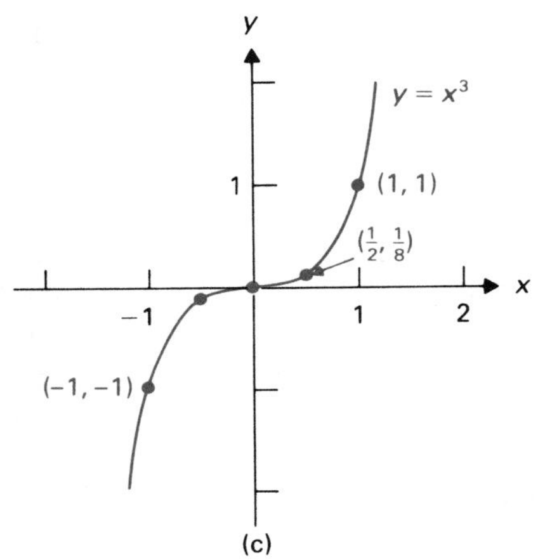

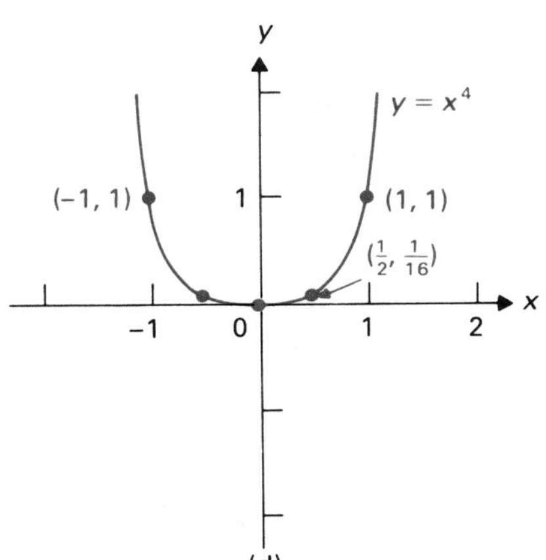

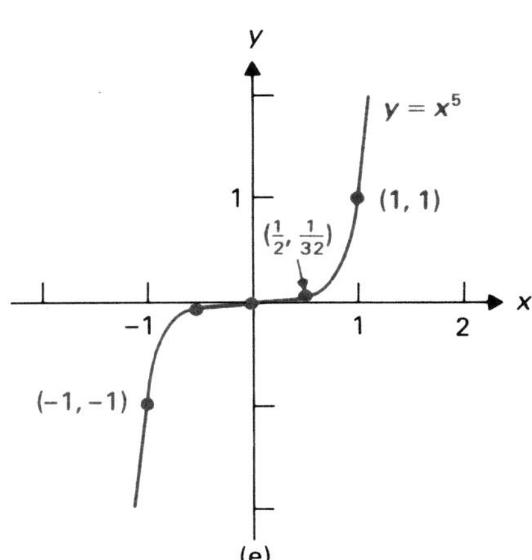

Tableau 1.2

x	$y = x^{100}$
0,96	0,017
0,97	0,048
0,98	0,133
0,99	0,366
1,00	1,000
1,01	2,705
1,02	7,245
1,03	19,219
1,04	50,505

Nous avons construit, à l'aide d'une calculatrice, le tableau 1.2, qui montre bien que l'on ne peut espérer tracer avec exactitude le graphe de x^{100} (sur une feuille de papier de format raisonnable!) en conservant la même échelle sur les deux axes. La figure 1.52 montre le résultat d'une telle tentative: le graphe obtenu présente la forme d'un U qui aurait pour base l'axe des x et dont les deux branches seraient les droites verticales d'équations $x = -1$ et $x = 1$.

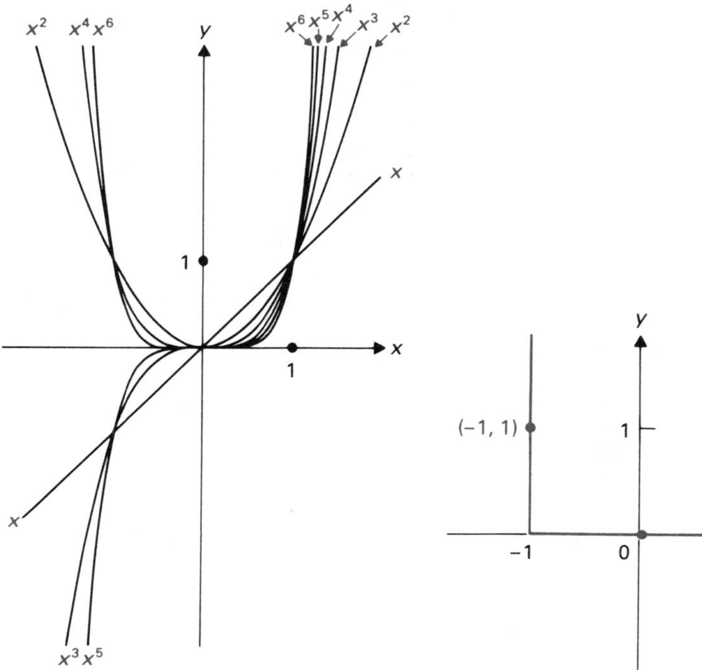

Figure 1.51 Graphes par ordinateur des six premières fonctions monomiales.

Figure 1.52 Représentation graphique de la fonction x^{100}.

Maintenant que nous connaissons le graphe de la fonction x^n, nous pouvons sans peine tracer celui de la fonction

$$y - k = (x - h)^n \qquad \textbf{(1)}$$

qui, bien entendu, est le même que celui de la fonction

$$y = f(x) = k + (x - h)^n.$$

Nous avons déjà vu que si nous posons $\Delta x = x - h$ et $\Delta y = y - k$, de sorte que l'équation 1 prenne la forme $\Delta y = (\Delta x)^n$, alors nous pouvons tracer le graphe en considérant un nouveau système d'axes $\Delta x, \Delta y$ ayant pour origine le point (h,k). Dans le contexte actuel de tracé de graphe, nous allons mettre de côté l'utilisation des Δ au profit de la notation plus répandue:

$$\bar{x} = x - h, \qquad \bar{y} = y - k.$$

Formules de translation des axes

L'équation 1 devient ainsi $\bar{y} = \bar{x}^n$.

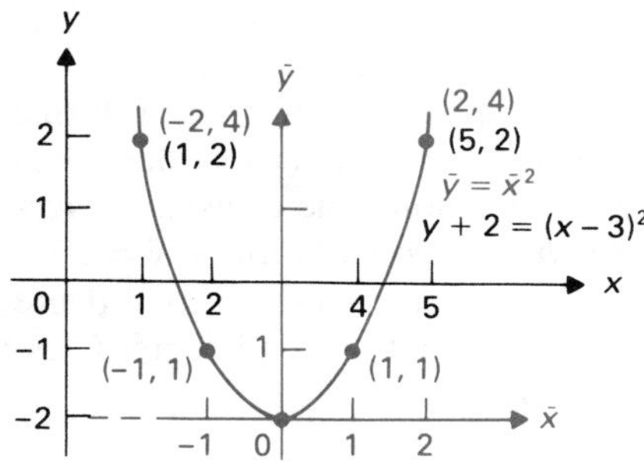

Figure 1.53 Graphe de la fonction $y + 2 = (x - 3)^2$, ou $\bar{y} = \bar{x}^2$.

EXEMPLE 1 Tracer le graphe de la fonction $y + 2 = (x - 3)^2$.

Solution Posons $\bar{x} = x - 3$ et $\bar{y} = y + 2$. L'équation devient alors $\bar{y} = \bar{x}^2$. Effectuons une translation d'axes vers un nouveau système $\bar{x},\bar{y}$, d'origine $(h,k) = (3, -2)$. Le graphe est donné à la figure 1.53. □

Le graphe de cx^n est très semblable au graphe de x^n, lorsque $c > 0$. Pour chaque valeur de x, les points de la fonction cx^n sont tout simplement situés à une distance de l'axe des x égale à c fois la distance des points de la fonction x^n.

EXEMPLE 2 Tracer le graphe de la fonction $y = 4x^2$.

Solution Le graphe est présenté à la figure 1.54. Lorsque $x = 1$, $y = 4$. □

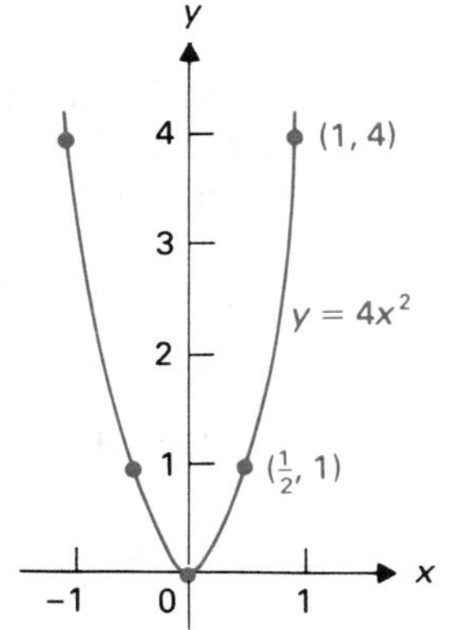

Figure 1.54 Graphe de la fonction $y = 4x^2$.

EXEMPLE 3 Tracer le graphe de la fonction $y = x^4/4$.

Solution Le graphe est tracé à la figure 1.55. Lorsque $x = 2$, $y = 4$. □

Bien entendu, si $c < 0$, le graphe de la fonction $y = cx^n$ est renversé de l'autre côté de l'axe des x.

EXEMPLE 4 Tracer le graphe de la fonction $y = -x^2/2$.

Solution Le graphe est présenté à la figure 1.56. Il est tourné vers le bas plutôt que vers le haut. □

EXEMPLE 5 Tracer le graphe de la fonction $y = 2 - (x + 1)^3$.

Solution Écrivons l'équation sous la forme $y - 2 = -(x + 1)^3$, puis posons $\bar{x} = x + 1$ et $\bar{y} = y - 2$. L'équation devient alors $\bar{y} = -\bar{x}^3$. Effectuons maintenant une translation d'axes vers un nouveau système, $\bar{x},\bar{y}$, d'origine $(h,k) = (-1,2)$. La figure 1.57 montre le graphe obtenu. □

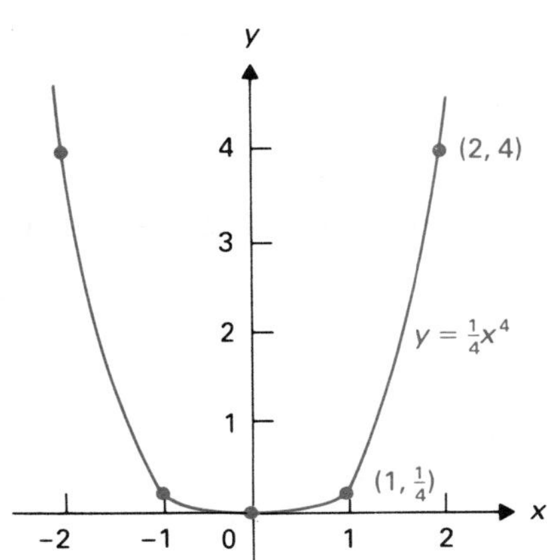

Figure 1.55 Graphe de la fonction $y = x^4/4$.

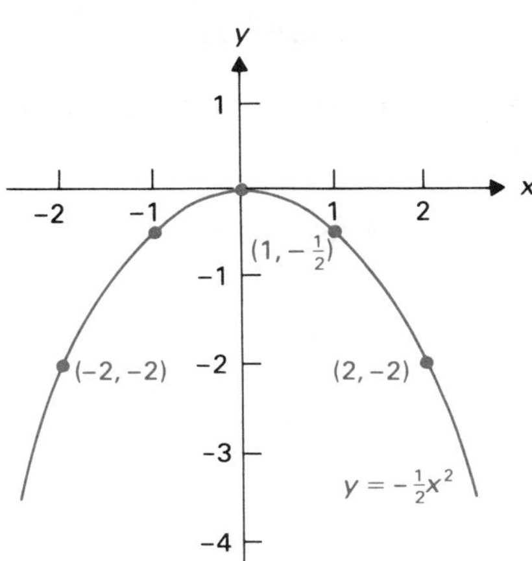

Figure 1.56 Graphe de la fonction $y = -x^2/2$.

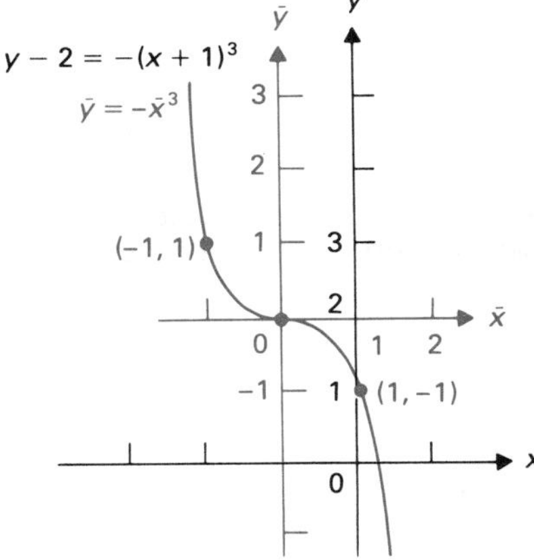

Figure 1.57 Graphe de la fonction $y - 2 = -(x + 1)^3$, ou $\bar{y} = -\bar{x}^3$.

FONCTIONS DU SECOND DEGRÉ

Une fonction du second degré (ou fonction quadratique) f a la forme $f(x) = ax^2 + bx + c$, où $a \neq 0$. Les graphes de ces fonctions sont des *paraboles*. Lorsque nous complétons le carré et effectuons une translation vers un système d'axes $\bar{x},\bar{y}$, l'équation $y = ax^2 + bx + c$ prend la forme $\bar{y} = d\bar{x}^2$, où d est une constante. Ainsi, le graphe de toute fonction du second degré peut se ramener au graphe d'une fonction monomiale du second degré. C'est ce que nous verrons dans les prochains exemples.

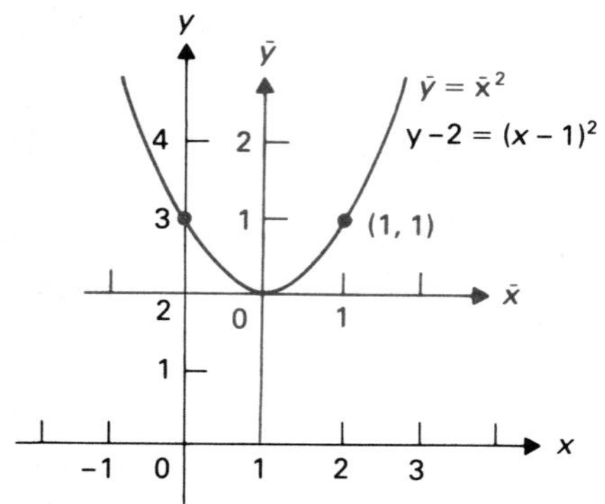

Figure 1.58 Graphe de la fonction $y - 2 = (x - 1)^2$, ou $\bar{y} = \bar{x}^2$.

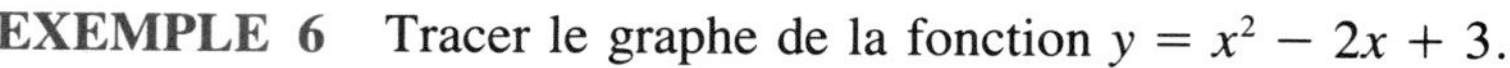

EXEMPLE 6 Tracer le graphe de la fonction $y = x^2 - 2x + 3$.

Solution Complétons le carré des termes en x:

$$y - 3 = x^2 - 2x,$$

$$y - 3 + 1 = x^2 - 2x + 1,$$

$$y - 2 = (x - 1)^2.$$

En posant $\bar{x} = x - 1$ et $\bar{y} = y - 2$, nous obtenons l'équation $\bar{y} = \bar{x}^2$. Effectuons une translation d'axes vers le système $\bar{x},\bar{y}$, d'origine $(h,k) = (1,2)$. Nous pouvons maintenant tracer le graphe présenté à la figure 1.58. □

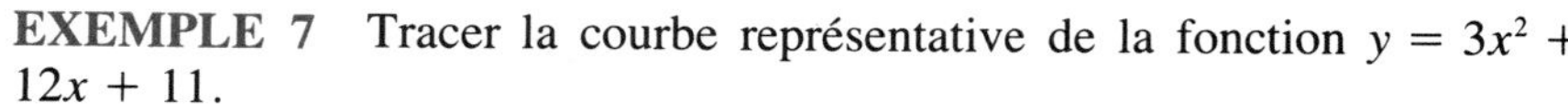

EXEMPLE 7 Tracer la courbe représentative de la fonction $y = 3x^2 + 12x + 11$.

Solution Pour compléter le carré des termes en x, il faut d'abord mettre en évidence le coefficient 3 de x^2 de tous les termes en x:

$$y - 11 = 3x^2 + 12x,$$

$$y - 11 = 3(x^2 + 4x),$$

puis additionner le nombre 12 de chaque côté de l'équation:

$$y - 11 + 12 = 3(x^2 + 4x + 4),$$

$$y + 1 = 3(x + 2)^2.$$

En posant $\bar{x} = x + 2$ et $\bar{y} = y + 1$, nous obtenons l'équation $\bar{y} = 3\bar{x}^2$. La parabole est tracée à la figure 1.59. □

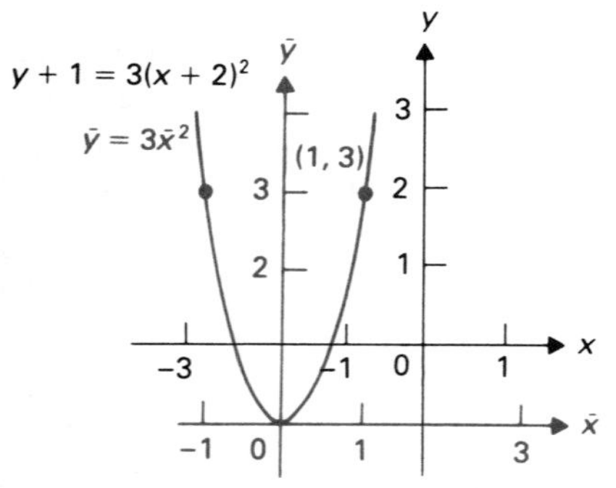

Figure 1.59 Courbe représentative de la fonction $y + 1 = 3(x + 2)^2$, ou $\bar{y} = 3\bar{x}^2$.

EXEMPLE 8 Tracer la courbe représentative de la fonction $y = -2x^2 - 6x - 2$.

Solution Nous allons d'abord mettre en évidence le coefficient -2 de x^2 de tous les termes en x, puis compléter le carré:

$$y + 2 = -2x^2 - 6x,$$

$$y + 2 = -2(x^2 + 3x),$$

$$y + 2 - \tfrac{9}{2} = -2(x^2 + 3x + \tfrac{9}{4}),$$

$$y - \tfrac{5}{2} = -2(x + \tfrac{3}{2})^2.$$

Posons maintenant $\bar{x} = x + 3/2$ et $\bar{y} = y - 5/2$. Nous obtenons l'équation $\bar{y} = -2\bar{x}^2$, dont la courbe représentative est illustrée à la figure 1.60. □

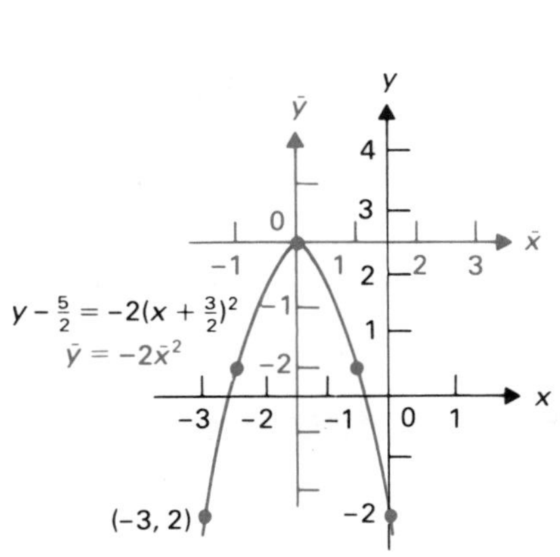

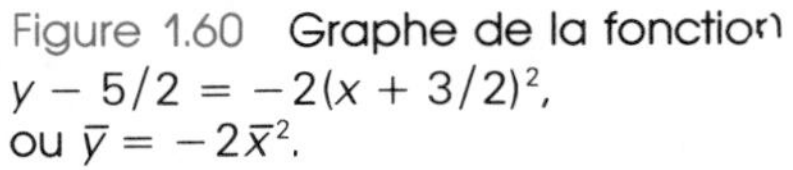
Figure 1.60 Graphe de la fonction $y - 5/2 = -2(x + 3/2)^2$, ou $\bar{y} = -2\bar{x}^2$.

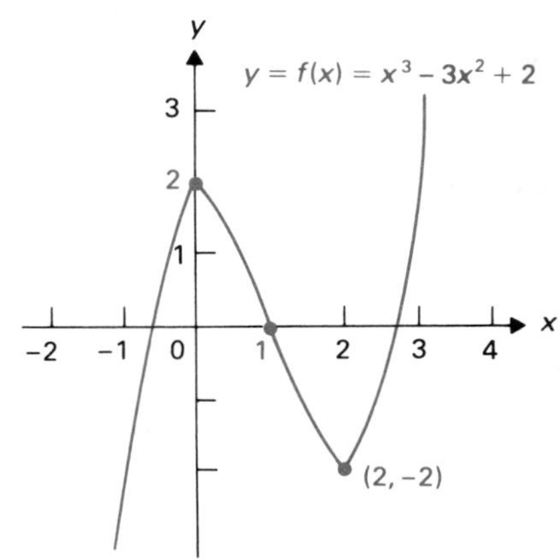

Figure 1.61 Graphe de la fonction $y = x^3 - 3x^2 + 2$.

Nous venons de voir que le graphe d'une fonction du second degré $y = f(x) = ax^2 + bx + c$ peut s'obtenir au moyen d'une translation du graphe de la fonction monomiale $y = ax^2$. Mentionnons que tel *n'est pas* le cas pour les fonctions polynomiales de degré supérieur à 2. Examinez la figure 1.61 et vous verrez que le graphe de la fonction $y = f(x) = x^3 - 3x^2 + 2$ n'est la translation d'*aucun* graphe d'une fonction de la forme $y = ax^3$. De même, le graphe de la fonction $y = f(x) = x^4 - 2x^3 + 1$, représenté à la figure 1.62, n'est la translation d'*aucun* graphe d'une fonction de la forme $y = ax^4$. Les graphes de ces deux fonctions polynomiales seront étudiés plus en détail dans les exemples 5 et 6 de la section 5.4.

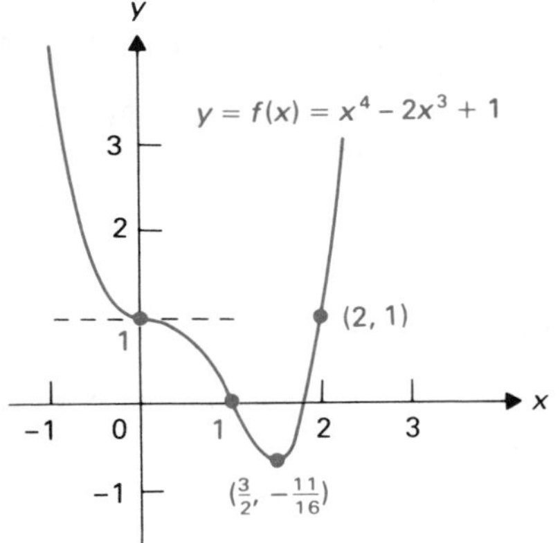

Figure 1.62 Graphe de la fonction $y = x^4 - 2x^3 + 1$.

RÉSUMÉ

1. Les graphes des fonctions monomiales $x, x^2, x^3, \ldots$ passent tous par les points (0,0) et (1,1). (Voir la figure 1.50.)
2. Le graphe de la fonction $y - k = (x - h)^n$ ressemble au graphe de la fonction $y = x^n$, sauf que l'origine est déplacée au point (h,k).
3. Toute équation du second degré, $y = f(x) = ax^2 + bx + c$ où $a \neq 0$, est représentée graphiquement par une parabole. Pour la tracer, il suffit de compléter le carré des termes en x, puis d'effectuer une translation d'axes pour ramener l'équation sous la forme

$$\bar{y} = d\bar{x}^2.$$

EXERCICES

Dans les exercices 1 à 18, tracer la courbe représentative des fonctions $y = f(x)$ données.

1. $y = 3x$
2. $y = -x^3$
3. $y = -x^4$
4. $y = x^2/2$
5. $y = (x - 1)^2$
6. $y = x^3/27$
7. $y = x^2 + 3$
8. $y = (x + 2)^3$

9. $y = 5 - x^4$
10. $y = x^3 - 1$
11. $y = 4 + (x - 2)^2$
12. $y = 6 - x^2/4$
13. $y = -1 - (x + 5)^4$
14. $y = (x + 1)^3 - 3$
15. $y = 2x^2 - 4x + 6$
16. $y = 5 - 2(x + 3)^2$
17. $y = 8 - 10x + 4x^2$
18. $y = 7x - 2x^2$

19. Tracer le graphe de la fonction $f(x) = |x|$. Existe-t-il une droite *unique* qui soit une bonne approximation du graphe de $f(x)$ sur un court intervalle *autour* de $x = 0$?

EXERCICES DIVERS

Exercices récapitulatifs — Série A

1. *a*) Représenter tous les points (x,y) du plan pour lesquels $x > y + 1$.
b) Exprimer les solutions de l'inéquation $|6 - 3x| \leq 12$ sous forme d'invervalle.

2. *a*) Trouver la distance entre les points $(2, -1)$ et $(-4,7)$.
b) Représenter tous les points (x,y) du plan pour lesquels $x \leq y$ et $x \geq 1$.

3. *a*) Trouver l'équation du cercle de centre $(2, -1)$ passant par le point $(4,6)$.
b) Représenter tous les points (x,y) du plan pour lesquels $(x - 1)^2 + (y + 2)^2 \leq 4$.

4. *a*) Trouver la pente d'une droite perpendiculaire à la droite passant par les points $(4, -2)$ et $(-5, -3)$.
b) Trouver l'abscisse et l'ordonnée à l'origine de la droite d'équation $3x + 4y = 12$.

5. *a*) Trouver l'équation de la droite verticale passant par le point $(3, -7)$.
b) Trouver l'équation de la droite passant par le point $(-2,4)$ et perpendiculaire à la droite d'équation $3x - 4y = 5$.

6. Soit la fonction $f(x) = \dfrac{x^2 - x}{x^2 + x - 2}$.
a) Trouver le domaine de f.
b) Touver une expression plus simple décrivant $f(x)$.

7. Soit la fonction $f(x) = \dfrac{x^2 - 3x + 2}{x^2 - 5x}$.
a) Trouver le domaine de f.
b) Calculer $f(-2)$.

8. Trouver le domaine de la fonction g définie par $g(t) = (t^2 - 1)/(t\sqrt{t + 3})$.

9. Tracer la courbe représentative de la fonction $y = f(x) = 3 - (x + 4)^3$.

10. Tracer le graphe de la fonction $y = f(x) = 2 + (x - 1)^4$.

Exercices récapitulatifs — Série B

1. *a*) Placer sur la droite numérique les points x pour lesquels $|x - 1| \leq 2$.
b) Trouver le point milieu de l'intervalle $[-5,3,\ 2,1]$.

2. *a*) Calculer l'aire du triangle rectangle dont les sommets sont les points $(-1,4)$, $(2,6)$ et $(-3,7)$.
b) Trouver l'équation de la droite passant par le point $(-1,5)$ et le point d'intersection des droites d'équations $2x + 3y = 7$ et $5x + y = -2$.

3. *a*) Trouver l'équation de la droite passant par les points $(-4,2)$ et $(-4,5)$.
b) Trouver l'équation de la droite passant par le point $(-1,2)$ et parallèle à la droite d'équation $x - 3y = 7$.

4. *a*) Trouver la pente de la tangente au cercle d'équation $x^2 + y^2 - 8x + 2y = -4$, au point $(1, -3)$.
b) Utiliser le concept de pente pour déterminer si les points $(-1,4)$, $(2,8)$ et $(-7, -4)$ sont colinéaires.

5. Soit la fonction $f(x) = \dfrac{x^3 + 1}{(1 - |x|)^2}$. Calculer

a) $f(0)$ *b*) $f(-2)$ *c*) $f(3)$

6. *a*) Trouver l'équation de la droite qui passe par le point $(-1,3)$ et dont l'ordonnée à l'origine est 5.
b) Déterminer si les droites d'équations $2x - 3y = 7$ et $12x + 8y = 5$ sont parallèles, perpendiculaires ou ni parallèles, ni perpendiculaires.

7. Soit la fonction $f(x) = \sqrt{25 - x^2}$.
a) Trouver le domaine de f.
b) Calculer $f(3)$.
c) Tracer le graphe de f.

8. Soit la fonction $f(x) = x^2 - x + 3$. Former l'expression

$$\frac{f(2 + \Delta x) - f(2)}{\Delta x}$$

en fonction de Δx, en la simplifiant le plus possible.

9. Tracer le graphe de la fonction $y = f(x) = 5(x + 2)^4$.

10. Tracer le graphe de la fonction $y = f(x) = -6x - 3x^2$.

Exercices d'approfondissement

1. Démontrer que, pour tous les nombres réels a et b,
a) $|a + b| \leq |a| + |b|$;
b) $|a - b| \geq |a| - |b|$.

2. Démontrer que, pour des nombres réels quelconques a_1, a_2, b_1 et b_2,

$$(a_1a_2 + b_1b_2)^2 \leq (a_1^2 + b_1^2)(a_2^2 + b_2^2).$$

3. En utilisant la formule de la distance et la propriété démontrée à l'exercice précédent, démontrer algébriquement que la distance d'un point (x_1,y_1) à un point (x_3,y_3) est inférieure ou égale à la somme de la distance du point (x_1,y_1) à un point (x_2,y_2) et de la distance de ce point (x_2,y_2) au point (x_3,y_3). Ce résultat est connu sous le nom d'*inégalité du triangle* dans le plan. [*Suggestion* Poser

$$a_1 = x_2 - x_1, \qquad a_2 = x_3 - x_2,$$
$$b_1 = y_2 - y_1, \qquad b_2 = y_3 - y_2,$$

de sorte que

$$x_3 - x_1 = a_2 + a_1 \qquad \text{et} \qquad y_3 - y_1 = b_2 + b_1.]$$

4. Trouver l'aire du triangle ayant pour sommets les points $(1,-2)$, $(5,6)$ et $(-4,3)$. [*Indice* Trouver le point d'intersection entre la hauteur issue du sommet $(-4,3)$ et le côté opposé.]

5. Trouver toutes les valeurs de x pour lesquelles $x^2 + 4x < 1$.

6. Tracer le graphe de la fonction $y = f(x) = |x^2 - 1|/(x - 1)$.

7. Soit la fonction $f(x) = (2x - 7)/(x + 3)$. Trouver une fonction g telle que $g(f(x)) = x$ pour tout x appartenant au domaine de f.

2 LIMITES

Toute fonction $y = f(t)$ définie au moyen d'une formule algébrique comportant un dénominateur qui s'annule en un point $t = t_1$ est impossible à définir au point t_1. Par exemple, la fonction

$$y = f(t) = \frac{t^2 - 4}{t - 2}$$

n'est pas définie pour $t = 2$. Toutefois, bien qu'une fonction f ne soit pas définie en un point $t = t_1$, on voudra souvent savoir comment se comportent les valeurs $f(t)$ de la fonction pour des valeurs de *t très voisines* de t_1. Nous verrons à la section 2.1 que le problème se pose notamment lorsque nous voulons étudier les variations d'une quantité. L'étude de ces variations, ou taux d'accroissement, constitue en fait l'objet du calcul différentiel. Elle nous amène naturellement à la notion de *limite* d'une fonction $f(t)$ en un point, thème principal du chapitre, dont nous entreprendrons l'étude détaillée à la section 2.2.

Le concept fondamental du calcul différentiel est la *dérivée* d'une fonction. Nous aborderons ce concept dès la section 2.1, mais c'est dans le chapitre 3 que nous traiterons en détail des dérivées et de leurs méthodes de calcul.

2.1 LIMITES ET DÉRIVÉES: UNE APPROCHE INTUITIVE

TAUX D'ACCROISSEMENT

Supposons qu'une voiture se déplaçant en ligne droite ait parcouru une distance $s = f(t)$ au temps t. (Les unités de s et de t importent peu; il pourrait s'agir de mètres et de secondes, par exemple.) Si la voiture se déplace à une vitesse *constante* de 2, alors $s = 2t$, où $t \geq 0$, et le déplacement de la voiture est représenté graphiquement par une droite de pente 2 (figure 2.1). Si la voiture se déplace à une vitesse constante m, alors la distance totale parcourue

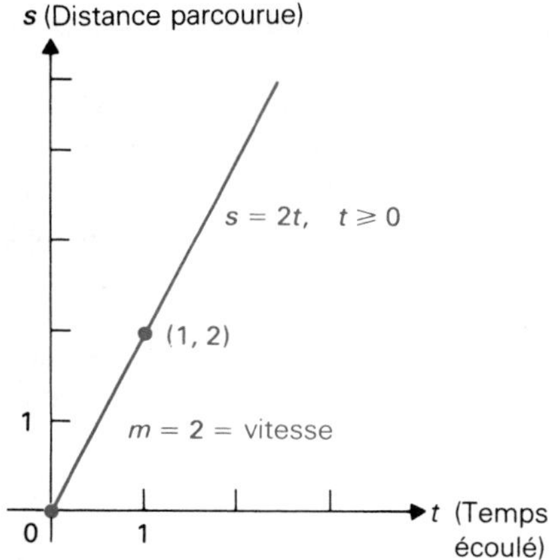

Figure 2.1 Lorsque la vitesse est constante, le graphe de la distance s en fonction du temps t est une droite.

au temps t est $s = mt$, dont le graphe est une droite de pente m passant par l'origine.

Supposons maintenant que le graphe de la fonction distance $s = f(t)$ ne soit pas une droite. Comment faire alors pour trouver la vitesse à un instant donné t_1? On pourrait évidemment trouver une approximation de la vitesse à l'instant $t = t_1$ en calculant la vitesse moyenne dans un intervalle de temps très court commençant à l'instant t_1. En effet, la vitesse à un moment donné est voisine de la vitesse moyenne pendant le millième de seconde qui a précédé ou le centième de seconde qui va suivre. Voici comment calculer cette vitesse moyenne:

$$\text{Vitesse moyenne} = \frac{\text{Accroissement de la distance}}{\text{Accroissement correspondant du temps}}. \qquad \textbf{(1)}$$

EXEMPLE 1 La distance parcourue par une voiture au temps t est donnée par $s = f(t) = t^2$, où $t \geq 0$. Estimer la vitesse de la voiture à l'instant $t = 1$, en calculant la vitesse moyenne entre l'instant $t = 1$ et l'instant $t = 1{,}01$.

Solution À l'instant $t = 1$, $s = 1^2 = 1$. À l'instant $t = 1{,}01$, nous avons $s = (1{,}01)^2 = 1{,}020\,1$. Dans l'intervalle de temps 0,01, la distance parcourue s'est accrue de $1{,}020\,1 - 1 = 0{,}020\,1$. D'après l'équation 1,

$$\text{Vitesse moyenne} = \frac{0{,}020\,1}{0{,}01} = 2{,}01.$$

La vitesse de la voiture à l'instant $t = 1$ devrait donc être voisine de 2,01. □

Le graphe de la fonction $s = f(t) = t^2$, où $t \geq 0$ (figure 2.2), n'est pas une droite, donc la vitesse n'est pas constante: le fait que la pente de la courbe* s'accentue à mesure que t augmente indique que la vitesse croît avec le temps. Comme il est impossible d'indiquer avec précision sur le graphique des points aussi rapprochés que $t = 1$ et $t = 1{,}01$, nous avons choisi de représenter plutôt un point $t = t_1$ et un point $t = t_1 + \Delta t$. (Malgré sa longueur à la figure 2.2, Δt doit être vu comme un intervalle de temps minime.) D'après l'équation 1,

$$\text{Vitesse moyenne} = \frac{\Delta s}{\Delta t}.$$

Mais $\Delta s/\Delta t$ est également la pente de la sécante passant par les points $(t_1, f(t_1))$ et $(t_1 + \Delta t, f(t_1 + \Delta t))$ du graphique. Appelons cette pente m_{sec}. Entre l'instant t_1 et l'instant $t_1 + \Delta t$, nous avons donc

$$\text{Vitesse moyenne} = m_{\text{sec}} = \frac{f(t_1 + \Delta t) - f(t_1)}{\Delta t}. \qquad \textbf{(2)}$$

Figure 2.2 Vitesse moyenne = $\Delta s/\Delta t$ = pente m_{sec} de la sécante.

* La pente d'une courbe d'équation $y = f(x)$ en un point correspond à la pente de la tangente à la courbe en ce point. Les notions de géométrie déjà acquises permettent d'avoir une idée intuitive de ce qu'est une tangente à une courbe en un point. C'est sur cette intuition que nous basons notre raisonnement. Nous verrons dans le chapitre 3 que la tangente peut aussi être définie comme la position limite des sécantes.

Nous voulons toutefois connaître la vitesse exacte à l'instant $t = t_1$. À l'exemple 1 nous n'avons obtenu qu'une estimation de la vitesse pour $t_1 = 1$ basée sur la vitesse moyenne entre l'instant 1 et l'instant $1 + \Delta t$, où $\Delta t = 0{,}01$. Il est entendu que plus Δt sera petit, meilleure sera l'approximation de la vitesse exacte. Nous verrons dans l'exemple 2 que Δt peut être aussi bien négatif que positif. En effet, au lieu de calculer la vitesse moyenne au cours du centième de seconde qui suit l'instant $t = 1$, nous allons calculer la vitesse moyenne au cours du millième de seconde qui l'a précédé.

EXEMPLE 2 Refaire le problème de l'exemple 1, où la fonction distance est $s = f(t) = t^2$, pour $t = 1$, en calculant cette fois la vitesse moyenne correspondant à $\Delta t = -0{,}001$.

Solution D'après la formule 2,

$$\text{Vitesse moyenne} = \frac{f(1 - 0{,}001) - f(1)}{-0{,}001} = \frac{(0{,}999)^2 - 1^2}{-0{,}001}$$

$$= \frac{0{,}998\,001 - 1}{-0{,}001} = \frac{-0{,}001\,999}{-0{,}001} = 1{,}999.$$

Comme $-0{,}001$ est un intervalle de temps plus court que 0,01, la réponse que nous venons d'obtenir devrait être plus rapprochée de la valeur exacte de la vitesse à l'instant $t = 1$ que le nombre 2,01 obtenu dans l'exemple 1. □

Si nous calculons la vitesse moyenne de t_1 à $t_1 + \Delta t$ pour des valeurs de plus en plus petites de Δt, par exemple 0,01, 0,001, 0,000 1 et ainsi de suite, nous devrions nous rapprocher de plus en plus de la valeur exacte de la vitesse au temps t_1. L'équation 2 nous permet d'écrire

$$\text{Vitesse instantanée à l'instant } t_1 = \lim_{\Delta t \to 0} \frac{\Delta s}{\Delta t} = \lim_{\Delta t \to 0} \frac{f(t_1 + \Delta t) - f(t_1)}{\Delta t}. \qquad \textbf{(3)}$$

L'expression $\lim_{\Delta t \to 0}$ se lit « la limite quand Δt tend vers 0 ».

Il faut remarquer que, dans l'équation 3, le dénominateur s'annule lorsque $\Delta t = 0$, situation que nous avions mentionnée dans l'introduction du chapitre.

EXEMPLE 3 Soit une distance s exprimée en fonction du temps écoulé t par l'équation $s = f(t) = t^2$. Calculer la vitesse instantanée à l'instant $t = 1$.

Solution Trouvons d'abord l'expression de la vitesse moyenne $\Delta s/\Delta t$, en utilisant l'équation 2 avec $t_1 = 1$. Pour $\Delta t \neq 0$,

$$\frac{\Delta s}{\Delta t} = \frac{f(1 + \Delta t) - f(1)}{\Delta t} = \frac{(1 + \Delta t)^2 - 1^2}{\Delta t}$$

$$= \frac{1 + 2(\Delta t) + (\Delta t)^2 - 1}{\Delta t} = \frac{2(\Delta t) + (\Delta t)^2}{\Delta t}$$

$$= \frac{\Delta t(2 + \Delta t)}{\Delta t} = 2 + \Delta t.$$

D'après l'équation 3,

$$\text{Vitesse instantanée} = \lim_{\Delta t \to 0} \frac{\Delta s}{\Delta t} = \lim_{\Delta t \to 0} (2 + \Delta t) = 2.$$

C'est dire que plus Δt est voisin de zéro, plus l'expression $2 + \Delta t$ est voisine de 2. Si nous nous reportons aux exemples 1 et 2, nous constatons que l'estimation de la vitesse que nous avons obtenue en prenant $\Delta t = -0{,}001$, soit 1,999, est meilleure que la valeur 2,01 calculée pour $\Delta t = 0{,}01$. □

La figure 2.3 illustre géométriquement l'équation 3 qui définit la vitesse instantanée comme la limite des vitesses moyennes quand Δt tend vers zéro. Remarquez que, dans chaque cas, la pente m_{sec} de la sécante est égale à la vitesse moyenne du mouvement de l'instant t_1 à l'instant $t_1 + \Delta t$. Il est clair que plus Δt est voisin de zéro, plus la sécante est rapprochée de la tangente au point $(t_1, f(t_1))$. La limite des pentes des sécantes doit donc correspondre à la pente m_{tg} de la tangente. Par conséquent,

> la pente de la tangente au point t_1 du graphe est égale à la vitesse instantanée du mouvement à l'instant t_1.

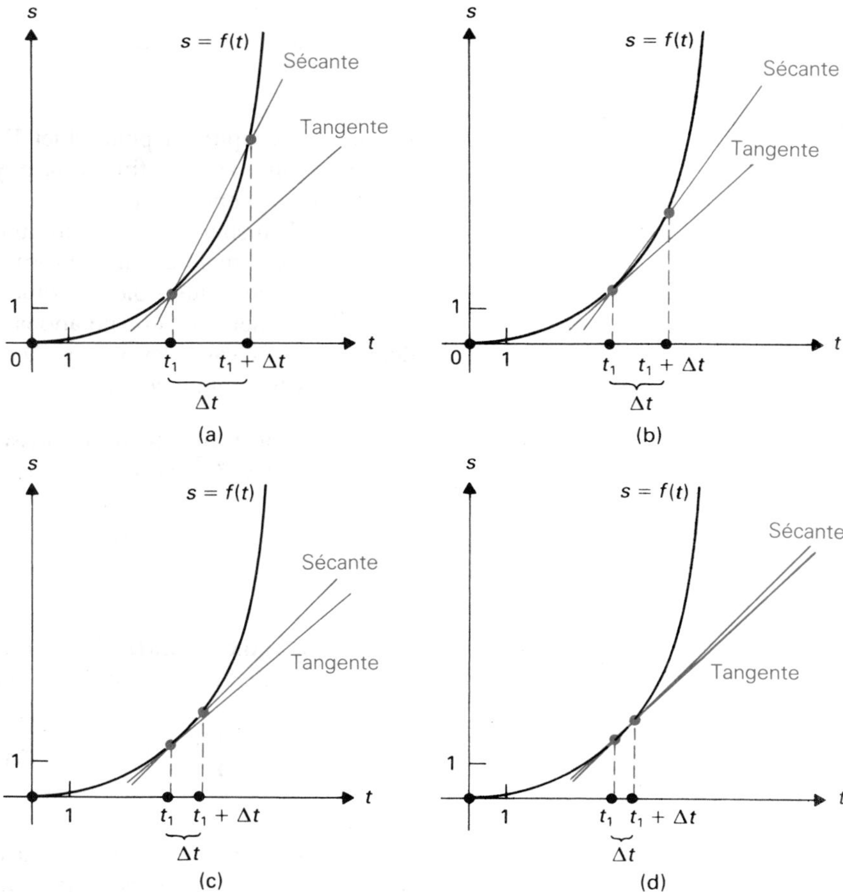

Figure 2.3 Plus Δt tend vers zéro, plus les sécantes se rapprochent de la tangente au point $t = t_1$.

La pente du graphe en $t = t_1$ est la pente de la tangente au graphe en ce point. Nous avons vu que, lorsque le graphique de la distance en fonction du temps est une droite, la pente de cette dernière est égale à la vitesse, qui est alors une constante. Il ne faut donc pas s'étonner que ce soit la pente de la tangente au graphe qui donne la vitesse, lorsque cette dernière n'est pas constante.

Certaines fonctions sont marquées par des sauts (figure 2.4), alors que d'autres ont des points anguleux (figure 2.5). En de tels points, le graphe n'admet pas de tangente (unique). Ces cas seront étudiés plus loin.

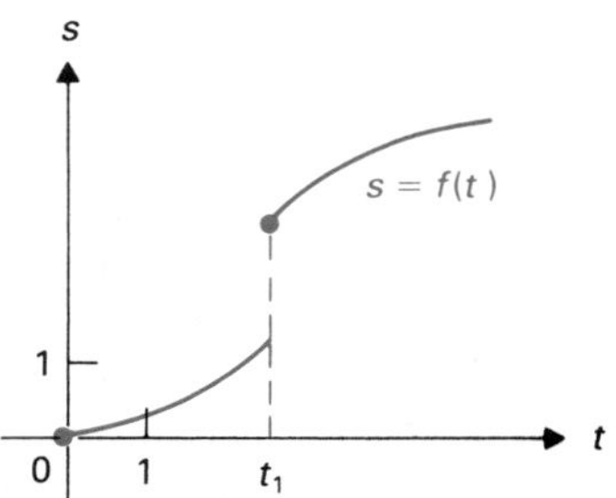

Figure 2.4 Fonction marquée par un saut: pas de tangente en $t = t_1$.

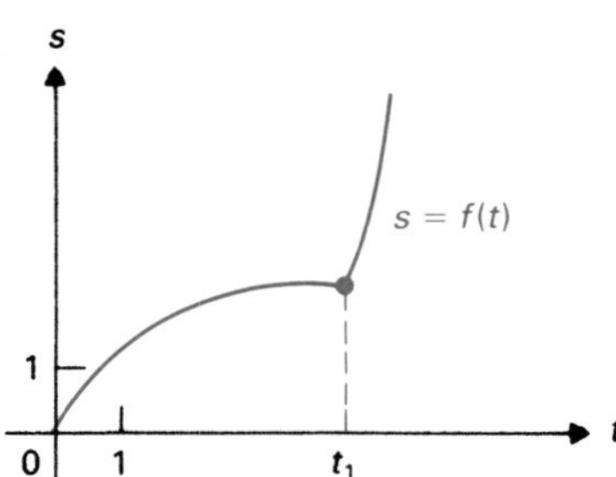

Figure 2.5 Graphe ayant un point anguleux: pas de tangente (unique) en $t = t_1$.

TAUX MOYEN D'ACCROISSEMENT ET TAUX INSTANTANÉ D'ACCROISSEMENT DE $f(x)$

Le présent chapitre a pour objet l'étude des *limites*. Dans les pages qui précèdent, un exemple tiré de la physique nous a permis de voir comment apparaît le concept de limite lorsque nous voulons calculer le taux d'accroissement de la distance par rapport au temps d'un mobile se déplaçant en ligne droite. Voyons maintenant une formulation mathématique plus générale permettant de traiter aussi bien la situation précédente que d'autres.

Conformément aux notations mathématiques courantes, on utilisera dorénavant les variables x et y. On suppose que $y = f(x)$ et que le graphe de f admet une tangente en $x = x_1$.

Le **taux moyen d'accroissement** de y par rapport à x du point $x = x_1$ au point $x = x_1 + \Delta x$, où $\Delta x \neq 0$, est défini par

$$m_{\text{sec}} = \frac{\Delta y}{\Delta x} = \frac{f(x_1 + \Delta x) - f(x_1)}{\Delta x}. \qquad \textbf{(4)}$$

Le **taux instantané d'accroissement** de y par rapport à x au point $x = x_1$ est défini par

$$m_{\text{tg}} = \lim_{\Delta x \to 0} m_{\text{sec}} = \lim_{\Delta x \to 0} \frac{\Delta y}{\Delta x} = \lim_{\Delta x \to 0} \frac{f(x_1 + \Delta x) - f(x_1)}{\Delta x}. \qquad \textbf{(5)}$$

Il s'agit de formules importantes à retenir. La figure 2.6 illustre le déplacement des sécantes vers la tangente au point $x = x_1$ pour une fonction quelconque $y = f(x)$ qui ne représente pas nécessairement un mouvement comme dans les figures précédentes. On y retrouve l'idée illustrée par les quatre graphiques de la figure 2.3.

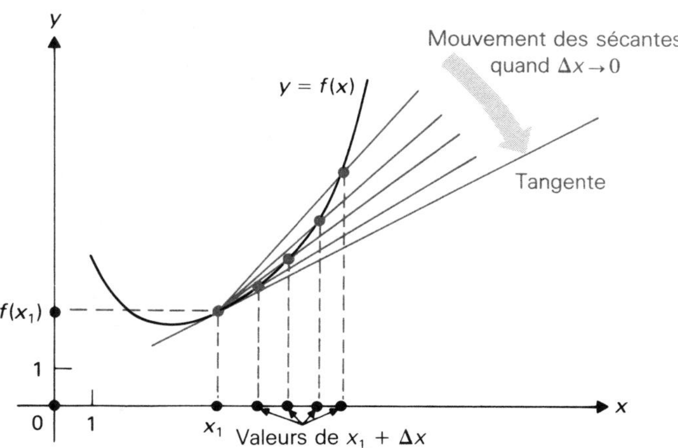

Figure 2.6 Les sécantes occupent des positions se rapprochant de celle de la tangente en $x = x_1$.

EXEMPLE 4 Soit $f(x) = x^3 + 2x$. Calculer l'approximation m_{sec} de la pente de la tangente au graphe de la fonction au point $x = x_1 = 2$ pour $\Delta x = 0{,}01$.

Solution D'après l'équation 4

$$m_{\text{sec}} = \frac{f(x_1 + \Delta x) - f(x_1)}{\Delta x}$$

$$= \frac{f(2 + 0{,}01) - f(2)}{0{,}01}$$

$$= \frac{[(2{,}01)^3 + 2(2{,}01)] - (2^3 + 2 \cdot 2)}{0{,}01}$$

$$= \frac{12{,}140\ 601 - 12}{0{,}01} = \frac{0{,}140\ 601}{0{,}01} = 14{,}060\ 1.$$

Nous verrons dans le chapitre 3 que la valeur exacte de la pente m_{tg} est 14, donc 14,060 1 est une approximation assez juste. (Une calculatrice est un instrument bien utile dans le calcul de m_{sec}.) □

EXEMPLE 5 Refaire le problème de l'exemple 4 en posant cette fois $\Delta x = 0{,}001$.

Solution Utilisons de nouveau l'équation 4. La valeur obtenue devrait être encore plus rapprochée de 14. Voici les détails des calculs, effectués à l'aide d'une calculatrice:

$$m_{\text{sec}} = \frac{f(2 + 0{,}001) - f(2)}{0{,}001}$$

$$= \frac{[(2{,}001)^3 + 2(2{,}001)] - (2^3 + 2 \cdot 2)}{0{,}001}$$

$$= \frac{12{,}014\ 006 - 12}{0{,}001} = \frac{0{,}014\ 006}{0{,}001} = 14{,}006.$$

Comme on s'y attendait, cette approximation est plus près de la valeur exacte de m_{tg} en $x_1 = 2$ que celle que nous avions obtenue à l'exemple 4, en prenant un Δx plus grand. □

EXEMPLE 6 Calculer la pente m_{tg} de la tangente à la courbe de la fonction $f(x) = 4x - 3x^2$ au point $x = x_1$.

Solution Utilisons l'équation 5, en calculant d'abord l'expression $m_{sec} = \Delta y/\Delta x$ et en la simplifiant le plus possible. Pour $\Delta x \neq 0$,

$$m_{sec} = \frac{f(x_1 + \Delta x) - f(x_1)}{\Delta x}$$

$$= \frac{4(x_1 + \Delta x) - 3(x_1 + \Delta x)^2 - (4x_1 - 3x_1^2)}{\Delta x}$$

$$= \frac{4x_1 + 4(\Delta x) - 3x_1^2 - 6x_1(\Delta x) - 3(\Delta x)^2 - 4x_1 + 3x_1^2}{\Delta x}$$

$$= \frac{4(\Delta x) - 6x_1(\Delta x) - 3(\Delta x)^2}{\Delta x}$$

$$= \frac{\Delta x[4 - 6x_1 - 3(\Delta x)]}{\Delta x} = [4 - 6x_1 - 3(\Delta x)].$$

D'après l'équation 5,

$$m_{tg} = \lim_{\Delta x \to 0} m_{sec} = \lim_{\Delta x \to 0} [4 - 6x_1 - 3(\Delta x)] = 4 - 6x_1. \quad \square$$

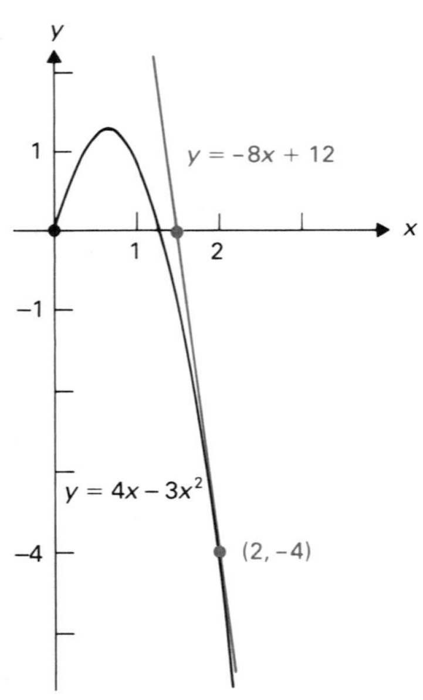

Figure 2.7 La tangente à la parabole $y = 4x - 3x^2$ au point $(2, -4)$ a pour équation $y = -8x + 12$.

EXEMPLE 7 Trouver l'équation de la tangente à la courbe de la fonction $y = f(x) = 4x - 3x^2$ au point d'abscisse $x = 2$ (figure 2.7).

Solution Pour trouver l'équation d'une droite, il faut connaître un *point* de la droite, de même que sa *pente*.

Point Un point de la droite est $(2, f(2)) = (2, -4)$, puisque $f(2) = 4 \cdot 2 - 3 \cdot 2^2 = -4$.

Pente Comme la droite cherchée est tangente à la courbe de la fonction au point $(2, -4)$, sa pente est donnée par m_{tg} en $x = x_1 = 2$. D'après l'exemple 6, $m_{tg} = 4 - 6x_1 = 4 - 6 \cdot 2 = -8$.

Équation L'équation de la droite est

$$y + 4 = -8(x - 2), \qquad \text{ou encore} \quad y = -8x + 12. \quad \square$$

Lorsqu'on calcule m_{tg} au moyen de l'équation 5, on doit habituellement mettre en évidence un Δx au numérateur, afin de pouvoir l'annuler avec le Δx apparaissant au dénominateur. Dans le cas d'une fonction polynomiale $f(x)$, le simple calcul de $f(x_1 + \Delta x) - f(x_1)$ permet d'y arriver, comme nous l'avons vu dans l'exemple 6. Voyons deux autres exemples.

EXEMPLE 8 Soit la fonction $f(x) = 1/(3x)$. Calculer m_{tg} au point $x = x_1$, où $x_1 \neq 0$.

Solution Calculons d'abord m_{sec}, en simplifiant son expression le plus possible et en tentant d'éliminer Δx du dénominateur. Par l'équation 4, où $\Delta x \neq 0$,

$$m_{\text{sec}} = \frac{\Delta y}{\Delta x} = \frac{f(x_1 + \Delta x) - f(x_1)}{\Delta x}$$

$$= \frac{\dfrac{1}{3(x_1 + \Delta x)} - \dfrac{1}{3x_1}}{\Delta x} = \frac{\dfrac{3x_1 - 3x_1 - 3(\Delta x)}{3(x_1 + \Delta x)(3x_1)}}{\Delta x}$$

$$= \frac{-3(\Delta x)}{\Delta x[3(x_1 + \Delta x)(3x_1)]} = \frac{-3}{3(x_1 + \Delta x)(3x_1)}.$$

Nous sommes parvenus à mettre Δx en évidence au numérateur en trouvant le dénominateur commun et en calculant l'expression $f(x_1 + \Delta x) - f(x_1)$. Nous pouvons maintenant utiliser l'équation 5 pour calculer m_{tg}:

$$m_{\text{tg}} = \lim_{\Delta x \to 0} m_{\text{sec}} = \lim_{\Delta x \to 0} \frac{-3}{3(x_1 + \Delta x)(3x_1)} = \frac{-1}{3x_1^2}. \quad \square$$

EXEMPLE 9 Soit la fonction $f(x) = \sqrt{x + 3}$. Calculer m_{tg} au point $x = x_1$.

Solution D'après l'équation 4, pour $\Delta x \neq 0$,

$$m_{\text{sec}} = \frac{\Delta y}{\Delta x} = \frac{f(x_1 + \Delta x) - f(x_1)}{\Delta x}$$

$$= \frac{\sqrt{(x_1 + \Delta x) + 3} - \sqrt{x_1 + 3}}{\Delta x}$$

Faisons maintenant disparaître les radicaux du numérateur:

$$m_{\text{sec}} = \frac{\sqrt{x_1 + \Delta x + 3} - \sqrt{x_1 + 3}}{\Delta x} \cdot \frac{\sqrt{x_1 + \Delta x + 3} + \sqrt{x_1 + 3}}{\sqrt{x_1 + \Delta x + 3} + \sqrt{x_1 + 3}}$$

$$= \frac{(x_1 + \Delta x + 3) - (x_1 + 3)}{\Delta x(\sqrt{x_1 + \Delta x + 3} + \sqrt{x_1 + 3})}$$

$$= \frac{\Delta x}{\Delta x(\sqrt{x_1 + \Delta x + 3} + \sqrt{x_1 + 3})}$$

$$= \frac{1}{\sqrt{x_1 + \Delta x + 3} + \sqrt{x_1 + 3}}.$$

Cette fois, nous sommes parvenus à mettre Δx en évidence au numérateur en faisant disparaître les radicaux de celui-ci. D'après l'équation 5,

$$m_{\text{tg}} = \lim_{\Delta x \to 0} m_{\text{sec}}$$

$$= \lim_{\Delta x \to 0} \frac{1}{\sqrt{x_1 + \Delta x + 3} + \sqrt{x_1 + 3}} = \frac{1}{2\sqrt{x_1 + 3}}. \quad \square$$

Comme nous l'avons déjà dit, le calcul différentiel traite des variations de quantités. Ajoutons que le taux instantané d'accroissement m_{tg} de la fonction $f(x)$ en un point $x = x_1$, défini par l'équation 5, est appelé *la dérivée de* f *au point* x_1. L'étude de ces dérivées constitue l'objet du calcul différentiel. C'est dans le chapitre 3 que nous étudierons la dérivée plus en détail et que nous apprendrons des méthodes qui en simplifieront le calcul. Nous introduirons également à ce moment-là la notation $f'(x_1)$ (lire: « f prime de x_1 ») pour la désigner. En traitant de taux d'accroissement dans la présente section, nous avons principalement voulu expliquer à quoi servent les limites, afin de justifier l'étude que nous allons en faire dans les pages qui suivent.

ESTIMATION DE m_{tg} AU MOYEN D'UNE CALCULATRICE

La figure 2.8 illustre la tangente à une courbe au point $x = x_1$ et une sécante de la même courbe passant par les points $x = x_1$ et $x = x_1 + \Delta x$. La figure 2.9, elle, présente la même courbe et la même tangente en $x = x_1$, mais on y trouve cette fois une droite passant par les points $x = x_1 - \Delta x$ et $x = x_1 + \Delta x$, où Δx a la même valeur qu'à la figure 2.8. Les points $x_1 - \Delta x$ et $x_1 + \Delta x$ sont symétriquement opposés par rapport à x_1. En comparant les deux figures, il semble bien que la droite de la figure 2.9, identifiée par m_{sym}, ait une inclinaison plus semblable à celle de la tangente que la sécante tracée à la figure 2.8. Nous nous attendons à ce que m_{sym} constitue une meilleure approximation de m_{tg} que m_{sec}, pour une même valeur de Δx. Comme la droite de la figure 2.9 passe par les points

$$(x_1 - \Delta x, f(x_1 - \Delta x)) \qquad \text{et} \qquad (x_1 + \Delta x, f(x_1 + \Delta x)),$$

elle a pour pente

$$m_{sym} = \frac{f(x_1 + \Delta x) - f(x_1 - \Delta x)}{2 \cdot \Delta x}. \tag{6}$$

Nous n'allons utiliser que des valeurs positives de Δx pour calculer m_{sym}. En fait, que l'on choisisse $-\Delta x$ ou Δx, c'est la même droite qui est construite.

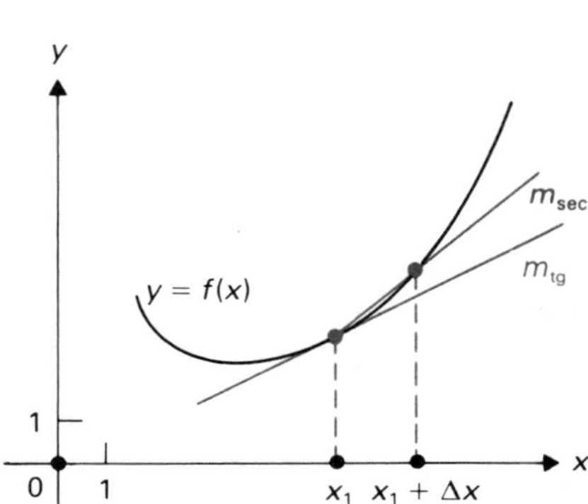

Figure 2.8 Approximation de la pente m_{tg} par la pente m_{sec}.

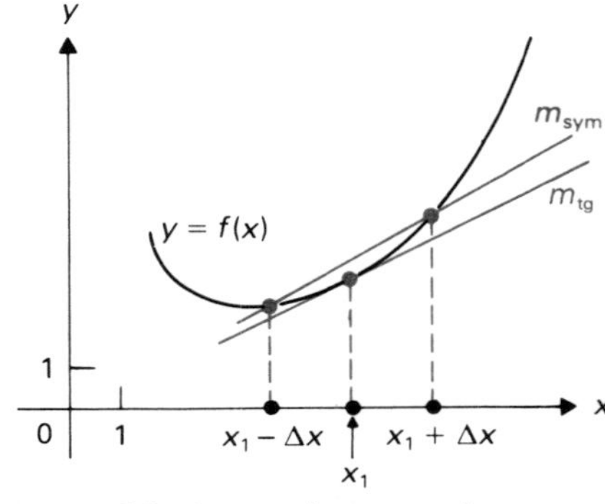

Figure 2.9 La pente m_{sym} est une meilleure approximation de la pente m_{tg}.

EXEMPLE 10 Soit $f(x) = x^3 + 2x$, $x_1 = 2$ et $\Delta x = 0{,}01$ comme dans l'exemple 4. Calculer une approximation de m_{tg} au moyen de l'équation 6.

Solution Procédons comme suit:

$$\frac{f(x_1 + \Delta x) - f(x_1 - \Delta x)}{2 \cdot \Delta x} = \frac{[2{,}01^3 + 2(2{,}01)] - [1{,}99^3 + 2(1{,}99)]}{2 \cdot 0{,}01}$$

$$= \frac{12{,}140\ 601 - 11{,}860\ 599}{0{,}02}$$

$$= \frac{0{,}280\ 002}{0{,}02} = 14{,}000\ 1.$$

La valeur exacte de m_{tg} est 14, par conséquent la réponse que nous venons de trouver est une bien meilleure approximation que le résultat 14,060 1 que nous avions obtenu à l'exemple 4. De plus, les calculs s'effectuent aisément à l'aide d'une calculatrice. □

À l'aide d'une calculatrice et de l'équation 6, nous pouvons obtenir des approximations de la pente m_{tg} de tangentes à des courbes de fonctions comme $\sin x$, 2^x et x^x, dont il n'a pas encore été question ici, mais qui sont définies dans nos calculatrices.

EXEMPLE 11 Soit la fonction $y = \cos x$. Calculer une approximation de m_{tg} au point $x = 1$ radian.

Solution Utilisons l'équation 6 pour calculer m_{sym} et prenons des valeurs de plus en plus petites de Δx, jusqu'à ce que les valeurs calculées de m_{sym} semblent se stabiliser à cinq ou six chiffres significatifs. Le tableau 2.1 contient les valeurs de Δx et les valeurs correspondantes de m_{sym}. D'après les résultats, on s'attend donc à ce que m_{tg} prenne pour valeur $-0{,}841\ 471$, avec six chiffres significatifs. On verra plus loin que la valeur exacte de m_{tg} avec dix chiffres significatifs est $-\sin(1) = -0{,}841\ 470\ 984\ 8$. □

EXEMPLE 12 Soit la fonction $f(x) = x^x$. Calculer une approximation de m_{tg} au point $x = 3$.

Solution Utilisons de nouveau m_{sym} et l'équation 6. L'exemple 11 a montré que l'on peut se limiter aux très petites valeurs de Δx et voir si le résultat semble se stabiliser. C'est ce qui a été fait dans le tableau 2.2. Il semble

Tableau 2.1

Δx	$m_{sym} = \frac{\cos(1 + \Delta x) - \cos(1 - \Delta x)}{2 \cdot \Delta x}$
0,1	−0,840 069 234 2
0,05	−0,841 120 415 7
0,01	−0,841 456 960 3
0,005	−0,841 467 478 7
0,001	−0,841 470 845 4
0,000 5	−0,841 470 949 2
0,000 1	−0,841 470 982 5

Tableau 2.2

Δx	$m_{sym} = \frac{(3 + \Delta x)^{(3+\Delta x)} - (3 - \Delta x)^{(3-\Delta x)}}{2 \cdot \Delta x}$
0,005	56,663 795 2
0,001	56,662 582 35
0,000 5	56,662 544 41
0,000 1	56,662 532 5

que la valeur de m_{tg}, avec six chiffres significatifs, soit 56,662 5. La valeur exacte de m_{tg}, avec dix chiffres significatifs, est en fait 56,662 531 79. □

Vous vous demandez peut-être pourquoi, dans les deux exemples précédents, nous n'avons pas utilisé des valeurs de Δx beaucoup plus petites, comme $\Delta x = 0{,}000\,000\,1$, pour calculer m_{sym}. C'est que pour de telles valeurs de Δx, $f(x_1 + \Delta x)$ et $f(x_1 - \Delta x)$ prennent des valeurs trop semblables. Si notre calculatrice offre un niveau de précision de 12 chiffres significatifs et que $f(x_1 + \Delta x)$ et $f(x_1 - \Delta x)$ sont identiques à dix chiffres significatifs, alors $f(x_1 + \Delta x) - f(x_1 - \Delta x)$ n'a un degré de précision que de deux chiffres significatifs dans la calculatrice. Or, en divisant ensuite par $2(\Delta x)$, on ne peut s'attendre à ce que le quotient nous donne une bonne approximation de m_{tg}.

RÉSUMÉ

1. Pour toute fonction $y = f(x)$, le taux moyen d'accroissement de y par unité d'accroissement de x, du point x_1 au point $x_1 + \Delta x$, est défini par

$$\frac{\Delta y}{\Delta x} = \frac{f(x_1 + \Delta x) - f(x_1)}{\Delta x}.$$

Le taux moyen d'accroissement correspond géométriquement à la pente m_{sec} de la sécante passant par les points $x = x_1$ et $x = x_1 + \Delta x$ de la courbe.

2. Pour toute fonction $y = f(x)$, le taux instantané d'accroissement de y par rapport à x au point $x = x_1$ est défini par

$$\lim_{\Delta x \to 0} \frac{\Delta y}{\Delta x} = \lim_{\Delta x \to 0} \frac{f(x_1 + \Delta x) - f(x_1)}{\Delta x}.$$

Si la courbe admet une tangente unique en $x = x_1$, alors la limite ci-dessus existe et est égale à la pente m_{tg} de cette tangente.

3. Si $s = f(t)$ est la distance totale s parcourue en ligne droite au temps t, alors m_{tg} en $t = t_1$ correspond à la vitesse au temps t_1.

4. Pour toute fonction $y = f(x)$, le taux instantané d'accroissement m_{tg} de y par rapport à x en x_1 s'appelle également la *dérivée de la fonction* f *en* x_1. Elle est notée $f'(x_1)$, qui se lit « f prime de x_1 ».

5. Pour toute fonction $y = f(x)$, la pente de la droite passant par les points $x = x_1 - \Delta x$ et $x = x_1 + \Delta x$, symétriquement opposés par rapport à x_1, est donnée par

$$m_{sym} = \frac{f(x_1 + \Delta x) - f(x_1 - \Delta x)}{2 \cdot \Delta x}.$$

Pour une même valeur de Δx, m_{sym} donne généralement une meilleure approximation de m_{tg} que m_{sec}.

EXERCICES

Dans les exercices 1 à 10, utiliser l'équation 4 pour trouver le taux moyen d'accroissement m_{sec} de la fonction donnée, au point indiqué et pour l'accroissement donné de la variable indépendante.

1. $f(x) = x^2$, $x_1 = 4$, $\Delta x = 0{,}01$.

2. $f(x) = 5x$, $x_1 = 2$, $\Delta x = 0{,}005$.

3. $f(t) = t^2 - 2t + 4$, $t_1 = -1$, $\Delta t = -0{,}2$.

4. $f(x) = 4x - 5x^2$, $x_1 = -2$, $\Delta x = 0{,}01$.

5. $f(s) = s^3 - 3s$, $s_1 = 1$, $\Delta s = 0{,}1$.

6. $f(x) = 1/x$, $x_1 = 2$, $\Delta x = 0{,}1$.

7. $f(u) = u + 1/u$, $u_1 = -1$, $\Delta u = -0{,}001$.

8. $f(x) = 4/(x + 1)$, $x_1 = -2$, $\Delta x = -0{,}01$.

9. $f(x) = \sqrt{x}$, $x_1 = 4$, $\Delta x = 0{,}05$. (Utiliser une calculatrice.)

10. $f(x) = \sqrt{2x + 5}$, $x_1 = 2$, $\Delta x = -0{,}03$. (Utiliser une calculatrice.)

Dans les exercices 11 à 20, utiliser la formule 5 pour trouver le taux instantané d'accroissement m_{tg} de la fonction donnée au point indiqué. Comparer les réponses obtenues avec les réponses correspondantes des exercices 1 à 10.

11. $f(x) = x^2$, $x_1 = 4$.

12. $f(x) = 5x$, $x_1 = 2$.

13. $f(t) = t^2 - 2t + 4$, $t_1 = -1$.

14. $f(x) = 4x - 5x^2$, $x_1 = -2$.

15. $f(s) = s^3 - 3s$, $s_1 = 1$.

16. $f(x) = 1/x$, $x_1 = 2$.

17. $f(u) = u + 1/u$, $u_1 = -1$.

18. $f(x) = 4/(x + 1)$, $x_1 = -2$.

19. $f(x) = \sqrt{x}$, $x_1 = 4$.

20. $f(x) = \sqrt{2x + 5}$, $x_1 = 2$.

Dans les exercices 21 à 24, trouver l'équation de la tangente à la courbe donnée au point indiqué. (Se rappeler que m_{tg} est la pente de la tangente à la courbe.)

21. $y = x^2$, au point $(1,1)$.

22. $y = 4x - 3x^2$, au point $(2,-4)$.

23. $y = 1/x$, au point $(2,1/2)$.

24. $y = \sqrt{x}$, au point $(4,2)$.

25. Si s est la distance totale parcourue par un mobile au temps t, alors le rapport $\Delta s/\Delta t$ désigne la *vitesse moyenne* du mobile pendant l'intervalle de temps Δt. Supposons qu'un mobile se déplace de façon telle qu'après t heures il ait parcouru une distance $s = f(t) = 3t^2 + 2t$ km, où $t \geq 0$.

a) Trouver la vitesse moyenne du mobile au cours des deux heures écoulées entre $t = 3$ et $t = 5$.

b) Trouver la vitesse moyenne du mobile durant l'heure écoulée entre $t = 3$ et $t = 4$.

c) Trouver la vitesse moyenne du mobile durant la demi-heure écoulée entre $t = 3$ et $t = 7/2$.

d) D'après les réponses trouvées en *a*, *b* et *c*, indiquer intuitivement à quelle vitesse se déplace le mobile à l'instant $t = 3$.

26. Dans le contexte de l'exercice 25, trouver la vitesse exacte du mobile à l'instant $t = 3$. [*Indice* Calculer m_{tg}.]

27. On laisse tomber une pierre d'une hauteur de 78,4 m. Si on ne tient pas compte de la résistance de l'air, on peut affirmer que la distance parcourue par la pierre t secondes après le début du mouvement est $s = 4{,}9t^2$ m, jusqu'au moment où elle touche le sol.

a) Pour quel intervalle de temps la formule $s = 4{,}9t^2$ a-t-elle un sens?

b) Calculer la *vitesse moyenne* de la pierre au cours de sa chute.

c) Trouver une expression permettant de calculer la vitesse instantanée de la pierre à un instant t quelconque faisant partie de l'intervalle de temps trouvé en *a*.

d) À quel instant t la vitesse instantanée de la pierre est-elle égale à la vitesse moyenne de sa chute?

28. Un gaz maintenu à une température constante est enfermé dans un contenant qui augmente de volume. La pression exercée par le gaz sur les parois du contenant à l'instant t (mesuré en secondes) est donnée par l'équation

$$p = \frac{24}{t + 2} \text{ g/cm}^2.$$

a) Calculer le taux moyen d'accroissement de la pression entre $t = 0$ s et $t = 2$ s.

b) Calculer le taux instantané d'accroissement de la pression à l'instant $t = 0$ s.

29. Deux charges électriques positives sont distantes de 5 cm à l'instant $t = 0$ s. La distance entre les deux charges augmente au taux constant de 1 cm/s. La force de répulsion entre les deux charges est donnée par l'équation

$$F = \frac{10}{(t + 5)^2} \text{ dynes.}$$

a) Calculer le taux moyen d'accroissement de F entre $t = 0$ s et $t = 5$ s.

b) Calculer le taux instantané d'accroissement de F à l'instant $t = 5$ s.

Dans les exercices suivants, on demande d'utiliser une calculatrice et l'équation 6 pour trouver la valeur approximative de m_{tg} pour la fonction donnée au point indiqué. Le choix de Δx est laissé au lecteur. Les fonctions qui n'ont pas encore été étudiées sont définies dans la calculatrice. Pour les fonctions trigonométriques, utiliser le radian comme unité de mesure.

30. $\sin x$, au point $x_1 = 0$.

31. $\text{tg } x$, au point $x_1 = 1$.

32. $\text{tg } x$, au point $x_1 = \frac{\pi}{4}$

33. $\sqrt{x^2 + 2x - 3}$, au point $x_1 = 2$.

34. $\frac{\sqrt{x^2 - 4x}}{x + 3}$, au point $x_1 = -2$.

35. 3^x, au point $x_1 = 2$.

36. $2^{\sqrt{x+4}}$, au point $x_1 = 5$.

37. x^x, au point $x_1 = 1{,}5$.

2.2 LIMITES

CONCEPT DE $\lim_{x \to x_1} f(x)$

Nous avons, à la section précédente, calculé la limite de fonctions de Δx quand $\Delta x \to 0$. Nous allons maintenant aborder le concept de limite de façon plus générale, en notant la variable « x » plutôt que « Δx », et en considérant $\lim_{x \to x_1} f(x)$. Nous allons étudier le comportement de la fonction $f(x)$ lorsque x prend des valeurs de plus en plus rapprochées de x_1 sans jamais atteindre x_1. Les exemples suivants vous aideront à comprendre intuitivement de quoi il s'agit.

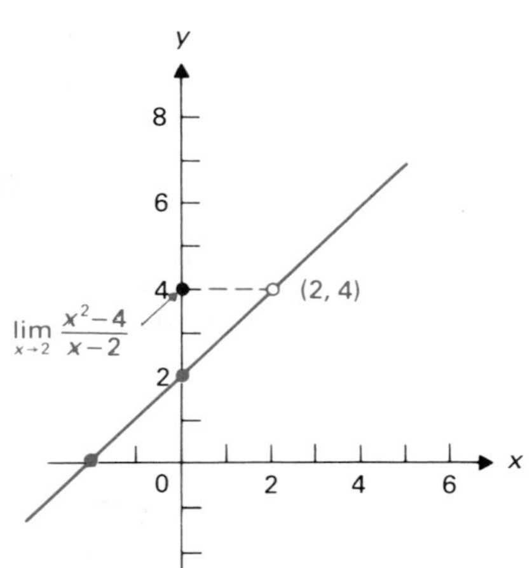

Figure 2.10 Graphe de la fonction $y = (x^2 - 4)/(x - 2) = x + 2$, où $x \neq 2$.

EXEMPLE 1 Évaluer, si possible,

$$\lim_{x \to 2} \frac{x^2 - 4}{x - 2}.$$

En d'autres termes, peut-on trouver un nombre L tel que l'expression $(x^2 - 4)/(x - 2)$ soit voisine de L quand x est voisin de 2?

Solution Il faut remarquer que l'expression $(x^2 - 4)/(x - 2)$ n'est pas définie au point $x = 2$, mais pour $x \neq 2$,

$$\frac{x^2 - 4}{x - 2} = \frac{(x - 2)(x + 2)}{x - 2} = x + 2.$$

(Voir la figure 2.10.) Par conséquent,

$$\lim_{x \to 2} \frac{x^2 - 4}{x - 2} = \lim_{x \to 2} (x + 2) = 4$$

car, pour x voisin de 2, l'expression $x + 2$ est voisine de 4. □

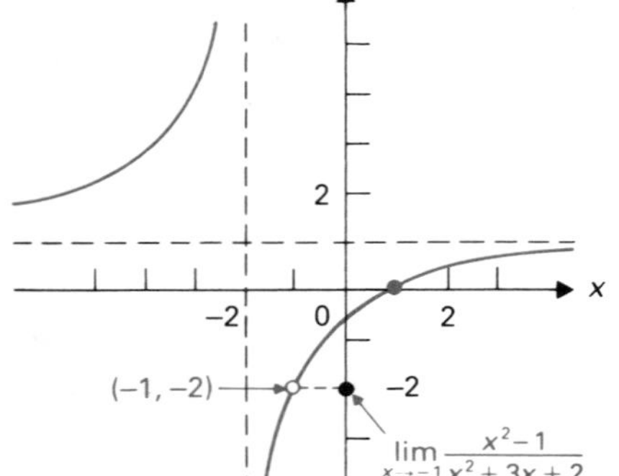

Figure 2.11 Graphe de la fonction $y = (x^2 - 1)/(x^2 + 3x + 2)$ $= (x - 1)/(x + 2)$, où $x \neq -1$.

EXEMPLE 2 Trouver

$$\lim_{x \to -1} \frac{x^2 - 1}{x^2 + 3x + 2}.$$

Solution La fonction n'est pas définie en $x = -1$. Par contre, pour $x \neq -1$,

$$\frac{x^2 - 1}{x^2 + 3x + 2} = \frac{(x + 1)(x - 1)}{(x + 1)(x + 2)} = \frac{x - 1}{x + 2}$$

(Voir la figure 2.11.) Par conséquent,

$$\lim_{x \to -1} \frac{x^2 - 1}{x^2 + 3x + 2} = \lim_{x \to -1} \frac{x - 1}{x + 2} = \frac{-2}{1} = -2.$$

Autrement dit, si x est voisin de -1, alors $x - 1$ est voisin de -2 et $x + 2$ est voisin de 1, d'où leur quotient voisin de -2. □

EXEMPLE 3 Calculer

$$\lim_{x \to 5} \frac{x + 6}{x^2 + 2x}.$$

Solution Cette fois, la fonction est définie en $x = 5$. Quand x est voisin de 5, le numérateur $x + 6$ est voisin de 11 et le dénominateur $x^2 + 2x$ est voisin de 35. Le quotient est donc voisin de 11/35, d'où

$$\lim_{x \to 5} \frac{x + 6}{x^2 + 2x} = \frac{11}{35}.$$

(Voir la figure 2.12.) Ici, la limite est donc égale à la valeur de la fonction au point 5. Il ne faudrait pourtant pas conclure trop vite: voyons plutôt le prochain exemple! □

EXEMPLE 4 Soit la fonction

$$f(x) = \begin{cases} \dfrac{x + 6}{x^2 + 2x} & \text{quand } x \neq 5, \\ 2 & \text{quand } x = 5. \end{cases}$$

Trouver $\lim_{x \to 5} f(x)$.

Solution Tout comme dans l'exemple 3, $\lim_{x \to 5} f(x) = 11/35$. Pour évaluer $\lim_{x \to x_1} f(x)$, on étudie le comportement de $f(x)$ lorsque x est très voisin de x_1, *mais différent de* x_1; c'est pourquoi la valeur de $f(x_1)$ peut être modifiée sans que cela n'ait le moindre effet sur la valeur de la limite. (Voir la figure 2.13.) □

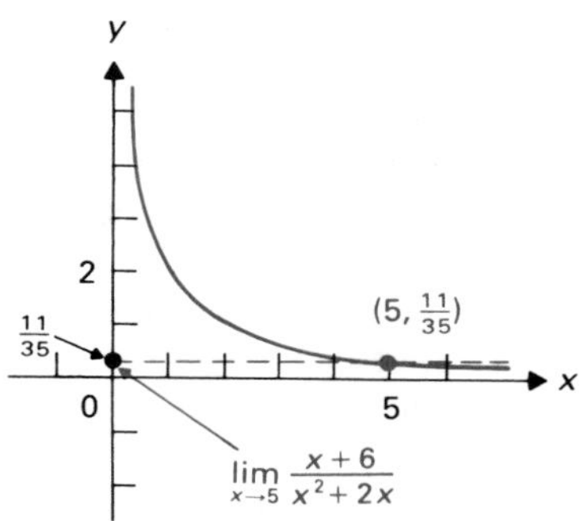

Figure 2.12 Graphe de la fonction $y = (x + 6)/(x^2 + 2x)$.

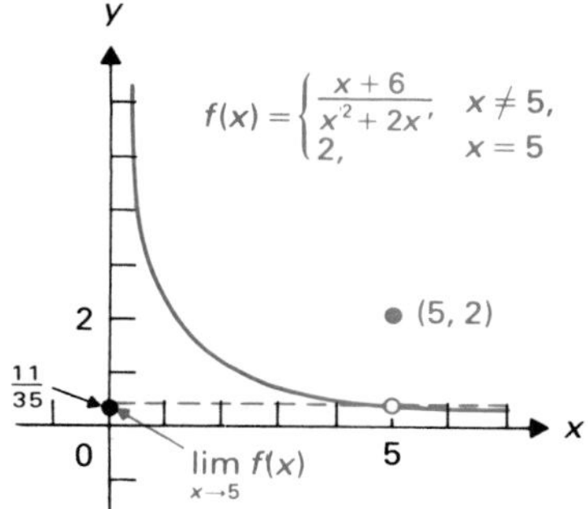

Figure 2.13 La valeur de $\lim_{x \to 5} f(x)$ ne dépend pas de la valeur de $f(5)$.

EXEMPLE 5 Évaluer $\lim_{x \to 2} f(x)$ si

$$f(x) = \begin{cases} 3 - x & \text{quand } x \geq 2, \\ x + 1 & \text{quand } x < 2. \end{cases}$$

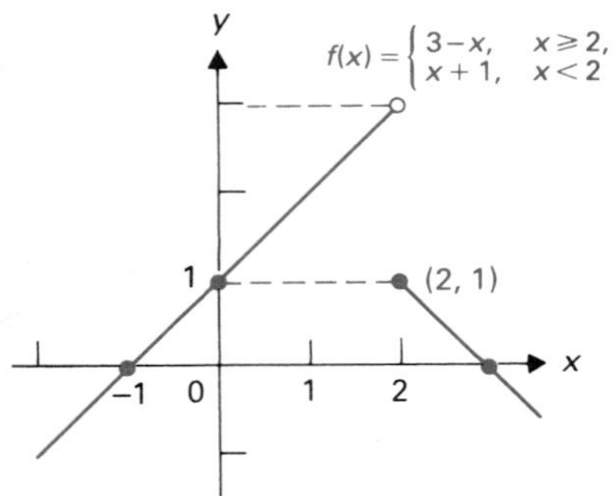

Figure 2.14 La fonction $f(x)$ est marquée par un saut au point 2, donc $\lim_{x\to 2} f(x)$ n'existe pas.

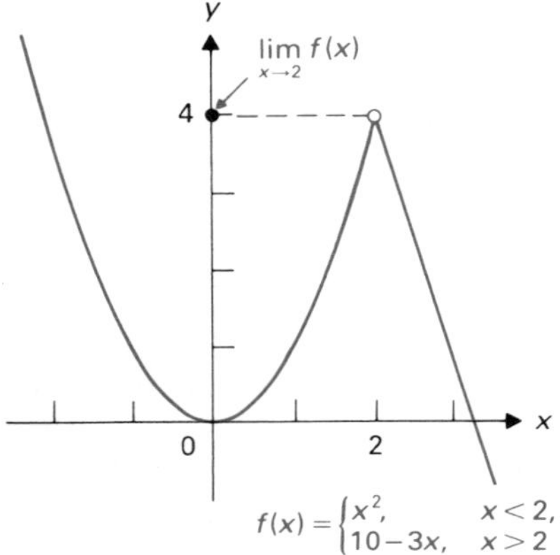

Figure 2.15 Lorsque $x \to 2$, $f(x) \to 4$. La fonction ne fait pas de saut au point 2.

Solution Le graphe de f est représenté à la figure 2.14. $\lim_{x\to 2} f(x)$ n'existe pas. En effet, si x est légèrement supérieur à 2, alors $f(x)$ est voisin de $3 - 2 = 1$; par contre, si x est légèrement inférieur à 2, alors $f(x)$ est voisin de $2 + 1 = 3$. Il n'existe donc pas de nombre L *unique* pour lequel les valeurs prises par $f(x)$ soient voisines de L pour *toutes* les valeurs de x voisines de 2, et différentes de 2. Nous écrivons alors: « $\lim_{x\to 2} f(x)$ n'existe pas ». □

EXEMPLE 6 Évaluer $\lim_{x\to 2} f(x)$ si

$$f(x) = \begin{cases} 10 - 3x & \text{quand } x > 2, \\ x^2 & \text{quand } x < 2. \end{cases}$$

Solution Le graphe de la fonction f est représenté à la figure 2.15. Cette fois, $\lim_{x\to 2} f(x) = 4$ puisque, lorsque x est légèrement supérieur à 2, l'expression $10 - 3x$ est voisine de 4, tout comme l'est l'expression x^2 lorsque x est légèrement inférieur à 2. Pourtant, $f(2)$ n'est pas définie, mais cela n'est pas important: on pourrait lui donner n'importe quelle valeur sans que cela ne change la valeur de la limite. □

EXEMPLE 7 Évaluer $\lim_{x\to 3} f(x)$ si $f(x) = \sqrt{x - 3}\sqrt{3 - x}$.

Solution Il faut remarquer que 3 est le *seul* point du domaine de f. L'expression $\lim_{x\to 3} f(x)$ n'a donc pas de signification ici, puisqu'il est impossible d'évaluer $f(x)$ en des points x voisins de 3 mais différents de 3. □

DÉFINITION DE $\lim_{x\to x_1} f(x)$

Dans le présent article et dans les sections qui vont suivre, nous établirons les concepts de limite et de continuité au moyen de définitions formelles qui ne seront pas utilisées dans les chapitres suivants. Vous pouvez donc les ignorer sans que cela ne nuise à la compréhension des notions à venir. Si nous n'avons pas jugé bon de les marquer d'un astérisque, c'est que nous croyons que le fait d'aborder ces notions lors d'un premier cours de calcul différentiel permet de mieux les comprendre par la suite. Grâce aux exemples que nous avons étudiés jusqu'à maintenant, vous devriez avoir une assez bonne idée de la signification réelle du concept de limite, à savoir:

> Le concept de limite a pour objet d'établir le comportement d'une fonction *près* d'un point, mais pas au point lui-même. En fait, il n'est pas nécessaire que la fonction soit définie au point. Si elle l'est, la valeur qu'elle prend en ce point n'affecte en rien la valeur de la limite.

Intuitivement, $\lim_{x\to x_1} f(x) = L$ signifie que nous pouvons rendre $f(x)$ *aussi voisin de* L que nous le désirons pourvu que l'on choisisse un x suffisamment *voisin de* x_1, tout en étant différent de celui-ci. Une telle affirmation est assez vague; en effet, qu'entend-on par *voisin*? Pour certains, $f(x)$

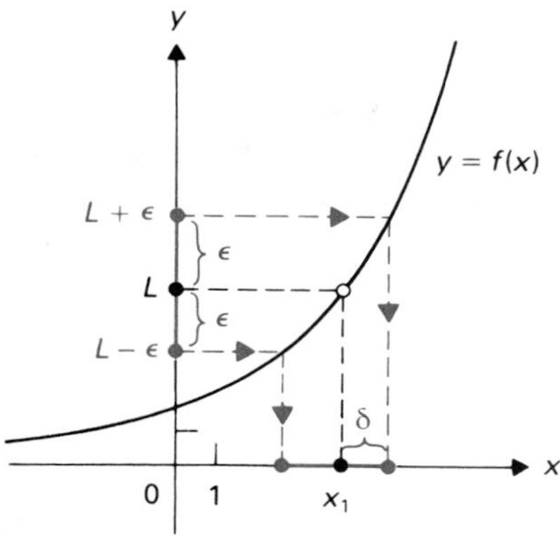

Figure 2.16 $\lim_{x \to x_1} f(x) = L$. Recherche de δ pour un ϵ donné.

sera voisin de L si $L - 0{,}1 < f(x) < L + 0{,}1$. D'autres exigeront plutôt $L - 0{,}000\ 01 < f(x) < L + 0{,}000\ 01$. On peut naturellement penser que $\lim_{x \to x_1} f(x) = L$ si *toutes* les exigences de proximité sont satisfaites. Il faut donc s'assurer que pour un certain $\varepsilon > 0$, que ce soit 0,1, 0,000 01 ou tout autre nombre, l'inéquation $L - \varepsilon < f(x) < L + \varepsilon$ est vérifiée pour tout x situé à moins d'une certaine distance de x_1, par exemple 0,05 ou 0,003, mais différent de x_1. En d'autres termes, nous devons pouvoir trouver un $\delta > 0$ tel que l'inéquation $L - \varepsilon < f(x) < L + \varepsilon$ soit satisfaite si $x_1 - \delta < x < x_1 + \delta$, mais $x \neq x_1$. La figure 2.16 illustre le choix de δ pour un ε donné. Remarquez qu'à la figure 2.16 la fonction f n'a pas été définie au point x_1: nous l'avons choisie ainsi pour faire ressortir que $f(x_1)$ ne joue aucun rôle dans l'établissement de $\lim_{x \to x_1} f(x) = L$. $L - \varepsilon$ et $L + \varepsilon$ sont placés sur l'axe des y, tout comme les autres valeurs de $f(x)$. Pour trouver la valeur de δ, il suffit de partir de ces deux points, de se déplacer parallèlement à l'axe des x jusqu'à ce que l'on atteigne la courbe, puis d'abaisser des perpendiculaires à l'axe des x (suivre le mouvement des flèches). Pour tout x compris dans l'intervalle délimité par les deux points de couleur sur l'axe des x, sauf pour $x = x_1$, $f(x)$ est compris dans l'intervalle entre $L - \varepsilon$ et $L + \varepsilon$. On désigne par δ la *plus petite* des deux distances entre les extrémités de l'intervalle sur l'axe des x et le point x_1. On s'assure ainsi que l'ensemble des valeurs de x telles que $x_1 - \delta < x < x_1 + \delta$, mais $x \neq x_1$, est bien situé dans l'intervalle de l'axe des x que nous avions construit à partir de $L - \varepsilon$ et $L + \varepsilon$ à la figure 2.16. La figure 2.17 illustre bien que si l'on choisit un ε plus petit, on peut s'attendre à ce que le δ soit également plus petit. Enfin, la figure 2.18 montre que pour un ε comme celui de la figure 2.16, toute valeur de δ inférieure à celle que nous avions trouvée précédemment convient également. Ainsi, il suffit de trouver *une* valeur de $\delta > 0$, et pas nécessairement la plus grande des valeurs possibles de δ.

Voici donc la définition formelle de $\lim_{x \to x_1} f(x) = L$. [Bien entendu, pour que l'on puisse parler de $\lim_{x \to x_1} f(x)$, la fonction f doit être définie en des points $x \neq x_1$ aussi près de x_1 que nous le désirons. (Se reporter à l'exemple 7). On retrouve cette condition dans la première phrase de la définition.]

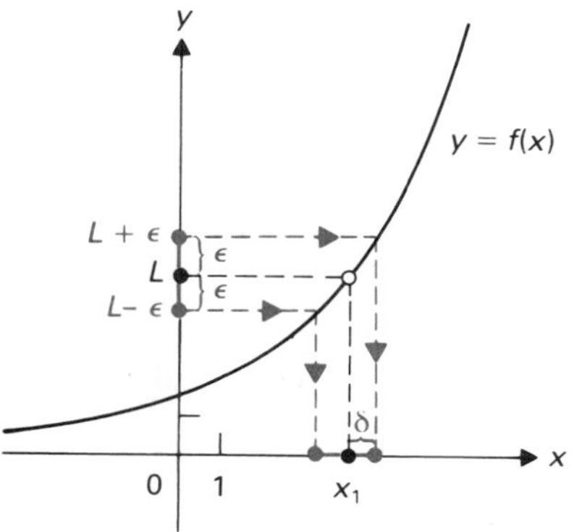

Figure 2.17 Un plus petit ϵ peut nécessiter un δ plus petit.

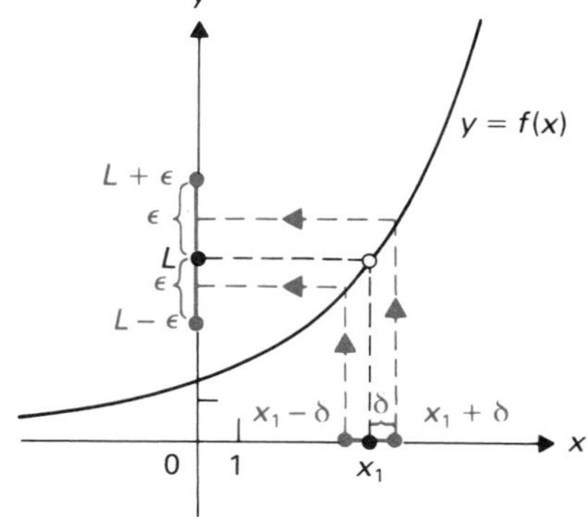

Figure 2.18 Si une valeur de δ satisfait à la condition, alors tout δ positif plus petit convient aussi.

DÉFINITION 2.1 Limite d'une fonction f en x_1

Soit f une fonction définie pour des valeurs de x voisines de x_1. (Il n'est pas indispensable que f soit définie en $x = x_1$, mais cela est possible.) Nous dirons que L est la limite de $f(x)$ quand x tend vers x_1 et nous écrirons

$$\lim_{x \to x_1} f(x) = L$$

si pour tout $\varepsilon > 0$ il existe un $\delta > 0$ tel que $L - \varepsilon < f(x) < L + \varepsilon$, pour tout $x \neq x_1$ appartenant au domaine de f et tel que $x_1 - \delta < x < x_1 + \delta$.

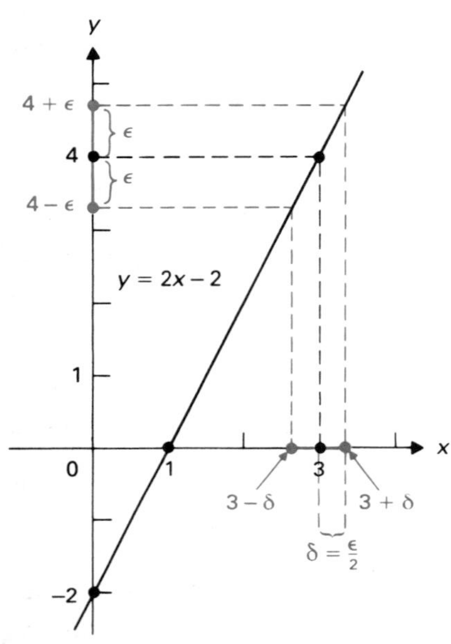

Figure 2.19 $\lim_{x \to 3} (2x - 2) = 4$. Comme le graphe a pour pente 2, δ doit être inférieur ou égal à $\epsilon/2$.

La condition $L - \varepsilon < f(x) < L + \varepsilon$ peut aussi s'écrire $|f(x) - L| < \varepsilon$, et la double condition $x_1 - \delta < x < x_1 + \delta$ et $x \neq x_1$ peut être remplacée par la condition $0 < |x - x_1| < \delta$. La définition formelle ci-dessus a une grande importance en mathématiques pures.

EXEMPLE 8 Démontrer formellement que

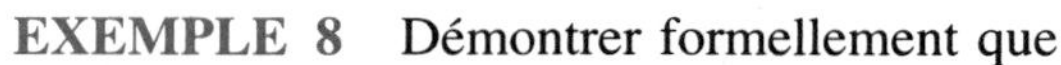

$$\lim_{x \to 3} (2x - 2) = 4.$$

L'égalité ci-dessus devrait sûrement être vérifiée puisque, si x est voisin de 3, alors $f(x) = 2x - 2$ est voisin de $6 - 2 = 4$.

Solution Soit $\varepsilon > 0$. Nous voulons nous assurer que

$$4 - \varepsilon < f(x) < 4 + \varepsilon. \tag{1}$$

Reportons-nous à la figure 2.19 et plaçons les points $4 - \varepsilon$ et $4 + \varepsilon$ sur l'axe des y, où sont situées les valeurs de $f(x)$. Il faut trouver un $\delta > 0$, puis placer $3 - \delta$ et $3 + \delta$ sur l'axe des x, de sorte que l'équation 1 soit vérifiée si $3 - \delta < x < 3 + \delta$, mais $x \neq 3$. Comme le graphe de $f(x) = 2x - 2$ est une droite de pente 2, chaque déplacement de une unité sur l'axe des x produit un déplacement de $f(x)$ de deux unités sur l'axe des y. Ainsi, une variation de longueur ε sur l'axe des y provient d'une variation de longueur $\varepsilon/2$ seulement sur l'axe des x; nous pouvons donc poser $\delta = \varepsilon/2$.

Le raisonnement précédent repose sur une argumentation géométrique. Nous pouvons également arriver au même résultat par des moyens algébriques. Ainsi, nous devons avoir

$$4 - \varepsilon < 2x - 2 < 4 + \varepsilon,$$

qui peut s'écrire

$$6 - \varepsilon < 2x < 6 + \varepsilon, \qquad \text{ou encore} \qquad 3 - \frac{\varepsilon}{2} < x < 3 + \frac{\varepsilon}{2}.$$

Par conséquent, il suffit de poser $\delta = \varepsilon/2$. Bien entendu, toute valeur de δ inférieure à $\varepsilon/2$ ferait également l'affaire. □

EXEMPLE 9 Démontrer formellement que $\lim_{x \to 1} (5 - 7x) = -2$.

Solution Soit $\varepsilon > 0$. Nous devons avoir

$$-2 - \varepsilon < 5 - 7x < -2 + \varepsilon. \tag{2}$$

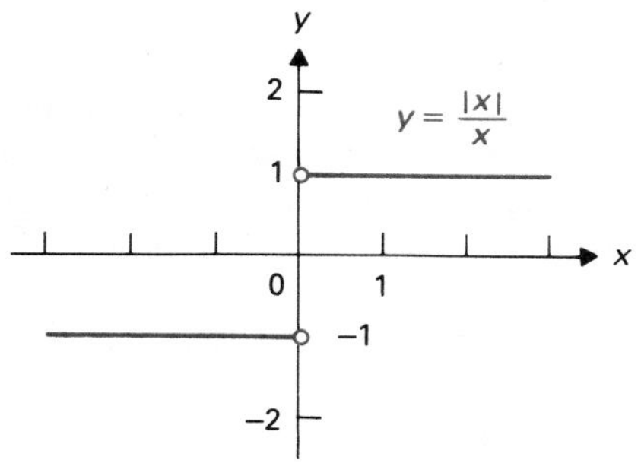

Figure 2.20 $\lim_{x\to 0} |x|/x$ n'existe pas: la fonction est marquée par un saut de 2 unités en $x = 0$.

Pour que l'équation 2 soit vérifiée, il faut et il suffit que

$$-7 - \varepsilon < -7x < -7 + \varepsilon, \qquad \text{ou encore que} \qquad 1 + \frac{\varepsilon}{7} > x > 1 - \frac{\varepsilon}{7}.$$

Nous pouvons donc choisir $\delta = \varepsilon/7$ puisque, si x est à une distance du point 1 inférieure à $\varepsilon/7$, alors $5 - 7x$ est à une distance du point -2 inférieure à ε. □

EXEMPLE 10 Démontrer formellement que $\lim_{x\to 0} |x|/x$ n'existe pas.

Solution La figure 2.20 illustre la courbe représentative de la fonction $|x|/x$. Pour *tout* $\delta > 0$,

$$\frac{|x|}{x} = 1, \quad \text{si } 0 < x < \delta, \qquad \text{et} \qquad \frac{|x|}{x} = -1, \quad \text{si } -\delta < x < 0.$$

Les points 1 et -1 sont distants de deux unités alors que, pour une valeur possible L de la limite, les nombres $L - \varepsilon$ et $L + \varepsilon$ sont distants de 2ε unités. Ainsi, si $\varepsilon < 1$, la relation

$$L - \varepsilon < \frac{|x|}{x} < L + \varepsilon \quad \text{pour tout } -\delta < x < \delta, \text{ où } x \neq 0,$$

ne peut être vérifiée, *quelles que soient* les valeurs de L et de $\delta > 0$ choisies. Par exemple, pour $\varepsilon = 1/2$, il n'existe aucun $\delta > 0$ pour lequel

$$L - \varepsilon < \frac{|x|}{x} < L + \varepsilon \quad \text{si } -\delta < x < \delta \text{ et } x \neq 0,$$

peu importe la valeur choisie pour L. La définition 2.1, selon laquelle *pour tout* $\varepsilon > 0$, en particulier $\varepsilon = 1/2$, un tel $\delta > 0$ doit exister, n'est donc pas vérifiée. □

CALCUL DES LIMITES

Voici un théorème que nous utiliserons fréquemment, parfois même sans nous en rendre compte, lorsque nous calculerons des limites.

THÉORÈME 2.1 Propriétés des limites

Si $\lim_{x\to x_1} f(x) = L$ et $\lim_{x\to x_1} g(x) = M$, où les domaines respectifs de f et de g contiennent des points communs arbitrairement voisins de x_1, mais différents de x_1, alors

$$\lim_{x\to x_1} (f(x) + g(x)) = L + M, \qquad \textbf{Limite d'une somme} \quad \textbf{(3)}$$

$$\lim_{x\to x_1} (f(x) \cdot g(x)) = L \cdot M, \qquad \textbf{Limite d'un produit} \quad \textbf{(4)}$$

$$\lim_{x\to x_1} \left(\frac{f(x)}{g(x)}\right) = \frac{L}{M} \quad \text{si } M \neq 0, \qquad \textbf{Limite d'un quotient} \quad \textbf{(5)}$$

$$\lim_{x\to x_1} \sqrt{f(x)} = \sqrt{L} \quad \text{si } L > 0. \qquad \textbf{Limite de la racine carrée} \quad \textbf{(6)}$$

À titre d'exemple, si $f(x)$ est voisin de 2 et $g(x)$ est voisin de 5 lorsque x est voisin de $x_1 = -1$, alors $f(x) + g(x)$ est voisin de $2 + 5 = 7$ et $f(x) \cdot g(x)$ est voisin de $2 \cdot 5 = 10$ lorsque x est voisin de -1. De même, $f(x)/g(x)$ est voisin de $2/5$ et $\sqrt{f(x)}$ est voisin de $\sqrt{2}$ lorsque x est voisin de -1. D'un point de vue intuitif, la validité des propriétés énoncées dans le théorème 2.1 ne fait aucun doute. Nous avons d'ailleurs utilisé la propriété 5 dans les exemples 2, 3 et 4 de la présente section. On trouvera des démonstrations formelles du théorème 2.1 dans les livres d'analyse de niveau plus avancé.

Voici quelques exemples d'application des propriétés 3, 4 et 5 du théorème 2.1. On a, bien entendu, $\lim_{x \to x_1} x = x_1$. Par ailleurs, la propriété 4 permet d'affirmer que

$$\lim_{x \to x_1} x \cdot x = x_1 \cdot x_1, \qquad \lim_{x \to x_1} x^3 = \lim_{x \to x_1} x^2 \cdot x = x_1^2 \cdot x_1 = x_1^3, \quad \ldots.$$

et la propriété 3, que

$$\lim_{x \to x_1} (x^3 + x^2) = x_1^3 + x_1^2.$$

De plus, il est bien entendu que si $f(x) = 3$ pour toute valeur de x, alors $\lim_{x \to x_1} f(x) = 3$. D'après la propriété 4,

$$\lim_{x \to x_1} 3 \cdot x^2 = 3x_1^2.$$

Par un raisonnement analogue, on peut montrer que si $f(x)$ est une **fonction polynomiale**, c'est-à-dire une fonction de la forme $f(x) = a_n x^n + a_{n-1} x^{n-1} + \ldots + a_1 x + a_0$, où n est un entier positif et $a_n, a_{n-1}, \ldots, a_0$ sont des constantes, alors $\lim_{x \to x_1} f(x) = f(x_1)$.

D'après la propriété 5, si $g(x)$ est également une fonction polynomiale et si $g(x_1) \neq 0$, alors $\lim_{x \to x_1} f(x)/g(x) = f(x_1)/g(x_1)$. (Le quotient de telles fonctions polynomiales est appelé **fonction rationnelle**.) Par conséquent, calculer la limite d'une fonction rationnelle quand $x \to x_1$ se résume à calculer la valeur de la fonction au point x_1, pourvu que le dénominateur de la fonction ne s'annule pas en ce point. Nous pouvons faire de cette dernière affirmation un corollaire du théorème 2.1.

COROLLAIRE Limite des fonctions polynomiales et des fonctions rationnelles

La limite d'une fonction polynomiale ou d'une fonction rationnelle en un point x_1 de son domaine est égale à la valeur de la fonction en ce point.

Le seul « cas problème » pouvant se présenter dans le calcul de la limite d'une fonction rationnelle $f(x)/g(x)$ en un point x_1 est celui où $g(x_1) = 0$, de sorte que x_1 n'appartient pas au domaine de $f(x)/g(x)$. Lorsque le dénominateur s'annule en un point, il faut faire appel à des artifices de calcul, comme simplifier un terme au numérateur et au dénominateur, pour évaluer la limite en ce point. Nous avons vu, dans les exemples 5, 6 et 7, d'autres « cas problèmes », mais il s'agissait là de fonctions quelque peu « truquées », que l'on ne rencontrera que rarement en pratique.

EXEMPLE 11 Calculer

$$\lim_{x\to 1} \sqrt{\frac{x+3}{x+35}}.$$

Solution D'après le corollaire précédent,

$$\lim_{x\to 1} \frac{x+3}{x+35} = \frac{1+3}{1+35} = \frac{4}{36} = \frac{1}{9}.$$

En utilisant la propriété 6, on obtient

$$\lim_{x\to 1} \sqrt{\frac{x+3}{x+35}} = \sqrt{\frac{1}{9}} = \frac{1}{3}. \quad \square$$

EXEMPLE 12 Calculer

$$\lim_{x\to 3} \frac{x^2-9}{x^2-4x+3}.$$

Solution Le numérateur et le dénominateur de la fonction s'annulent tous les deux en $x = 3$. On a

$$\lim_{x\to 3} \frac{x^2-9}{x^2-4x+3} = \lim_{x\to 3} \frac{(x-3)(x+3)}{(x-3)(x-1)} = \lim_{x\to 3} \frac{x+3}{x-1} = \frac{6}{2} = 3. \quad \square$$

EXEMPLE 13 Trouver

$$\lim_{x\to 5} \frac{x^2-25}{x+4}.$$

Solution $\lim_{x\to 5} [(x^2-25)/(x+4)] = 0/9 = 0$. Remarquez que le fait de trouver le nombre zéro *au numérateur seulement* ne pose aucun problème. Ce n'est que lorsque le dénominateur s'annule qu'il faut trouver des artifices de calcul permettant d'évaluer la limite. Une erreur courante consiste à affirmer que la limite ci-dessus n'est pas définie ou encore que c'est $\varnothing$ (l'ensemble vide). $\square$

EXEMPLE 14 Étudier le comportement de la fonction $f(x) = (x+5)/(x-4)$ quand $x \to 4$.

Solution La limite

$$\lim_{x\to 4} \frac{x+5}{x-4}$$

n'existe pas, car le numérateur tend vers 9 et le dénominateur tend vers 0. Le quotient prend donc des valeurs de plus en plus grandes en valeur absolue lorsque $x \to 4$; ces valeurs sont grandes et positives si $x > 4$, grandes et négatives si $x < 4$ (figure 2.21). Ainsi, nous écrirons

$$\lim_{x\to 4} \left|\frac{x+5}{x-4}\right| = \infty. \tag{7}$$

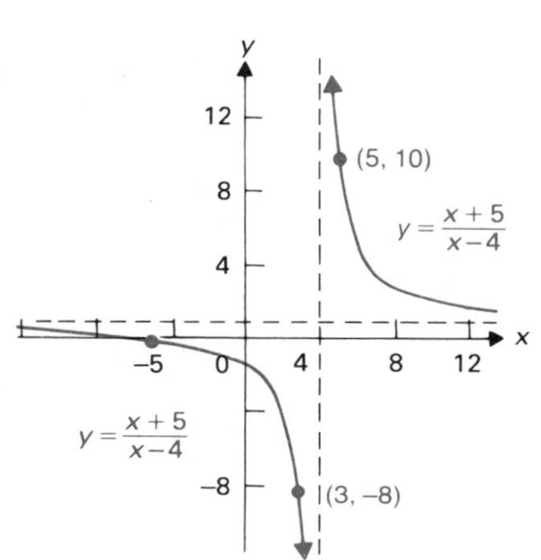

Figure 2.21
$\lim_{x\to 4} |(x+5)/(x-4)| = \infty$

Ceci *ne signifie pas* que la limite est *égale à* ∞ (lire « l'infini »), mais plutôt que la limite n'existe pas parce que le quotient devient de plus en plus grand lorsque $x \to 4$*. *La recherche de limites a pour objet de décrire le comportement d'une fonction près d'un point, ce que l'on obtient justement par l'équation 7.* □

EXEMPLE 15 Trouver, si elle existe,

$$\lim_{x \to 3} \frac{x + 2}{(x - 3)^2}$$

en utilisant au besoin les notations ∞ et $-\infty$.

Solution On a $\lim_{x \to 3} [(x + 2)/(x - 3)^2] = \infty$, puisque le numérateur tend vers 5 alors que le dénominateur tend vers zéro par valeurs positives. Par conséquent, le quotient prend des valeurs positives de plus en plus grandes (figure 2.22). Le symbole de valeur absolue, que nous avons utilisé dans l'exemple 14, peut donc être omis. □

EXEMPLE 16 Refaire une démarche analogue à celle de l'exemple 15, pour

$$\lim_{x \to 2} \frac{x - 7}{(x - 2)^2}.$$

Solution On a cette fois $\lim_{x \to 2} [(x - 7)/(x - 2)^2] = -\infty$, car le numérateur tend vers -5 et le dénominateur tend vers zéro par valeurs positives. Ainsi, le quotient prend des valeurs négatives de plus en plus grandes (figure 2.23). □

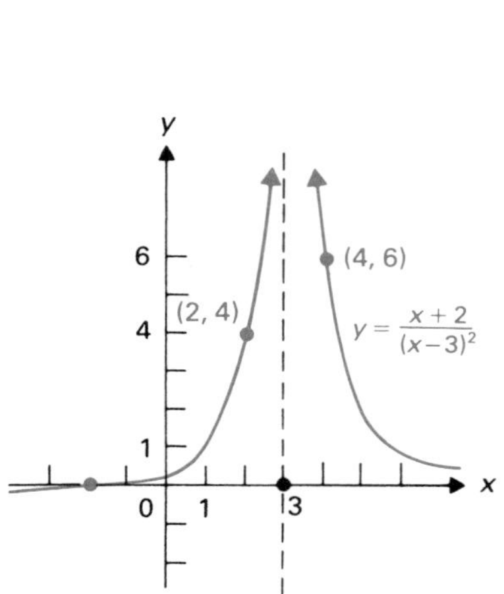

Figure 2.22

$\lim_{x \to 3} [(x + 2)/(x - 3)^2] = \infty$

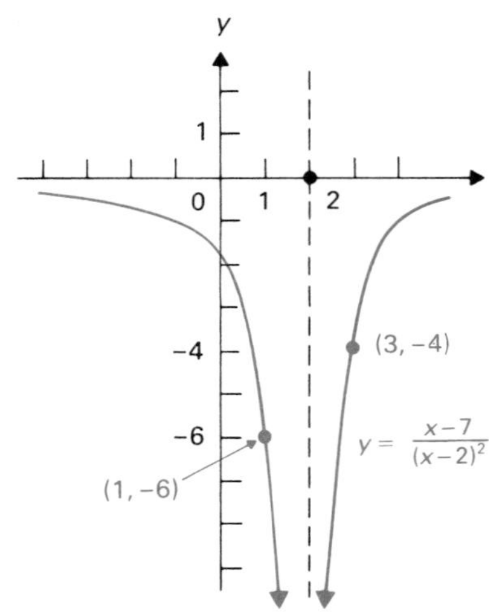

Figure 2.23

$\lim_{x \to 2} [(x - 7)/(x - 2)^2] = -\infty$

* *N.D.L.T.* Par abus de langage, on dit parfois que f admet une limite infinie. Néanmoins, l'expression « $\lim_{x \to x_1} f(x) = \infty$ » devrait plutôt se lire: « $f(x)$ tend vers l'infini quand x tend vers x_1 ».

EXEMPLE 17 Soit la fonction

$$f(x) = \begin{cases} \dfrac{1}{x-2} & \text{quand } x > 2, \\ \dfrac{1}{x^2 - 2x} & \text{quand } 0 < x < 2, \\ \dfrac{1}{x} & \text{quand } x < 0. \end{cases}$$

Trouver, si elles existent, $\lim_{x\to 2} f(x)$ et $\lim_{x\to 0} f(x)$ ou utiliser, au besoin, les symboles ∞ ou $-\infty$.

Solution Lorsque x est légèrement supérieur à 2, $f(x) = 1/(x-2)$ prend des valeurs grandes et positives. Lorsque x est légèrement inférieur à 2, $f(x) = 1/(x^2 - 2x) = 1/[x(x-2)]$ prend des valeurs grandes et négatives, puisque x est positif et $x - 2$, négatif. Nous pouvons donc écrire

$$\lim_{x\to 2} |f(x)| = \infty.$$

D'autre part, $f(x) = 1/(x^2 - 2x) = 1/[x(x-2)]$ prend des valeurs grandes et négatives lorsque x est légèrement supérieur à 0. Si x est légèrement inférieur à 0, $f(x) = 1/x$ prend également des valeurs grandes et négatives. On aura donc $\lim_{x\to 0} f(x) = -\infty$. □

ÉVALUATION DES LIMITES À L'AIDE D'UNE CALCULATRICE

Si $f(x_1 + 0{,}01)$, $f(x_1 - 0{,}005)$, $f(x_1 + 0{,}002)$ et $f(x_1 - 0{,}000\,1)$ ont sensiblement la même valeur L, il est fort possible que $\lim_{x\to x_1} f(x) \simeq L$. (Le symbole $\simeq$ signifie « sensiblement égal à ».) Bien entendu, les nombres 0,01, $-0{,}005$, 0,002 et $-0{,}000\,1$ peuvent être remplacés par d'autres nombres suffisamment petits, tant positifs que négatifs. La grandeur des nombres choisis peut varier selon la fonction; il est donc recommandé de faire quelques essais. Voici deux exemples:

EXEMPLE 18 Soit la fonction

$$f(x) = \frac{\sin(x-1)}{x^2 - 1},$$

où x est mesuré en radians. À l'aide d'une calculatrice, estimer $\lim_{x\to 1} f(x)$.

Solution Le tableau 2.3 contient les valeurs de $f(1 + \Delta x)$ correspondant aux valeurs choisies de Δx. Il semble que $\lim_{x\to 1} f(x) \simeq 0{,}5$. □

Tableau 2.3

Δx	$f(1 + \Delta x)$
0,01	0,497 504 146
−0,005	0,501 251 044 2
0,000 2	0,499 95
−0,000 01	0,500 002 5

EXEMPLE 19 Soit la fonction $g(x) = (1 + x^2)^{1/x^4}$. À l'aide d'une calculatrice, estimer $\lim_{x\to 0} g(x)$.

Solution Le tableau 2.4 contient des valeurs de $g(0 + \Delta x) = g(\Delta x)$. Il semble bien que $\lim_{x\to 0} g(x) = \infty$. □

Tableau 2.4

Δx	$g(0 + \Delta x)$
0,5	35,527 136 79
−0,3	41 740,274 55
0,2	$4{,}424\,223\,5 \times 10^{10}$
−0,1	$1{,}635\,828\,7 \times 10^{43}$
0,05	capacité dépassée

RÉSUMÉ

1. Les limites sont utilisées pour étudier le comportement d'une fonction près d'un point x_1, où la fonction peut ne pas être définie.
2. L'expression $\lim_{x \to x_1} f(x) = L$ signifie que, pour tout $\varepsilon > 0$, il existe un $\delta > 0$ tel que, si $0 < |x - x_1| < \delta$, alors $|f(x) - L| < \varepsilon$.
3. Si $\lim_{x \to x_1} f(x) = L$ et $\lim_{x \to x_1} g(x) = M$, alors

$$\lim_{x \to x_1} (f(x) + g(x)) = L + M,$$

$$\lim_{x \to x_1} (f(x) \cdot g(x)) = L \cdot M,$$

$$\lim_{x \to x_1} \left(\frac{f(x)}{g(x)}\right) = \frac{L}{M} \quad \text{si } M \neq 0,$$

$$\lim_{x \to x_1} \sqrt{f(x)} = \sqrt{L} \quad \text{si } L > 0.$$

4. La limite quand $x \to x_1$ d'une fonction polynomiale, d'une fonction rationnelle et de plusieurs autres fonctions définies au moyen d'une expression algébrique simple peut être obtenue par l'évaluation de la fonction au point x_1, à condition qu'elle ne comporte pas de dénominateur s'annulant en x_1. Dans le cas contraire on simplifie, lorsque c'est possible, un facteur apparaissant au dénominateur avec un facteur analogue au numérateur.
5. Bien que les symboles ∞ et $-\infty$ ne représentent pas des nombres, ils sont parfois utilisés avec le concept de limite pour décrire le comportement d'une fonction près d'un point.

EXERCICES

Dans les exercices 1 à 35, évaluer, quand elles existent, les limites données. Utiliser au besoin les notations ∞ et $-\infty$ pour décrire le comportement de la fonction.

1. $\lim_{x \to 2} \frac{3x - 6}{x - 2}$

2. $\lim_{t \to 0} \frac{4t^2 - 2t}{t}$

3. $\lim_{u \to 1} \frac{|u - 1|}{u + 1}$

4. $\lim_{u \to 2} \frac{|u + 2|}{u - 4}$

5. $\lim_{x \to 1} \frac{x^2 - 1}{x^2 - x}$

6. $\lim_{u \to 1} \frac{u^2 - 1}{u - u^2}$

7. $\lim_{x \to 3} \frac{x^2 - 3x}{x^2 - 9}$

8. $\lim_{t \to 2} \frac{t^2 - 4}{2t - t^2}$

9. $\lim_{s \to -1} \frac{|s + 1|}{s + 1}$

10. $\lim_{x \to 5} \frac{x^2 - 4x - 5}{x^3 - 5x^2}$

11. $\lim_{u \to -2} \frac{u^2 - 4}{u^2 + 4}$

12. $\lim_{x \to 0} \frac{x^3 + x^2 + 2}{x}$

13. $\lim_{t \to 0} \frac{t^3 + t^2 + 2}{t^3 + 1}$

14. $\lim_{x \to 0} \frac{x^4 + 2x^2}{x^3 + x}$

15. $\lim_{s \to 0} \frac{s^3 - 2s^2}{s^4 + 3s^2}$

16. $\lim_{r \to 0} \frac{2r^2 - 3r}{r^3 + 4r^2}$

17. $\lim_{x \to 2} \frac{x}{x + 3}$

18. $\lim_{u \to 1} \frac{(u - 1)^2}{u - 1}$

19. $\lim_{s \to 1} \frac{2(s - 1)}{(s - 1)^2}$

20. $\lim_{x \to -1} \frac{x^2 + x}{x - 1}$

21. $\lim_{t \to -1} \frac{t^2 + t}{t + 1}$

22. $\lim_{x \to 2} \frac{x^2 - 4}{x^2 - x - 2}$

23. $\lim_{\Delta x \to 0} (2 + \Delta x)$

24. $\lim_{\Delta t \to 0} \frac{4 + \Delta t}{2}$

25. $\lim_{\Delta x \to 0} [(2 + \Delta x)^2 - 4]$

26. $\lim_{\Delta x \to 0} \frac{(2 + \Delta x)^2 - 4}{\Delta x}$

27. $\lim_{\Delta t \to 0} \frac{[1/(3 + \Delta t)] - (1/3)}{\Delta t}$

28. $\lim_{\Delta x \to 0} \frac{|\Delta x|}{\Delta x}$

29. $f(x) = \begin{cases} x & \text{quand } x < 0, \\ 1 & \text{quand } x = 0, \\ x^2 & \text{quand } x > 0. \end{cases}$

a) $\lim_{x\to-2} f(x)$ *b)* $\lim_{x\to 0} f(x)$ *c)* $\lim_{x\to 3} f(x)$

30. $g(x) = \begin{cases} x + 1 & \text{quand } x \geq 1, \\ 2x - 4 & \text{quand } x < 1. \end{cases}$

a) $\lim_{x\to-2} g(x)$ *b)* $\lim_{x\to 1} g(x)$ *c)* $\lim_{x\to 3} g(x)$

31. $g(t) = \begin{cases} \sqrt{t-3} & \text{quand } t > 3, \\ t^2 + 1 & \text{quand } t < 3. \end{cases}$

a) $\lim_{t\to-1} g(t)$ *b)* $\lim_{t\to 3} g(t)$ *c)* $\lim_{t\to 7} g(t)$

32. $g(u) = \begin{cases} |u|/u & \text{quand } u > -2, \text{ mais } u \neq 0, \\ u + 1 & \text{quand } u < -2, \\ 3 & \text{quand } u = -2. \end{cases}$

a) $\lim_{u\to-3} g(u)$ *b)* $\lim_{u\to-2} g(u)$
c) $\lim_{u\to 0} g(u)$ *d)* $\lim_{u\to 1} g(u)$

33. $f(x) = \begin{cases} -1/x^3 & \text{quand } x < 0, \\ 10 & \text{quand } x = 0, \\ 1/x & \text{quand } x > 0. \end{cases}$

a) $\lim_{x\to-2} f(x)$ *b)* $\lim_{x\to 0} f(x)$ *c)* $\lim_{x\to 3} f(x)$

34. $h(t) = \begin{cases} 1/(t-1) & \text{quand } t > 1, \\ 1/(t^2-1) & \text{quand } -1 < t < 1, \\ 1/(t+1) & \text{quand } t < -1. \end{cases}$

a) $\lim_{t\to-1} h(t)$ *b)* $\lim_{t\to 0} h(t)$ *c)* $\lim_{t\to 1} h(t)$

35. $f(x) = \begin{cases} 1/x & \text{quand } x > 0, \\ 1/(x^3 + 2x^2) & \text{quand } -2 < x < 0, \\ 1/(x^2 - 4) & \text{quand } x < -2. \end{cases}$

a) $\lim_{x\to 2} f(x)$ *b)* $\lim_{x\to 0} f(x)$ *c)* $\lim_{x\to-2} f(x)$

Les limites des exercices 36 à 39 n'ont pas de signification; expliquer pourquoi.

36. $\lim_{x\to 2} \sqrt{x^2 - 9}$ **37.** $\lim_{x\to-3} \sqrt{-(x+3)^2}$

38. $\lim_{x\to 4} \sqrt{8x - x^2 - 16}$ **39.** $\lim_{x\to 0} 1/\sqrt{x^2 - 9}$

Dans chacun des exercices 40 à 45, étant donné $\varepsilon > 0$, trouver $\delta > 0$ (en fonction de ε) pour que la condition énoncée dans la définition 2.1 soit satisfaite.

40. $\lim_{x\to x_1} x = x_1$

41. $\lim_{x\to x_1} c = c$, où c dans l'expression $\lim_{x\to x_1} c$ désigne la fonction constante f définie par $f(x) = c$ pour tout x.

42. $\lim_{x\to 4} 2x = 8$

43. $\lim_{x\to-2} (-3x) = 6$

44. $\lim_{x\to-3} (14 - 5x) = 29$

45. $\lim_{x\to-4} (2 - \frac{1}{3}x) = \frac{10}{3}$

Dans les exercices suivants, utiliser une calculatrice pour estimer les limites, quand elles existent. (Voir les exemples 18 et 19.) Pour les fonctions trigonométriques, utiliser pour unité de mesure le radian.

46. $\displaystyle\lim_{x\to\sqrt{2}} \frac{x^2 + 2\sqrt{2}x - 6}{x^2 - 2}$ **47.** $\displaystyle\lim_{x\to 3} \frac{x - \sqrt{3x}}{27 - x^3}$

48. $\displaystyle\lim_{x\to 3} \frac{\sin(x-3)}{x^2 - 9}$ **49.** $\displaystyle\lim_{x\to 0} (1 + x)^{1/x}$

50. $\displaystyle\lim_{x\to 0} \frac{\cos x - 1}{x^2}$ **51.** $\displaystyle\lim_{x\to 0} (1 + x)^{1/x^2}$

52. $\displaystyle\lim_{x\to\pi/2} (\sin x)^{1/(\pi - 2x)}$ **53.** $\displaystyle\lim_{x\to 0} \frac{\sin x^2}{\cos^2 x - 1}$

2.3 LIMITES À GAUCHE ET À DROITE ET LIMITES À L'INFINI

$\lim_{x\to x_1+} f(x)$ ET $\lim_{x\to x_1-} f(x)$

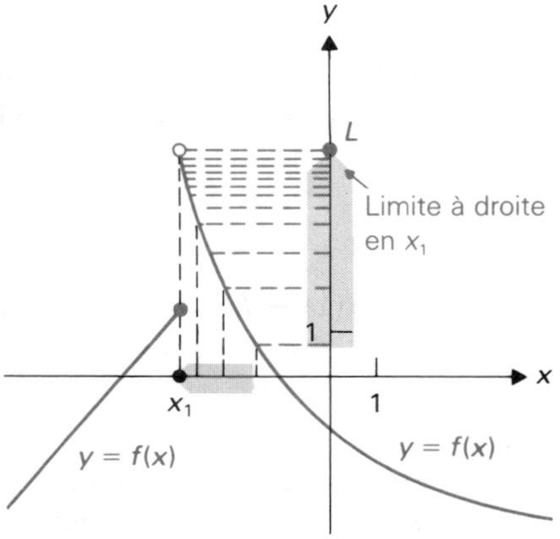

Figure 2.24

$\lim_{x\to x_1+} f(x) = L$

Comme nous l'avons déjà vu, les limites servent à décrire le comportement d'une fonction dans le voisinage d'un point, sans tenir compte de la valeur de la fonction au point lui-même. La fonction f de la figure 2.24 n'admet pas de limite quand x tend vers x_1. Cependant, si $x \to x_1$ en ne prenant que des valeurs supérieures à x_1, alors $f(x)$ tend vers L. C'est ainsi que l'on peut introduire la notion de *limite à droite* (et, de façon analogue, la notion de *limite à gauche*) pour décrire le comportement de certaines fonctions. La limite à droite de la fonction f au point x_1 s'écrit

$$\lim_{x\to x_1+} f(x).$$

Ainsi, pour la fonction f de la figure 2.24, on écrira $\lim_{x\to x_1+} f(x) = L$.

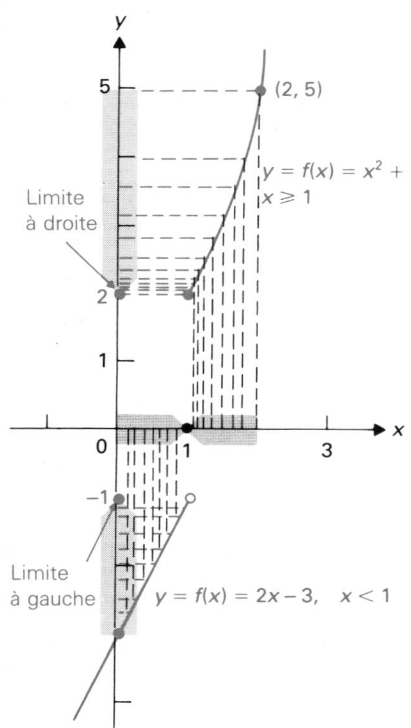

Figure 2.25
$\lim_{x \to 1+} f(x) = 2$; $\lim_{x \to 1-} f(x) = -1$

L'exemple 1 traite de la fonction $\sqrt{x}$ lorsque $x \to 0$. Or la fonction $\sqrt{x}$ n'est définie que pour des $x \geq 0$. Bien qu'il soit possible d'utiliser la définition de limite énoncée à la section 2.2, on utilisera plutôt la notion de limite à droite, car celle-ci a l'avantage de faire ressortir que x ne peut tendre vers zéro, dans le domaine de f, que par des valeurs positives.

EXEMPLE 1 Trouver

$$\lim_{x \to 0+} \frac{x - \sqrt{x}}{\sqrt{x}}.$$

Solution Comme la fonction contient $\sqrt{x}$, elle n'est pas définie en des valeurs négatives de x, mais elle est définie en des $x > 0$. On a

$$\lim_{x \to 0+} \frac{x - \sqrt{x}}{\sqrt{x}} = \lim_{x \to 0+} \frac{\sqrt{x}(\sqrt{x} - 1)}{\sqrt{x}} = \lim_{x \to 0+} (\sqrt{x} - 1) = -1. \quad \square$$

EXEMPLE 2 Soit la fonction

$$f(x) = \begin{cases} x^2 + 1 & \text{quand } x \geq 1, \\ 2x - 3 & \text{quand } x < 1. \end{cases}$$

Trouver $\lim_{x \to 1+} f(x)$.

Solution Le graphe de $f(x)$ est représenté à la figure 2.25. Seules sont considérées les valeurs de $f(x)$ où $x > 1$; on utilisera donc la formule $x^2 + 1$. On a

$$\lim_{x \to 1+} f(x) = \lim_{x \to 1+} (x^2 + 1) = 1 + 1 = 2.$$

Remarquez que $\lim_{x \to 1} f(x)$ n'existe pas. $\square$

Voici maintenant une formulation précise de la notion de limite à droite que nous venons d'illustrer.

DÉFINITION 2.2 Limite à droite d'une fonction

Soit une fonction f définie pour des valeurs voisines de x_1 et supérieures à x_1. Nous dirons que L est la limite à droite de $f(x)$ quand x tend vers x_1 et nous écrirons

$$\lim_{x \to x_1+} f(x) = L$$

si, pour tout $\varepsilon > 0$, il existe un $\delta > 0$ tel que $|f(x) - L| < \varepsilon$ pour tout $x \neq x_1$ appartenant au domaine de f et tel que $x_1 < x < x_1 + \delta$.

La figure 2.26 est une illustration de la définition 2.2: on y indique la plus grande valeur de δ pouvant être choisie en fonction du $\varepsilon > 0$ donné.

La notion de limite à gauche d'une fonction peut être définie de manière analogue à celle de limite à droite.

DÉFINITION 2.3 Limite à gauche d'une fonction

Soit une fonction f définie pour des valeurs voisines de x_1 et inférieures à x_1. Nous dirons que L est la limite à gauche de $f(x)$ quand x tend vers x_1 et nous écrirons

$$\lim_{x \to x_1 -} f(x) = L$$

si, pour tout $\varepsilon > 0$, il existe un $\delta > 0$ tel que $|f(x) - L| < \varepsilon$ pour tout $x \neq x_1$ appartenant au domaine de f et tel que $x_1 - \delta < x < x_1$.

EXEMPLE 3 Soit la fonction $f(x)$ de l'exemple 2. Trouver $\lim_{x \to 1-} f(x)$.

Solution Seules sont considérées les valeurs de $f(x)$ où $x < 1$: on utilisera la formule $2x - 3$. Voir la figure 2.25. On a

$$\lim_{x \to 1-} f(x) = \lim_{x \to 1-} (2x - 3) = -1. \quad \square$$

EXEMPLE 4 Trouver la limite à gauche et la limite à droite de la fonction

$$f(x) = \begin{cases} 2 - x & \text{quand } x \geq 1, \\ 2x + 1 & \text{quand } x < 1, \end{cases}$$

lorsque x tend vers 1. Voir la figure 2.27.

Solution

$$\lim_{x \to 1-} f(x) = \lim_{x \to 1-} (2x + 1) = 3,$$

et

$$\lim_{x \to 1+} f(x) = \lim_{x \to 1+} (2 - x) = 1.$$

La valeur de f au point 1, c'est-à-dire $f(1) = 1$, ne joue aucun rôle lors du calcul de la limite quand $x \to 1$. Par ailleurs, $\lim_{x \to 1} f(x)$ n'existe pas, puisque $f(x)$ ne tend pas vers un nombre *unique* lorsque $x \to 1$. $\square$

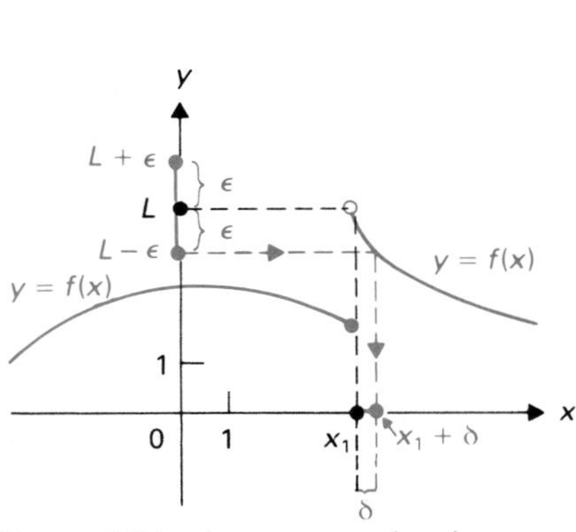

Figure 2.26 Lorsque x est entre x_1 et $x_1 + \delta$, $f(x)$ est entre $L - \epsilon$ et $L + \epsilon$.

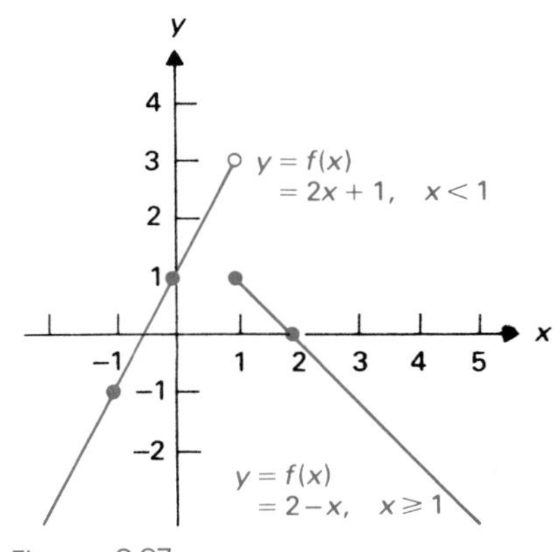

Figure 2.27

$\lim_{x \to 1-} f(x) = 3$; $\lim_{x \to 1+} f(x) = 1$

Soit f une fonction définie pour des valeurs de x voisines de x_1 et situées de chaque côté de x_1. Comme le suggère l'exemple 4,

> la fonction f admet une limite quand $x \to x_1$ si et seulement si les limites à gauche et à droite de la fonction quand $x \to x_1$ existent et sont égales.

Le principe que nous venons d'énoncer va nous permettre de démontrer que m_{tg} de la fonction $f(x) = |x|$ n'existe pas en $x_1 = 0$. Nous avons déjà vu que

$$m_{tg} = \lim_{\Delta x \to 0} \frac{f(x_1 + \Delta x) - f(x_1)}{\Delta x}$$

lorsque la limite existe. Pour la fonction $f(x) = |x|$ en $x_1 = 0$, on a

$$m_{tg} = \lim_{\Delta x \to 0} \frac{|0 + \Delta x| - |0|}{\Delta x} = \lim_{\Delta x \to 0} \frac{|\Delta x|}{\Delta x}.$$

D'après la figure 2.20 de la page 57

$$\lim_{\Delta x \to 0+} \frac{|\Delta x|}{\Delta x} = 1, \quad \text{alors que} \quad \lim_{\Delta x \to 0-} \frac{|\Delta x|}{\Delta x} = -1.$$

Il s'ensuit que $\lim_{\Delta x \to 0} (|\Delta x|/\Delta x)$ n'existe pas et que, par conséquent, m_{tg} de la fonction $|x|$ n'existe pas en $x_1 = 0$.

Tout comme nous l'avons fait dans les exemples 14 à 17 de la section précédente, nous allons utiliser les symboles ∞ et $-\infty$ pour décrire le comportement d'une fonction $f(x)$ quand x tend vers un point x_1 à gauche ou à droite.

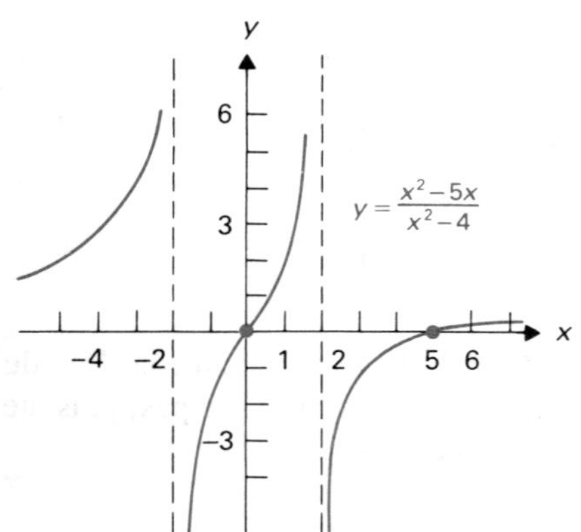

Figure 2.28

$\lim_{x \to 2-} [(x^2 - 5x)/(x^2 - 4)] = \infty$

EXEMPLE 5 Trouver

$$\lim_{x \to 2-} \frac{x^2 - 5x}{x^2 - 4}.$$

Le graphe est tracé à la figure 2.28.

Solution Des deux expressions formant le rapport, seul le dénominateur tend vers zéro. Par conséquent, la fonction tend vers ∞ ou $-\infty$: ce n'est qu'une question de *signe*.

Or, $\lim_{x \to 2-} (x^2 - 5x) = -6$, c'est-à-dire un nombre négatif. Par ailleurs, lorsque x est légèrement inférieur à 2, l'expression $x^2 - 4$ est voisine de zéro, mais également négative. Ainsi, le quotient prend des valeurs positives de plus en plus grandes, d'où $\lim_{x \to 2-} (x^2 - 5x/(x^2 - 4) = \infty$. □

EXEMPLE 6 Utiliser les concepts de limite à gauche et de limite à droite, ainsi que les symboles ∞ et $-\infty$, pour étudier la fonction $f(x) = 1/(x - 1)$ quand $x \to 1$.

Solution À la figure 2.29 sont tracés les graphes des fonctions $1/(x - 1)$ et $|1/(x - 1)|$. On voit sans difficulté que

$$\lim_{x \to 1+} \frac{1}{x - 1} = \infty, \quad \lim_{x \to 1-} \frac{1}{x - 1} = -\infty, \quad \text{et} \quad \lim_{x \to 1} \left| \frac{1}{x - 1} \right| = \infty. \quad □$$

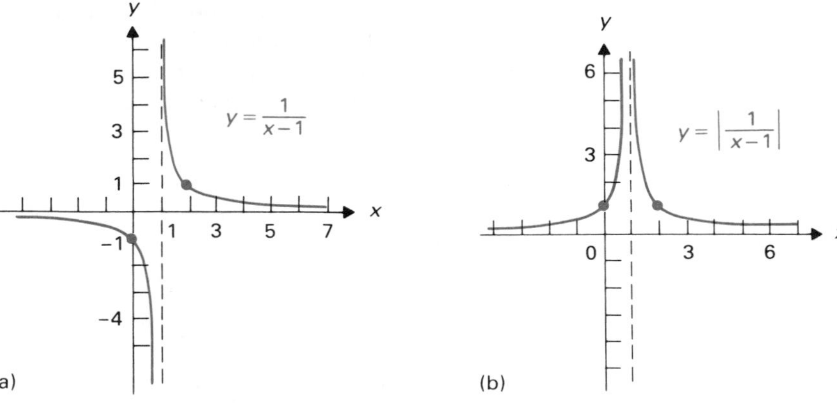

Figure 2.29

(a) $\lim_{x\to 1^+}[1/(x-1)] = \infty$;
$\lim_{x\to 1^-}[1/(x-1)] = -\infty$;
(b) $\lim_{x\to 1}|1/(x-1)| = \infty$.

LIMITES À L'INFINI

Il est parfois nécessaire de connaître de quelle façon varie $f(x)$ pour de très grandes valeurs de x, autrement dit, d'étudier le comportement de $f(x)$ « quand x tend vers l'infini ». La notation $\lim_{x\to\infty} f(x) = L$ signifie que nous pouvons rendre $f(x)$ aussi voisin de L que nous le désirons, en choisissant une valeur *quelconque* x du domaine de f qui soit suffisamment grande. Comme l'illustre la figure 2.30, la courbe représentative de f doit alors être très rapprochée de la droite horizontale d'équation $y = L$, quand x est grand.

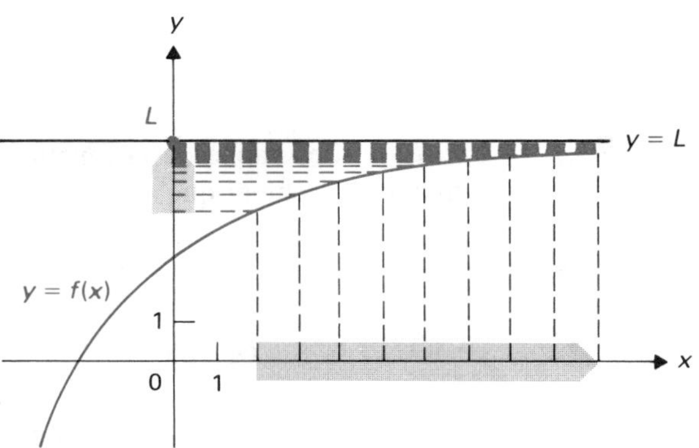

Figure 2.30

$\lim_{x\to\infty} f(x) = L$

DÉFINITION 2.4 Limite à ∞

Soit f une fonction définie pour de grandes valeurs de x. Nous dirons que $f(x)$ tend vers la limite L quand x tend vers l'infini et nous écrirons

$$\lim_{x\to\infty} f(x) = L$$

si, pour tout $\varepsilon > 0$, il existe un $K > 0$ tel que $|f(x) - L| < \varepsilon$ pour tout $x > K$ appartenant au domaine de f.

La définition 2.4 est illustrée à la figure 2.31. On a $\lim_{x \to \infty} f(x) = L$ et K représente la plus petite valeur correspondant au $\varepsilon > 0$ donné. Bien entendu, toute valeur de K supérieure à celle qui est indiquée à la figure 2.31 serait également acceptable.

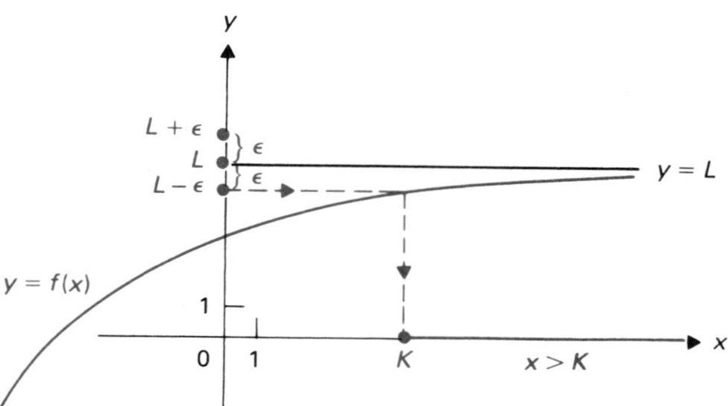

Figure 2.31 Lorsque $x > K$, $f(x)$ est située entre $L - \epsilon$ et $L + \epsilon$.

DÉFINITION 2.5 Limite à $-\infty$

Soit f une fonction définie pour de grandes valeurs négatives de x. Nous dirons que $f(x)$ tend vers la limite L quand x tend vers moins l'infini et nous écrirons

$$\lim_{x \to -\infty} f(x) = L$$

si, pour tout $\varepsilon > 0$, il existe un $K > 0$ tel que $|f(x) - L| < \varepsilon$ pour tout $x < -K$ appartenant au domaine de f.

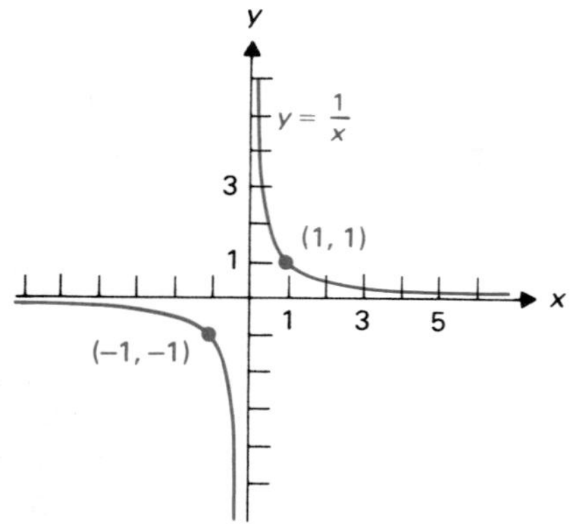

Figure 2.32
$\lim_{x \to \infty}(1/x) = 0$; $\lim_{x \to -\infty}(1/x) = 0$

EXEMPLE 7 Évaluer $\lim_{x \to \infty} (1/x)$ et $\lim_{x \to -\infty} (1/x)$.

Solution Le graphe de la fonction $f(x) = 1/x$ est tracé à la figure 2.32. Il apparaît clairement que

$$\lim_{x \to \infty} \frac{1}{x} = 0 \qquad \text{et} \qquad \lim_{x \to -\infty} \frac{1}{x} = 0. \quad \square$$

EXEMPLE 8 Calculer

$$\lim_{x \to \infty} \frac{2x^2 - 3x}{3x^2 + 2}.$$

Solution Dans un cas comme celui-ci, il est avantageux de mettre en facteur le monôme de plus haut degré au numérateur et le monôme de plus haut degré au dénominateur, pour ensuite simplifier les deux termes. La simplification n'est pas valable lorsque $x = 0$, mais on ne considère ici que des valeurs de x bien éloignées de 0. Ainsi,

$$\lim_{x \to \infty} \frac{2x^2 - 3x}{3x^2 + 2} = \lim_{x \to \infty} \left(\frac{2x^2}{3x^2} \cdot \frac{1 - \dfrac{3x}{2x^2}}{1 + \dfrac{2}{3x^2}} \right) = \lim_{x \to \infty} \left(\frac{2}{3} \cdot \frac{1 - \dfrac{3}{2x}}{1 + \dfrac{2}{3x^2}} \right)$$

$$= \frac{2}{3} \cdot \frac{1-0}{1+0} = \frac{2}{3}. \quad \square$$

EXEMPLE 9 Utiliser la méthode employée dans l'exemple 8 pour évaluer

$$\lim_{x \to -\infty} \frac{2x^3 - 3x^2}{2x^2 + 4x - 7}.$$

Solution On a

$$\lim_{x \to -\infty} \frac{2x^3 - 3x^2}{2x^2 + 4x - 7} = \lim_{x \to -\infty} \left(\frac{2x^3}{2x^2} \cdot \frac{1 - \dfrac{3x^2}{2x^3}}{1 + \dfrac{4x}{2x^2} - \dfrac{7}{2x^2}} \right)$$

$$= \lim_{x \to -\infty} \left(\frac{x}{1} \cdot \frac{1 - \dfrac{3}{2x}}{1 + \dfrac{2}{x} - \dfrac{7}{2x^2}} \right) = -\infty,$$

puisque $x/1$ tend vers $-\infty$, tandis que le deuxième facteur tend vers 1. □

EXEMPLE 10 Utiliser la méthode employée dans l'exemple 8 pour évaluer

$$\lim_{x \to \infty} \frac{x^2 + 1}{2x - 3x^3}.$$

Solution On a

$$\lim_{x \to \infty} \frac{x^2 + 1}{2x - 3x^3} = \lim_{x \to \infty} \left(\frac{x^2}{-3x^3} \cdot \frac{1 + \dfrac{1}{x^2}}{\dfrac{2x}{-3x^3} + 1} \right) = \lim_{x \to \infty} \left(\frac{1}{-3x} \cdot \frac{1 + \dfrac{1}{x^2}}{\dfrac{-2}{3x^2} + 1} \right) = 0,$$

puisque cette fois le premier facteur tend vers zéro, alors que le deuxième tend vers 1. □

Les trois exemples qui précèdent montrent bien que la limite d'une fonction rationnelle $f(x)$ quand $x \to \infty$ est tout simplement la limite du rapport des monômes de plus haut degré au numérateur et au dénominateur. Ces monômes peuvent être considérés comme des termes *dominants* par rapport aux autres termes du numérateur et du dénominateur quand $x \to \infty$ ou $x \to -\infty$. On pourra dorénavant simplifier le calcul de telles limites.

EXEMPLE 11 Calculer

$$\lim_{x \to \infty} \frac{2x^5 - 3x^2 + 4x}{8x^3 - 10x^5}.$$

Solution

$$\lim_{x \to \infty} \frac{2x^5 - 3x^2 + 4x}{8x^3 - 10x^5} = \lim_{x \to \infty} \frac{2x^5}{-10x^5} = \frac{2}{-10} = -\frac{1}{5}. \quad \square$$

EXEMPLE 12 Trouver

$$\lim_{x\to\infty} \frac{4x^4 + 5}{8 - 3x^3}.$$

Solution

$$\lim_{x\to\infty} \frac{4x^4 + 5}{8 - 3x^3} = \lim_{x\to\infty} \frac{4x^4}{-3x^3} = \lim_{x\to\infty} \frac{4x}{-3} = -\infty. \quad \square$$

APPLICATION DES LIMITES: TRACÉ DE LA FONCTION $f(x) = (ax + b)/(cx + d)$

Les concepts de limite à gauche, de limite à droite et de limite quand $x \to \infty$, que nous venons d'étudier, sont d'une grande utilité pour la construction des graphiques de fonctions rationnelles (ou quotients de fonctions polynomiales). La construction des graphes de fonctions sera étudiée en détail au chapitre 5 lorsque nous aurons plus de connaissances en calcul. Limitons-nous ici au tracé des courbes des fonctions de la forme

$$f(x) = \frac{ax + b}{cx + d}, \qquad \text{où } c \neq 0. \tag{1}$$

(Si $c = 0$, le graphe de la fonction d'équation 1 est tout simplement une droite.) À moins que le numérateur ne soit un multiple du dénominateur, la fonction d'équation 1 tend vers ∞ ou vers $-\infty$ à gauche et à droite au point $x = -d/c$, où le dénominateur s'annule. La droite d'équation $x = -d/c$, parallèle à l'axe des y, est dite **asymptote verticale** de la courbe. Remarquez également que

$$\lim_{x\to\infty} \frac{ax + b}{cx + d} = \frac{a}{c} \qquad \text{et} \qquad \lim_{x\to-\infty} \frac{ax + b}{cx + d} = \frac{a}{c}.$$

La droite d'équation $y = a/c$, parallèle à l'axe des x, est dite **asymptote horizontale** de la courbe. Comme la fonction d'équation 1 ne s'annule que lorsque s'annule son numérateur, la courbe a pour **abscisse à l'origine** $-b/a$, si $a \neq 0$. Par ailleurs, si $d \neq 0$, la courbe a pour **ordonnée à l'origine** b/d, valeur obtenue en posant $x = 0$.

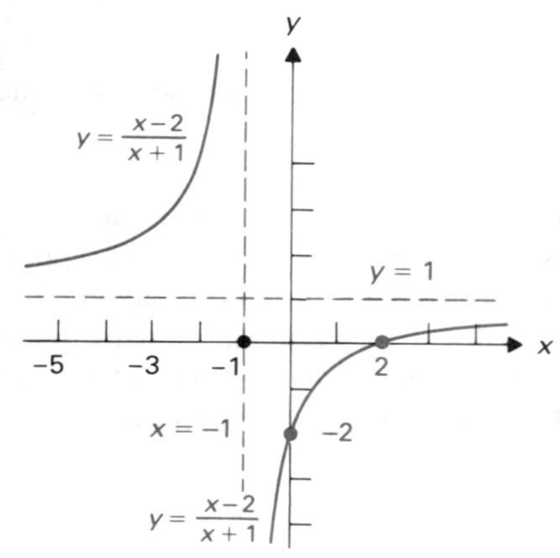

Figure 2.33
Asymptote verticale: $x = -1$;
asymptote horizontale: $y = 1$;
abscisse à l'origine: 2;
ordonnée à l'origine: -2;
$\lim_{x\to-1^+}[(x-2)/(x+1)] = -\infty$;
$\lim_{x\to-1^-}[(x-2)/(x+1)] = \infty$.

EXEMPLE 13 Construire le graphique de la fonction $y = (x - 2)/(x + 1)$, en déterminant les asymptotes et les points d'intersection avec les axes.

Solution Le dénominateur de la fonction s'annulant en $x = -1$, la courbe a pour asymptote verticale la droite d'équation $x = -1$, tracée en pointillé sur la figure 2.33. Par ailleurs, comme

$$\lim_{x\to\infty} \frac{x - 2}{x + 1} = \lim_{x\to-\infty} \frac{x - 2}{x + 1} = 1,$$

l'asymptote horizontale est la droite d'équation $y = 1$, également tracée en pointillé sur la figure 2.33. La courbe a pour abscisse à l'origine 2, valeur de x qui annule le numérateur. L'ordonnée à l'origine est -2, valeur de y obtenue en posant $x = 0$.

Pour construire le graphique, il nous reste à établir le comportement de la fonction près de l'asymptote verticale, par l'étude des limites à gauche et à droite de la fonction au point -1. Or,

$$\lim_{x\to -1-} \frac{x-2}{x+1} = \infty \qquad \text{et} \qquad \lim_{x\to -1+} \frac{x-2}{x+1} = -\infty.$$

Donc le graphique monte indéfiniment à gauche le long de l'asymptote et descend indéfiniment à droite (figure 2.33). À l'aide de ces renseignements et en plaçant au besoin quelques points supplémentaires, nous pouvons donner l'allure de la courbe. □

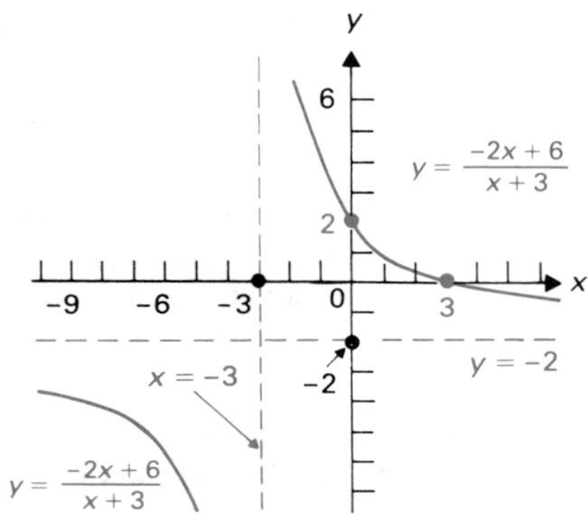

Figure 2.34
Asymptote verticale: $x = -3$; asymptote horizontale: $y = -2$; abscisse à l'origine: 3; ordonnée à l'origine: 2; $\lim_{x\to -3+}[(-2x+6)/(x+3)] = \infty$; $\lim_{x\to -3-}[(-2x+6)/(x+3)] = -\infty$.

EXEMPLE 14 Reprendre la démarche de l'exemple 13 pour la fonction $y = (-2x + 6)/(x + 3)$.

Solution Voici quelques propriétés du graphe:

Asymptote verticale d'équation $x = -3$ (le dénominateur s'annule en $x = -3$),

Asymptote horizontale d'équation $y = -2$

$$\left(\lim_{x\to\infty} \frac{-2x+6}{x+3} = \lim_{x\to -\infty} \frac{-2x+6}{x+3} = -2\right),$$

Abscisse à l'origine: 3 (valeur de x qui annule le numérateur),

Ordonnée à l'origine: 2 (valeur de y obtenue lorsque $x = 0$),

$$\lim_{x\to -3+} \frac{-2x+6}{x+3} = \infty \qquad \text{et} \qquad \lim_{x\to -3-} \frac{-2x+6}{x+3} = -\infty.$$

La courbe est représentée à la figure 2.34. □

RÉSUMÉ

1. $\lim_{x\to x_1+}$ se lit « limite lorsque x tend vers x_1 à droite » et $\lim_{x\to x_1-}$ se lit « limite lorsque x tend vers x_1 à gauche ».
2. La limite quand $x \to \infty$ ou quand $x \to -\infty$ d'une fonction rationnelle est la limite du rapport du monôme de plus haut degré au numérateur au monôme de plus haut degré au dénominateur.
3. Le graphe de la fonction $y = f(x) = (ax + b)/(cx + d)$, où $c \neq 0$, a les propriétés suivantes:
   a) Asymptote verticale $x = -d/c$ (sauf si $ad = bc$),
   b) Asymptote horizontale $y = a/c$,
   c) Abscisse à l'origine $-b/a$ si $a \neq 0$,
   d) Ordonnée à l'origine b/d si $d \neq 0$,
   e) Comportement de la fonction près de l'asymptote verticale déterminé par la limite à gauche et la limite à droite de la fonction lorsque x tend vers $-d/c$.

EXERCICES

Trouver, si elles existent, les limites demandées dans les exercices 1 à 36. Utiliser au besoin les symboles ∞ et $-\infty$ pour décrire le comportement de la fonction près du point donné.

1. $\lim_{x\to 2} \dfrac{1}{2-x}$

2. $\lim_{x\to 2+} \dfrac{1}{2-x}$

3. $\lim_{x\to 2-} \dfrac{1}{2-x}$

4. $\lim_{t\to 2} \dfrac{1}{(2-t)^2}$

5. $\lim_{u\to 5+} \dfrac{u+3}{u^2-25}$

6. $\lim_{u\to -5+} \dfrac{u+3}{u^2-25}$

7. $\lim_{s\to 4+} \dfrac{s^2+3s+5}{4s-s^2}$

8. $\lim_{x\to 4+} \dfrac{x^2-3x-5}{4x-x^2}$

9. $\lim_{t\to 2-} \dfrac{t^2-7t+4}{2+t-t^2}$

10. $\lim_{x\to 5-} \dfrac{x^2-25}{x^2-10x+25}$

11. $\lim_{u\to 4+} \dfrac{4u-u^2}{8u-u^2-16}$

12. $\lim_{t\to 2+} \dfrac{t^2-3t+2}{t^2-4t+4}$

13. $\lim_{x\to 2} \left|\dfrac{x^2+4}{x-2}\right|$

14. $\lim_{s\to 0+} \left(\dfrac{3}{s}-\dfrac{1}{s^2}\right)$

[*Indice* Écrire l'expression $(3/s)-(1/s^2)$ sous forme de quotient de polynômes.]

15. $\lim_{x\to 0} \left(\dfrac{1}{x^4}-\dfrac{1}{x}\right)$

16. $\lim_{x\to 0-} \left(\dfrac{1}{x^3}-\dfrac{1}{x}\right)$

17. $\lim_{t\to 0-} \left(\dfrac{t-3}{t^4}+\dfrac{2}{t^2}\right)$

18. $\lim_{x\to 0-} \left(\dfrac{5+x}{x^2}-\dfrac{x^2-9}{x^3}\right)$

19. $\lim_{x\to\infty} \dfrac{x+1}{x}$

20. $\lim_{x\to -\infty} \dfrac{3x^3-2x}{2x^3+3}$

21. $\lim_{t\to -\infty} \dfrac{|t|}{t}$

22. $\lim_{x\to\infty} \dfrac{x^3+2x}{x^2-3}$

23. $\lim_{x\to\infty} \dfrac{x^2-2x+1}{x^3+3x-2}$

24. $\lim_{x\to -\infty} \dfrac{x^2-2x+1}{x^3+3x-2}$

25. $\lim_{x\to\infty} \dfrac{2x^3+4x+2}{8x-5x^2}$

26. $\lim_{u\to -\infty} \dfrac{4u^5-8u^2}{3u^2-8u+2}$

27. $\lim_{t\to\infty} \dfrac{4t^3-8t^2+3}{7-2t^3}$

28. $\lim_{x\to\infty} \dfrac{4x^{1/2}-2x^{1/3}-2}{3x^{1/3}-5x^{3/4}+5}$

29. $\lim_{x\to -\infty} \dfrac{8x^{1/3}+4x^{1/5}+3}{5x^{1/9}-7x^{1/5}}$

30. $\lim_{x\to\infty} \dfrac{x^{5/4}-3x^{4/3}+2}{x^{7/6}-3x^{10/9}}$

31. $\lim_{u\to\infty} \dfrac{u^{2/3}+4u^{5/6}-3}{8u+3u^{5/7}}$

32. $\lim_{x\to -\infty} (x^2+3x)$

33. $\lim_{x\to -\infty} (x^3+3x^2)$

34. $\lim_{x\to\infty} (x^{1/2}-x^{1/3})$

35. $\lim_{x\to -\infty} (x^{1/5}-x^{1/3})$

36. $\lim_{x\to\infty} \left(x-\sqrt{x^2+1}\right)$

37. Une balle de caoutchouc qu'on laisse tomber d'une hauteur h jusqu'au sol rebondit à la hauteur $h/2$. On peut montrer que si on laisse tomber la balle d'une hauteur de h m et qu'on la laisse rebondir indéfiniment, la distance totale qu'elle aura parcourue lorsqu'elle touchera le sol pour la énième fois est donnée par

$$h+2h\left[1-\left(\frac{1}{2}\right)^{n-1}\right] \text{ m.}$$

Trouver la distance totale parcourue par la balle avant qu'elle n'arrête de rebondir, si elle a été lancée d'une hauteur de 5 m.

38. Si on ne tient pas compte de la résistance de l'air, la vitesse v à laquelle on doit lancer un objet verticalement pour qu'il atteigne une hauteur de h mètres est donnée par

$$v=\sqrt{\frac{2ghR}{1\,000(h+1\,000R)}} \text{ km/s,}$$

où g, l'accélération de la gravité à la surface de la Terre, a pour valeur 9,8 m/s^2 et R désigne le rayon moyen de la Terre, soit 6 400 km.
Utiliser la formule ci-dessus pour calculer la vitesse de libération, c'est-à-dire la vitesse à laquelle il faut lancer verticalement un objet pour qu'il échappe à l'attraction terrestre.

Dans les exercices 39 à 48, déterminer les asymptotes et les points d'intersection avec les axes, puis construire les graphiques.

39. $y=\dfrac{1}{x-2}$

40. $y=\dfrac{2}{x+3}$

41. $y=\dfrac{x-1}{x}$

42. $y=\dfrac{5x+10}{2x}$

43. $y=\dfrac{2x+4}{x-1}$

44. $y=\dfrac{x-3}{2x+4}$

45. $y=\dfrac{x-1}{2-x}$

46. $y=-\dfrac{x+4}{2x+2}$

47. $y=\dfrac{2-x}{2x+6}$

48. $y=\dfrac{x}{4-x}$

Dans les exercices 49 à 54, déterminer si les limites existent et, lorsqu'elles existent, les évaluer. À l'aide d'une calculatrice, trouver la valeur de la fonction pour au moins quatre points très voisins du point limite donné (ou encore des valeurs très grandes, positives ou négatives, si $x\to\infty$ ou $-\infty$). Pour les fonctions trigonométriques, utiliser comme unité de mesure le radian.

49. $\lim_{x\to 0+} x^x$

50. $\lim_{x\to 0+} \left(\dfrac{1}{1-x}\right)^{-1/x^2}$

51. $\lim_{x\to 0+} (\cos x)^{1/\operatorname{tg} x}$

52. $\lim_{x\to -\infty} \left(1+\dfrac{1}{x}\right)^{2x}$

53. $\lim_{x\to\infty} \left(1+\dfrac{1}{x}\right)^{x}$

54. $\lim_{x\to\infty} \left(1+\dfrac{1}{x}\right)^{x^2}$

2.4 CONTINUITÉ

Dans la présente section, nous allons traiter des fonctions continues. L'adjectif *continu* a en mathématiques une signification très rapprochée de son sens courant. Par exemple, lorsque nous disons d'une personne qu'elle parle continuellement, nous voulons dire qu'elle parle *de façon ininterrompue*. Par analogie, nous dirons intuitivement qu'une fonction est continue sur un intervalle si son graphe est *ininterrompu* sur cet intervalle, c'est-à-dire si on peut le tracer sans lever le crayon.

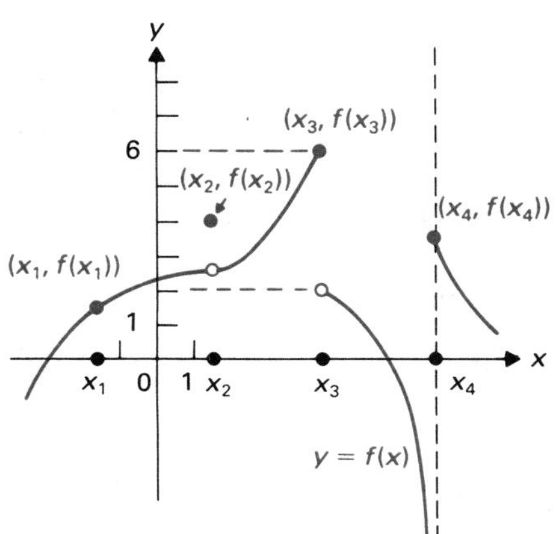

Figure 2.35 f est continue en x_1, mais n'est pas continue en x_2, x_3 et x_4.

FONCTIONS CONTINUES

D'une manière simple, on dira qu'une fonction f est *continue en un point* x_1 de son domaine si $f(x)$ est voisin de $f(x_1)$ pour tout x suffisamment voisin de x_1. Le fait de s'éloigner légèrement de x_1 dans le domaine de f ne doit donc occasionner qu'une petite variation de la valeur de la fonction. La figure 2.35 représente une fonction qui est continue au point x_1, mais qui n'est pas continue aux points x_2, x_3 et x_4 de son domaine. Par exemple, $f(x_3) = 6$. Or, lorsque à partir du point x_3 sur l'axe des x on se déplace vers la droite d'une distance non nulle, aussi petite soit-elle, la valeur de la fonction diminue d'au moins quatre unités. Pour qu'une fonction f soit continue en un point, son graphique ne doit pas présenter de saut ou de coupure en ce point.

Une première définition de la continuité (que nous appellerons la version « ε, δ ») est fondée essentiellement sur les arguments précédents. Suivant cette définition, pour qu'une fonction soit continue, la valeur $f(x)$ de la fonction ne doit varier que légèrement (d'une quantité inférieure à un ε fixé) lorsque x varie d'une quantité suffisamment petite (plus petite que δ) par rapport à x_1. La figure 2.36 illustre cette définition.

DÉFINITION 2.6 Continuité (version « ε, δ »)

Une fonction f est **continue en un point** x_1 si

1. x_1 appartient au domaine de f et
2. pour tout $\varepsilon > 0$, il existe un $\delta > 0$ tel que $|f(x) - f(x_1)| < \varepsilon$ pour tout x du domaine de f tel que $|x - x_1| < \delta$.

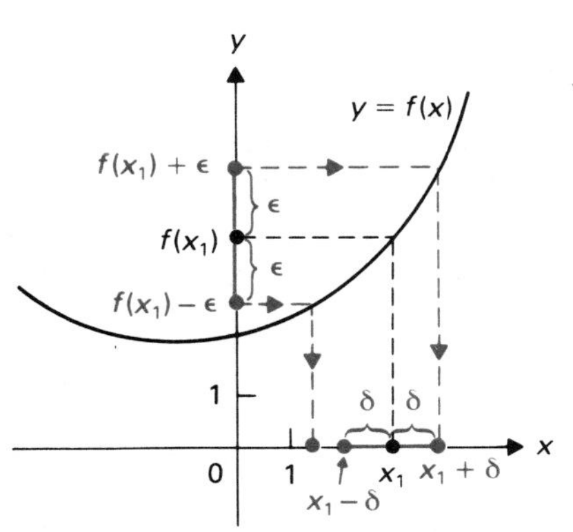

Figure 2.36 Si $|x - x_1| < \delta$, alors $|f(x) - f(x_1)| < \epsilon$.

Vous avez sans doute remarqué la similitude qui existe entre la définition 2.6 et la définition 2.1. En effet, l'élément $f(x_1)$ de la définition 2.6 correspond à la limite L de la définition 2.1.

> La valeur de $f(x_1)$, qui n'intervient pas dans le calcul de la limite au point x_1, joue par contre un rôle important dans le concept de continuité au point x_1.

Comme le présent chapitre traite des limites, voici une autre définition de la continuité, tenant compte cette fois des limites. Cette nouvelle définition de la continuité, que nous utiliserons dorénavant, n'est pas aussi générale que la version « ε, δ », car il n'est possible de parler de la limite d'une fonction en un point x_1 que si le domaine de la fonction contient des points arbitrairement voisins de x_1. Nous avons comblé cette lacune en ajoutant une note complémentaire à la définition.

DÉFINITION 2.6 Continuité (version « limites »)

Une fonction f est **continue en un point** x_1 si

1. x_1 appartient au domaine de f,
2. $\lim_{x \to x_1} f(x)$ existe et
3. $\lim_{x \to x_1} f(x) = f(x_1)$*.

EXEMPLE 1 La fonction

$$f(x) = \begin{cases} \dfrac{x^2 - 9}{x + 3} & \text{quand } x \neq -3, \\ 10 & \text{quand } x = -3 \end{cases}$$

est-elle continue au point $x = -3$? Justifier.

Solution

$$\lim_{x \to -3} f(x) = \lim_{x \to -3} \frac{(x - 3)(x + 3)}{x + 3} = -6.$$

D'autre part, $f(-3) = 10$. Puisque $\lim_{x \to -3} f(x) \neq f(-3)$, la fonction f n'est pas continue en $x = -3$. □

EXEMPLE 2 La fonction

$$g(x) = \begin{cases} x^2 + 2 & \text{quand } x > 1, \\ 5x - 1 & \text{quand } x \leq 1 \end{cases}$$

est-elle continue au point $x = 1$? Justifier.

Solution

$$\lim_{x \to 1+} g(x) = \lim_{x \to 1+} (x^2 + 2) = 3$$

et

$$\lim_{x \to 1-} g(x) = \lim_{x \to 1-} (5x - 1) = 4.$$

Par conséquent, $\lim_{x \to 1} g(x)$ n'existe pas et g n'est pas continue en $x = 1$. □

EXEMPLE 3 La fonction

$$h(x) = \begin{cases} \dfrac{x^2 - x - 6}{x - 3} & \text{quand } x \neq 3, \\ 5 & \text{quand } x = 3 \end{cases}$$

est-elle continue au point $x = 3$? Justifier.

* On convient également, par définition, qu'une fonction f est continue en un point x_1 de son domaine lorsque l'on ne peut trouver d'autre point du domaine qui soit « voisin » de x_1.

Solution

$$\lim_{x \to 3} h(x) = \lim_{x \to 3} \frac{(x-3)(x+2)}{x-3} = 5$$

Or, $h(3) = 5$. Par conséquent, h est continue en $x = 3$. □

DÉFINITION 2.7 Fonction continue

Une fonction f est dite **continue** si elle est continue en tout point de son domaine.

À la définition 2.6, on a défini le concept de continuité *en un point*. La définition 2.7 introduit maintenant la notion de continuité d'une fonction dans *la totalité de son domaine*.

EXEMPLE 4 Dire si les fonctions f, g et h définies dans les exemples 1 à 3 ci-dessus sont continues. Justifier.

Solution La fonction f de l'exemple 1 n'est pas continue, puisqu'elle n'est pas continue en $x = -3$ et que -3 appartient au domaine de f.

La fonction g de l'exemple 2 n'est pas continue, puisque g n'est pas continue en $x = 1$ et que 1 appartient au domaine de g.

On a vu dans l'exemple 3 que la fonction h est continue au point $x = 3$ de son domaine. En tout point x autre que 3,

$$h(x) = \frac{x^2 - x - 6}{x - 3}.$$

En vertu du corollaire du théorème 2.1, page 58, pour tout point $x_1 \neq 3$,

$$\lim_{x \to x_1} h(x) = \lim_{x \to x_1} \frac{x^2 - x - 6}{x - 3} = \frac{x_1^2 - x_1 - 6}{x_1 - 3} = h(x_1),$$

car $(x^2 - x - 6)/(x - 3)$ est une fonction rationnelle. Par conséquent, la fonction h est également continue pour tout $x \neq 3$. Nous pouvons donc conclure que h est continue en tout point de son domaine et que, par conséquent, il s'agit d'une fonction continue. □

EXEMPLE 5 Montrer que la fonction $f(x) = 1/x$, dont le graphe est tracé à la figure 2.37, est continue en tout point de son domaine.

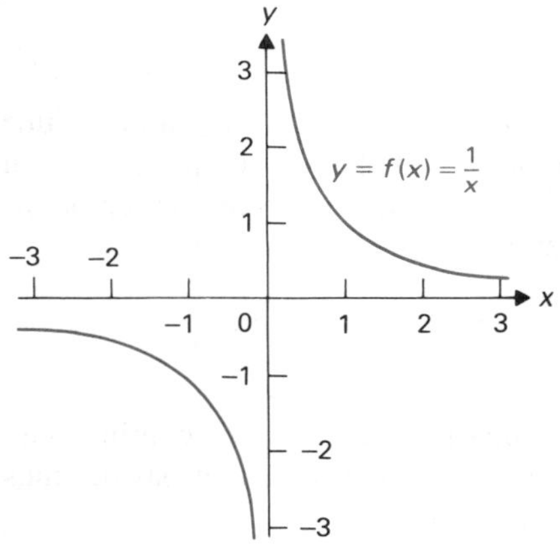

Figure 2.37 La fonction $f(x) = 1/x$ est continue en tout point de son domaine. (Remarquez que 0 n'appartient pas au domaine.)

Solution Le domaine de f est constitué de tous les $x \neq 0$. Si $x_1 \neq 0$ alors, en vertu du corollaire du théorème 2.1, page 58,

$$\lim_{x \to x_1} f(x) = \lim_{x \to x_1} \frac{1}{x} = \frac{1}{x_1} = f(x_1).$$

Il découle de la définition 2.6 que $f(x) = 1/x$ est continue en tout point x_1 de son domaine. □

L'exemple 5, où $f(x) = 1/x$, illustre bien qu'il est impossible de définir $f(0)$ de manière à rendre f continue au point 0. Il en est ainsi de toutes les fonctions rationnelles aux points où le dénominateur s'annule, en supposant que le numérateur et le dénominateur n'ont pas de facteur commun en ces points.

Une fonction qui *n'est pas continue* est dite *discontinue*. Remarquez que les fonctions ne sont pas classifiées comme étant continues ou discontinues en des points qui n'appartiennent pas à leur domaine, car ces points ne sont pas considérés au moment de l'étude de la continuité d'une fonction. Voici une définition précise de la notion de *discontinuité d'une fonction* f *en un point* x_1.

DÉFINITION 2.8 Discontinuité

Une fonction est **discontinue en un point** x_1 si

1. x_1 appartient au domaine de f et
2. f n'est pas continue au point x_1.

Par exemple, la fonction f de l'exemple 1 est discontinue au point $x = -3$ et la fonction g de l'exemple 2 est discontinue au point $x = 1$: ces points font respectivement partie du domaine de chacune des fonctions et les fonctions n'y sont pas continues.

Si deux fonctions f et g sont continues en un point x_1, alors le théorème 2.1 de la page 57 nous permet d'affirmer que

$$\lim_{x \to x_1} (f(x) + g(x)) = \lim_{x \to x_1} f(x) + \lim_{x \to x_1} g(x) = f(x_1) + g(x_1).$$

Par conséquent, $f(x) + g(x)$ est également continue au point x_1. Par un raisonnement analogue, nous pouvons démontrer que $f(x) \cdot g(x)$ est continue, de même que $f(x)/g(x)$ si $g(x_1) \neq 0$. Ce qui nous amène au théorème suivant:

THÉORÈME 2.2 Propriétés des fonctions continues

La somme, le produit et le quotient de fonctions continues sont continus. (Bien entendu, le quotient de deux fonctions n'est défini que lorsque le dénominateur est non nul.)

En vertu du corollaire du théorème 2.1, page 58, la limite d'une fonction polynomiale ou d'une fonction rationnelle en un point de son domaine peut être obtenue par simple évaluation de la fonction en ce point. On en déduit immédiatement le corollaire suivant du théorème 2.2:

COROLLAIRE Continuité des fonctions polynomiales et des fonctions rationnelles

Les fonctions polynomiales et les fonctions rationnelles sont continues en tout point de leur domaine. (Les fonctions rationnelles ne sont pas définies aux points où le dénominateur s'annule.)

La fonction f représentée à la figure 2.35 est discontinue aux points x_2, x_3 et x_4 de son domaine. La fonction f de l'exemple 1 est discontinue en $x = -3$ et la fonction g de l'exemple 2 est discontinue en $x = 1$. Dans tous les cas, la discontinuité est causée par un saut ou une coupure au point donné du graphique.

Il existe d'autres types de discontinuités. Par exemple, la figure 2.38 représente le graphe d'une fonction f telle que $f(x) = 0$ en $x = \pm 1$, $\pm 1/2$, $\pm 1/3$, $\pm 1/4, \ldots$ Entre ces valeurs de x, le graphe oscille entre 1 et -1. Si nous définissons $f(0) = 0$, alors 0 appartient au domaine de f, mais f n'est pas continue en $x = 0$ puisque $\lim_{x \to 0} f(x)$ n'existe pas. La fonction f est donc discontinue en $x = 0$. Une telle fonction peut sembler un peu truquée du fait qu'elle n'a pas été définie à l'aide d'une expression mathématique simple. Pourtant, après avoir étudié la fonction sin x au chapitre 4, il nous sera facile de constater que le graphe de la fonction

$$f(x) = \begin{cases} \sin(\pi/x) & \text{quand } x \neq 0, \\ 0 & \text{quand } x = 0 \end{cases}$$

est très semblable à celui qui est représenté à la figure 2.38.

La figure 2.39 représente le graphe d'une fonction très semblable à la fonction

$$g(x) = \begin{cases} x \sin(\pi/x) & \text{quand } x \neq 0, \\ 0 & \text{quand } x = 0. \end{cases}$$

Cette fonction g est continue en $x = 0$. En effet, la hauteur des oscillations du graphique tend vers zéro lorsque $x \to 0$.

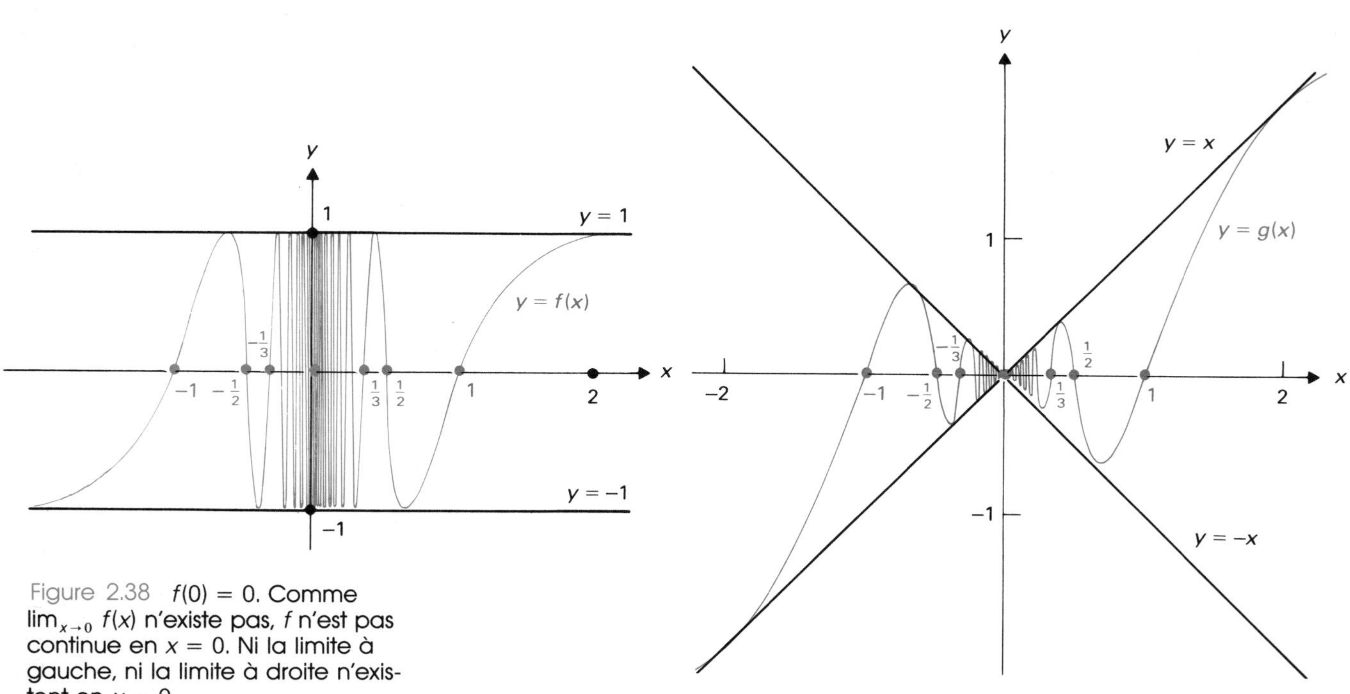

Figure 2.38 $f(0) = 0$. Comme $\lim_{x \to 0} f(x)$ n'existe pas, f n'est pas continue en $x = 0$. Ni la limite à gauche, ni la limite à droite n'existent en $x = 0$.

Figure 2.39 Comme $g(0) = 0$ et $\lim_{x \to 0} g(x) = 0$, la fonction g est continue en $x = 0$.

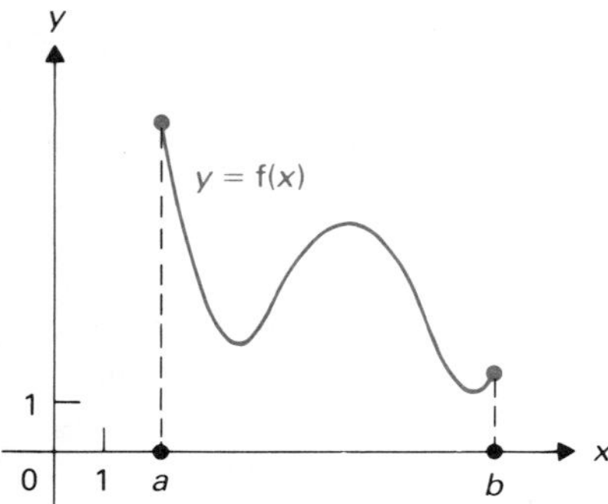

Figure 2.40 La fonction f est continue sur l'intervalle $[a,b]$: on peut en tracer la courbe représentative sans lever le crayon.

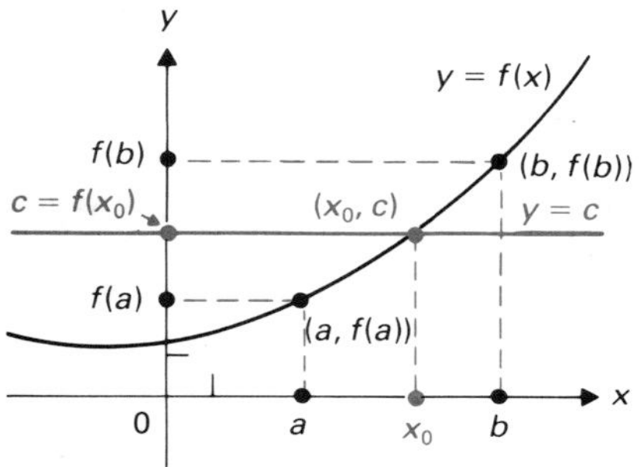

Figure 2.41 Le graphe de la fonction continue f doit traverser la droite $y = c$ pour passer du point $(a, f(a))$ au point $(b, f(b))$.

DEUX PROPRIÉTÉS DES FONCTIONS CONTINUES

La plupart des fonctions correspondant à notre environnement physique et à nos activités sont continues. Ainsi, notre taille est une fonction continue de notre âge. De même, lorsque nous conduisons prudemment, la vitesse à laquelle nous allons est une fonction continue du temps. Dans le monde qui nous entoure, les discontinuités se révèlent parfois destructrices. Par exemple, supposons qu'une automobile heurte un arbre à une vitesse de 60 km/h. On peut affirmer que la vitesse de la bordure antérieure du pare-chocs avant est sensiblement une fonction discontinue du temps au moment de l'impact (l'arbre se déplace légèrement sous le choc) car, à cet instant, la vitesse passe de 60 km/h à 0 km/h. La vitesse des composantes situées vers l'arrière de l'automobile décroît moins brusquement. Les coussins pneumatiques visent à rendre continue la vitesse de l'automobiliste lors de l'accident et à répartir la force de décélération uniformément sur la partie supérieure du corps.

Dans les théorèmes 2.3 et 2.4 sont énoncées deux propriétés mathématiques des fonctions continues qui seront utilisées au chapitre 5. Nous n'allons pas démontrer ces théorèmes ici: une preuve rigoureuse nécessiterait la connaissance d'une propriété importante des nombres réels, étudiée dans les livres d'analyse de niveau plus avancé.

Soit f une fonction continue en tout point d'un intervalle fermé $[a,b]$ (figure 2.40). *Intuitivement, la continuité de* f *sur* [a,b] *signifie que l'on peut dessiner la courbe représentative de* f *sur l'intervalle* [a,b] *sans lever son crayon*. Le résultat énoncé au théorème 2.3 découle naturellement de cette interprétation géométrique de la continuité de f sur $[a,b]$.

La figure 2.41 représente le graphe d'une fonction f définie pour tout x compris dans un intervalle fermé $[a,b]$. Le graphe est plus élevé en b qu'en a; autrement dit, $f(a) < f(b)$. Soit c un point quelconque compris entre $f(a)$ et $f(b)$ sur l'axe des y. Comme l'indique la figure, il doit exister un point x_0 compris entre a et b sur l'axe des x tel que $f(x_0) = c$. En effet, imaginons que la droite horizontale $y = c$ soit une route. Le point $(a, f(a))$ est situé d'un côté de la route et le point $(b, f(b))$, de l'autre côté. Il est impossible de passer d'un côté de la route à l'autre, d'une manière continue, sans traverser la route en un certain point (x_0, c).

THÉORÈME 2.3 Théorème des valeurs intermédiaires de Weierstrass*

Soit f une fonction continue dont le domaine comprend l'intervalle fermé $[a,b]$. Si c est un nombre compris entre $f(a)$ et $f(b)$, alors il existe au moins un point x_0 dans $[a,b]$ tel que $f(x_0) = c$.

On voit sur la figure 2.42 que si la fonction f n'est pas continue, alors la conclusion du théorème 2.3 n'est pas nécessairement satisfaite. L'hypothèse de continuité est donc essentielle.

EXEMPLE 6 Il y a quelques années, on a planté un jeune arbre de 30 cm de haut. L'arbre atteint maintenant 10 m. Montrer qu'à un moment donné, l'arbre mesurait exactement 6,754 m.

* D'après le brillant mathématicien allemand Karl Weierstrass (1815-1897).

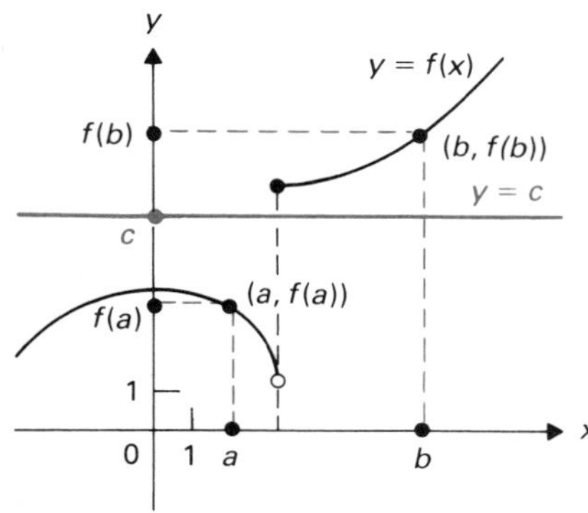

Figure 2.42 Le graphe de la fonction discontinue f ne doit pas nécessairement traverser la droite $y = c$ pour passer du point $(a, f(a))$ au point $(b, f(b))$.

Solution La hauteur de l'arbre est une fonction continue du temps. L'arbre, qui mesurait 0,30 m à un certain instant $t = a$, atteint une hauteur de 10 m à un instant $t = b$. Or 6,754 est compris entre 0,30 et 10, donc, en vertu du théorème 2.3, l'arbre doit avoir mesuré 6,754 m à un instant donné t_0. □

Le théorème 2.3 semble assez évident intuitivement. Nous venons d'ailleurs d'en voir une application simple. Toutefois, l'exemple 7 demande plus de réflexion. Vous trouverez dans la série d'exercices des applications encore moins évidentes.

EXEMPLE 7 La voiture de Denise Tremblay est munie d'un avertisseur qui sonne pendant cinq secondes chaque fois que la vitesse de la voiture atteint exactement 90 km/h. Or Denise ne dispose que de 35 minutes pour se rendre à un rendez-vous important à une distance de 56 km. Montrer qu'elle ne peut arriver à l'heure sans déclencher le dispositif.

Solution Pour parcourir 56 km en 35 min, Denise doit conserver une vitesse moyenne de

$$\frac{56}{35/60} = 56 \cdot \frac{12}{7} = 96 \text{ km/h}.$$

Comme elle démarre à 0 km/h en un certain instant $t = a$, elle ne peut conserver une moyenne de 96 km/h sans dépasser cette vitesse à un instant donné $t = b$. Sa vitesse étant une fonction continue du temps, le dispositif sera déclenché à un instant $t = c$ compris entre $t = a$ et $t = b$, en vertu du théorème 2.3. En réalité, l'avertisseur sonnera encore au moins une autre fois, soit entre l'instant $t = b$ et le moment où elle arrêtera la voiture. □

La seconde propriété des fonctions continues concerne les maximums et les minimums d'une fonction.

DÉFINITION 2.9 Extremums

Soit f une fonction définie partout sur un ensemble S. On dit que f admet un **maximum** M au point x_1 de S si $M = f(x_1)$ et si $f(x_1) \geq f(x)$ pour tout x appartenant à S.

De même, on dit que f admet un **minimum** m au point x_2 de S si $m = f(x_2)$ et si $f(x_2) \leq f(x)$ pour tout x appartenant à S.

En examinant la figure 2.43, on voit que la fonction $x^2 + 1$ admet sur son domaine un minimum de 1. Comme le montre la figure 2.44, la fonction x^2 admet, elle, sur l'intervalle $[-2,1]$ un minimum de 0 et un maximum de 4.

THÉORÈME 2.4 Existence d'extremums

Une fonction continue admet toujours un maximum M et un minimum m sur un intervalle fermé de son domaine.

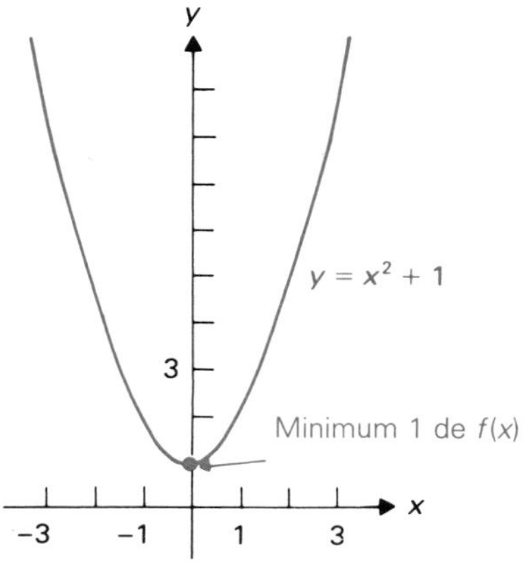

Figure 2.43 La fonction $f(x) = x^2 + 1$ admet le minimum 1 en $x = 0$.

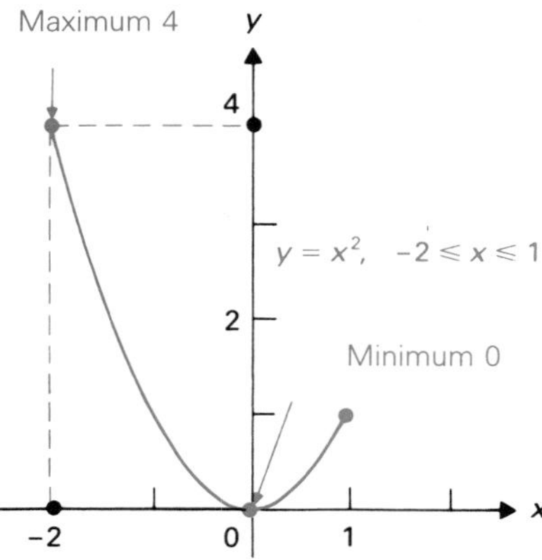

Figure 2.44 La fonction $f(x) = x^2$, définie sur l'intervalle $[-2,1]$, admet le minimum 0 en $x = 0$ et le maximum 4 en $x = -2$.

La figure 2.45 montre que si une fonction n'est pas continue, alors la conclusion du théorème 2.4 n'est pas nécessairement satisfaite. Le point de la figure 2.45 où un maximum pourrait être atteint serait « le premier point à gauche de c sur l'axe des x ». Or un tel point n'existe pas puisque si d est un point à gauche de c, alors $(c + d)/2$ est un point situé à mi-chemin entre c et d et donc plus près de c que ne l'est d.

On voit par ailleurs sur la figure 2.46 que si l'intervalle considéré n'est pas fermé, alors la conclusion du théorème 2.4 n'est pas nécessairement satisfaite. Ainsi, le seul point où la fonction de la figure 2.46, définie sur l'intervalle semi-ouvert $[a,b[$, pourrait admettre un maximum serait « le premier point à gauche de b sur l'axe des x ». Or, comme on l'a vu précédemment, un tel point n'existe pas.

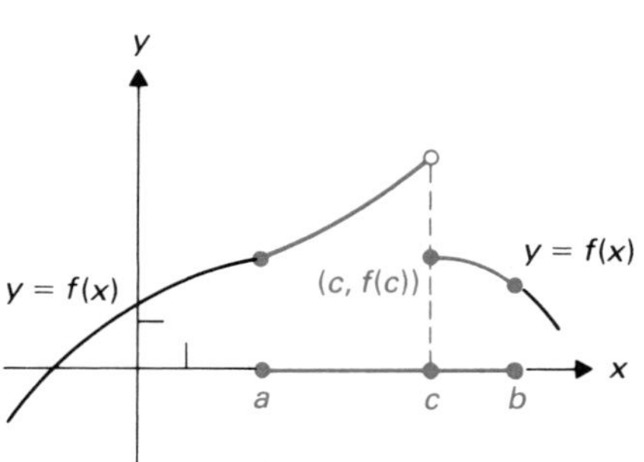

Figure 2.45 La fonction f n'admet pas de maximum sur l'intervalle $[a,b]$.

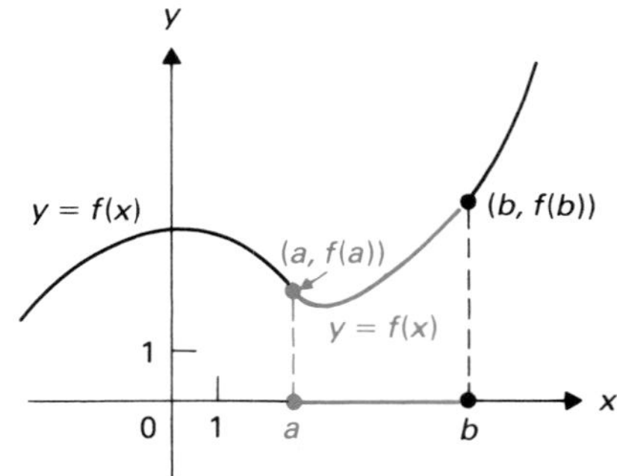

Figure 2.46 La fonction f n'admet pas de maximum sur l'intervalle semi-ouvert $[a,b[$.

RÉSUMÉ

1. Soit x_1 un point du domaine d'une fonction f. La fonction f est continue en x_1 si $\lim_{x \to x_1} f(x)$ existe et est égale à $f(x_1)$. Si f n'est pas continue en x_1, alors elle est discontinue en x_1. Une fonction est dite continue si elle est continue en tout point de son domaine.
2. Si un point x_1 n'appartient pas au domaine de f, alors la fonction n'est ni continue ni discontinue en ce point.
3. La somme, le produit et le quotient de fonctions continues sont des fonctions continues. (Le quotient de deux fonctions n'est pas défini aux points où le dénominateur s'annule.) En particulier, une fonction rationnelle est continue en tout point de son domaine.
4. *Théorème des valeurs intermédiaires* Si une fonction continue est définie sur un intervalle fermé $[a,b]$, alors tout point c compris entre $f(a)$ et $f(b)$ est l'image d'au moins un point de l'intervalle $[a,b]$.
5. Une fonction continue en tout point d'un intervalle fermé de son domaine admet un maximum et un minimum sur cet intervalle.

EXERCICES

Dans les exercices 1 à 5, trouver une fonction f, définie partout sur les réels, qui satisfait aux conditions données, puis tracer son graphique.

1. f est continue partout sauf pour $x = 2$, et $\lim_{x \to 2} f(x) = 3$.
2. f est continue partout sauf pour $x = 2$, et $\lim_{x \to 2} f(x)$ n'est pas définie.
3. f est continue partout sauf pour $x = -1$; $\lim_{x \to -1} f(x) = 1$ et $\lim_{x \to 1} f(x) = 2$.
4. f est discontinue en chacune des valeurs entières de x et continue ailleurs.
5. f est discontinue en chacune des valeurs entières positives de x et continue ailleurs; $\lim_{x \to 0} f(x) = -2$.
6. La fonction f définie par

$$f(x) = \begin{cases} \dfrac{x^2 - 9}{x - 3} & \text{quand } x \neq 3, \\ 6 & \text{quand } x = 3 \end{cases}$$

est-elle continue? Expliquer.

7. La fonction f définie par

$$f(x) = \begin{cases} \dfrac{4x^2 - 2x^3}{x - 2} & \text{quand } x \neq 2, \\ 8 & \text{quand } x = 2 \end{cases}$$

est-elle continue? Expliquer.

8. La fonction f définie par

$$f(x) = \begin{cases} x^2 & \text{quand } x \geq 2, \\ 8 - 3x & \text{quand } -1 \leq x < 2, \\ 12x + 1 & \text{quand } x < -1 \end{cases}$$

a) est-elle continue en $x_1 = 2$?
b) est-elle continue en $x_1 = -1$?
c) est-elle continue? Expliquer.

9. La fonction f définie par

$$f(x) = \begin{cases} 3x - x^2 & \text{quand } x \geq 3, \\ x - 3 & \text{quand } 1 < x < 3, \\ x^2 + 4x - 7 & \text{quand } x \leq 1 \end{cases}$$

a) est-elle continue en $x_1 = 3$?
b) est-elle continue en $x_1 = 1$?
c) est-elle continue? Expliquer.

10. Stéphane mesurait 53 cm à la naissance; il mesure maintenant 1,75 m. Utiliser le théorème des valeurs intermédiaires pour démontrer qu'à un moment donné de sa vie, Stéphane a mesuré exactement 1 m.
11. Trouver trois autres applications du théorème des valeurs intermédiaires dans la vie courante, semblables à celle de l'exercice précédent.
12. Utiliser le théorème des valeurs intermédiaires pour démontrer que le 4 août, à un certain endroit du méridien terrestre situé

à 37° de longitude, il s'écoule exactement 10 heures entre le lever et le coucher du soleil. Un méridien est un demi-cercle reliant le pôle Nord et le pôle Sud, mesuré selon sa distance angulaire par rapport au premier méridien passant par l'observatoire de Greenwich, en Grande-Bretagne.

13. Démontrer le corollaire suivant du théorème des valeurs intermédiaires:

COROLLAIRE Racines de l'équation $f(x) = 0$

Soit f une fonction continue sur l'intervalle $[a,b]$. Si $f(a)$ et $f(b)$ sont de signe opposé, alors l'équation $f(x) = 0$ a au moins une racine dans l'intervalle $[a,b]$.

Dans les exercices 14 à 22, utiliser le corollaire du théorème des valeurs intermédiaires énoncé à l'exercice 13.

14. *a*) Montrer que l'équation $x^3 - 5x^2 + 2x + 6 = 0$ a au moins une racine dans l'intervalle $[-1,5]$.

b) Montrer que l'équation donnée en *a* admet en réalité trois solutions dans l'intervalle $[-1,5]$.

15. *a*) Montrer que l'équation $x^4 + 3x^3 + x + 4 = 0$ a au moins une racine dans l'intervalle $[-2,0]$.

b) L'équation donnée en *a* peut-elle avoir une racine positive ou nulle? Justifier.

16. Soit $f(x) = x^2 - 4x + 3$.

a) Montrer que $f(0) > 0$ et que $f(5) > 0$.

b) Montrer que l'équation $f(x) = 0$ a une racine dans l'intervalle $[0,5]$.

c) Expliquer pourquoi il n'y a pas contradiction entre les résultats trouvés en *a* et en *b* et le corollaire énoncé à l'exercice 13.

17. L'équation $x^2 - 4x + 5 = 0$ a-t-elle des solutions dans l'intervalle $[-4,4]$? Justifier.

18. L'équation $-x^2 + 6x - 9 = 0$ a-t-elle des solutions dans l'intervalle $[0,5]$? Justifier.

19. Soit f une fonction continue pour tout x. Dire si les énoncés suivants sont vrais ou faux.

a) Si $f(a) = f(b)$, alors l'équation $f(x) = 0$ n'a pas de racine dans l'intervalle $[a,b]$.

b) Si $f(a)$ et $f(b)$ sont de signe opposé, alors l'équation $f(x) = 0$ a une et une seule racine dans l'intervalle $[a,b]$.

c) Si $f(a)$ et $f(b)$ sont de signe opposé, alors l'équation $f(x) = 0$ a au moins une racine dans l'intervalle $[a,b]$.

d) Si $f(a)$ et $f(b)$ sont de même signe alors, ou bien l'équation $f(x) = 0$ n'a aucune racine dans l'intervalle $[a,b]$, ou bien elle a un nombre pair de racines dans cet intervalle.

e) Si $f(a)$ et $f(b)$ sont de même signe, alors l'équation $f(x) = 0$ peut avoir une infinité de racines dans l'intervalle $[a,b]$.

20. Soit f une fonction polynomiale de degré impair, de sorte que $f(x) = a_nx^n + \ldots + a_1x + a_0$, où $a_n \neq 0$ et n est un entier impair. Montrer que l'équation $f(x) = 0$ a au moins une racine réelle. [*Suggestion* Considérer $\lim_{x\to\infty} f(x)$ et $\lim_{x\to-\infty} f(x)$, puis appliquer le corollaire énoncé à l'exercice 13 à un intervalle de la forme $[-C,C]$ suffisamment grand.]

21. Une voiture de course parcourant un circuit ovale passe sous le drapeau à la fin du troisième tour à une vitesse de 155 km/h exactement. À la fin du quatrième tour, la voiture roule également à une vitesse de 155 km/h exactement. Utiliser le corollaire énoncé à l'exercice 13 pour démontrer qu'au cours du quatrième tour, la voiture s'est déplacée à la même vitesse en deux points diamétralement opposés de la piste (cette vitesse n'étant pas forcément 155 km/h). [*Indice* Soit S la longueur du circuit. Pour $0 \leq x \leq S/2$, poser

$$f(x) = \text{vitesse au point } x - \text{vitesse au point } \left(x + \frac{S}{2}\right),$$

où x représente la distance parcourue pendant le quatrième tour.]

22. Une table carrée dont les quatre pattes sont d'égale longueur se balance sur deux pattes diagonalement opposées lorsqu'on la place sur un plancher bombé. Utiliser le corollaire énoncé à l'exercice 13 pour démontrer qu'en faisant faire à la table une rotation de moins d'un quart de tour, on peut faire en sorte que les quatre pattes touchent au plancher, équilibrant ainsi la table. [*Indice* Numéroter les pattes 1, 2, 3, 4 dans le sens inverse des aiguilles d'une montre. Désigner par $f(\theta)$ la somme des distances des pattes 1 et 3 au sol moins la somme des distances des pattes 2 et 4 au sol, après avoir fait faire à la table une rotation de θ degrés dans le sens inverse des aiguilles d'une montre ($0° \leq \theta \leq 90°$).]

23. Soit $f(x) = a_nx^n + a_{n-1}x^{n-1} + \ldots + a_1x + a_0$, où n est un entier positif pair et $a_n > 0$.

a) Trouver $\lim_{x\to\infty} f(x)$ et $\lim_{x\to-\infty} f(x)$. (Nous avons vu un moyen facile de calculer la limite à l'infini d'une fonction rationnelle.)

b) En utilisant la question *a*, démontrer qu'il existe un $C > 0$ tel que $f(x) > f(0)$ quand $|x| > C$.

c) En appliquant le théorème 2.4 à l'intervalle $[-C,C]$, démontrer que la fonction $f(x)$ admet un minimum sur la totalité de l'axe des x.

24. Refaire l'exercice 23 en supposant cette fois $a_n < 0$, les autres hypothèses restant les mêmes.

EXERCICES DIVERS

Exercices récapitulatifs — Série A

1. Soit la fonction $f(x) = 1/x$. Trouver une approximation de la pente m_{tg} de la courbe au point $x = 1$, en calculant la pente m_{sec} de la sécante passant par les points $x = 1$ et $x = 1 + 1/2$.

Dans les exercices 2 à 7, trouver les limites demandées, en utilisant au besoin les symboles ∞ et $-\infty$.

2. $\displaystyle \lim_{x\to 1} \frac{x^2 - 1}{x - 1}$

3. $\displaystyle \lim_{x\to -2} \frac{x + 1}{(x + 2)^2}$

4. $\displaystyle \lim_{x\to 4} \frac{x^2 - 3x - 4}{x^2 - 16}$

5. $\displaystyle \lim_{x\to -1} \frac{x^2 + 2x + 1}{x^2 - 2x}$

6. $\displaystyle \lim_{x\to \infty} \frac{x^4 - 3x^2}{2x - 3x^4}$

7. $\displaystyle \lim_{x\to -\infty} \frac{x^4 + 100x^2}{14 - x}$

8. Tracer le graphique de la fonction $f(x) = 1/(2 - x)$.

9. Soit la fonction

$$f(x) = \begin{cases} \dfrac{x^2 - 9}{x + 3} & \text{quand } x \neq -3, \\ 6 & \text{quand } x = -3. \end{cases}$$

f est-elle continue? Justifier.

10. Énoncer le théorème des valeurs intermédiaires.

Exercices récapitulatifs — Série B

1. Soit la fonction $f(x) = 1/(2x + 1)$. Calculer m_{tg} en un point quelconque x_1 du domaine de f.

Dans les exercices 2 à 7, trouver les limites demandées, en utilisant au besoin les symboles ∞ et $-\infty$.

2. $\lim\limits_{x \to 0} \left| \dfrac{x^2 - 3}{x} \right|$

3. $\lim\limits_{x \to 2} \dfrac{x^2 - 3x + 2}{x^2 - 4}$

4. $\lim\limits_{x \to 5^-} \dfrac{|x - 5|}{x^2 - 25}$

5. $\lim\limits_{x \to 3} \dfrac{x^3 - 27}{x^2 + 9}$

6. $\lim\limits_{x \to \infty} \dfrac{7 - 5x^2}{x^3 + 3x}$

7. $\lim\limits_{x \to -\infty} \dfrac{14x^3 - 7x^2}{8x^3 + 4x}$

8. Tracer le graphique de la fonction $f(x) = (2x + 6)/x$.

9. Soit la fonction

$$f(x) = \begin{cases} \dfrac{x^2 - 4x - 5}{x - 5} & \text{quand } x > 5, \\ 2x - 4 & \text{quand } x \leq 5. \end{cases}$$

a) Trouver $\lim_{x \to 5^-} f(x)$.

b) Trouver $\lim_{x \to 5^+} f(x)$.

c) f est-elle continue en $x = 5$? Justifier.

d) f est-elle une fonction continue? Justifier.

10. Montrer que l'équation $x^4 - 5x + 1 = 0$ possède une racine dans l'intervalle $[0,1]$.

Exercices récapitulatifs — Série C

1. Soit la fonction $f(x) = \sqrt{2x - 3}$. Calculer m_{tg} en un point quelconque x_1 du domaine de f.

2. Soit la fonction $f(x) = x^2 - 3x$. Calculer m_{tg} au point $x_1 = 2$, puis trouver l'équation de la tangente à la courbe de f au point $(2, -2)$.

Dans les exercices 3 à 7, trouver les limites demandées, en utilisant au besoin les symboles ∞ et $-\infty$.

3. *a*) $\lim\limits_{x \to 2} \dfrac{x^2 - 4}{|x - 2|}$ *b*) $\lim\limits_{x \to 2} \dfrac{x^2 - 4}{|x + 2|}$

4. $\lim\limits_{x \to -3} \dfrac{x^2 + 3x}{x^2 + 2x - 3}$

5. $\lim\limits_{x \to -1^+} \dfrac{x^2 + x}{x^2 + 2x + 1}$

6. $\lim\limits_{x \to \infty} \dfrac{7 - 3x^2}{4x^2 + 3x - 2}$

7. $\lim\limits_{x \to -\infty} \dfrac{8x + 4x^4}{3x^3 - 7}$

8. Tracer le graphique de la fonction $f(x) = (3x - 6)/(x + 2)$.

9. La fonction $f(x) = 1/x$ est-elle une fonction continue? Justifier.

10. Énoncer le théorème d'existence d'extremums pour une fonction continue.

Exercices récapitulatifs — Série D

1. Soit la fonction $f(x) = \sqrt{x} + x$. Calculer m_{tg} en un point quelconque $x_1 > 0$.

Dans les exercices 2 à 6, trouver les limites demandées, en utilisant au besoin les symboles ∞ et $-\infty$.

2. $\lim\limits_{x \to 1} \dfrac{x^2 - 3x + 2}{x + 1}$

3. $\lim\limits_{x \to -2} \dfrac{x^3 + 2x^2}{x^2 - x - 6}$

4. $\lim\limits_{x \to 3^+} \dfrac{x^2 + x - 14}{x^2 - 8x + 15}$

5. $\lim\limits_{x \to -2^-} \dfrac{4 + x^2}{4 - x^2}$

6. $\lim\limits_{x \to \infty} \dfrac{4x^{2/3} - 7x}{x^{1/2} + x^{5/4} - 4}$

7. Tracer le graphique de la fonction $f(x) = (x + 1)/(2 - x)$.

8. Démontrer formellement (par un raisonnement « ε, δ ») que si $f(x)$ est continue au point $x_1 = 2$ et que $f(-x) = f(x)$ pour tout x, alors $f(x)$ est continue au point -2 également.

9. Soit la fonction

$$f(x) = \begin{cases} \dfrac{|x| + x}{x + 1} & \text{quand } x \neq -1, \\ 1 & \text{quand } x = -1. \end{cases}$$

f est-elle continue au point $x_1 = -1$? Justifier.

10. Soit la fonction $f(x) = x^2$.

a) $f(x)$ admet-elle un maximum sur l'intervalle semi-ouvert $]0,1]$? Justifier.

b) $f(x)$ admet-elle un minimum sur $]0,1]$? Justifier.

Exercices d'approfondissement

Nous verrons plus loin que la fonction continue $\sin x$ est telle que

$$\lim_{x \to 0} \frac{\sin x}{x} = 1.$$

Utiliser le résultat ci-dessus pour évaluer, lorsqu'elles existent, les limites suivantes:

1. $\lim\limits_{\Delta x \to 0} \dfrac{\sin \Delta x}{\Delta x}$

2. $\lim\limits_{\Delta x \to 0} \dfrac{\sin \Delta x}{|\Delta x|}$

3. $\lim\limits_{x \to 0} \dfrac{\sin 2x}{x}$

4. $\lim\limits_{x \to 0} \dfrac{\sin 2x}{\sin 3x}$

5. $\lim\limits_{x \to \infty} \sin \dfrac{1}{x}$

6. $\lim\limits_{x \to \infty} \left(x \sin \dfrac{1}{x} \right)$

7. $\lim\limits_{x \to \infty} \left(x^2 \sin \dfrac{1}{x} \right)$

8. $\lim\limits_{x \to \infty} \left(x \sin \dfrac{1}{x^2} \right)$

9. $\lim\limits_{x \to \infty} \left(x^2 \sin \dfrac{1}{x^2} \right)$

10. $\lim\limits_{x \to \infty} \left(x^3 \sin \dfrac{1}{x^2} \right)$

11. Un grand nombre d'étudiants ont de la difficulté à comprendre la définition formelle de la limite. Il semble bien qu'il s'agisse en fait d'un problème de logique. La définition utilise à la fois le *quantificateur universel* (« pour tout ») et le *quantificateur existentiel* (« il existe »), puisqu'on y retrouve l'énoncé: « Pour tout $\varepsilon > 0$, il existe un $\delta > 0\ldots$ » Voici donc quelques exercices de logique.

a) Écrire la négation de l'énoncé

Pour tout $\varepsilon > 0$, il existe un $\delta > 0$,

c'est-à-dire, formuler autrement: « Il est faux que pour tout $\varepsilon > 0$, il existe un $\delta > 0$ ».

b) Écrire la négation de l'énoncé

Pour tout arbre, il y a un fruit.

c) Relire la réponse à la question *a* à la lumière de la réponse à la question *b*. Êtes-vous toujours d'accord avec la réponse inscrite en *a*?

d) Comment peut-on démontrer que, pour une fonction *f* donnée, $\lim_{x \to a} f(x) \neq c$?

12. Soit *f* une fonction. Dans chacun des cas suivants, dire si la « définition » de la limite de *f* au point *a* est correcte ou erronée. Lorsqu'une définition est erronée, la modifier pour la rendre correcte.

a) La limite de *f* au point *a* est *c* si, pour tout $\varepsilon > 0$, il existe un $\delta > 0$ tel que $|f(x) - c| < \varepsilon$ quand $|x - a| < \delta$.

b) La limite de *f* au point *a* est *c* si, pour un $\varepsilon > 0$ donné, il existe un $\delta > 0$ tel que $|f(x) - c| < \varepsilon$ quand $0 < |x - a| < \delta$.

c) La limite de *f* au point *a* est *c* si, pour tout $\varepsilon > 0$, il existe un $\delta > 0$ tel que $0 < |x - a| < \delta$ implique $|f(x) - c| < \varepsilon$.

d) La limite de *f* au point *a* est *c* s'il existe des nombres positifs ε et δ tels que $0 < |x - a| < \delta$ implique $|f(x) - c| < \varepsilon$.

e) La limite de *f* au point *a* est *c* si, pour tout $\delta > 0$, $0 < |x - a| < \delta$ implique $|f(x) - c| < \varepsilon$.

f) La limite de *f* au point *a* est *c* si on peut rendre $|f(x) - c|$ plus petit que tout $\varepsilon > 0$ choisi en prenant des *x* différents de *a* dans un petit intervalle $[a - \delta, a + \delta]$.

g) La limite de *f* au point *a* est *c* si, pour tout entier positif *n*, il existe un $\delta > 0$ tel que $|f(x) - c| < 1/n$ quand $0 < |x - a| < \delta$.

13. Démontrer de façon formelle que si $\lim_{x \to a} f(x) = L$ et $\lim_{x \to a} g(x) = M$, alors $\lim_{x \to a} (f(x) + g(x)) = L + M$.

14. Trouver un exemple d'une fonction *f* discontinue en $x_1 = 1/n$ pour tout entier positif *n* et continue partout ailleurs. [*Mise en garde* S'assurer de la continuité de *f* en $x_1 = 0$.]

15. Dans chacun des cas suivants, dire si la « définition » est correcte ou erronée. Lorsqu'une définition est erronée, la modifier pour la rendre correcte.

a) Une fonction *f* est continue au point *a* si, pour tout $\varepsilon > 0$, il existe un $\delta > 0$ tel que $|x - a| < \delta$ implique $|f(x) - a| < \varepsilon$.

b) Une fonction *f* est continue au point *a* si, pour tout $\varepsilon > 0$, il existe un $\delta > 0$ tel que $|f(x) - c| < \varepsilon$ quand $0 < |x - a| < \delta$.

c) Une fonction *f* est continue au point *a* si, pour tout $\varepsilon > 0$, il existe un $\delta > 0$ tel que

$$|f(x) - f(a)| < \varepsilon$$

quand $|x - a| < \delta$.

d) Soit *f* une fonction. La limite de *f* quand *x* tend vers *a* est $-\infty$ si, pour un certain γ, il existe un $\delta > 0$ tel que $f(x) < \gamma$ quand $0 < |x - a| < \delta$.

e) Soit *f* une fonction. La limite de *f* quand *x* tend vers *a* à gauche est $-\infty$ si, pour tout γ, il existe un $\delta > 0$ tel que $f(x) < \gamma$ quand $a - \delta < x \leq a$.

f) Une fonction *f* est continue si, pour tout *a* de son domaine et pour tout entier positif *n*, il existe un entier positif *m* tel que $|f(x) - f(a)| < 1/n$ quand $|x - a| < 1/m$.

16. Trouver un exemple de deux fonctions définies partout sur les réels, telles qu'aucune des deux n'est continue en $x = 2$, mais que leur somme l'est.

17. Refaire l'exercice 16 en considérant cette fois le produit des deux fonctions.

18. Trouver un exemple d'une fonction définie partout sur les réels et continue en aucun point.

DÉRIVÉES 3

Nous allons maintenant commencer véritablement l'étude du calcul différentiel et utiliser la terminologie et la notation qui lui sont propres. Ce qui fait l'importance du calcul différentiel, c'est sa grande utilité lorsqu'il s'agit d'étudier des situations *dynamiques*, c'est-à-dire comportant des variations de quantités, par opposition à des situations *statiques*, où les quantités sont constantes. Nous avons déjà eu un premier contact avec le calcul différentiel lorsque nous avons calculé des taux instantanés d'accroissement (section 2.1).

Dans la première section du chapitre 3, nous rappellerons brièvement les concepts de taux moyen et de taux instantané d'accroissement, et introduirons la notation et la terminologie utilisées en calcul différentiel. Le reste du chapitre sera consacré au calcul de dérivées. Vous y trouverez plusieurs formules au moyen desquelles il est possible de calculer des dérivées sans avoir à calculer des limites. (Néanmoins, les formules elles-mêmes seront obtenues en calculant des limites.)

3.1 NOTION DE DÉRIVÉE ET DÉRIVÉES DES FONCTIONS POLYNOMIALES

DÉRIVÉE D'UNE FONCTION

La dérivée est le concept fondamental du calcul différentiel. Nous l'avons déjà abordée à la section 2.1, lorsqu'il s'est agi de montrer à quoi servent les limites. Nous allons maintenant l'étudier en détail.

Soit f une fonction définie en x_1 et sur au moins un petit intervalle de chaque côté de x_1, par exemple, entre $x_1 - h$ et $x_1 + h$, où $h > 0$. Lorsqu'on donne à la variable x un accroissement Δx, la variable y reçoit un accroissement Δy. Ainsi, comme le montre la figure 3.1, lorsque x passe de x_1 à $x_1 + \Delta x$, l'accroissement Δy de la fonction f est donné par $\Delta y = f(x_1 + \Delta x) - f(x_1)$. La figure 3.1 représente également la sécante de pente

$$m_{\text{sec}} = \frac{\Delta y}{\Delta x}.$$

Comme on le voit à la figure 3.2, la pente m_{tg} de la tangente à la courbe de f au point $x = x_1$ est

$$m_{\text{tg}} = \lim_{\Delta x \to 0} \frac{\Delta y}{\Delta x},$$

pourvu que la limite existe. À compter de maintenant, nous n'utiliserons plus les notations m_{sec} et m_{tg}. Nous ferons plutôt appel à la terminologie et aux notations habituelles du calcul différentiel, contenues dans les deux définitions qui suivent.

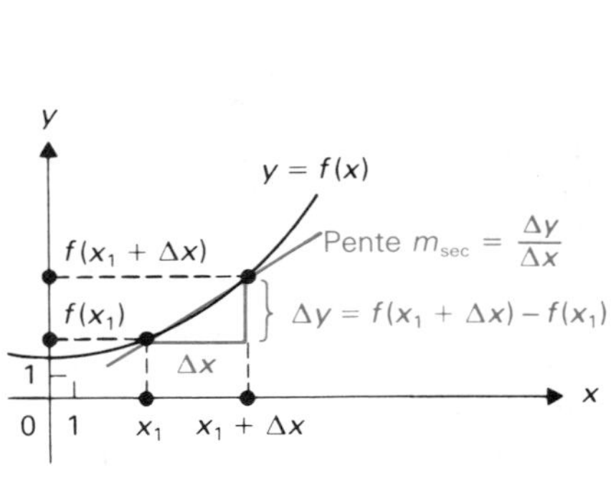

Figure 3.1

$m_{\text{sec}} = \Delta y / \Delta x$

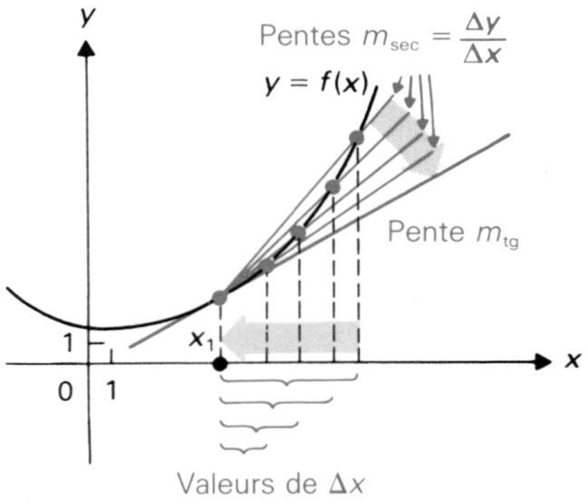

y
Pentes $m_{\text{sec}} = \frac{\Delta y}{\Delta x}$
y = f(x)
Pente m_{tg}
1
x₁
x
0 1
Valeurs de Δx

Figure 3.2

$m_{\text{tg}} = \lim_{\Delta x \to 0} \Delta y / \Delta x$

DÉFINITION 3.1 Taux d'accroissement

On appelle **taux d'accroissement** d'une fonction f d'un point x_1 au point $x_1 + \Delta x$ le rapport

$$\frac{\Delta y}{\Delta x} = \frac{f(x_1 + \Delta x) - f(x_1)}{\Delta x}. \tag{1}$$

Il s'agit du **taux moyen d'accroissement** de $f(x)$ par rapport à x_1 de x_1 à $x_1 + \Delta x$.

DÉFINITION 3.2 Dérivée; fonction dérivable

Soit f une fonction définie en x_1 et sur un intervalle autour de x_1. On appelle **dérivée** de f au point x_1 la limite, si elle existe, du rapport

$$[f(x_1 + \Delta x) - f(x_1)]/\Delta x$$

quand Δx tend vers zéro et on écrit:

$$f'(x_1) = \lim_{\Delta x \to 0} \frac{f(x_1 + \Delta x) - f(x_1)}{\Delta x}. \tag{2}$$

La dérivée de f au point x_1 est parfois appelée *nombre dérivé en* x_1. C'est le **taux instantané d'accroissement** de $f(x)$ par rapport à x au point x_1. Si $f'(x_1)$ existe, alors on dit que f admet une dérivée en x_1 ou encore que f est **dérivable** en x_1. Une fonction dérivable en tout point x_1 de son domaine est appelée **fonction dérivable**.

La fonction f', qui associe à un point donné la dérivée de f en ce point, est appelée *fonction dérivée de* f ou plus simplement *dérivée de* f.

La dérivée $f'(x)$ est souvent notée

$$\frac{dy}{dx}.$$

Cette dernière notation, que l'on doit à Leibniz, est très utile pour la mémorisation de certaines formules. Elle se lit « la dérivée de y par rapport à x ». Pour l'instant, le symbole dy/dx doit s'interpréter comme un tout et non pas comme un quotient de deux quantités. (Nous verrons une interprétation en tant que quotient plus loin dans ce chapitre.) Il faut se rappeler que $f'(x_1)$ est la pente m_{tg} de la tangente à la courbe $y = f(x)$ en $x = x_1$. C'est également le taux instantané d'accroissement de y par rapport à x en x_1: la notation dy/dx a justement l'avantage de suggérer cette idée de taux d'accroissement de y par rapport à x. Les applications les plus importantes du calcul différentiel ont trait à l'interprétation de dy/dx comme taux d'accroissement.

Le calcul de $f'(x_1)$ tel qu'on le définit à l'équation 2 s'effectue de la même façon que le calcul de m_{tg} (voir la section 2.1). Voici deux autres exemples du calcul de

$$\frac{dy}{dx} = f'(x) = \lim_{\Delta x \to 0} \frac{f(x + \Delta x) - f(x)}{\Delta x}$$

en un point x quelconque.

EXEMPLE 1 Soit la fonction $y = f(x) = 1/(x - 1)$. Calculer dy/dx.

Solution

$$\frac{dy}{dx} = f'(x) = \lim_{\Delta x \to 0} \frac{f(x + \Delta x) - f(x)}{\Delta x} = \lim_{\Delta x \to 0} \frac{\dfrac{1}{x + \Delta x - 1} - \dfrac{1}{x - 1}}{\Delta x}$$

$$= \lim_{\Delta x \to 0} \frac{\dfrac{x - 1 - (x + \Delta x - 1)}{(x + \Delta x - 1)(x - 1)}}{\Delta x}$$

$$= \lim_{\Delta x \to 0} \frac{-\Delta x}{\Delta x(x + \Delta x - 1)(x - 1)}$$

$$= \lim_{\Delta x \to 0} \frac{-1}{(x + \Delta x - 1)(x - 1)} = \frac{-1}{(x - 1)^2}. \quad \square$$

EXEMPLE 2 Soit la fonction $g(x) = \sqrt{x + 3}$. Calculer $g'(x)$.

Solution

$$g'(x) = \lim_{\Delta x \to 0} \frac{g(x + \Delta x) - g(x)}{\Delta x} = \lim_{\Delta x \to 0} \frac{\sqrt{x + \Delta x + 3} - \sqrt{x + 3}}{\Delta x}$$

$$= \lim_{\Delta x \to 0} \frac{\sqrt{x + \Delta x + 3} - \sqrt{x + 3}}{\Delta x} \cdot \frac{\sqrt{x + \Delta x + 3} + \sqrt{x + 3}}{\sqrt{x + \Delta x + 3} + \sqrt{x + 3}}$$

$$= \lim_{\Delta x \to 0} \frac{(x + \Delta x + 3) - (x + 3)}{\Delta x(\sqrt{x + \Delta x + 3} + \sqrt{x + 3})}$$

$$= \lim_{\Delta x \to 0} \frac{\Delta x}{\Delta x(\sqrt{x + \Delta x + 3} + \sqrt{x + 3})}$$

$$= \lim_{\Delta x \to 0} \frac{1}{\sqrt{x + \Delta x + 3} + \sqrt{x + 3}} = \frac{1}{2\sqrt{x + 3}}. \quad \square$$

DÉRIVÉES DES FONCTIONS POLYNOMIALES

Nous allons maintenant donner quelques-unes des nombreuses formules qui permettent de trouver facilement la dérivée de plusieurs fonctions. (Le calcul de la dérivée d'une fonction s'appelle également *dérivation*.) Il est aussi important de développer une bonne habileté technique dans le calcul des dérivées que de savoir effectuer des opérations arithmétiques usuelles.

Commençons par démontrer que la dérivée d'une constante est nulle en tout point. Soit la fonction $f(x) = c$ pour tout x, où c est une constante. Alors, quel que soit x_1,

$$f'(x_1) = \lim_{\Delta x \to 0} \frac{f(x_1 + \Delta x) - f(x_1)}{\Delta x} = \lim_{\Delta x \to 0} \frac{c - c}{\Delta x} = \lim_{\Delta x \to 0} \frac{0}{\Delta x} = 0.$$

Dans la notation de Leibniz, on écrirait

$$\boxed{\frac{d(c)}{dx} = 0.} \qquad \textbf{(3)}$$

Considérons maintenant la fonction $f(x) = x^n$, où n est un entier positif. Pour calculer $f'(x_1)$, utilisons la *formule du binôme de Newton* qui permet d'exprimer $(x_1 + \Delta x)^n$ à l'aide d'un polynôme.

D'après la formule du binôme,

$$(a + b)^n = a^n + na^{n-1}b + \frac{n(n-1)}{2}a^{n-2}b^2$$
$$+ \frac{n(n-1)(n-2)}{3 \cdot 2}a^{n-3}b^3 + \cdots + b^n.$$

Théorème du binôme

Ainsi, en posant $a = x_1$ et $b = \Delta x$, on a

$$f'(x_1) = \lim_{\Delta x \to 0} \frac{(x_1 + \Delta x)^n - x_1^n}{\Delta x}$$

$$= \lim_{\Delta x \to 0} \frac{[x_1^n + nx_1^{n-1}\Delta x + (n(n-1)/2)x_1^{n-2}(\Delta x)^2 + \cdots + (\Delta x)^n] - x_1^n}{\Delta x}$$

$$= \lim_{\Delta x \to 0} [nx_1^{n-1} + (n(n-1)/2)x_1^{n-2}\Delta x + \cdots + (\Delta x)^{n-1}] = nx_1^{n-1}.$$

Comme x_1 est un point quelconque, on a finalement

$$\boxed{\frac{d(x^n)}{dx} = nx^{n-1}.} \tag{4}$$

En troisième lieu, posons $u = f(x)$, $v = g(x)$ et $h(x) = u + v = f(x) + g(x)$, et donnons à la variable x un accroissement Δx; alors les fonctions u et v reçoivent respectivement les accroissements

$$\Delta u = f(x + \Delta x) - f(x) \qquad \text{et} \qquad \Delta v = g(x + \Delta x) - g(x).$$

L'accroissement que subit $h(x) = u + v$ est

$$\begin{aligned} h(x + \Delta x) - h(x) &= [(u + \Delta u) + (v + \Delta v)] - (u + v) \\ &= \Delta u + \Delta v. \end{aligned}$$

En supposant que $f'(x_1)$ et $g'(x_1)$ existent, en vertu du théorème 2.1 sur la limite d'une somme, page 57, on a au point x_1,

$$\begin{aligned} \lim_{\Delta x \to 0} \frac{\text{Accroissement de } (u + v)}{\Delta x} &= \lim_{\Delta x \to 0} \frac{\Delta u + \Delta v}{\Delta x} \\ &= \lim_{\Delta x \to 0} \frac{\Delta u}{\Delta x} + \lim_{\Delta x \to 0} \frac{\Delta v}{\Delta x} = \frac{du}{dx} + \frac{dv}{dx} \end{aligned}$$

Par conséquent,

$$\boxed{\frac{d(u + v)}{dx} = \frac{du}{dx} + \frac{dv}{dx}} \tag{5}$$

en tout point où u et v sont dérivables.

Nous avons besoin d'une dernière formule avant de pouvoir dériver des fonctions polynomiales. Soit la fonction $u = f(x)$. Considérons la fonction $c \cdot f(x)$, où c est une constante. Si l'on donne à la variable x un accroissement Δx, la variable u reçoit un accroissement Δu et la fonction $c \cdot f(x)$, un accroissement $c \cdot \Delta u$. En vertu du théorème 2.1 sur la limite d'un produit, page 57, en tout point x pour lequel $f'(x)$ existe,

$$\begin{aligned} \lim_{\Delta x \to 0} \frac{\text{Accroissement de } c \cdot f(x)}{\Delta x} &= \lim_{\Delta x \to 0} \frac{c \cdot \Delta u}{\Delta x} \\ &= \left(\lim_{\Delta x \to 0} c\right)\left(\lim_{\Delta x \to 0} \frac{\Delta u}{\Delta x}\right) = c \cdot \frac{du}{dx}, \end{aligned}$$

d'où

$$\boxed{\frac{d(c \cdot u)}{dx} = c \cdot \frac{du}{dx}.} \tag{6}$$

Les équations 5 et 6 ont une grande importance, car elles sont valables quelles que soient les fonctions dérivables $u = f(x)$ et $v = g(x)$. Il est recommandé de les apprendre sous forme de phrase en faisant abstraction des lettres employées pour nommer les fonctions (voir résumé). Vu leur importance, reprenons-les sous forme de théorème.

THÉORÈME 3.1 Dérivées de $u + v$ et de $c \cdot u$

Si $u = f(x)$ et $v = g(x)$ sont deux fonctions dérivables au point x, alors les fonctions $u + v = f(x) + g(x)$ et $c \cdot u = c \cdot f(x)$, où c est une constante quelconque, sont aussi des fonctions dérivables.
De plus,

$$\frac{d(u+v)}{dx} = \frac{du}{dx} + \frac{dv}{dx} \quad \text{et} \quad \frac{d(c \cdot u)}{dx} = c \cdot \frac{du}{dx}.$$

EXEMPLE 3 Trouver la dérivée de la fonction $4x^3 - 7x^2$.

Solution En utilisant les équations 5 et 6, puis l'équation 4, on obtient

$$\frac{d(4x^3 - 7x^2)}{dx} = \frac{d(4x^3)}{dx} + \frac{d(-7x^2)}{dx} = 4\frac{d(x^3)}{dx} + (-7)\frac{d(x^2)}{dx}$$

$$= 4 \cdot 3x^2 + (-7)(2x) = 12x^2 - 14x \qquad \text{pour tout } x. \quad \square$$

On peut étendre l'exemple 3 à la somme de plus de deux termes et obtenir une formule générale qui permettra de dériver toute fonction polynomiale. Ainsi,

$$\frac{d(a_n x^n + \cdots + a_2 x^2 + a_1 x + a_0)}{dx} = n a_n x^{n-1} + \cdots + 2a_2 x + a_1. \tag{7}$$

EXEMPLE 4 Trouver la dérivée de la fonction $f(x) = 4x^3 - 17x^2 + 3x - 2$.

Solution D'après l'équation 7, $f'(x) = 12x^2 - 34x + 3$. □

EXEMPLE 5 Calculer dy/dx pour $y = (2x + 3)^2$.

Solution On a $y = (2x + 3)^2 = 4x^2 + 12x + 9$. Par conséquent, $dy/dx = 4(2x) + 12(1) + 0 = 8x + 12$. Une autre façon de résoudre ce problème sera introduite à la section 3.4. □

EXEMPLE 6 Calculer dy/dx pour $y = (x^2 + 4x^3)/5$.

Solution Écrivons la fonction sous la forme $y = 1/5 \cdot (x^2 + 4x^3)$. En vertu du théorème 3.1, on a

$$\frac{dy}{dx} = \frac{1}{5} \cdot \frac{d(x^2 + 4x^3)}{dx} = \frac{1}{5}(2x + 12x^2). \quad \square$$

EXEMPLE 7 Calculer le taux moyen d'accroissement de la fonction $f(x) = x^3 - 2x^2$ sur l'intervalle $[-1,3]$, de même que le taux instantané d'accroissement de f en $x = 2$.

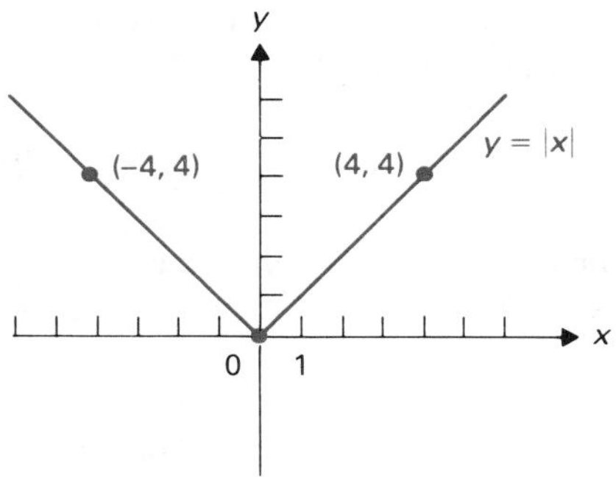

Figure 3.3 La fonction $|x|$ n'admet pas de dérivée en $x = 0$, où le graphe présente un point anguleux.

Solution On a

$$\text{Taux moyen d'accroissement} = \frac{\Delta y}{\Delta x} = \frac{f(3) - f(-1)}{3 - (-1)} = \frac{9 - (-3)}{4} = \frac{12}{4} = 3.$$

Le taux instantané d'accroissement au point $x = 2$ correspond à $f'(2)$. Or $f'(x) = 3x^2 - 4x$, d'où $f'(2) = 12 - 8 = 4$. □

EXEMPLE 8 Soit la fonction $f(x) = |x|$. Montrer que $f'(0)$ n'existe pas.

Solution La courbe représentative de f est donnée à la figure 3.3. Nous avons vu, en page 57, que pour $x = 0$,

$$\frac{\Delta y}{\Delta x} = \frac{|\Delta x|}{\Delta x} = \begin{cases} 1 & \text{si} \quad \Delta x > 0, \\ -1 & \text{si} \quad \Delta x < 0. \end{cases}$$

Par conséquent, $f'(0) = \lim_{\Delta x \to 0} (\Delta y / \Delta x)$ n'existe pas, puisque la limite à droite est 1 alors que la limite à gauche est -1. La fonction $|x|$ est peut-être l'exemple le plus simple d'une fonction qui n'est pas dérivable en un point donné. Remarquez que la courbe représentée à la figure 3.3 a un point anguleux en $x = 0$ et qu'elle n'y admet pas de tangente unique. □

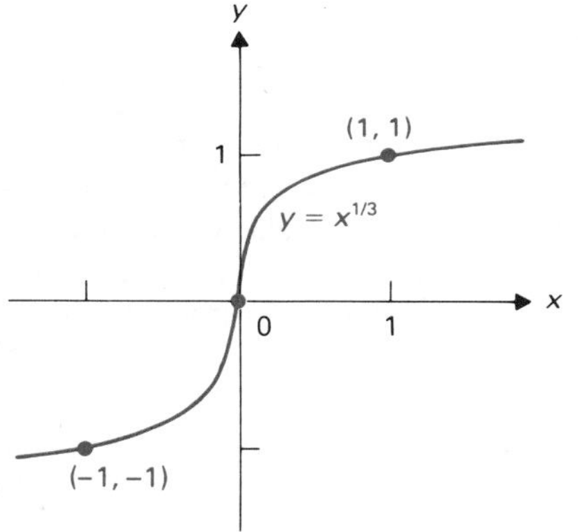

Figure 3.4 La fonction $x^{1/3}$ n'admet pas de dérivée en $x = 0$: la tangente au graphe en ce point (l'axe des y) est verticale.

EXEMPLE 9 Soit la fonction $f(x) = x^{1/3}$. Justifier géométriquement que f n'est pas dérivable au point $x = 0$.

Solution Le graphe de la fonction $f(x) = x^{1/3}$ est représenté à la figure 3.4. La tangente à la courbe au point (0,0) est verticale: c'est l'axe des y. Or la pente d'une droite verticale n'est pas définie; par conséquent $f'(0)$ n'existe pas. Nous verrons plus loin que $f'(x) = 1/(3x^{2/3})$. Bien entendu, cette expression n'est pas définie en $x = 0$. □

Comme on l'a vu à l'exemple 8, la fonction $|x|$ n'est pas dérivable en $x = 0$, bien qu'elle soit continue en ce point. C'est donc dire qu'une fonction continue en un point n'est pas nécessairement dérivable en ce point. Par contre, toute fonction dérivable en un point est également continue en ce point. Cette importante propriété fait l'objet du théorème qui suit.

THÉORÈME 3.2 Dérivabilité → continuité

Si une fonction f est dérivable en un point $x = x_1$, alors elle est continue au point $x = x_1$.

Le théorème 3.2 est une conséquence directe de la définition de la dérivée. En effet, si $f'(x_1)$ existe, alors

$$\lim_{\Delta x \to 0} \frac{f(x_1 + \Delta x) - f(x_1)}{\Delta x} \tag{8}$$

existe.

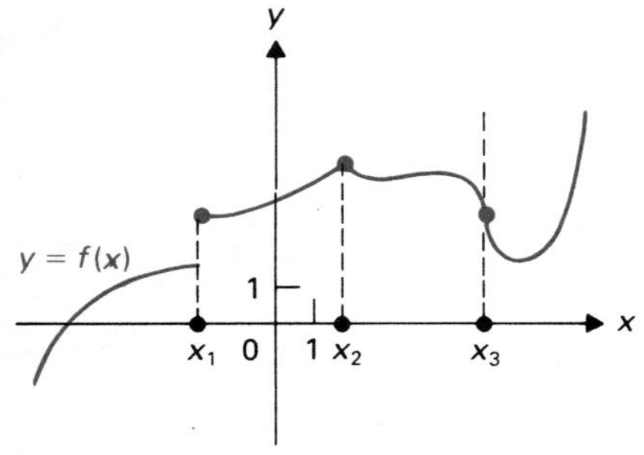

Figure 3.5 $f(x)$ n'admet pas de dérivée en x_1 (point de discontinuité), en x_2 (point anguleux) et en x_3 (la tangente est verticale).

Posons $x = x_1 + \Delta x$, de sorte que $\Delta x = x - x_1$. Alors $\Delta x \to 0$ est équivalent à $x \to x_1$ et l'expression 8 peut s'écrire sous la forme

$$\lim_{x \to x_1} \frac{f(x) - f(x_1)}{x - x_1}, \qquad \textbf{(9)}$$

qui existe également. Comme le dénominateur tend vers zéro quand $x \to x_1$, la limite n'existe que si $\lim_{x \to x_1} (f(x) - f(x_1)) = 0$, donc si $\lim_{x \to x_1} f(x) = f(x_1)$. La fonction f est donc continue en $x = x_1$.

> En résumé, une fonction n'est pas dérivable en ses points de discontinuité, ni aux points où la courbe a un point anguleux ou une tangente verticale. (D'autres situations peuvent également faire qu'une fonction ne soit pas dérivable mais nous n'allons pas les traiter ici.)

Les trois situations énumérées ci-dessus sont représentées à la figure 3.5.

APPLICATIONS

La dérivée est un outil bien pratique, notamment lorsqu'il s'agit de trouver l'équation d'une tangente à une courbe ou encore de calculer un taux instantané d'accroissement. Remarquez la facilité avec laquelle vous arrivez à résoudre de tels problèmes, même avec un bagage minime en calcul différentiel. Il y a une semaine à peine, vous n'auriez pas su comment vous y prendre!

EXEMPLE 10 Trouver l'équation de la tangente à la courbe de la fonction $y = f(x) = 3x^4 - 2x^2 + 3x - 7$ au point $x = 1$.

Solution

Point $(1, f(1)) = (1, -3)$

Pente $f'(1) = (12x^3 - 4x + 3)|_{x=1} = 12 - 4 + 3 = 11$. (La notation $|_{x=1}$ signifie « évaluée au point $x = 1$ ».)

Équation $y + 3 = 11(x - 1)$, ou encore $y = 11x - 14$. □

EXEMPLE 11 Trouver tous les points de la courbe d'équation $y = 2x^3 - 3x^2 - 12x + 20$ où la tangente à la courbe est parallèle à l'axe des x.

Solution L'axe des x est la droite d'équation $y = 0$, de pente zéro. Il faut donc trouver tous les points où la tangente à la courbe a pour pente zéro. La pente de la tangente est donnée par la dérivée dy/dx, qui a pour valeur

$$\frac{dy}{dx} = 6x^2 - 6x - 12 = 6(x^2 - x - 2) = 6(x - 2)(x + 1).$$

On a $dy/dx = 0$ lorsque $x = -1$ ou $x = 2$. Après avoir calculé les ordonnées correspondant à ces deux abscisses, on obtient les points cherchés, soit $(-1,27)$ et $(2,0)$. □

Soit s la distance totale parcourue par une voiture en un temps $t \geq 0$, depuis sa position de départ à l'instant $t = 0$. Remarquez que s ne représente pas nécessairement la distance séparant la voiture de son point de départ, puisque la voiture peut se déplacer sur un parcours sinueux, ou encore faire l'aller et retour sur un même parcours. On peut imaginer s comme la lecture que l'on ferait sur un odomètre que l'on aurait ramené à zéro à l'instant $t = 0$. Ainsi, la dérivée ds/dt correspond à la vitesse de la voiture, telle qu'elle apparaît au compteur.

EXEMPLE 12 La distance totale s parcourue par une voiture à partir de l'instant $t = 0$ est régie par la fonction $s = t^2 + 2t$, où $t \geq 0$. Calculer la vitesse de la voiture à l'instant $t = 3$.

Solution La vitesse de la voiture à l'instant $t = 3$ est

$$\text{Vitesse} = \left.\frac{ds}{dt}\right|_{t=3} = (2t + 2)|_{t=3} = 6 + 2$$

$$= 8 \text{ (unités de distance/unité de temps).} \quad \square$$

ESTIMATION DE $f'(x_1)$ AU MOYEN D'UNE CALCULATRICE

Nous avons vu en page 48 que, lorsque Δx est petit, le calcul approximatif

$$f'(x_1) \simeq m_{\text{sym}} = \frac{f(x_1 + \Delta x) - f(x_1 - \Delta x)}{2 \cdot \Delta x} \tag{10}$$

(« $\simeq$ » se lit « sensiblement égal à ») donne souvent une meilleure estimation du taux d'accroissement que l'équation 1 de la page 86. L'équation 10 peut être utilisée pour estimer au moyen d'une calculatrice ou d'un ordinateur la dérivée d'une fonction en un point donné. Bien entendu, à moins que l'on ait la certitude que la fonction f est dérivable en x_1, il est plus prudent de calculer l'expression 10 pour trois ou quatre petites valeurs différentes de Δx.

Tableau 3.1

Δx	$m_{\text{sym}} = \dfrac{2^{1+\Delta x} - 2^{1-\Delta x}}{2(\Delta x)}$
0,05	1,386 571 898
0,01	1,386 305 462
0,002	1,386 294 806
0,001	1,386 294 472

EXEMPLE 13 Soit la fonction $f(x) = 2^x$. Estimer $f'(1)$ au moyen d'une calculatrice.

Solution Le tableau 3.1 montre les valeurs de m_{sym} obtenues en donnant quatre valeurs différentes à Δx dans l'équation 10. Il semble bien que $f'(1) \simeq 1{,}386\ 29$. $\square$

RÉSUMÉ

Soit $f(x)$ une fonction définie pour tout x entre $x_1 - h$ et $x_1 + h$, où $h > 0$.

1. La dérivée de f au point x_1 est définie par

$$f'(x_1) = \lim_{\Delta x \to 0} \frac{f(x_1 + \Delta x) - f(x_1)}{\Delta x}.$$

2. Si $y = f(x)$, alors $f'(x)$ s'écrit également dy/dx, la dérivée de y par rapport à x.
3. La dérivée d'une constante est nulle, c'est-à-dire
$$\frac{d(c)}{dx} = 0.$$
4. La dérivée d'une somme de fonctions est égale à la somme de leurs dérivées, c'est-à-dire
$$\frac{d(u+v)}{dx} = \frac{du}{dx} + \frac{dv}{dx}.$$
5. La dérivée d'une constante fois une fonction est égale à la constante fois la dérivée de la fonction, c'est-à-dire
$$\frac{d(c \cdot u)}{dx} = c \cdot \frac{du}{dx}.$$
6. $\dfrac{d(x^n)}{dx} = nx^{n-1}$ pour tout entier positif n.
7. Vitesse $= ds/dt$, où s est la distance totale parcourue au temps t.
8. Une fonction dérivable en un point est continue en ce point.
9. (Approximation au moyen d'une calculatrice) Si $f'(x_1)$ existe, alors
$$f'(x_1) \simeq \frac{f(x_1 + \Delta x) - f(x_1 - \Delta x)}{2 \cdot \Delta x}$$
lorsque Δx est petit.

EXERCICES

Dans les exercices 1 à 6, calculer $f'(x)$ au moyen de la définition 3.2 de la dérivée (page 86).

1. $f(x) = x^2 - 3x$
2. $f(x) = 4x^2 + 7$
3. $f(x) = \dfrac{1}{2x+3}$
4. $f(x) = \dfrac{1}{\sqrt{x}}$
5. $f(x) = \dfrac{x}{x+1}$
6. $f(x) = \sqrt{2x-1}$

Dans les exercices 7 à 19, calculer la dérivée de la fonction donnée.

7. $3x - 2$
8. $8x^3 - 7x^2 + 4$
9. $2x^7 + 4x^2 - 3$
10. $15x^3 - 4x^6 + 2x^2 + 5$
11. $\dfrac{x^2 - 3x + 4}{2}$
12. $\dfrac{x^3 - 3x^2 + 2}{4}$
13. $(3x)^4 - (2x)^5$
14. $(x^2 - 2)(x + 1)$
15. $(x^2 + 2x)^2$
16. $x(3x + 2)(3x - 2)$
17. $(2x)^2(3x + 5)$
18. $8x^3 - 3(x + 1)^2 + 2$
19. $\dfrac{x(x-1)(x+1)}{3}$

Dans les exercices 20 à 25, calculer *a*) le taux moyen d'accroissement de la fonction dans l'intervalle donné; *b*) le taux instantané d'accroissement au point milieu de l'intervalle.

20. $f(x) = x^2 - 3x$, sur l'intervalle $[2,4]$.
21. $g(t) = 2t^3 - 3t^2$, sur l'intervalle $[-1,1]$.
22. $f(x) = x^4 - 16x^2 + 2x - 1$, sur l'intervalle $[0,4]$.
23. $f(x) = x(3x - 5)^2$, sur l'intervalle $[-1,3]$.
24. $f(s) = s^2(s - 1)$, sur l'intervalle $[-2,2]$.
25. $f(x) = x(x - 2)(2x - 1)$, sur l'intervalle $[0,1]$.

Dans les exercices 26 à 31, trouver l'équation de *a*) la tangente à la courbe au point donné; *b*) la normale à la courbe au point donné. (La normale à une courbe en un point est la perpendiculaire à la tangente en ce point.)

26. $y = x^2 - 3x + 2$, au point $x = 1$.
27. $y = 3x^2 - 2x + 1$, au point $x = -2$.
28. $y = x^4 - 3x^2 - 3x$, au point $x = 2$.
29. $y = 2x^3 - 3x$, au point $x = 2$.
30. $y = (2x + 4)^2$, au point $x = -2$.
31. $y = x^2(2x + 5)$, au point $x = -1$.

32. *a*) Calculer $d(1/x)/dx$, en supposant que la formule 4 pour le calcul de $d(x^n)/dx$ est valable pour $n = -1$.
b) Calculer $d(1/x)/dx$ au moyen de la définition 3.2 de la dérivée (page 86). La réponse devrait être identique à celle obtenue en *a*.
c) Calculer
$$\frac{d}{dx}\left(\frac{3}{x} - 2x\right).$$
d) Calculer
$$\frac{d}{dx}\left(\frac{1}{4x} - \frac{3}{x} + \frac{2}{5x}\right).$$

33. *a*) Calculer $d(\sqrt{x})/dx$, en supposant que la formule 4 pour le calcul de $d(x^n)/dx$ est valable pour $n = 1/2$.
b) Calculer $d(\sqrt{x})/dx$ au moyen de la définition 3.2 de la dérivée. La réponse devrait être identique à celle obtenue en *a*.
c) Calculer
$$\frac{d}{dx}(3\sqrt{x} - 2x^2).$$
d) Calculer
$$\frac{d}{dx}(\sqrt{5x} - \sqrt{7x}).$$

34. La distance parcourue par un mobile en t heures est donnée par la fonction $s = f(t) = 4t^3 + 3t^2 + t$ km, où $t \geq 0$. Trouver la vitesse du mobile en fonction du temps t.

35. Si l'arête d'un cube augmente de 1 cm/s, quel est le taux instantané d'accroissement du volume de ce cube
a) quand l'arête mesure 2 cm?
b) quand l'arête mesure 5 cm?

36. Refaire l'exercice 35 en supposant cette fois que l'arête du cube augmente de 4 cm/s. (Faire appel aux résultats de l'exercice 35 et à son « gros bon sens »!)

37. Un caillou lancé dans un réservoir rempli de liquide produit des ondes concentriques se déplaçant à la vitesse de 20 cm/s.
a) Calculer l'aire de la surface délimitée par le front d'onde 2 s après que le caillou ait touché la surface du liquide.
b) Calculer le taux instantané d'accroissement de l'aire de la surface délimitée par le front d'onde 2 s après que le caillou ait touché la surface du liquide. (Se reporter aux exercices 35 et 36.)

38. Trouver un exemple d'une fonction continue, définie partout sur les réels, qui n'est pas dérivable en $x = 3$.

39. Refaire l'exercice 38 en choisissant une fonction qui ne soit dérivable ni au point 3, ni au point -3.

40. Démontrer que si $f'(x_1)$ existe, alors
$$\lim_{\Delta x \to 0} \frac{f(x_1 + \Delta x) - f(x_1 - \Delta x)}{2 \cdot \Delta x} = f'(x_1).$$
[*Indice* Utiliser le résultat
$$\frac{f(x_1 + \Delta x) - f(x_1 - \Delta x)}{2 \cdot \Delta x}$$
$$= \frac{1}{2} \cdot \frac{f(x_1 + \Delta x) - f(x_1)}{\Delta x} + \frac{1}{2} \cdot \frac{f(x_1 + (-\Delta x)) - f(x_1)}{-\Delta x}$$
et le théorème 2.1, page 57.]

41. Il peut arriver que
$$\lim_{\Delta x \to 0} \frac{f(x_1 + \Delta x) - f(x_1 - \Delta x)}{2 \cdot \Delta x}$$
existe alors que $f'(x_1)$ n'existe pas. Trouver un exemple de fonction $f(x)$ et de point x_1 illustrant cette situation. [*Suggestion* Se reporter à l'exemple 8.]

Dans les exercices suivants, on demande d'utiliser une calculatrice et la formule 10 pour trouver une approximation de la dérivée de la fonction donnée au point indiqué. Le choix de Δx est laissé au lecteur. Pour les fonctions trigonométriques, utiliser le radian comme unité de mesure.

42. $\sin 2x$, en $x_1 = 0$.

43. $[(x + 7)/(x^2 + 5)]^{1/3}$, en $x_1 = 2{,}374$.

44. x^x, en $x_1 = 2{,}36$.

45. $\sin(\operatorname{tg} x)$, en $x_1 = -1{,}3$.

46. $(\sin x)^{\cos x}$, en $x_1 = \pi/4$.

47. $(x^2 - 3x)^{\sqrt{x}}$, en $x_1 = 4$.

3.2 DÉRIVÉES DU PRODUIT ET DU QUOTIENT DE DEUX FONCTIONS

Le processus par lequel on calcule la dérivée $f'(x)$ d'une fonction $f(x)$ s'appelle la *dérivation*. Ce qui est intéressant dans le calcul différentiel, c'est qu'on peut formuler plusieurs règles qui permettent de faciliter le processus de dérivation, du moins pour les fonctions usuelles. Nous avons déjà vu que l'on peut sans difficulté calculer la dérivée d'une fonction polynomiale. Nous allons, dans cette section, démontrer deux formules qui nous permettront de trouver la dérivée du produit $f(x)\cdot g(x)$ et du quotient $f(x)/g(x)$ de deux fonctions à l'aide des dérivées $f'(x)$ et $g'(x)$. Nous compléterons notre liste des règles générales de dérivation avec la règle de dérivation en chaîne, que nous verrons à la section 3.4.

Soit f et g deux fonctions dérivables, de sorte que $f'(x)$ et $g'(x)$ existent. Si on pose $u = f(x)$ et $v = g(x)$, alors un accroissement Δx de la variable x (de x à $x + \Delta x$) résulte en un accroissement Δu de la variable u et un accroissement Δv de la variable v. Ainsi,

$$f(x + \Delta x) = u + \Delta u \qquad \text{et} \qquad g(x + \Delta x) = v + \Delta v.$$

L'accroissement de la fonction $f(x)\cdot g(x)$ est donc

$$f(x + \Delta x)\cdot g(x + \Delta x) - f(x)\cdot g(x) = (u + \Delta u)(v + \Delta v) - uv.$$

Le taux d'accroissement de $f(x)\cdot g(x)$ est donc

$$\begin{aligned}
\frac{\text{Accroissement de } u\cdot v}{\Delta x} &= \frac{(u + \Delta u)\cdot(v + \Delta v) - u\cdot v}{\Delta x} \\
&= \frac{uv + u\cdot\Delta v + v\cdot\Delta u + \Delta u\cdot\Delta v - uv}{\Delta x} \\
&= \frac{u\cdot\Delta v + v\cdot\Delta u + \Delta u\cdot\Delta v}{\Delta x} \\
&= u\cdot\frac{\Delta v}{\Delta x} + v\cdot\frac{\Delta u}{\Delta x} + \frac{\Delta u}{\Delta x}\cdot\Delta v.
\end{aligned} \tag{1}$$

La dérivée de uv s'obtient en calculant la limite de l'équation 1 quand $\Delta x \to 0$. Il est à remarquer que la fonction $v = g(x)$ étant dérivable au point $x = x_1$, elle est également continue en ce point (théorème 3.2). On a donc $\lim_{\Delta x \to 0} \Delta v = 0$. En passant à la limite,

$$\begin{aligned}
\lim_{\Delta x \to 0} \frac{\text{Accroissement de } u\cdot v}{\Delta x} &= \lim_{\Delta x \to 0}\left(u\cdot\frac{\Delta v}{\Delta x} + v\cdot\frac{\Delta u}{\Delta x} + \frac{\Delta u}{\Delta x}\cdot\Delta v\right) \\
&= u\cdot\frac{dv}{dx} + v\cdot\frac{du}{dx} + \frac{du}{dx}\cdot 0 = u\cdot\frac{dv}{dx} + v\cdot\frac{du}{dx}.
\end{aligned}$$

On en déduit que

$$\frac{d(u\cdot v)}{dx} = u\cdot\frac{dv}{dx} + v\cdot\frac{du}{dx}$$

Dérivée du produit de deux fonctions

en tout point où du/dx et dv/dx existent.

EXEMPLE 1 Soit la fonction $y = (2x + 1)(3x - 2)$. Calculer dy/dx de deux façons différentes.

Solution

Première méthode En vertu de l'équation 2,

$$\frac{dy}{dx} = (2x + 1)\frac{d(3x - 2)}{dx} + (3x - 2)\frac{d(2x + 1)}{dx}$$

$$= (2x + 1)3 + (3x - 2)2 = 6x + 3 + 6x - 4 = 12x - 1.$$

Deuxième méthode On peut d'abord effectuer la multiplication, soit

$$y = (2x + 1)(3x - 2) = 6x^2 - x - 2,$$

d'où l'on obtient de nouveau $dy/dx = 12x - 1$. □

EXEMPLE 2 Soit la fonction $y = (x^2 + x)(x^3 - 7x^2 + 3x)$. Calculer dy/dx.

Solution En vertu de l'équation 2, avec $u = x^2 + x$ et $v = x^3 - 7x^2 + 3x$,

$$\frac{dy}{dx} = (x^2 + x)\frac{d(x^3 - 7x^2 + 3x)}{dx} + (x^3 - 7x^2 + 3x)\frac{d(x^2 + x)}{dx}$$

$$= (x^2 + x)(3x^2 - 14x + 3) + (x^3 - 7x^2 + 3x)(2x + 1).$$

On peut, si on le désire, simplifier l'expression ci-dessus. Cependant, une telle simplification est inutile lorsque l'on veut seulement calculer la dérivée en un point. Par exemple,

$$\left.\frac{dy}{dx}\right|_{x=1} = 2(-8) + (-3)3 = -16 - 9 = -25. \quad \square$$

EXEMPLE 3 Soit f une fonction dérivable au point $x = 3$ et telle que $f(3) = -2$ et $f'(3) = 5$. Calculer dy/dx au point $x = 3$, sachant que $y = (x^2 + 4x)\cdot f(x)$.

Solution On a

$$\frac{dy}{dx} = (x^2 + 4x)\cdot f'(x) + (2x + 4)\cdot f(x).$$

Par conséquent,

$$\left.\frac{dy}{dx}\right|_{x=3} = 21\cdot f'(3) + 10\cdot f(3) = 21\cdot 5 + 10(-2) = 85. \quad \square$$

Trouvons maintenant une règle de dérivation pour le quotient de deux fonctions. Soit f et g deux fonctions dérivables au point x_1, de sorte que $f'(x_1)$ et $g'(x_1)$ existent. Supposons de plus que $g(x_1) \neq 0$. On a vu que si on pose $u = f(x)$ et $v = g(x)$, alors un accroissement Δx de la variable x produit un accroissement Δu de la variable u et un accroissement Δv de la variable v. On a alors $u/v = f(x)/g(x)$ et

$$\frac{\text{Accroissement de } (u/v)}{\Delta x} = \frac{\dfrac{u + \Delta u}{v + \Delta v} - \dfrac{u}{v}}{\Delta x} = \frac{\dfrac{v(u + \Delta u) - u(v + \Delta v)}{v(v + \Delta v)}}{\Delta x}$$

$$= \frac{\dfrac{v\cdot\Delta u - u\cdot\Delta v}{v(v + \Delta v)}}{\Delta x} = \frac{v\cdot\dfrac{\Delta u}{\Delta x} - u\cdot\dfrac{\Delta v}{\Delta x}}{v(v + \Delta v)} \quad \textbf{(3)}$$

Il faut ensuite trouver la limite quand $\Delta x \to 0$ de l'équation 3 pour obtenir la dérivée de u/v. Comme $v = g(x)$ est dérivable au point x_1, elle est aussi continue en x_1 (théorème 3.2), d'où $\lim_{\Delta x \to 0} (v + \Delta v) = v$. Ainsi,

$$\lim_{\Delta x \to 0} \frac{\text{Accroissement de } u/v}{\Delta x} = \lim_{\Delta x \to 0} \frac{v \cdot (\Delta u/\Delta x) - u \cdot (\Delta v/\Delta x)}{v(v + \Delta v)}$$
$$= \frac{v \cdot (du/dx) - u \cdot (dv/dx)}{v^2}$$

On en déduit que

$$\frac{d(u/v)}{dx} = \frac{v \cdot (du/dx) - u \cdot (dv/dx)}{v^2} \qquad \textbf{(4)}$$

Dérivée du quotient de deux fonctions

en tout point où du/dx et dv/dx existent et $v \neq 0$.

EXEMPLE 4 Calculer dy/dx pour $y = (x^2 + 1)/(x^3 - 2x)$.

Solution En vertu de l'équation 4, avec $u = x^2 + 1$ et $v = x^3 - 2x$,

$$\frac{dy}{dx} = \frac{(x^3 - 2x)[d(x^2 + 1)/dx] - (x^2 + 1)[d(x^3 - 2x)/dx]}{(x^3 - 2x)^2}$$
$$= \frac{(x^3 - 2x)(2x) - (x^2 + 1)(3x^2 - 2)}{(x^3 - 2x)^2} = \frac{-x^4 - 5x^2 + 2}{(x^3 - 2x)^2}. \quad \square$$

EXEMPLE 5 Calculer dy/dx pour $y = (x^2 - 3x)/5$.

Solution Lorsque le dénominateur d'un quotient de fonctions est une constante, il n'est pas nécessaire d'utiliser la règle de dérivation du quotient de deux fonctions. La fonction ci-dessus peut s'écrire sous la forme

$$y = \frac{1}{5}(x^2 - 3x),$$

c'est-à-dire une constante fois une fonction. En vertu de l'équation 6, page 89.

$$\frac{dy}{dx} = \frac{1}{5} \frac{d(x^2 - 3x)}{dx} = \frac{1}{5}(2x - 3). \quad \square$$

EXEMPLE 6 Soit g une fonction dérivable au point $x = 1$ et telle que $g(1) = 4$ et $g'(1) = 2$. Calculer dy/dx au point $x = 1$, sachant que $y = (x^3 - 2x^2)/g(x)$.

Solution On a

$$\frac{dy}{dx} = \frac{g(x) \cdot (3x^2 - 4x) - (x^3 - 2x^2) \cdot g'(x)}{g(x)^2}.$$

Par conséquent,

$$\left.\frac{dy}{dx}\right|_{x=1} = \frac{g(1)(-1) - (-1)g'(1)}{g(1)^2} = \frac{4(-1) - (-1)(2)}{4^2}$$
$$= \frac{-2}{16} = -\frac{1}{8}. \quad \square$$

Nous avons démontré la validité de la formule

$$\frac{d(x^n)}{dx} = nx^{n-1} \tag{5}$$

lorsque n est un entier positif. La formule est également valable lorsque n est un entier négatif. En effet, $-n$ est alors un entier positif et, en utilisant les équations 4 et 5,

$$\frac{d(x^n)}{dx} = \frac{d(1/x^{-n})}{dx} = \frac{x^{-n} \cdot [d(1)/dx] - 1 \cdot [d(x^{-n})/dx]}{(x^{-n})^2}$$
$$= \frac{x^{-n} \cdot 0 - (-n)x^{-n-1}}{x^{-2n}}$$
$$= \frac{nx^{-n-1}}{x^{-2n}} = nx^{-n-1+2n} = nx^{n-1}.$$

L'équation 5 est donc valable pour tout entier n.

EXEMPLE 7 Calculer dy/dx pour $y = 3/x^5$.

Solution On peut écrire $y = 3 \cdot x^{-5}$, puis utiliser l'équation 5. On obtient

$$\frac{dy}{dx} = 3(-5)x^{-6} = \frac{-15}{x^6}.$$

C'est plus rapide qu'en utilisant la formule de la dérivée d'un quotient. $\square$

Résumons les propriétés de la présente section sous forme d'un théorème et d'un corollaire.

THÉORÈME 3.3 Règles de dérivation d'un produit et d'un quotient

Le produit de deux fonctions dérivables u et v de x est une fonction dérivable et

$$\frac{d(uv)}{dx} = u\frac{dv}{dx} + v\frac{du}{dx}.$$

De même, le quotient de deux fonctions dérivables u et v de x est une fonction dérivable (sauf, bien entendu, aux points où la fonction v s'annule) et

$$\frac{d(u/v)}{dx} = \frac{v(du/dx) - u(dv/dx)}{v^2}.$$

COROLLAIRE Dérivée de x^n

$d(x^n)/dx = n \cdot x^{n-1}$ pour tout entier n.

Il est recommandé d'apprendre les formules énoncées dans le théorème 3.3 sous forme de phrases plutôt qu'en utilisant les lettres particulières u et v (voir le résumé). Vu leur importance, ces formules doivent être mémorisées.

RÉSUMÉ

1. La *dérivée du produit de deux fonctions* est égale à la première fois la dérivée de la deuxième, plus la deuxième fois la dérivée de la première. Autrement dit,

$$\frac{d(uv)}{dx} = u \cdot \frac{dv}{dx} + v \cdot \frac{du}{dx}.$$

2. La *dérivée du quotient de deux fonctions* est égale au dénominateur fois la dérivée du numérateur, moins le numérateur fois la dérivée du dénominateur, le tout divisé par le carré du dénominateur. Autrement dit,

$$\frac{d(u/v)}{dx} = \frac{v(du/dx) - u(dv/dx)}{v^2}.$$

3. $d(x^n)/dx = n \cdot x^{n-1}$ pour tout entier n, positif ou négatif.

EXERCICES

Dans les exercices 1 à 24, trouver la dérivée des fonctions données. Il n'est pas nécessaire de simplifier les réponses.

1. $3x^2 + 17x - 5$

2. $20x^4 - \frac{3}{2}x^2 + 18$

3. $\dfrac{x^2 - 7}{3}$

4. $\dfrac{x^3 - 2x^2 + 4x}{4}$

5. $\dfrac{3}{x}$

6. $\dfrac{2}{x^3}$

7. $4x^3 - \dfrac{2}{x^2}$

8. $5x + 7 - \dfrac{1}{x^4}$

9. $(x^2 - 1)(x^2 + x + 2)$

10. $(3x^2 - 8x)(x^3 - 7x^2)$

11. $(x^2 + 1)[(x - 1)(x^3 + 3)]$

12. $[(x^2 - 5x)(2x + 3)](8 - 4x^2)$

13. $\left(\dfrac{1}{x^2} - \dfrac{4}{x^3}\right)(2x + 3)$

14. $(x^2 - 4x + 1)\left(\dfrac{1}{x^3} - \dfrac{4}{x}\right)$

15. $\dfrac{4x^2 - 3}{x}$

16. $\dfrac{8x^3 + 2x^2 + x}{x^2}$

17. $\dfrac{x^2 - 2}{x + 3}$

18. $\dfrac{4x^3 - 3x^2}{2x - 3}$

19. $\dfrac{(x^2 + 9)(x - 3)}{x^2 + 2}$

20. $\dfrac{(x^3 + 3x)(8x - 6)}{x^3 - 3x}$

21. $\dfrac{(2x + 3)(x^2 - 4)}{(x - 1)(4x^2 + 5)}$

22. $\dfrac{(8x - 6)(3x^2 - 2x)}{(2x + 1)(x^3 + 7)}$

23. $\left(\dfrac{x + 1}{2x + 3}\right)\left(\dfrac{1}{x} - \dfrac{1}{x^2}\right)$

24. $\left(\dfrac{4}{x^2} - \dfrac{1}{x^3}\right)\left(\dfrac{8x}{x^2 + 2}\right)$

Nous verrons dans le prochain chapitre que les fonctions $\sin x$ et $\cos x$ ont pour dérivées respectives

$$\frac{d\,(\sin x)}{dx} = \cos x \qquad \text{et} \qquad \frac{d(\cos x)}{dx} = -\sin x.$$

Par ailleurs, la fonction $\operatorname{tg} x$ est définie par $\operatorname{tg} x = (\sin x)/(\cos x)$. Utiliser ces propriétés et les formules de dérivation introduites au théorème 3.3 et à son corollaire pour trouver la dérivée des fonctions des exercices 25 à 34.

25. $x(\sin x)$

26. $x^2(\cos x)$

27. $(\sin x)^2$

28. $\sin x \cos x$

29. $\operatorname{tg} x$

30. $\dfrac{\cos x}{\sin x}$

31. $\dfrac{x^3}{\sin x}$

32. $\dfrac{x^4}{\cos x}$

33. $\dfrac{\sin x}{x^2 - 4x}$

34. $\dfrac{x^3 - 3x^2}{\cos x}$

Dans les exercices 35 à 45, supposer que les fonctions f et g sont dérivables en tout point de leur domaine.

35. Sachant que $f(1) = 3$, $f'(1) = -6$ et $y = x \cdot f(x)$, calculer $dy/dx|_{x=1}$.

36. Sachant que $g(2) = -3$, $g'(2) = 4$ et $y = [g(x)]^2$, calculer $dy/dx|_{x=2}$.

37. Sachant que $f(-1) = 2$, $f'(-1) = 3$ et $y = (x^2 - 3x) \cdot f(x)$, calculer $dy/dx|_{x=-1}$.

38. Sachant que $g(3) = -1$, $g'(3) = 2$ et $y = x/g(x)$, calculer $dy/dx|_{x=3}$.

39. Sachant que $f(5) = -1$, $f'(5) = -4$ et $y = x^2 \cdot f(x)/(2x + 3)$, calculer $dy/dx|_{x=5}$.

40. Sachant que $g(1) = 2$, $y = (x^3 - 2x^2)/g(x)$ et $dy/dx|_{x=1} = 4$, trouver $g'(1)$.

41. Sachant que $f(3) = -2$, $y = x \cdot f(x)/(x + 1)$ et $dy/dx|_{x=3} = 5$, trouver $f'(3)$.

42. Soit $u = x \cdot f(x)$ et $v = x^2 \cdot f(x)$. Sachant que $du/dx|_{x=1} = 5$ et $dv/dx|_{x=1} = 13$, trouver $f(1)$ et $f'(1)$.

43. Soit $u = (x^2 - 3x) \cdot f(x)$ et $v = (2x - 3) \cdot f(x)$. Sachant que $du/dx|_{x=4} = 8$ et $dv/dx|_{x=4} = 3$, trouver $f(4)$ et $f'(4)$.

44. Soit $u = x + f(x)$ et $v = 1/f(x)$. Sachant que $du/dx|_{x=2} = 5$ et $dv/dx|_{x=2} = -16$, trouver toutes les valeurs que peuvent prendre $f(2)$ et $f'(2)$.

45. Soit $u = f(x) \cdot g(x)$ et $v = f(x)/g(x)$. Sachant que $f(3) = 9$, $g(3) = 1$, $du/dx|_{x=3} = 13$ et $dv/dx|_{x=3} = -23$, trouver $f'(3)$ et $g'(3)$.

Dans les exercices 46 à 50, trouver les équations respectives de la tangente et de la normale à la courbe de la fonction donnée au point indiqué.

46. $y = 3x^2 - 2x$, au point $(2,8)$.

47. $y = 1/x$, au point $(1,1)$.

48. $y = \left(\dfrac{3}{x} - \dfrac{2}{x^2}\right)$, au point $(-1,-5)$.

49. $y = \dfrac{2x + 3}{x - 1}$, au point $(0,-3)$.

50. $y = \dfrac{(x^2 - 3)(x + 2)}{(x + 1)}$, au point $(0,-6)$.

3.3 NOTION DE DIFFÉRENTIELLE

Les scientifiques doivent fréquemment travailler avec des fonctions définies au moyen de formules très compliquées, difficiles à évaluer. Il leur arrive alors souvent de procéder à une approximation linéaire de la fonction considérée. Géométriquement, la méthode consiste à trouver une approximation du graphe de la fonction près d'un point en utilisant la tangente à la courbe en ce point. Comme l'indique la figure 3.6, la tangente à la courbe d'une fonction f en un point $(x_1,f(x_1))$ est la droite qui semble se rapprocher le plus de la courbe autour de ce point. La notion de *différentielle* de la fonction f est au cœur même de l'étude de l'approximation linéaire de f près d'un point. Nous allons montrer dans cette section comment la différentielle peut également s'utiliser pour estimer les racines d'une équation $f(x) = 0$. (Nous verrons à la section 5.7 que la méthode de Newton permet d'obtenir des estimations remarquablement précises des racines d'équations d'une grande complexité.) Finalement, nous verrons comment on peut faire appel à la différentielle pour calculer le pourcentage d'erreur associé à des calculs basés sur des mesures expérimentales.

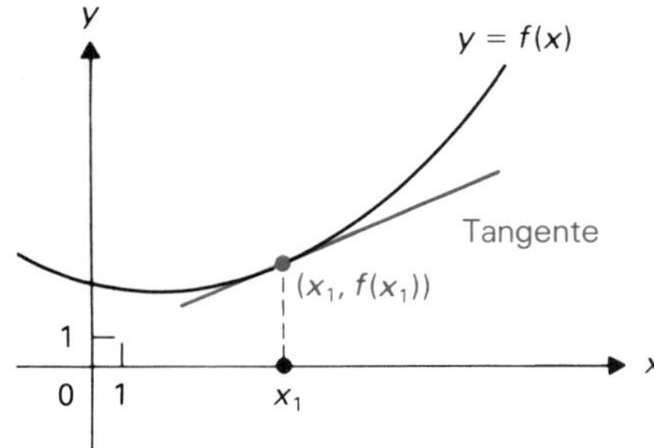

Figure 3.6 Tangente à la courbe de $y = f(x)$ en $x = x_1$.

APPROXIMATION LINÉAIRE D'UNE FONCTION PRÈS D'UN POINT

La figure 3.7 représente la tangente à la courbe d'une fonction dérivable f en un point $(x_1,f(x_1))$. Étudions comment la tangente et la courbe varient l'une par rapport à l'autre lorsque x varie de x_1 à $x_1 + \Delta x$. Comme on le voit sur la figure, lorsqu'on donne à x un accroissement Δx, la fonction $f(x)$ reçoit un accroissement Δy et la hauteur de la tangente, un accroissement Δy_{tg}. On suppose que la fonction f est dérivable, de sorte que $f'(x_1)$ existe. On voit aussi que la pente de la tangente au point $(x_1, f(x_1))$ est $(\Delta y_{tg})/(\Delta x)$, d'où

$$f'(x_1) = \frac{\Delta y_{tg}}{\Delta x}, \text{ ou}$$

$$\boxed{\Delta y_{tg} = f'(x_1) \cdot \Delta x.} \tag{1}$$

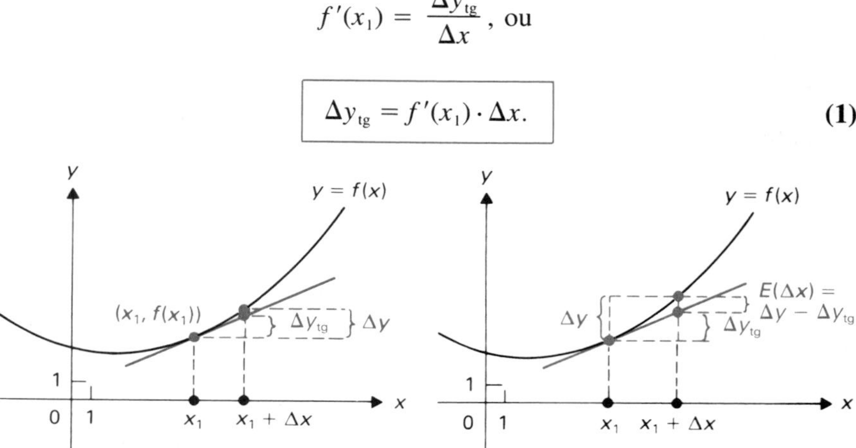

Figure 3.7 Δy = accroissement de la hauteur du graphe de f; Δy_{tg} = accroissement de la hauteur de la tangente.

Figure 3.8 $E(\Delta x) = \Delta y - \Delta y_{tg}$

On a représenté, à la figure 3.8, la différence $\Delta y - \Delta y_{tg}$ que l'on peut considérer comme l'erreur engendrée, au point $x = x_1 + \Delta x$, en évaluant $f(x)$ par la tangente à la courbe en $x = x_1$. Cette erreur est une fonction de Δx, et s'écrit

$$\boxed{E(\Delta x) = \Delta y - \Delta y_{tg}.} \tag{2}$$

Nous affirmons que lorsque Δx est suffisamment petit, cette erreur $E(\Delta x)$ est petite si on la compare à Δx. Ainsi, nous allons démontrer que

$$\boxed{\lim_{\Delta x \to 0} \frac{E(\Delta x)}{\Delta x} = 0.} \tag{3}$$

Pour qu'un quotient tende vers zéro lorsque le dénominateur tend vers zéro, il faut que le numérateur tende vers zéro sensiblement plus vite que le dénominateur. On affirme donc par l'équation 3 que $E(\Delta x)$ est très petit par rapport à Δx, pourvu que Δx soit lui-même suffisamment petit. L'équation 3 se démontre à l'aide de l'équation 1 et de la définition de $E(\Delta x)$ introduite à l'équation 2:

$$\lim_{\Delta x \to 0} \frac{E(\Delta x)}{\Delta x} = \lim_{\Delta x \to 0} \frac{\Delta y - \Delta y_{tg}}{\Delta x} = \lim_{\Delta x \to 0} \frac{\Delta y - f'(x_1) \cdot \Delta x}{\Delta x}$$

$$= \lim_{\Delta x \to 0} \left[\frac{\Delta y}{\Delta x} - \frac{f'(x_1) \cdot \Delta x}{\Delta x} \right] = f'(x_1) - f'(x_1) = 0.$$

Exprimons maintenant l'équation 3 sous forme de théorème en utilisant, comme on le fait dans la plupart des livres de calcul, la notation

$$\varepsilon(\Delta x) = \begin{cases} \dfrac{E(\Delta x)}{\Delta x} & \text{si } \Delta x \neq 0, \\ 0 & \text{si } \Delta x = 0. \end{cases}$$

On a alors $E(\Delta x) = \varepsilon(\Delta x) \cdot \Delta x$, et l'équation 3 devient $\lim_{\Delta x \to 0} \varepsilon(\Delta x) = 0$. Comme $\Delta y - \Delta y_{\text{tg}} = E(\Delta x)$, on peut écrire $\Delta y = \Delta y_{\text{tg}} + E(\Delta x) = f'(x_1) \cdot \Delta x + \varepsilon(\Delta x) \cdot \Delta x$. [On préfère généralement simplifier l'écriture en écrivant tout simplement ε au lieu de $\varepsilon(\Delta x)$.]

THÉORÈME 3.4 Approximation

Soit $y = f(x)$ une fonction dérivable en $x = x_1$ et soit $\Delta y = f(x_1 + \Delta x) - f(x_1)$. Alors il existe une fonction ε de Δx, définie pour de petites valeurs de Δx, telle que

$$\Delta y = f'(x_1) \cdot \Delta x + \varepsilon \cdot \Delta x,$$

où $\lim_{\Delta x \to 0} \varepsilon = 0$.

EXEMPLE 1 Illustrer le théorème 3.4 à l'aide de la fonction $y = f(x) = 3x^2 + 2x$. (Il faut d'abord trouver la fonction ε de Δx, puis montrer que $\lim_{\Delta x \to 0} \varepsilon = 0$.)

Solution Appliquons notre argumentation à la fonction en général plutôt qu'à un point particulier. En vertu du théorème 3.4,

$$\varepsilon = \frac{\Delta y - f'(x)\,\Delta x}{\Delta x}.$$

Or

$$\begin{aligned} \Delta y &= f(x + \Delta x) - f(x) \\ &= [3(x + \Delta x)^2 + 2(x + \Delta x)] - (3x^2 + 2x) \\ &= 3x^2 + 6x(\Delta x) + 3(\Delta x)^2 + 2x + 2(\Delta x) - 3x^2 - 2x \\ &= 6x(\Delta x) + 3(\Delta x)^2 + 2(\Delta x) \end{aligned}$$

et

$$f'(x)\,\Delta x = (6x + 2)\,\Delta x = 6x(\Delta x) + 2(\Delta x).$$

Par conséquent,

$$\Delta y - f'(x)\,\Delta x = 3(\Delta x)^2,$$

d'où

$$\varepsilon = \frac{\Delta y - f'(x)\,\Delta x}{\Delta x} = \frac{3(\Delta x)^2}{\Delta x} = 3(\Delta x).$$

On a, bien entendu, $\lim_{\Delta x \to 0} \varepsilon = \lim_{\Delta x \to 0} 3(\Delta x) = 0$. □

NOTATION DIFFÉRENTIELLE ET APPROXIMATIONS

Nous avons introduit la notation dy/dx pour désigner la dérivée:

$$\frac{dy}{dx} = f'(x).$$

Si nous voulons envisager dy/dx comme un quotient, il faut alors considérer dx et dy comme deux quantités liées entre elles par la relation

$$dy = f'(x)dx.$$

DÉFINITION 3.3 Différentielle

Soit $y = f(x)$ une fonction dérivable en x_1. On appelle **différentielle de** f **en** x_1 la fonction de la variable dx définie par

$$dy = f'(x_1)dx, \tag{4}$$

où dx désigne la variable indépendante et dy, la variable dépendante. Si f est dérivable en tout point de son domaine, alors on appelle **différentielle** dy ou df de la fonction $y = f(x)$ le produit

$$dy = f'(x)dx, \tag{5}$$

qui associe à chaque point x la différentielle de f en ce point.

EXEMPLE 2 Soit $s = g(t) = t^3 - (1/t^2)$. Calculer la différentielle ds en $t = 2$.

Solution En vertu de l'équation 4, où f est remplacée par g, x par t et y par s, on a

$$ds = g'(2)dt.$$

Or

$$s = g(t) = t^3 - \frac{1}{t^2} = t^3 - t^{-2},$$

d'où

$$\frac{ds}{dt} = g'(t) = 3t^2 - (-2)t^{-3} = 3t^2 + \frac{2}{t^3}.$$

Par conséquent

$$g'(2) = 3 \cdot 2^2 + \frac{2}{2^3} = 12 + \frac{1}{4} = \frac{49}{4},$$

et la différentielle en $t = 2$ est donnée par

$$ds = \frac{49}{4}\, dt. \quad \square$$

EXEMPLE 3 Si $y = f(x) = x^3 - 3x^2$, alors la différentielle $dy = (3x^2 - 6x)dx$. $\square$

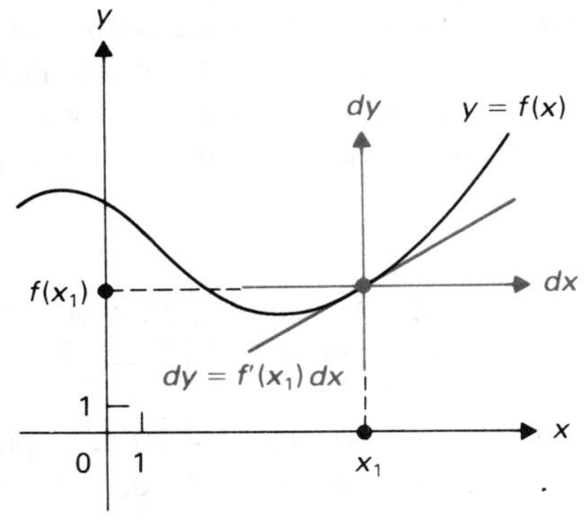

Figure 3.9 L'équation de la tangente dans le repère dx,dy est $dy = f'(x_1)dx$.

La différentielle de f en x_1 est une *fonction linéaire* en dx; en effet, $f'(x_1)$ de l'équation 4 est un *nombre*, comme 3 ou -7. Dans un système de coordonnées dx,dy, l'équation $dy = 3 \cdot dx$ est représentée par une droite passant par l'origine, tout comme l'équation $y = 3x$ dans le système de coordonnées x,y. Comme l'indique la figure 3.9, si nous envisageons dx et dy comme de nouvelles variables définies par une translation des axes vers le point $(x_1, f(x_1))$, alors l'équation 4 correspond à l'équation de la tangente à la courbe dans le nouveau système de coordonnées.

Si l'on prend $dx = \Delta x$ au point x_1 (figure 3.10) alors, en vertu de l'équation 1,

$$dy = f'(x_1)dx = f'(x_1) \cdot \Delta x = \Delta y_{tg}. \tag{6}$$

La différentielle dy est également représentée à la figure 3.10. Ainsi, en prenant $dx = \Delta x$ pour un Δx suffisamment petit, la différentielle $dy = f'(x_1)dx$ est une approximation de la variation de la hauteur de la courbe lorsque x varie de x_1 à $x_1 + \Delta x$. Il en découle la formule d'approximation suivante, illustrée à la figure 3.11:

$$f(x_1 + dx) \simeq f(x_1) + f'(x_1)dx. \tag{7}$$

Formule d'approximation par la différentielle

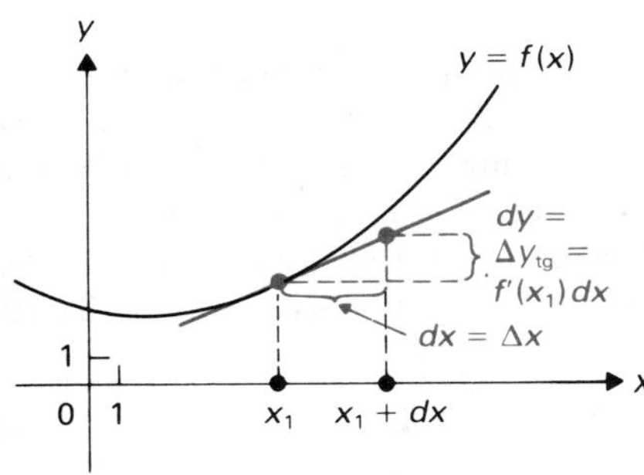

Figure 3.10 Si $dx = \Delta x$, alors $dy = \Delta y_{tg} = f'(x_1)dx$.

La différence entre les deux membres de la formule d'approximation 7 est donnée par

$$[f(x_1 + dx) - f(x_1)] - f'(x_1)dx = \Delta y - \Delta y_{tg} = E(dx).$$

L'équation 3 garantit que la formule 7 est une bonne approximation lorsque dx est suffisamment petit, car l'erreur $E(dx)$ est très petite par rapport à dx.

Voici un exemple d'utilisation de la formule d'approximation 7 pour évaluer une fonction près d'un point x_1 où la valeur de la fonction est connue. Comme les calculatrices permettent maintenant de calculer la valeur de bon nombre de fonctions *en n'importe quel point*, ces exemples n'ont pas une grande importance pratique, mais ils constituent tout de même une bonne illustration de la formule d'approximation.

EXEMPLE 4 Trouver une approximation de $1/0{,}98^3$, au moyen de la formule 7.

Solution Comme il s'agit de calculer l'inverse multiplicatif d'un nombre élevé au cube, posons $f(x) = 1/x^3 = x^{-3}$. L'estimation sera d'autant meilleure si l'on choisit dx petit. La valeur de $f(1)$ étant facile à calculer, posons $x_1 = 1$ et $dx = -0{,}02$. On a $f'(x) = -3x^{-4} = -3/x^4$. En vertu de la formule d'approximation 7,

$$f(x_1 + dx) = f(0{,}98) \simeq f(1) + f'(1)(-0{,}02)$$
$$= \frac{1}{1^3} - \frac{3}{1^4}(-0{,}02) = 1{,}06.$$

La calculatrice donne pour réponse $f(0{,}98) \simeq 1{,}062\ 5$: nous avons donc obtenu une très bonne approximation. □

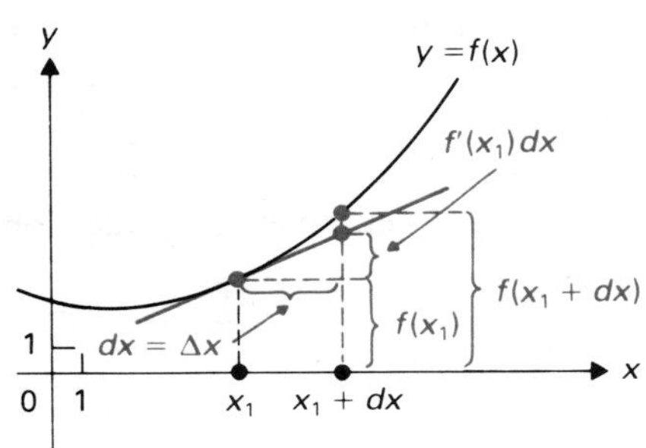

Figure 3.11
$f(x_1 + dx) \simeq f(x_1) + f'(x_1)dx$.

Nous avons vu qu'il est possible d'estimer la variation d'une fonction produite par une variation Δx de la variable indépendante x. Il peut arriver

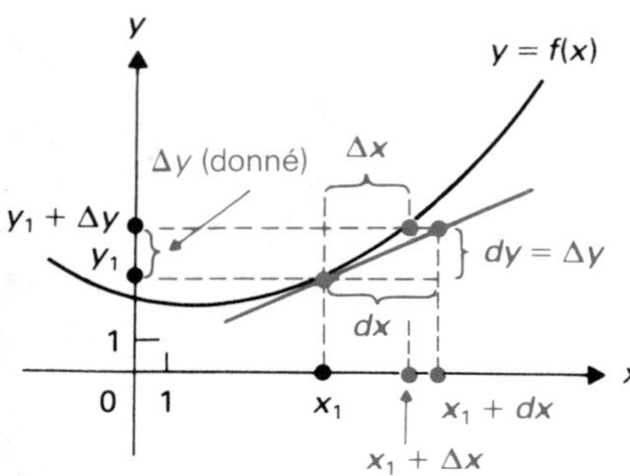

Figure 3.12 À une variation $\Delta y = dy$ donnée de $f(x)$ correspond une variation Δx, évaluée par dx.

qu'à l'inverse on veuille évaluer la variation Δx qui occasionnera une variation Δy donnée de la variable y. On trouve alors la valeur de dx pour laquelle la variation dy de la tangente est égale à la variation Δy donnée de la fonction: cette valeur de dx est l'approximation cherchée de Δx. On illustre cette démarche à la figure 3.12.

EXEMPLE 5 Un cercle a un rayon de 20 cm. De combien environ faut-il augmenter ce rayon pour que l'aire du cercle augmente de 25 cm²?

Solution On a $A = \pi r^2$, d'où $dA = (2\pi r)dr$. Posons $r = 20$ cm, puis cherchons quelle valeur de dr produit un accroissement de dA de 25 cm². Ainsi,

$$25 = (2\pi \cdot 20)dr,$$

d'où

$$dr = \frac{25}{40\pi} \text{ cm.} \quad \square$$

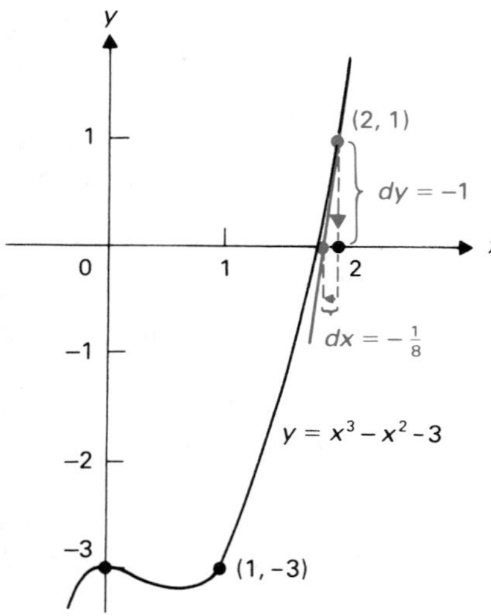

Figure 3.13 Recherche de dx correspondant à $dy = -1$ pour la tangente au point (2,1).

EXEMPLE 6 Calculer approximativement une racine de l'équation $x^3 - x^2 - 3 = 0$.

Solution Soit $f(x) = x^3 - x^2 - 3$. En effectuant quelques calculs, on s'aperçoit que $f(-1) = -5$, $f(0) = -3$, $f(1) = -3$, $f(2) = 1$ et $f(3) = 15$. En vertu du corollaire du théorème des valeurs intermédiaires énoncé à la page 82, l'équation admet une solution dans l'intervalle [1,2]. Comme $f(2) = 1$, nous voulons trouver pour quelle valeur de dx on a un dy égal à -1 pour $y = x^3 - x^2 - 3$ au point $x_1 = 2$ (figure 3.13). Comme $dy = (3x^2 - 2x)dx$, on obtient

$$-1 = (3 \cdot 2^2 - 2 \cdot 2)\, dx = 8\, dx,$$

d'où $dx = -1/8$. Ainsi, $2 - 1/8 = 15/8$ est une valeur approchée d'une racine de l'équation $x^3 - x^2 - 3 = 0$. Effectivement, on obtient avec une calculatrice $f(15/8) \simeq 0{,}076$. La technique que nous venons d'employer peut être étendue à la méthode de Newton pour le calcul approché des racines d'une équation, comme nous le verrons dans la section 5.7. $\square$

Dans le domaine des sciences expérimentales, lorsqu'on mesure une quantité numérique x, cette mesure comporte une erreur, disons Δx, qui est fonction de la précision de l'instrument de mesure. Alors l'**erreur relative**, ou **pourcentage d'erreur (maximal)**, est donnée par

$$\left|\frac{\Delta x}{x}\right| \cdot 100.$$

Par exemple, lorsqu'on mesure une longueur de 20 cm avec une précision de $\pm 0{,}5$ cm, on dit que l'erreur relative est de

$$\left|\frac{0{,}5}{20}\right| \cdot 100 = 2{,}5\%.$$

Ce qui intéresse également les scientifiques, c'est de savoir les conséquences de cette erreur sur le calcul d'autres quantités basées sur la mesure de x. Ainsi, on pourrait se demander quel est le pourcentage maximal d'erreur que l'on peut commettre en calculant le volume d'un cube si l'arête est mesurée avec une erreur relative de 2,5%.

Ce problème peut être facilement résolu à l'aide des différentielles. Supposons en effet qu'une quantité Q soit obtenue en mesurant x, puis en calculant $f(x) = Q$. Si, en mesurant x, on effectue une petite erreur Δx, le calcul de $Q = f(x)$ donnera lieu à une erreur ΔQ. Si on pose $dx = \Delta x$, alors ΔQ peut être évalué approximativement par

$$dQ = f'(x)\,dx$$

et l'approximation du pourcentage d'erreur maximal s'obtient au moyen de l'expression

$$\left|\frac{dQ}{Q}\right| \cdot 100.$$

EXEMPLE 7 On mesure l'arête d'un cube avec une précision de $\pm 0{,}5$ cm. Si l'arête mesure 25 cm et que le volume du cube est calculé en se basant sur cette mesure, quel est le pourcentage d'erreur maximal associé au calcul du volume?

Solution Si x désigne l'arête du cube et V son volume, alors $V = x^3$.

En utilisant les différentielles, $dV = (3x^2)dx$.

Or, $x = 25$ cm et $dx = 0{,}5$ cm, d'où

$$dV = [3 \cdot (25)^2] \cdot 0{,}5 = 937{,}5 \text{ cm}^3.$$

Ainsi, le pourcentage d'erreur maximal associé au calcul du volume est approximativement

$$\left|\frac{dV}{V}\right| \cdot 100 = \frac{937{,}5}{25^3} \cdot 100 = 6\% \quad \square$$

EXEMPLE 8 Avec quelle précision doit-on mesurer le diamètre intérieur d'un silo cylindrique de 10 m de hauteur si l'on ne veut pas se tromper par plus de 1% sur le calcul du volume du silo?

Solution Soit D le diamètre intérieur du silo, h sa hauteur et V son volume. On a

$$V = \pi\left(\frac{D}{2}\right)^2 h = \frac{\pi D^2 h}{4} = \left(\frac{\pi h}{4}\right)D^2.$$

Or on veut que

$$|dV| \leq \frac{1}{100}V = \frac{1}{100}\left(\frac{\pi h}{4}\right)D^2,$$

alors que

$$dV = \left(\frac{\pi h}{4}\right) \cdot 2D \cdot dD = \frac{\pi h D}{2} \cdot dD.$$

On veut donc que

$$\left|\frac{\pi h D}{2} \cdot dD\right| \leq \frac{1}{100}\left(\frac{\pi h}{4}\right)D^2.$$

Après simplification, on obtient

$$|dD| \leq \frac{1}{2} \cdot \frac{1}{100} \cdot D.$$

Il faut donc mesurer le diamètre intérieur du silo avec une erreur maximale de 0,5%. □

RÉSUMÉ

1. Soit f une fonction dérivable au point x_1. Alors $\Delta y = f'(x_1)\Delta x + \varepsilon \cdot \Delta x$, où $\lim_{\Delta x \to 0} \varepsilon = 0$.
2. Si $y = f(x)$, alors la différentielle dy est définie par $dy = f'(x)dx$.
3. Si $f'(x_1)$ existe et est non nulle, alors l'approximation $f(x_1 + dx) \simeq f(x_1) + f'(x_1)dx$ est valable pour de petites valeurs de dx.
4. Si une quantité Q est obtenue en mesurant x, puis en calculant $f(x) = Q$, alors l'erreur associée au calcul de Q est approximativement

$$dQ = f'(x)dx.$$

L'erreur relative, ou pourcentage d'erreur (maximal), est approximativement

$$\left|\frac{dQ}{Q}\right| \cdot 100.$$

EXERCICES

Dans les exercices 1 à 8, trouver la différentielle de la fonction donnée.

1. $y = f(x) = \dfrac{x}{x+1}$
2. $s = g(t) = t^3 - 2t^2 + 4t$
3. $A = f(r) = \pi r^2$
4. $y = f(x) = (x^2 + 1)(x^2 - x + 2)$
5. $x = h(t) = \dfrac{t^2 + 1}{t^2 - 1}$
6. $y = f(x) = x^3 + \dfrac{4}{x^2}$
7. $V = g(r) = \pi r^3$
8. $y = f(x) = \left(x + \dfrac{1}{x}\right)(x^2 - 3x)$

Dans les exercices 9 et 10, utiliser les différentielles pour trouver une approximation des quantités données.

9. $0{,}999^{10}$
10. $f(1{,}98)$, où $f(x) = \dfrac{x^3 + 4x}{2x - 1}$
11. Si $f(x) = x^3/(x - 2)$, alors $f(4) = 32$. Utiliser les différentielles pour trouver une approximation de la valeur de x pour laquelle $f(x) = 31{,}8$.

Dans les exercices 12 à 15, trouver l'entier x pour lequel $|f(x)|$ prend la plus petite valeur, puis utiliser les différentielles pour trouver une valeur approchée d'une racine de l'équation $f(x) = 0$. (Voir l'exemple 6.)

12. $f(x) = x^3 - 2$
13. $f(x) = x^3 - 7$
14. $f(x) = x^3 - 2x^2 + 18$
15. $f(x) = x^5 + x^3 - 42$
16. Un silo mesure 6 m de hauteur et 1 m de rayon. Calculer approximativement la variation de volume du silo lorsque le rayon augmente de 1 m à 1,15 m.
17. Imaginons la Terre comme une sphère de 6 400 km de rayon et supposons que l'on puisse faire passer une corde autour, au niveau de l'équateur.
    a) Si on allonge la corde de 6 m et qu'on l'élève uniformément au-dessus de l'équateur sur toute la circonférence de la Terre, à quelle hauteur sera la corde par rapport à la surface de la Terre?
    b) Quel est le degré d'exactitude de l'approximation calculée en *a*?
18. Un ballon mesure 0,75 m de rayon. Le volume d'un autre ballon est supérieur de 1 m^3 au volume du premier. Calculer approximativement la différence entre les aires des deux ballons. (Le volume V et l'aire A d'une sphère de rayon r sont donnés respectivement par $V = 4/3 \cdot \pi r^3$ et $A = 4\pi r^2$.)
19. Un rectangle est inscrit dans un demi-cercle de 5 m de rayon. Calculer approximativement l'accroissement de l'aire du rec-

tangle lorsque la longueur de sa base (posée sur le diamètre) varie de 6 m à 6,5 m. [*Indice* Symboliser l'aire par A et la longueur de la base par x. Exprimer A^2 en fonction de x, puis utiliser le fait que $d(A^2) = 2A \cdot dA$.]

20. Le rayon d'une sphère mesure 4 m. De combien doit s'accroître le rayon pour que le volume reçoive un accroissement de 2 m^3? (Le volume d'une sphère est donné par $V = 4/3 \cdot \pi r^3$.)

21. Un silo est constitué d'un cylindre de 4 m de rayon et de 10 m de hauteur, surmonté d'un hémisphère. En gardant la hauteur du cylindre constante, calculer approximativement de combien il faut augmenter le rayon pour que le volume total du silo s'accroisse de 8 m^3.

Dans les exercices 22 à 28, utiliser les différentielles pour estimer les pourcentages d'erreur demandés.

22. Le côté d'un triangle équilatéral mesure 2 m, avec une erreur maximale de 3%. Estimer le pourcentage d'erreur maximal associé au calcul de l'aire du triangle.

23. Si on veut que l'erreur commise sur la mesure de l'aire d'un cercle à partir de son rayon ne dépasse pas 1%, quel pourcentage d'erreur maximal peut-on se permettre sur la mesure du rayon?

24. Un avion volant au-dessus de l'océan la nuit se dirige vers un point A du rivage où l'on a placé des feux de signalisation au niveau de la mer. La visibilité est excellente et l'avion vole à basse altitude, les yeux du pilote se trouvant à 80 mètres au-dessus du niveau de la mer. En supposant le rayon de la Terre égal à 6 400 km, utiliser les différentielles pour calculer approximativement à quelle distance des feux se trouvera l'avion au moment où le pilote apercevra ceux-ci pour la première fois. [*Indice* Soit x la distance entre les feux et le pilote et y la distance entre les yeux du pilote et le centre de la Terre; alors

$$x^2 = y^2 - 6\,400^2.$$

(Tracer une figure.) L'approximation de $x = \sqrt{y^2 - (6\,400)^2}$ par l'utilisation des différentielles avec y voisin de 6 400 pose un certain nombre de difficultés. Nous conseillons donc de calculer une approximation de y^2 en utilisant une différentielle, puis d'y soustraire 6 400^2, pour finalement extraire la racine carrée.]

25. Le rayon d'une sphère mesure 2 m $\pm 0{,}04$ m. Calculer le pourcentage d'erreur maximal effectué lorsqu'on calcule le volume de cette sphère. (Le volume d'une sphère est donné par $V = 4/3 \cdot \pi r^3$.)

26. Soit f une fonction dérivable et soit $Q = f(x_1)$, où $f(x_1) \neq 0$. Supposons que Q soit obtenu en « mesurant x_1 », puis en calculant $f(x_1) = Q$.

a) Montrer que si, en mesurant x_1, on effectue une petite erreur Δx, alors le pourcentage d'erreur approximatif de la mesure de Q est donné par $|100 \cdot f'(x_1)\Delta x / f(x_1)|$.

b) Montrer que si, en mesurant x_1, on effectue une petite erreur égale à $k\%$ de x_1, alors le pourcentage d'erreur approximatif de la mesure de Q est donné par

$$|kx_1 f'(x_1)/f(x_1)|.$$

27. La circonférence d'un grand cercle d'une sphère mesure 10 cm, avec une précision de $\pm 0{,}4$ cm. On calcule le rayon de la sphère à l'aide de cette mesure, puis on utilise le rayon pour calculer la surface de la sphère. Calculer le pourcentage d'erreur maximal associé au calcul

a) du rayon de la sphère; *b*) de la surface de la sphère.

28. Avec quel degré de précision faut-il mesurer le côté d'un carré si l'on veut être certain que l'erreur associée au calcul de l'aire du carré ne dépasse pas 2%?

29. Soit $f(x) = x^2 - 2x$. Trouver ε en fonction de Δx et montrer que

$$\lim_{\Delta x \to 0} \varepsilon = 0.$$

(Voir l'exemple 1.)

30. Refaire l'exercice précédent pour la fonction $f(x) = 1/x^2$.

Dans les exercices 31 à 36, trouver, à l'aide d'une calculatrice et en utilisant les différentielles, une valeur approchée d'une racine de l'équation donnée. Évaluer les dérivées au moyen de m_{sym}.

31. $2^x = 8{,}3$

32. $3^x = 8{,}9$

33. $4^{\sqrt{x}} = 17$

34. $x^x = 4{,}15$

35. $x^{2x} = 15{,}95$

36. $x^{\cos x} = 6{,}3$ (Utiliser pour unité de mesure le radian. On remarquera que $(2\pi)^{\cos 2\pi} = 2\pi$.)

3.4 DÉRIVÉES DES FONCTIONS COMPOSÉES

DÉRIVATION EN CHAÎNE

Considérons le problème suivant:

Si Jean court deux fois plus vite que Lise et Lise court trois fois plus vite que Marc, alors Jean court combien de fois plus vite que Marc?

Il est bien évident que Jean court $2 \cdot 3 = 6$ fois plus vite que Marc. Il faut bien se rappeler que dy/dx représente le *taux d'accroissement de* y *par rapport à* x. Si nous nous permettons une entorse à la notation de Leibniz, la réponse que nous venons de donner revient à affirmer:

$$\frac{d(\text{Jean})}{d(\text{Marc})} = \frac{d(\text{Jean})}{d(\text{Lise})} \cdot \frac{d(\text{Lise})}{d(\text{Marc})} = 2 \cdot 3 = 6.$$

Procédons maintenant de façon plus rigoureuse. Supposons que $y = f(x)$ et que $x = g(t)$, de sorte que y soit une **fonction composée** de t, ainsi définie:

$$y = f(g(t)).$$

Fonction composée

La construction de la fonction $y = f(g(t))$ est représentée schématiquement à la figure 3.14. La valeur de la fonction en un t donné est obtenue par deux applications successives. La fonction g fait d'abord correspondre à t l'élément $x = g(t)$, puis la fonction f fait correspondre à x l'élément $y = f(x) = f(g(t))$. Cette fonction composée est définie en tout point t du domaine de g pour lequel $g(t)$ appartient au domaine de f. On utilise parfois la notation $f \circ g$ pour désigner la composée des deux fonctions; ainsi $(f \circ g)(t) = f(g(t))$.

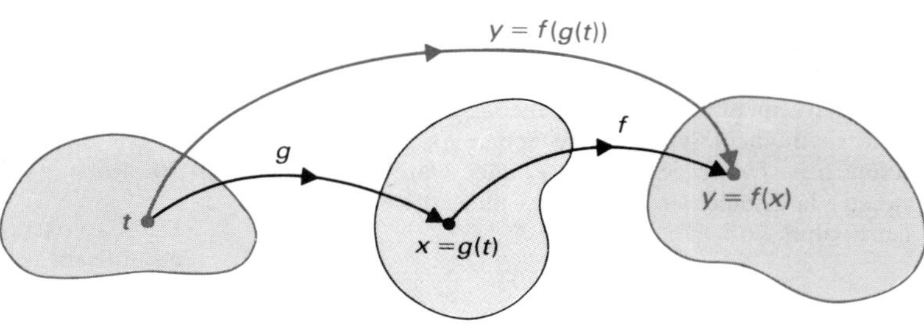

Figure 3.14 Fonction composée $y = f(g(t))$ ou $y = (f \circ g)(t)$.

EXEMPLE 1 Soit les deux fonctions $y = f(x) = x^2$ et $x = g(t) = 2t + 1$. Trouver $f(g(3))$.

Solution On calcule d'abord $g(3) = 2 \cdot 3 + 1 = 7$, puis $f(g(3)) = f(7) = 7^2 = 49$. □

EXEMPLE 2 En supposant que $x = h(r) = r^2 + 2r$ et que $r = k(s) = s^3 + 5s^2$, calculer $x = h(k(s))$, en exprimant x directement en termes de s.

Solution On a $r = s^3 + 5s^2$, d'où

$$\begin{aligned} x = h(k(s)) = h(r) &= h(s^3 + 5s^2) = (s^3 + 5s^2)^2 + 2(s^3 + 5s^2) \\ &= s^6 + 10s^5 + 25s^4 + 2s^3 + 10s^2. \quad \square \end{aligned}$$

Soit $x = g(t)$ une fonction dérivable au point t_1 et $y = f(x)$ une fonction dérivable au point $x_1 = g(t_1)$.

Si y *croît deux fois plus vite que* x *au point* x_1 *et* x *croît trois fois plus vite que* t *au point* t_1, *alors* y *croît combien de fois plus vite que* t *au point* $t = t_1$?

(Remarquez l'analogie entre cette question et celle que nous avions formulée au début de la section.)
Il apparaît à nouveau évident que y s'accroît $2 \cdot 3 = 6$ fois plus vite que t au point t_1. Dans la notation de Leibniz, on obtient

$$\frac{dy}{dt} = \frac{dy}{dx} \cdot \frac{dx}{dt}. \tag{1}$$

Règle de dérivation en chaîne

Nous verrons une preuve rigoureuse de cette équation un peu plus loin. Pour l'instant, tâchons de comprendre intuitivement le concept de la dérivation en chaîne.

La règle de dérivation en chaîne est une bonne illustration de l'utilité de la notation de Leibniz lorsqu'il s'agit de mémoriser des formules. En effet, l'équation 1 se retient facilement lorsqu'on « fait comme si les dx pouvaient s'annuler. » Toutefois, il n'en est rien. Voyons donc encore quelques exemples avant de démontrer l'équation 1.

EXEMPLE 3 Soit $y = x^2 - x$ et $x = t^3$. Trouver dy/dt pour $t = 2$.

Solution Si $t = 2$, $x = 2^3 = 8$ et $y = 8^2 - 8 = 56$. Il s'ensuit que

$$\frac{dy}{dt} = \frac{dy}{dx} \cdot \frac{dx}{dt} = (2x - 1)(3t^2).$$

Avec $t = 2$ et $x = 8$, on obtient

$$\left.\frac{dy}{dt}\right|_{t=2} = 15 \cdot 12 = 180.$$

On peut également résoudre le problème en exprimant y en fonction de t seulement, puis en dérivant y par rapport à t, sans utiliser l'équation 1. Ainsi, comme $y = x^2 - x$ et $x = t^3$, on obtient $y = t^6 - t^3$. On a alors $dy/dt = 6t^5 - 3t^2$, d'où

$$\left.\frac{dy}{dt}\right|_{t=2} = 6 \cdot 32 - 3 \cdot 4 = 192 - 12 = 180. \quad \square$$

EXEMPLE 4 Si la longueur de l'arête d'un cube s'accroît de 4 cm/s, quel est le taux d'accroissement du volume au moment où l'arête mesure 2 cm?

Solution Soit x la longueur de l'arête, alors $V = x^3$. On demande le taux d'accroissement de V *par rapport au temps*, c'est-à-dire dV/dt. Or, en vertu de l'équation 1,

$$\frac{dV}{dt} = \frac{dV}{dx} \cdot \frac{dx}{dt} = (3x^2)\frac{dx}{dt}.$$

Par ailleurs, $dx/dt = 4$ cm/s. Par conséquent, lorsque $x = 2$,

$$\frac{dV}{dt} = 12 \cdot 4 = 48 \text{ cm}^3/\text{s}. \quad \square$$

EXEMPLE 5 Calculer la dérivée de la fonction $(4x^3 + 7x^2)^{10}$.

Solution Une solution possible consiste à élever le polynôme $4x^3 + 7x^2$ à la puissance 10 et à dériver le polynôme ainsi obtenu, mais cela représente beaucoup trop de calculs. Posons plutôt $y = (4x^3 + 7x^2)^{10}$ et $u = 4x^3 + 7x^2$. On a alors $y = u^{10}$ et, en vertu de l'équation 1,

$$\frac{dy}{dx} = \frac{dy}{du} \cdot \frac{du}{dx} = 10u^9(12x^2 + 14x) = 10(4x^3 + 7x^2)^9(12x^2 + 14x),$$

ce qui résout le problème. □

Jusqu'à présent, nous avons abordé la règle de dérivation en chaîne d'un point de vue intuitif, en l'interprétant au moyen des taux d'accroissement. Nous allons maintenant la justifier rigoureusement en faisant appel au théorème 3.4 de la page 103. Soit $y = f(x)$ une fonction dérivable pour $x = x_1$ et soit $x = g(t)$ une fonction dérivable pour $t = t_1$, avec $g(t_1) = x_1$. Lorsqu'on donne à t un accroissement Δt, $x = g(t)$ reçoit un accroissement Δx et la fonction $y = f(x)$ reçoit à son tour un accroissement Δy. En vertu du théorème 3.4,

$$\Delta y = f'(x_1) \cdot \Delta x + \varepsilon \cdot \Delta x, \text{ où } \lim_{\Delta x \to 0} \varepsilon = 0. \tag{2}$$

En divisant les deux membres de l'équation 2 par Δt, on obtient

$$\frac{\Delta y}{\Delta t} = f'(x_1) \cdot \frac{\Delta x}{\Delta t} + \varepsilon \cdot \frac{\Delta x}{\Delta t}. \tag{3}$$

Or $x = g(t)$ est une fonction continue au point t_1, car elle est dérivable en t_1. Par conséquent, quand Δt tend vers zéro, Δx tend aussi vers zéro, donc ε tend vers zéro également. Ainsi, en vertu de l'équation 3, on a

$$\left.\frac{dy}{dt}\right|_{t_1} = \lim_{\Delta t \to 0} \left(f'(x_1) \cdot \frac{\Delta x}{\Delta t} + \varepsilon \cdot \frac{\Delta x}{\Delta t} \right) = f'(x_1) \cdot \left.\frac{dx}{dt}\right|_{t_1} + 0 \cdot \left.\frac{dx}{dt}\right|_{t_1}$$

$$= f'(x_1) \cdot \left.\frac{dx}{dt}\right|_{t_1} = \left.\frac{dy}{dx}\right|_{x_1} \cdot \left.\frac{dx}{dt}\right|_{t_1}.$$

Énonçons maintenant le résultat que nous venons de prouver sous forme de théorème.

THÉORÈME 3.5 Règle de dérivation en chaîne

Si $y = f(x)$ est une fonction dérivable pour $x = x_1$ et si $x = g(t)$ est une fonction dérivable pour $t = t_1$, avec $g(t_1) = x_1$, alors la fonction composée $y = f(g(t))$ est dérivable pour $t = t_1$ et

$$\left.\frac{dy}{dt}\right|_{t_1} = \left.\frac{dy}{dx}\right|_{x_1} \cdot \left.\frac{dx}{dt}\right|_{t_1}.$$

De façon plus générale, si $y = f(x)$ et $x = g(t)$ sont deux fonctions dérivables, alors $y = f(g(t))$ a pour dérivée par rapport à t

$$\frac{dy}{dt} = \frac{dy}{dx} \cdot \frac{dx}{dt}. \tag{4}$$

Si on utilise la notation $f \circ g$ pour désigner la fonction composée, l'équation 4 devient

$$\boxed{(f \circ g)'(t_1) = f'(x_1) \cdot g'(t_1),} \qquad \text{avec } g(t_1) = x_1.$$

DÉRIVÉE D'UNE FONCTION ÉLEVÉE À UNE PUISSANCE

On a vu que

$$\frac{d(u^n)}{du} = nu^{n-1}, \tag{5}$$

où n est un entier quelconque.
Par ailleurs, si u est elle-même une fonction de x alors, en vertu de l'équation 4,

$$\boxed{\frac{d(u^n)}{dx} = \frac{d(u^n)}{du} \cdot \frac{du}{dx} = nu^{n-1} \cdot \frac{du}{dx}.} \tag{6}$$

La formule 6 est employée très souvent: vous feriez bien de la mémoriser. Vous trouverez dans le résumé une façon simple de la retenir.

EXEMPLE 6 Trouver dy/dx pour $y = (x^3 - 2x)^5$.

Solution Faisons jouer à $x^3 - 2x$ le rôle de u dans la formule 6. Ainsi,

$$\frac{dy}{dx} = 5(x^3 - 2x)^4 \cdot (3x^2 - 2). \quad \square$$

Nous pouvons étendre la formule 6 à des exposants fractionnaires p/q, où p et q sont des entiers et $q \neq 0$. Soit u une fonction dérivable de la variable x. Il peut être démontré que $u^{p/q}$ est aussi dérivable, sauf peut-être en des points où la fonction u s'annule. En vertu de la formule 6, valable pour des exposants entiers,

$$\frac{d((u^{p/q})^q)}{dx} = q(u^{p/q})^{q-1} \cdot \frac{d(u^{p/q})}{dx} \tag{7}$$

et

$$\frac{d(u^p)}{dx} = pu^{p-1} \cdot \frac{du}{dx}. \tag{8}$$

Comme $(u^{p/q})^q = u^p$, les membres de droite des équations 7 et 8 sont égaux, d'où

$$q(u^{p/q})^{q-1} \cdot \frac{d(u^{p/q})}{dx} = pu^{p-1} \cdot \frac{du}{dx}.$$

Par conséquent,

$$\frac{d(u^{p/q})}{dx} = \frac{pu^{p-1}}{q(u^{p/q})^{q-1}} \cdot \frac{du}{dx} = \frac{p}{q} \cdot \frac{u^{p-1}}{u^{p-(p/q)}} \cdot \frac{du}{dx}$$

$$= \frac{p}{q} \cdot u^{p-1-p+(p/q)} \cdot \frac{du}{dx}.$$

On obtient finalement

$$\boxed{\frac{d(u^{p/q})}{dx} = \frac{p}{q}\, u^{(p/q)-1} \cdot \frac{du}{dx}.} \tag{9}$$

La formule 9 est une version de la formule 6 où n a été remplacé par p/q.

EXEMPLE 7 Trouver la dérivée de la fonction $\sqrt{1 + x^2}$.

Solution En vertu de la formule 9, on a

$$\frac{d(\sqrt{1 + x^2})}{dx} = \frac{d}{dx}[(1 + x^2)^{1/2}] = \frac{1}{2}(1 + x^2)^{-1/2} \cdot (2x)$$
$$= \frac{x}{\sqrt{1 + x^2}}. \quad \square$$

EXEMPLE 8 Trouver dy/dx pour la fonction $y = (x^2 - 2x)^{2/3} \cdot \sqrt{x^3 + 1}$.

Solution Utilisons la formule de dérivation d'un produit, puis la formule 9. La réponse n'est peut-être pas très élégante, mais elle s'obtient en une seule étape de calcul. Ainsi,

$$\frac{dy}{dx} = \left[(x^2 - 2x)^{2/3} \cdot \frac{1}{2}(x^3 + 1)^{-1/2} \cdot 3x^2\right]$$
$$+ \left[\sqrt{x^3 + 1} \cdot \frac{2}{3}(x^2 - 2x)^{-1/3}(2x - 2)\right]. \quad \square$$

La facilité avec laquelle nous pouvons calculer la dérivée d'une fonction relativement compliquée, comme celle de l'exemple 8, montre la très grande utilité des formules de dérivation et, en particulier, de la règle de dérivation en chaîne. On peut s'imaginer la complexité des calculs qu'il faudrait effectuer si l'on devait chaque fois utiliser la définition de la dérivée et trouver la limite du taux d'accroissement de la fonction. C'est cette facilité à dériver qui rend les techniques de calcul différentiel si pratiques.

EXEMPLE 9 Soit la fonction $y = g(u)$, où g est dérivable en tout point u. Supposons que $u = 1/\sqrt{3x + 4}$ et $dy/dx|_{x=4} = 3/16$. Trouver, si possible, $g'(u)|_{u=1/4}$ et $g'(u)|_{u=4}$.

Solution Quand $u = 1/4$, on a

$$\frac{1}{4} = \frac{1}{\sqrt{3x + 4}},$$
$$\sqrt{3x + 4} = 4,$$
$$3x + 4 = 16,$$
$$3x = 12,$$

et finalement $$x = 4.$$

En vertu de la règle de dérivation en chaîne,

$$\frac{dy}{dx} = \frac{dy}{du} \cdot \frac{du}{dx}.$$

Or nous connaissons dy/dx pour $x = 4$ et du/dx peut se calculer sans difficulté. En effet, on a $u = (3x + 4)^{-1/2}$ et, en vertu de l'équation 9,

$$\frac{du}{dx} = -\frac{1}{2}(3x + 4)^{-3/2} \cdot 3 = \frac{-3}{2(3x + 4)^{3/2}}.$$

Ainsi,

$$\left.\frac{dy}{dx}\right|_{x=4} = \left.\frac{dy}{du}\right|_{u=1/4} \cdot \left.\frac{du}{dx}\right|_{x=4},$$

c'est-à-dire

$$\frac{3}{16} = g'\left(\frac{1}{4}\right) \cdot \frac{-3}{2(16)^{3/2}} = g'\left(\frac{1}{4}\right) \cdot \frac{-3}{128}.$$

Par conséquent,

$$g'\left(\frac{1}{4}\right) = \frac{3}{16} \cdot \frac{128}{-3} = -8.$$

Pour ce qui est de $u = 4$, on a

$$4 = \frac{1}{\sqrt{3x + 4}},$$

$$\sqrt{3x + 4} = \frac{1}{4},$$

$$3x + 4 = \frac{1}{16},$$

$$3x = -\frac{63}{16}$$

et finalement $x = -21/16$.

Or nous voudrions bien de nouveau faire appel au résultat

$$\frac{dy}{dx} = \frac{dy}{du} \cdot \frac{du}{dx}$$

mais $dy/dx|_{x=-21/16}$ n'est pas donnée. Il est donc impossible d'évaluer $g'(u)|_{u=4}$. □

Nous verrons plus loin que la formule

$$\frac{d(u^r)}{dx} = ru^{r-1} \cdot \frac{du}{dx} \tag{10}$$

est valable pour tout nombre réel r. Ce résultat est énoncé sous forme de phrase dans le résumé.

RÉSUMÉ

1. Si $y = f(x)$ et $x = g(t)$ sont des fonctions dérivables, alors $y = f(g(t))$ est également dérivable et

$$\frac{dy}{dt} = \frac{dy}{dx} \cdot \frac{dx}{dt}.$$

La formule peut également s'écrire sous la forme $[f(g(t))]' = f'(g(t)) \cdot g'(t)$.

2. La dérivée d'une fonction élevée à une puissance constante est égale à la puissance fois la fonction élevée à la puissance diminuée de 1, fois la dérivée de la fonction. Autrement dit,

$$\frac{d(u^r)}{dx} = ru^{r-1} \cdot \frac{du}{dx}.$$

(Jusqu'à présent, nous avons démontré la validité de cette formule pour r rationnel seulement.)

EXERCICES

1. Soit $y = x^2 - 3x$ et $x = t^3 + 1$. Calculer dy/dt au point $t = 1$,

a) en utilisant la règle de dérivation en chaîne des fonctions composées;

b) en cherchant l'expression de y en fonction de t et en dérivant.

2. Refaire l'exercice 1 avec les fonctions $y = \sqrt{3x + 12}$ et $x = t^2 - 2t$, au point $t = 4$.

3. Soit $u = (v^2 + 3v - 4)^{3/2}$ et $v = w^3 - 3$. Calculer du/dw au point $w = 2$,

a) en utilisant la règle de dérivation en chaîne des fonctions composées;

b) en cherchant l'expression de u en fonction de w et en dérivant.

4. Refaire l'exercice 3 avec les fonctions $u = v^3 + 3v^2 - 2v$ et $v = w - 3$ au point $w = 2$.

Dans les exercices 5 à 28, calculer dy/dx. Il n'est pas nécessaire de simplifier les réponses.

5. $y = (3x + 2)^4$

6. $y = (8x^2 - 17x)^3$

7. $y = (x^2 + 3x)^2(x^3 - 1)^3$

8. $y = (x^3 - 2)^3(2x^2 + 4x)^2$

9. $y = \dfrac{8x^2 - 2}{(4x^2 + 1)^2}$

10. $y = \dfrac{(3x^3 - 2)^2}{4x^3 + 2}$

11. $y = 4x^2 - 2x + 3x^{5/3}$

12. $y = x^3 - 2x^2 - 3\sqrt{x}$

13. $y = \dfrac{1}{\sqrt{x}}$

14. $y = \dfrac{1}{\sqrt[3]{x}}$

15. $y = x^{2/3} + x^{1/5}$

16. $y = 4x^{1/4} + 9x^{7/3}$

17. $y = \sqrt{2x + 1}$

18. $y = (3x - 2)^{4/3}$

19. $y = \dfrac{1}{\sqrt{5x^2 + 10x}}$

20. $y = \dfrac{3}{(4x^3 - 5x)^{3/2}}$

21. $y = \sqrt{x^2 + 1}$

22. $y = (2x^3 - 1)^{2/3}$

23. $y = \dfrac{\sqrt{x}}{x + 1}$

24. $y = \dfrac{x}{\sqrt{x + 1}}$

25. $y = \sqrt{3x + 4}\,(4x + 2)^{2/3}$

26. $y = \dfrac{(x^2 + 4)^{1/3}}{\sqrt{8x - 7}}$

27. $y = \sqrt{2x + 1}\,\dfrac{(4x^2 - 3x)^2}{2x + 5}$

28. $y = \dfrac{\sqrt{x^2 + 4}}{3x - 8}(2x^3 + 1)^2$

Dans les exercices 29 à 34, utiliser le résultat $d(\sin x)/dx = \cos x$, qui sera démontré dans le chapitre 4, et les formules de dérivation pour calculer dy/dx. Il n'est pas nécessaire de simplifier les réponses.

29. $y = \sin 2x$

30. $y = \sin (x^2)$

31. $y = \sin^3 x$

32. $y = \sin^3(4x + 1)$

33. $y = \sqrt{x + \sin x}$

34. $y = (x^2 + \sin x^3)^4$

Dans les exercices 35 à 38, supposer que les fonctions f et g sont dérivables.

35. Soit la fonction $y = [f(x)]^4$. Sachant que $f'(1) = 5$ et que $dy/dx|_{x=1} = -160$, calculer $f(1)$.

36. Soit la fonction $y = (f(x) + 3x^2)^3$. Sachant que $f(-1) = -5$ et que $dy/dx|_{x=-1} = 3$, calculer $f'(-1)$.

37. Soit la fonction $y = x/(x + 1)$. Sachant que $x = g(t)$, $g(5) = 1$ et $dy/dt|_{t=5} = 10$, calculer $g'(5)$.

38. Soit les fonctions $y = (f(x) + 3x)^2$ et $x = t^3 - 2t$. Sachant que $f(4) = 6$ et que $dy/dt|_{t=2} = 180$, calculer $f'(4)$.

39. Trouver l'équation de la tangente au cercle d'équation $x^2 + y^2 = 25$ au point $(3,4)$.

40. Trouver l'équation de la normale à la courbe représentative de $1/x$ au point $(2,1/2)$.

41. Trouver l'équation de la tangente à la courbe de $\sqrt{2x + 1}$ au point $(4,3)$.

3.5 DÉRIVÉES D'ORDRE n ET MOUVEMENT

Lorsqu'un mobile se déplace en ligne droite, le taux d'accroissement de la distance parcourue par rapport au temps est la *vitesse* du mobile. Le taux d'accroissement de la vitesse du mobile par rapport au temps est son *accélération*. Bien que le taux d'accroissement de l'accélération par rapport au temps ne porte, à notre connaissance, aucun nom particulier, il s'agit certainement d'une quantité que nous pouvons considérer le cas échéant. Ainsi, si la position du mobile sur la droite (l'axe des x) est désignée par x, alors

$$\text{Vitesse} = \frac{dx}{dt}, \qquad \text{Accélération} = \frac{d(dx/dt)}{dt}, \qquad \text{et}$$

$$\text{Taux d'accroissement de l'accélération} = \frac{d\left(\dfrac{d(dx/dt)}{dt}\right)}{dt}.$$

Nous allons d'abord introduire une notation plus pratique pour désigner les dérivées de dérivées, puis nous appliquerons ces dérivées à l'étude du mouvement rectiligne et du mouvement dans un plan.

DÉRIVÉES D'ORDRE n

Si la fonction $y = f(x)$ est dérivable, alors $f'(x)$ est également une fonction de x, soit la *fonction dérivée* f'. Nous pouvons chercher sa dérivée. On écrira

$$\frac{d(f'(x))}{dx} = \frac{d^2y}{dx^2} = f''(x).$$

La notation de Leibniz d^2y/dx^2 se lit « la dérivée seconde de y par rapport à x ». Bien entendu, rien ne nous empêche de trouver la dérivée de $f''(x)$, qui est la dérivée troisième, ou dérivée d'ordre 3, de f. Le tableau 3.2 résume les différentes notations employées pour désigner les dérivées.

Tableau 3.2 Notations des dérivées de $y = f(x)$

Dérivée	Notation f'	Notation y'	Notation de Leibniz	Notation D
1re	$f'(x)$	y'	dy/dx	Df
2[e]	$f''(x)$	y''	d^2y/dx^2	D^2f
3[e]	$f'''(x)$	y'''	d^3y/dx^3	D^3f
4[e]	$f^{(4)}(x)$	$y^{(4)}$	d^4y/dx^4	D^4f
5[e]	$f^{(5)}(x)$	$y^{(5)}$	d^5y/dx^5	D^5f
⋮	⋮	⋮	⋮	⋮
n[e]	$f^{(n)}(x)$	$y^{(n)}$	d^ny/dx^n	D^nf

EXEMPLE 1 Calculer les six premières dérivées de la fonction

$$y = f(x) = x^4 - 3x^3 + 7x^2 - 11x + 5.$$

Solution

$$\frac{dy}{dx} = 4x^3 - 9x^2 + 14x - 11, \qquad \frac{d^2y}{dx^2} = 12x^2 - 18x + 14$$

$$\frac{d^3y}{dx^3} = 24x - 18, \qquad \frac{d^4y}{dx^4} = 24, \qquad \frac{d^5y}{dx^5} = 0, \qquad \frac{d^6y}{dx^6} = 0. \qquad \square$$

EXEMPLE 2 Soit la fonction $f(x) = (3x + 2)^{5/3}$. Calculer $f'''(2)$.

Solution On a

$$f'(x) = \frac{5}{3}(3x + 2)^{2/3} \cdot 3 = 5(3x + 2)^{2/3},$$

$$f''(x) = \frac{10}{3}(3x + 2)^{-1/3} \cdot 3 = 10(3x + 2)^{-1/3},$$

$$f'''(x) = -\frac{10}{3}(3x + 2)^{-4/3} \cdot 3 = -10(3x + 2)^{-4/3}.$$

Par conséquent, $f'''(2) = -10(8)^{-4/3} = -10 \cdot 2^{-4} = -10/16 = -5/8.$ $\square$

MOUVEMENT RECTILIGNE

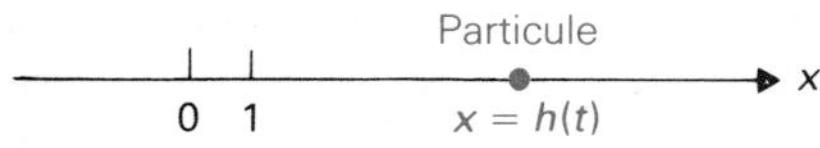

Figure 3.15 La position d'une particule en mouvement est une fonction h du temps t.

Étudions maintenant le mouvement d'une particule se déplaçant sur une ligne droite. Nous supposerons qu'il s'agit de l'axe des x. La position de la particule sur la droite à un instant t correspond à un point x de la droite. Ainsi, x est une fonction $h(t)$ de t (figure 3.15). Si x est une fonction dérivable de t, alors dx/dt désigne la **vitesse** v de la particule à l'instant t. On a

$$\boxed{v = \frac{dx}{dt}.}$$

Si $dx/dt > 0$, alors un petit accroissement positif Δt de t produit un accroissement positif Δx de x et la particule se déplace dans la direction positive de l'axe des x. Si, par contre, $dx/dt < 0$, alors l'accroissement Δx est négatif* et la particule se déplace dans la direction négative de l'axe des x. La mesure de la vitesse (en faisant abstraction du signe) est appelée l'**intensité** de la vitesse, d'où

$$\boxed{\text{Intensité de la vitesse} = |v|.}$$

Supposons que v soit aussi une fonction dérivable de t. Comme $dx/dt = v$, on a

$$\frac{d^2x}{dt^2} = \frac{dv}{dt} = \text{Taux d'accroissement de la vitesse par rapport au temps.}$$

* *N.D.L.T.* Il faut se rappeler qu'en mathématiques, un « accroissement » est la mesure algébrique (positive ou négative) de la variation d'une variable.

La dérivée dv/dt de la vitesse est l'**accélération** a de la particule. Ainsi,

$$a = \frac{dv}{dt} = \frac{d^2x}{dt^2}.$$

Si $dv/dt > 0$, alors un petit accroissement positif Δt de t produit un accroissement positif Δv de v et la vitesse de la particule augmente. Si, par contre, $dv/dt < 0$, alors l'accroissement Δv est négatif et la vitesse diminue. Par exemple, si $dx/dt < 0$, alors la particule se déplace en direction négative de l'axe des x. Si, de plus, $d^2x/dt^2 > 0$, alors la vitesse augmente, peut-être de $-2{,}1$ m/s à $-1{,}9$ m/s, quand t reçoit un petit accroissement positif Δt et l'intensité de la vitesse diminue, passant de 2,1 m/s à 1,9 m/s. La particule se déplace en direction négative de l'axe des x et ralentit, puisque l'accélération positive est de signe contraire à la direction négative du mouvement.

EXEMPLE 3 La position x d'une particule se déplaçant sur une ligne droite (l'axe des x) à l'instant t, où $t \geq 0$, est donnée par l'équation

$$x = 4 - \frac{1}{t+1}.$$

Calculer la vitesse et l'accélération de la particule quand $t = 3$.

Solution On peut écrire $x = 4 - (t+1)^{-1}$, d'où

$$v = \frac{dx}{dt} = (t+1)^{-2} \quad \text{et} \quad a = \frac{d^2x}{dt^2} = -2(t+1)^{-3}.$$

On a donc

$$v\big|_{t=3} = \frac{1}{16} \quad \text{et} \quad a\big|_{t=3} = \frac{-2}{64} = -\frac{1}{32}.$$

Le signe positif de la vitesse indique que la particule se déplace en direction positive de l'axe des x à l'instant $t = 3$, alors que le signe négatif de l'accélération, opposé au signe de la vitesse, indique qu'à l'instant $t = 3$, la particule ralentit (c'est-à-dire que l'intensité de la vitesse diminue). □

EXEMPLE 4 À l'instant t, la position x d'une particule se déplaçant sur l'axe des x est régie par l'équation $x = \sqrt{3t^2 + 4}$. Calculer la vitesse, l'accélération et l'intensité de la vitesse de la particule à l'instant $t = 2$.

Solution On a $x = \sqrt{3t^2+4} = (3t^2+4)^{1/2}$, d'où

$$v = \frac{dx}{dt} = \frac{1}{2}(3t^2+4)^{-1/2}6t = \frac{3t}{\sqrt{3t^2+4}},$$

$$a = \frac{d^2x}{dt^2} = \frac{(\sqrt{3t^2+4})3 - 3t(\frac{1}{2})(3t^2+4)^{-1/2} \cdot 6t}{3t^2+4}$$

$$= \frac{(3t^2+4)3 - 9t^2}{(3t^2+4)^{3/2}} = \frac{12}{(3t^2+4)^{3/2}}.$$

Par conséquent,

$$v\,|_{t=2} = \frac{6}{\sqrt{16}} = \frac{3}{2}, \qquad a\,|_{t=2} = \frac{12}{16^{3/2}} = \frac{12}{64} = \frac{3}{16}.$$

Ainsi, v est positive quand $t = 2$ et

$$\text{Intensité de la vitesse} = |v| = \frac{3}{2}.$$

La particule se déplace donc vers la droite (en supposant que l'axe des x est placé dans sa position horizontale habituelle) et l'accélération positive indique que la vitesse augmente. Comme la vitesse est positive à l'instant $t = 2$, la vitesse augmente donc également en intensité. □

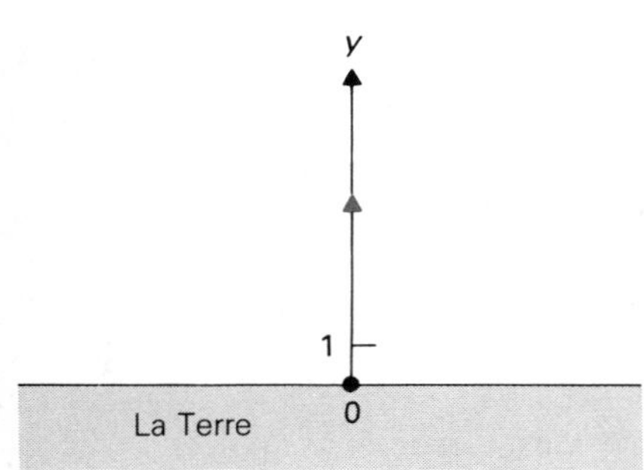

Figure 3.16 Mouvement ascendant d'une particule, près de la surface de la Terre.

Considérons un objet qui se déplace verticalement (sur l'axe des y) à proximité de la surface de la Terre. Le mouvement est indiqué sur la figure 3.16. On convient de placer le point 0 à l'intersection de l'axe des y et de la surface de la Terre. L'axe de référence vertical est dirigé vers le haut. Ne tenons pas compte de la résistance de l'air, de sorte que la seule force s'exerçant sur l'objet soit l'attraction terrestre. Dans un tel contexte la position d'un corps en chute libre jusqu'au moment où il touche le sol est régie par l'équation

$$y = y_0 + v_0 t - \frac{1}{2} g t^2,$$

où y_0, v_0 et g sont des constantes.

Nous pouvons découvrir l'interprétation physique de ces constantes. Quand $t = 0$, $y = y_0$; il s'ensuit que y_0 est la *hauteur initiale* à l'instant $t = 0$. Or

$$v = \frac{dy}{dt} = v_0 - gt.$$

Quand $t = 0$, $v = v_0$. Par conséquent, v_0 est la *vitesse initiale* quand $t = 0$. Enfin,

$$a = \frac{d^2y}{dt^2} = -g,$$

donc $-g$ est l'accélération du corps. La valeur de la constante g d'accélération de la pesanteur près de la surface terrestre est approximativement 9,8 m/s^2.

EXEMPLE 5 Une balle est lancée d'une hauteur de 2 m verticalement vers le haut avec une vitesse initiale de 19,6 m/s. Si on ne tient pas compte de la résistance de l'air, trouver

a) la hauteur y à laquelle se trouve la balle à l'instant t;

b) la vitesse de la balle à l'instant t;

c) la hauteur maximale atteinte par la balle.

Solution

a) En vertu du raisonnement ci-dessus,

$$y = 2 + 19{,}6t - 4{,}9t^2 \text{ m}.$$

b) $v = dy/dt = 19{,}6 - 9{,}8t$ m/s.

c) À l'instant où la balle atteint sa hauteur maximale, elle s'arrête, et sa vitesse passe de positive à négative. En vertu du théorème des valeurs intermédiaires, la vitesse est alors nulle, ce qui se produit lorsque

$$19{,}6 - 9{,}8t = 0, \quad \text{ou encore lorsque} \quad t = \frac{19{,}6}{9{,}8} = 2 \text{ s.}$$

La hauteur à cet instant est

$$2 + (19{,}6)2 - (4{,}9)4 = 2 + 39{,}2 - 19{,}6 = 21{,}6 \text{ m.} \quad \square$$

MOUVEMENT D'UNE PARTICULE DANS LE PLAN

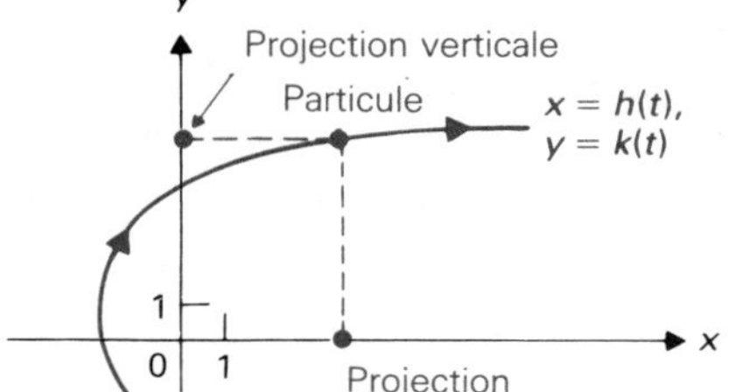

Figure 3.17 Projections horizontale et verticale du mouvement d'une particule sur la courbe $x = h(t)$, $y = k(t)$.

Soit une particule se déplaçant dans le repère cartésien, par exemple en direction des flèches sur la courbe de la figure 3.17. Il n'est pas nécessaire que la courbe représente une fonction. L'abscisse de la position de la particule à l'instant t est une fonction $x = h(t)$ et l'ordonnée, une fonction $y = k(t)$. Les équations

$$x = h(t), \qquad y = k(t), \tag{1}$$

sont dites *équations paramétriques* de la courbe et le temps t s'appelle le *paramètre*. L'équation $x = h(t)$ exprime le mouvement sur l'axe des x de la *projection de la courbe sur l'axe des* x. De même, $y = k(t)$ exprime le mouvement sur l'axe des y de la *projection de la courbe sur l'axe des* y (figure 3.17). Alors dx/dt et d^2x/dt^2 représentent respectivement la vitesse et l'accélération de la projection du mouvement sur l'axe des x, ou encore les *premières coordonnées de la vitesse et de l'accélération* du mouvement. De même, dy/dt et d^2y/dt^2 sont les *deuxièmes coordonnées de la vitesse et de l'accélération* du mouvement.

Si $x = h(t)$ et $y = k(t)$ sont dérivables au point t et si une portion de la courbe, entre l'instant $t - \Delta t$ et l'instant $t + \Delta t$, pour $\Delta t > 0$, est le graphe d'une fonction dérivable x, alors, en vertu de la règle de dérivation en chaîne,

$$\frac{dy}{dt} = \frac{dy}{dx} \cdot \frac{dx}{dt}.$$

Par conséquent, partout où $dx/dt \neq 0$, la pente de la courbe est

$$\boxed{\frac{dy}{dx} = \frac{dy/dt}{dx/dt}.} \tag{2}$$

De nouveau, la notation de Leibniz rend la formule facile à retenir.

À chaque instant t, la trajectoire de la particule est tangente à la courbe. En d'autres termes, si la particule quittait la courbe à un instant donné en poursuivant sa trajectoire dans la même direction et à la même vitesse, elle prendrait la direction de la tangente à la courbe. Si la particule se déplaçait sur la tangente *à la même vitesse* qu'elle avait à l'instant t, alors, pendant une unité de temps, elle parcourrait une distance $|dx/dt|$ dans la direction de l'axe des x et une distance $|dy/dt|$ dans la direction de l'axe des y. Comme le montre la figure 3.18, la distance le long de l'hypoténuse, tangente à la courbe, pendant une unité de temps serait alors $\sqrt{(dx/dt)^2 + (dy/dt)^2}$. Par conséquent, l'intensité de la vitesse de la particule à l'instant t est

$$\text{Intensité de la vitesse} = \sqrt{\left(\frac{dx}{dt}\right)^2 + \left(\frac{dy}{dt}\right)^2}. \tag{3}$$

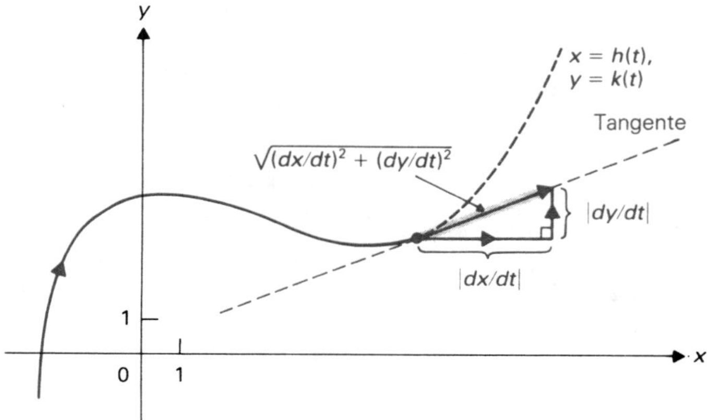

Figure 3.18 Intensité de la vitesse = $\sqrt{(dx/dt)^2 + (dy/dt)^2}$

EXEMPLE 6 La position d'une particule dans le plan à l'instant t est donnée par

$$x = t^3 - 3t,$$
$$y = 2t^2 + 7t.$$

Calculer les deux coordonnées de la vitesse et de l'accélération, l'intensité de la vitesse et la pente de la trajectoire en un instant t quelconque.

Solution En vertu du raisonnement ci-dessus,

$$\text{Première coordonnée de la vitesse} = \frac{dx}{dt} = 3t^2 - 3,$$

$$\text{Deuxième coordonnée de la vitesse} = \frac{dy}{dt} = 4t + 7,$$

$$\text{Première coordonnée de l'accélération} = \frac{d^2x}{dt^2} = 6t,$$

$$\text{Deuxième coordonnée de l'accélération} = \frac{d^2y}{dt^2} = 4,$$

$$\text{Intensité de la vitesse} = \sqrt{(dx/dt)^2 + (dy/dt)^2} = \sqrt{(3t^2 - 3)^2 + (4t + 7)^2},$$

$$\text{Pente de la courbe} = \frac{dy}{dx} = \frac{dy/dt}{dx/dt} = \frac{4t + 7}{3t^2 - 3}. \quad \square$$

EXEMPLE 7 La position d'une particule dans le plan à l'instant t est régie par les équations $x = t^2 + 3$ et $y = \sqrt{t^2 + 5}$. Calculer l'intensité de la vitesse à l'instant $t = 2$.

Solution On a

$$\frac{dx}{dt} = 2t, \quad \text{d'où} \quad \left.\frac{dx}{dt}\right|_{t=2} = 4,$$

$$\frac{dy}{dt} = \frac{1}{2}(t^2 + 5)^{-1/2} \cdot 2t, \quad \text{d'où} \quad \left.\frac{dy}{dt}\right|_{t=2} = \frac{2}{3}.$$

Par conséquent,

$$\begin{aligned}\text{Intensité de la vitesse}|_{t=2} &= \sqrt{4^2 + (2/3)^2} \\ &= \sqrt{16 + (4/9)} = \frac{\sqrt{148}}{3} = \frac{2\sqrt{37}}{3}. \quad \square\end{aligned}$$

EXEMPLE 8 Trouver l'équation de la normale à la courbe définie par les équations paramétriques

$$x = t^2 + 1,$$
$$y = 2t^3 - 6t,$$

en $t = 2$.

Solution Trouvons d'abord un point et la pente de la droite.

Point Quand $t = 2$, on a $x = 5$ et $y = 4$; le point (5,4) est donc sur la droite.

Pente La tangente à la courbe a pour pente

$$\left.\frac{dy}{dx}\right|_{t=2} = \left.\frac{dy/dt}{dx/dt}\right|_{t=2} = \left.\frac{6t^2 - 6}{2t}\right|_{t=2} = \frac{18}{4} = \frac{9}{2}.$$

La pente de la normale est donc $-2/9$.

Équation $y - 4 = -2/9 \cdot (x - 5)$, ou encore $9y + 2x = 46$. $\square$

Considérons le problème suivant: à l'instant $t = 0$, un projectile est lancé d'un point situé à l'origine d'un repère cartésien, où l'axe des x correspond à la surface de la Terre (figure 3.19). Si l'on ne tient pas compte de la résistance de l'air, la position du projectile à un instant t avant qu'il ne touche le sol est régie par les équations paramétriques

$$x = v_x t$$
$$y = (v_y)_0 t - \frac{1}{2} g t^2,$$

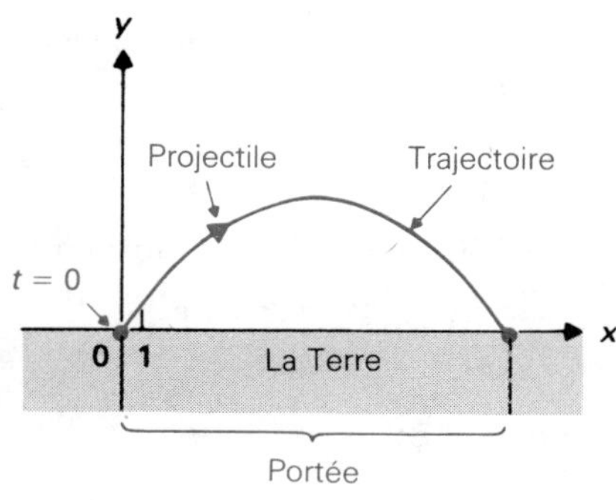

Figure 3.19 Trajectoire d'un projectile.

où v_x et $(v_y)_0$ sont constantes. Un raisonnement analogue à celui de la page 121 nous amène à la conclusion que v_x est la première composante de la vitesse, qui est constante en tout temps, et $(v_y)_0$ la deuxième composante de la vitesse à l'instant $t = 0$. Comme précédemment, $-g$ désigne l'accélération de la pesanteur. On appelle *portée* la distance parcourue le long de l'axe des x depuis l'origine, où est lancé le projectile, jusqu'au point d'impact (figure 3.19).

EXEMPLE 9 La position (mesurée en mètres) d'un projectile est déterminée par les équations paramétriques suivantes:

$$x = 110t, \qquad y = 98t - 4{,}9t^2$$

jusqu'au moment où il touche le sol. Trouver

a) l'intensité de la vitesse initiale du projectile;

b) la hauteur maximale atteinte par le projectile;

c) le moment de l'impact du projectile avec le sol;

d) la portée du projectile.

Solution

a) On a

$$\frac{dx}{dt} = 110$$

et

$$\frac{dy}{dt} = 98 - 9{,}8t.$$

En vertu de l'équation 3,

$$\begin{aligned} \text{Intensité de la vitesse initiale} &= \sqrt{\left(\frac{dx}{dt}\right)^2 + \left(\frac{dy}{dt}\right)^2}\,\Bigg|_{t=0} \\ &= \sqrt{(110)^2 + (98)^2} \\ &= \sqrt{12\,100 + 9604} \\ &= \sqrt{21\,704} \simeq 147{,}3 \text{ m/s.} \end{aligned}$$

b) Tout comme dans l'exemple 5, la hauteur maximale est atteinte lorsque $v_y = 98 - 9{,}8t = 0$, c'est-à-dire lorsque $t = 10$ s. La hauteur maximale est donc

$$y|_{t=10} = (98)10 - (4{,}9)10^2 = 980 - 490 = 490 \text{ m.}$$

c) L'impact du projectile avec le sol a lieu quand $y = 0$, c'est-à-dire quand

$$t(98 - 4{,}9t) = 0,$$

et, par conséquent, quand $t = 0$ ou $t = 20$. Comme $t = 0$ correspond à l'instant où le projectile est lancé, on en déduit que le projectile touche le sol à l'instant $t = 20$ s.

d) Du résultat obtenu en *c*, on tire que la portée est

$$x|_{t=20} = 110 \cdot 20 = 2\,200 \text{ m.} \quad \square$$

APPROXIMATION NUMÉRIQUE DE $f''(x_1)$ ET $f'''(x_1)$ À L'AIDE D'UNE CALCULATRICE (FACULTATIF)

Nous avons vu, à la section 3.1, qu'il est possible de calculer une approximation de $f'(x_1)$ en utilisant la formule

$$f'(x_1) \simeq \frac{f(x_1 + \Delta x) - f(x_1 - \Delta x)}{2 \cdot \Delta x} \tag{4}$$

pour de petites valeurs de Δx. Il existe également des formules qui permettent d'approximer $f''(x_1)$ et $f'''(x_1)$. On choisit Δx petit et on pose

$$y_1 = f(x_1 - 2 \cdot \Delta x), \quad y_2 = f(x_1 - \Delta x), \quad y_3 = f(x_1),$$
$$y_4 = f(x_1 + \Delta x), \quad y_5 = f(x_1 + 2 \cdot \Delta x).$$

Alors

$$f''(x_1) \simeq \frac{-y_1 + 16y_2 - 30y_3 + 16y_4 - y_5}{12(\Delta x)^2} \tag{5}$$

et

$$f'''(x_1) \simeq \frac{-y_1 + 2y_2 - 2y_4 + y_5}{2(\Delta x)^3}. \tag{6}$$

On obtient ces formules en trouvant le polynôme de degré 4 passant par les cinq points suivants:

$$x_1 - 2 \cdot \Delta x, \quad x_1 - \Delta x, \quad x_1, \quad x_1 + \Delta x \quad \text{et} \quad x_1 + 2 \cdot \Delta x.$$

La formule 5 est la dérivée seconde de ce polynôme au point $x = x_1$ et la formule 6 en est la dérivée troisième. La formule 4 peut également s'écrire sous la forme

$$f'(x_1) \simeq \frac{-y_2 + y_4}{2 \cdot \Delta x}.$$

Il s'agit en fait de la dérivée au point $x = x_1$ du polynôme du second degré passant par les points d'abscisse $x_1 - \Delta x$, x_1 et $x_1 + \Delta x$.

EXEMPLE 10 Soit la fonction $f(x) = 1/x$. Calculer approximativement $f''(3)$, en utilisant la formule 5 dans laquelle on aura posé $\Delta x = 1$. (Bien entendu, Δx est grand, mais il permet de donner un exemple d'utilisation de la formule 5 sans avoir recours à une calculatrice.)

Solution $x_1 = 3$ et $\Delta x = 1$, d'où

$$x_1 - 2 \cdot \Delta x = 1, \quad x_1 - \Delta x = 2, \quad x_1 = 3,$$
$$x_1 + \Delta x = 4, \quad x_1 + 2 \cdot \Delta x = 5,$$
$$y_1 = 1, \quad y_2 = \tfrac{1}{2}, \quad y_3 = \tfrac{1}{3}, \quad y_4 = \tfrac{1}{4}, \quad y_5 = \tfrac{1}{5}.$$

De la formule 5, on obtient

$$f''(3) \simeq \frac{-1 + 16 \cdot \frac{1}{2} - 30 \cdot \frac{1}{3} + 16 \cdot \frac{1}{4} - \frac{1}{5}}{12(1)^2}$$

$$= \frac{-1 + 8 - 10 + 4 - 0{,}2}{12} = \frac{0{,}8}{12} \simeq 0{,}067.$$

On peut, bien entendu, obtenir la valeur exacte de $f''(3)$. Ainsi, puisque $y = x^{-1}$, on a $y' = -1 \cdot x^{-2}$ et $y'' = 2x^{-3}$, d'où $f''(3) = 2/(3)^3 = 2/27 \simeq 0{,}074$. L'erreur de l'approximation se chiffre à environ 0,007. □

RÉSUMÉ

1. Si $y = f(x)$, alors la dérivée seconde de y par rapport à x est définie par

$$\frac{d^2y}{dx^2} = \frac{d(dy/dx)}{dx} = f''(x) = y'' = D^2f,$$

et la dérivée énième de y par rapport à x est définie par

$$\frac{d^ny}{dx^n} = f^{(n)}(x) = y^{(n)} = D^nf.$$

2. Soit x la position d'une particule sur une droite (l'axe des x) à l'instant t. Alors

$$\text{vitesse} = v = \frac{dx}{dt}, \qquad \text{accélération} = a = \frac{dv}{dt} = \frac{d^2x}{dt^2},$$

$$\text{intensité de la vitesse} = |v|.$$

3. Supposons que le mouvement d'une particule dans le plan soit déterminé par les équations paramétriques $x = h(t)$ et $y = k(t)$. Alors

$$\frac{dx}{dt} = \text{première coordonnée de la vitesse},$$

$$\frac{dy}{dt} = \text{deuxième coordonnée de la vitesse},$$

$$\sqrt{\left(\frac{dx}{dt}\right)^2 + \left(\frac{dy}{dt}\right)^2} = \text{intensité de la vitesse},$$

$$\frac{dy}{dx} = \frac{dy/dt}{dx/dt} = \text{pente de la courbe},$$

$$\frac{d^2x}{dt^2} = \text{première coordonnée de l'accélération},$$

$$\frac{d^2y}{dt^2} = \text{deuxième coordonnée de l'accélération}.$$

EXERCICES

Dans les exercices 1 à 8, trouver y', y'' et y'''. Il n'est pas nécessaire de simplifier les réponses.

1. $y = x^5 - 3x^4$
2. $y = \sqrt{x}$
3. $y = 1/\sqrt{5x}$
4. $y = x^{2/3}$
5. $y = \sqrt{x^2 + 1}$
6. $y = (3x - 2)^{3/4}$
7. $y = \dfrac{x}{x + 1}$
8. $y = x(x + 1)^4$

9. Soit la fonction $f(x) = \sqrt{2x + 4}$. Calculer $f''(3)$.

10. Soit la fonction $g(t) = 8t^3 - 3t^2 + 14t - 5$. Calculer $g'''(-1)$.

11. Calculer $f^{(4)}(2)$ pour la fonction $f(s) = 1/s$.

12. Calculer $f^{(4)}(1)$ pour la fonction $f(x) = x/(x + 1)$.

13. La position x d'une particule sur l'axe des x à l'instant t est régie par l'équation $x = 3t^3 - 7t$. Trouver la vitesse et l'accélération de la particule quand $t = 1$.

14. Refaire l'exercice 13 avec la fonction $x = \sqrt{t^2 + 7}$ et $t = 3$.

15. La position x d'une particule sur l'axe des x à l'instant t est donnée par l'équation

$$x = 10 - \frac{20}{t^2 + 1} \qquad \text{où } t \geq 0.$$

a) Montrer que la distance parcourue entre l'instant $t = 0$ et un instant $t \geq 0$ quelconque est toujours inférieure à 20 unités.

b) Trouver la vitesse de la particule en fonction de t.

c) La vitesse est positive pour tout $t > 0$. Donner une interprétation physique.

16. Soit $x = 10/(t + 1)$, où $t \geq 0$, la position d'une particule sur l'axe des x.

a) Trouver la vitesse de la particule en fonction de t.

b) La vitesse est négative pour tout $t > 0$. Donner une interprétation physique.

c) Trouver l'accélération de la particule en fonction de t.

d) L'accélération est positive pour tout $t > 0$. Donner une interprétation physique.

e) Est-ce que l'intensité de la vitesse augmente ou diminue pour $t > 0$?

17. Un objet est lancé verticalement vers le haut depuis la surface de la Terre à l'instant $t = 0$. Sa hauteur y (mesurée en mètres) après t secondes est $y = -4{,}9t^2 + 14{,}7t$.

a) Trouver la vitesse de l'objet à l'instant t.

b) Trouver l'accélération de l'objet à l'instant t.

c) Calculer la vitesse initiale v_0 de l'objet.

d) À quel instant l'objet atteint-il sa hauteur maximale? [*Indice* Se rappeler la vitesse de l'objet au moment où il atteint sa hauteur maximale.]

e) Trouver la hauteur maximale atteinte par l'objet.

f) D'après les données physiques du problème, pendant quel intervalle de temps l'équation $y = -4{,}9t^2 + 14{,}7t$ a-t-elle un sens?

Dans les exercices 18 à 23, $y = k(t)$ représente la position d'un objet sur l'axe des y à l'instant t. (Comme d'habitude, l'axe de référence vertical est dirigé vers le haut.) Remplir les espaces en y inscrivant les mots appropriés: *vers le haut*, *vers le bas*, *augmente*, *diminue*.

18. Si $dy/dt > 0$, alors l'objet se dirige _____ à mesure que t augmente.

19. Si $d^2y/dt^2 < 0$, alors la vitesse _____ à mesure que t augmente.

20. Si $d^2y/dt^2 < 0$ et $dy/dt > 0$, alors l'intensité de la vitesse _____ à mesure que t augmente.

21. Si $d^2y/dt^2 < 0$ et $dy/dt < 0$, alors l'intensité de la vitesse _____ et l'objet se déplace _____ à mesure que t augmente.

22. Si $d^2y/dt^2 > 0$ et $dy/dt < 0$, alors l'intensité de la vitesse _____ et l'objet se déplace _____ à mesure que t augmente.

23. Si $d^2y/dt^2 > 0$ et $dy/dt > 0$, alors l'intensité de la vitesse _____ et l'objet se déplace _____ à mesure que t augmente.

Les équations paramétriques des exercices 24 à 29 représentent le mouvement d'un objet. Trouver l'intensité de la vitesse de l'objet et la pente de la courbe à l'instant indiqué.

24. $x = t^3$, $y = t^2$ à l'instant t.

25. $x = 1/t^2$, $y = (t + 1)/(t - 1)$ à l'instant $t = 2$.

26. $x = \sqrt{t^2 + 1}$, $y = (t^2 - 1)^3$ à l'instant $t = 1$.

27. $x = (2t - 4)^2$, $y = 1 + (1/t)$ à l'instant $t = 2$.

28. $x = (3t + 7)^{3/2}$, $y = t - 100$ à l'instant $t = 3$.

29. $x = \sqrt{4t + 5}$, $y = 1/(t^2 - 4t)$ à l'instant $t = 5$.

30. Trouver l'équation de la tangente à la courbe d'équations paramétriques $x = t^2 - 3t$, $y = \sqrt{t}$, pour $t = 4$.

31. Trouver l'équation de la tangente à la courbe d'équations paramétriques $x = 3t + 4$, $y = t^2 - 3t$, au point $x = -5$.

32. Trouver l'équation de la normale à la courbe d'équations paramétriques $x = (t^2 - 3)^2$, $y = (t^2 + 3)/(t - 1)$, en $t = 2$.

33. Trouver l'équation de la normale à la courbe d'équations paramétriques $x = \sqrt{2t^2 + 1}$, $y = 4t - 5$, au point $y = 3$.

34. Soit $x = \sqrt{t}$ et $y = t^3$. Calculer dy/dx et d^2y/dx^2 en termes de t.

$$\left[\textit{Indice} \quad \frac{d^2y}{dx^2} = \frac{d(dy/dx)}{dx} = \frac{[d(dy/dx)]/dt}{dx/dt}.\right]$$

35. Soit $x = t^2$ et $y = t^3 - 2t^2 + 5$. Calculer dy/dx et d^2y/dx^2 en $t = 1$. [Voir l'indice donné à l'exercice 34.]

36. Une balle est lancée verticalement vers le haut à la vitesse initiale de 7 m/s, d'un point situé à 1,5 m au-dessus du sol. En ne tenant pas compte de la résistance de l'air, calculer

a) la vitesse de la balle à l'instant $t = 1$ s;

b) l'intensité de la vitesse à l'instant $t = 1$ s;

c) la hauteur maximale atteinte par la balle.

37. Un enfant sur un balcon se penche à l'extérieur et lance une balle verticalement vers le haut à la vitesse de 14 m/s. Au moment où elle est lancée, la balle est à une hauteur de 15 m du sol. En ne tenant pas compte de la résistance de l'air, calculer

a) la vitesse de la balle à l'instant $t = 1$ s;
b) l'intensité de la vitesse à l'instant $t = 1$ s;
c) la hauteur maximale atteinte par la balle;
d) le temps écoulé avant que la balle ne touche le sol.

38. À l'instant $t = 0$, un projectile est lancé à partir d'un point situé à l'origine d'un repère cartésien (figure 3.19). Trouver la deuxième coordonnée de la vitesse à l'instant $t = 0$, sachant que la première coordonnée est 40 m/s et que l'intensité de la vitesse initiale est 50 m/s.

39. À l'instant $t = 0$, un projectile est lancé à partir d'un point situé à l'origine d'un repère cartésien (figure 3.19). Sa position (mesurée en mètres) à l'instant t s est régie par les équations paramétriques

$$x = 30t, \qquad y = 49t - 4{,}9t^2.$$

Calculer

a) la hauteur maximale atteinte par le projectile;
b) la portée du projectile;
c) l'intensité de la vitesse du projectile au moment où il touche le sol.

40. *a*) Calculer l'intensité de la vitesse du projectile de l'exercice 39 au moment où il atteint sa hauteur maximale.
b) Quelle affirmation d'ordre général peut-on faire à partir du résultat calculé en *a*?

Pour les exercices 41 à 46 trouver, à l'aide d'une calculatrice et en utilisant les formules d'approximation 5 et 6, les dérivées seconde et troisième des fonctions données aux points indiqués. Le choix de Δx est laissé au lecteur.

41. $f(x) = \sqrt{x}(x^3 + 2x^2)$ au point $x = 1$.

42. $f(x) = \dfrac{\sin x}{x + 2}$ au point $x = 3$ (x est en radians).

43. $f(x) = 2^x$ au point $x = 3$.

44. $f(x) = x^x$ au point $x = 1{,}5$.

45. $f(x) = (x^2 + 3x)^{\sqrt{x}}$ au point $x = 1$.

46. $f(x) = x^{\sin x}$ au point $x = 2$ (x est en radians).

3.6 DÉRIVÉES DES FONCTIONS IMPLICITES

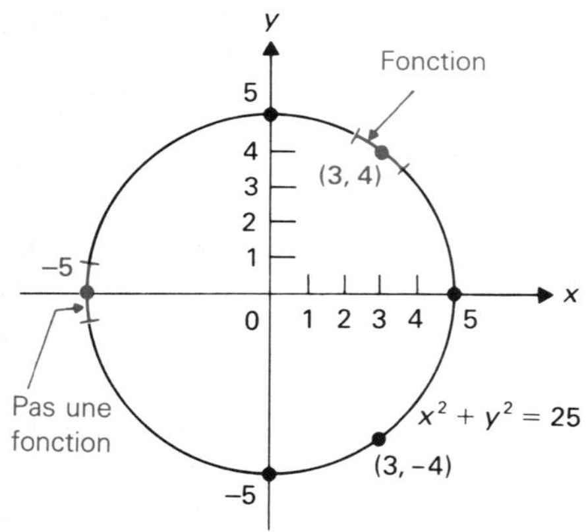

Figure 3.20 Certains petits arcs du cercle d'équation $x^2 + y^2 = 25$ sont des graphiques de fonctions, d'autres pas.

Le graphique d'une fonction continue f d'une variable est une courbe dans le plan qui admet une tangente en tous les points où la fonction est dérivable.

Il est certainement naturel d'envisager le cercle d'équation $x^2 + y^2 = 25$ comme une courbe du plan (figure 3.20). Toutefois, cette courbe n'est pas le graphe d'une fonction, puisque deux points différents de la courbe peuvent avoir la même abscisse, par exemple (3,4) et (3, −4). Considérons un petit arc de cercle s'étendant de chaque côté du point (3,4). Ce petit arc est le graphe d'une fonction. Il s'agit, en effet, de la fonction $y = f(x) = \sqrt{25 - x^2}$, qui a pour graphe le demi-cercle situé au-dessus de l'axe des x. Supposons que l'on veuille trouver la dérivée $f'(3)$ de cette fonction, c'est-à-dire la pente de la tangente au cercle au point (3,4). Il suffit de calculer

$$f'(x) = \frac{1}{2}(25 - x^2)^{-1/2}(-2x) = \frac{-x}{\sqrt{25 - x^2}},$$

d'où

$$f'(3) = \frac{-3}{\sqrt{16}} = -\frac{3}{4}.$$

Voici une nouvelle façon de calculer $f'(3)$, pour laquelle il n'est pas nécessaire de résoudre y en termes de x. Considérant y comme une fonction de x près du point considéré, l'on dérive les deux membres de l'équation $x^2 + y^2 = 25$ par rapport à x. Comme il s'agit de dériver *par rapport à* x et que y est une fonction de x, on a, en vertu de la règle de dérivation en chaîne,

$$\frac{d(y^2)}{dx} = 2y\frac{dy}{dx}.$$

Ainsi, de l'équation $\qquad x^2 + y^2 = 25,$

on tire, en dérivant les deux membres par rapport à x,

$$2x + 2y\frac{dy}{dx} = 0,$$

puis on résout l'équation en dy/dx,

$$\frac{dy}{dx} = \frac{-2x}{2y} = -\frac{x}{y},$$

pour ensuite évaluer l'expression au point $(x,y) = (3,4)$.

$$\left.\frac{dy}{dx}\right|_{(3,4)} = -\frac{3}{4}.$$

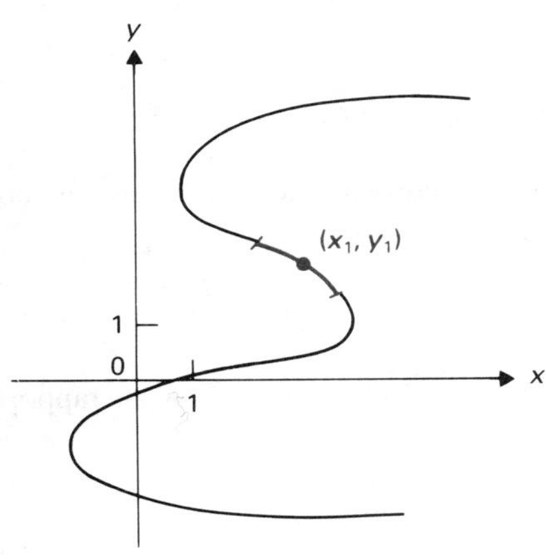

Figure 3.21 Une partie de la courbe s'étendant sur une petite distance de chaque côté de (x_1, y_1) est le graphe d'une fonction.

On obtient la même réponse qu'auparavant, mais sans qu'il soit nécessaire de faire apparaître des radicaux.

Le calcul que nous venons d'effectuer est un exemple de la méthode de dérivation implicite. Ainsi, soit une courbe plane exprimée par une équation en x et en y. La courbe ne doit pas nécessairement être le graphe d'une fonction, mais une partie de la courbe s'étendant de chaque côté d'un point (x_1,y_1) peut être le graphe d'une fonction (figure 3.21). On dit alors que l'équation définit y **implicitement** en fonction de x près du point (x_1,y_1). Par contre, une équation de la forme $y = f(x)$ définit y **explicitement** en tant que fonction de x. Les termes *implicite* et *explicite* permettent de distinguer les deux cas. Si l'on reprend l'exemple du cercle, on dira que

$x^2 + y^2 = 25$ *définit* y *implicitement comme fonction de* x *près du point* (3,4)

alors que

$y = \sqrt{25 - x^2}$ *définit* y *explicitement comme fonction de* x *près du point* (3,4).

Dans le cas du cercle d'équation $x^2 + y^2 = 25$, on pouvait sans difficulté exprimer y explicitement comme fonction de x et calculer ensuite dy/dx. Il n'est pas toujours aussi facile de résoudre une équation par rapport à y. Par exemple, dans le cas de l'équation

$$y^5 + 3y^2 - 2x^2 = -4,$$

il est difficile d'expliciter y en fonction de x. Cependant, si nous supposons que, près d'un point donné (x_1,y_1) de la courbe, il existe un intervalle dans lequel une fonction dérivable $y = f(x)$ satisfait à l'équation, alors nous pouvons utiliser la règle de dérivation en chaîne pour calculer dy/dx en ce point sans avoir à résoudre l'équation par rapport à y. Cette méthode, à laquelle nous avons fait appel ci-dessus, s'appelle la *dérivation implicite*. On en décrit les différentes étapes à la page suivante.

MÉTHODE DE DÉRIVATION IMPLICITE

Étape 1 Écrire une équation à l'aide des variables x et y.

Étape 2 Dériver les deux membres de l'équation par rapport à x, en supposant que y est une fonction dérivable de x. (Chaque fois que l'on dérive un terme comportant un y, il faut utiliser la règle de dérivation en chaîne, de sorte que la dérivée de ce terme se termine toujours par dy/dx.)

Étape 3 Résoudre l'équation par rapport à dy/dx. (Comme dy/dx n'apparaît toujours qu'à la puissance 1, cela ne pose pas de problème.)

Étape 4 Si l'on demande de calculer la dérivée en un point (x_1, y_1) donné de la courbe, évaluer l'expression obtenue pour dy/dx en ce point.

EXEMPLE 1 Calculer dy/dx pour $y^5 + 3y^2 - 2x^2 = -4$.

Solution Considérant y comme une fonction dérivable de x, nous avons, en vertu de la règle de dérivation en chaîne,

$$\frac{d(y^5)}{dx} = \frac{d(y^5)}{dy} \cdot \frac{dy}{dx} = 5y^4 \frac{dy}{dx} \quad \text{et} \quad \frac{d(3y^2)}{dx} = 6y \frac{dy}{dx}.$$

Dérivons les deux membres de l'équation $y^5 + 3y^2 - 2x^2 = -4$ par rapport à x; nous obtenons

$$5y^4 \frac{dy}{dx} + 6y \frac{dy}{dx} - 4x = 0.$$

C'est une équation linéaire en dy/dx, que nous pouvons donc résoudre, obtenant

$$\frac{dy}{dx} = \frac{4x}{5y^4 + 6y}.$$

L'équation que nous venons d'obtenir permet de calculer dy/dx en tout point (x,y) de la courbe pour lequel le dénominateur $5y^4 + 6y$ ne s'annule pas. Ainsi, nous pouvons sans difficulté vérifier que le point $(2,1)$ est sur le graphe de l'équation $y^5 + 3y^2 - 2x^2 = -4$. En ce point,

$$\left.\frac{dy}{dx}\right|_{(2,1)} = \left.\frac{4x}{5y^4 + 6y}\right|_{(2,1)} = \frac{8}{11}. \quad \square$$

EXEMPLE 2 Calculer dy/dx pour $x^3 + 2x^2y^3 + 3y^4 = 6$.

Solution Employons la méthode de dérivation implicite:

$$3x^2 + 2x^2 \cdot 3y^2 \frac{dy}{dx} + 4xy^3 + 12y^3 \frac{dy}{dx} = 0.$$

Par conséquent,

$$(6x^2y^2 + 12y^3)\frac{dy}{dx} = -(3x^2 + 4xy^3)$$

et

$$\frac{dy}{dx} = -\frac{3x^2 + 4xy^3}{6x^2y^2 + 12y^3}. \quad \square$$

Comme nous l'avons vu dans les exemples qui précèdent, l'expression obtenue en calculant dy/dx d'une équation en x et en y par la méthode de dérivation implicite est un quotient. Il est possible qu'en certains points de la courbe le dénominateur s'annule. Par contre, on peut démontrer que si le dénominateur ne s'annule pas au point (x,y) et que la courbe vérifie en outre un certain nombre de conditions de continuité, alors y est une fonction implicite de x autour du point (x,y) et dy/dx peut effectivement être obtenue par la méthode de dérivation implicite.

La méthode de dérivation implicite permet de résoudre divers problèmes de géométrie, ce que nous serons à même de constater dès que nous aurons défini le concept de courbes *orthogonales*.

DÉFINITION 3.4 Courbes orthogonales

Deux courbes sont dites **orthogonales** en un point P d'intersection si leurs tangentes sont perpendiculaires en ce point.

EXEMPLE 3 Montrer que la courbe d'équation $y - x^2 = 0$ est orthogonale à la courbe d'équation $x^2 + 2y^2 = 3$ au point d'intersection $(1,1)$.

Solution Les deux courbes sont tracées à la figure 3.22. La pente de la tangente à la courbe $y = x^2$ au point $(1,1)$ est

$$\left.\frac{dy}{dx}\right|_{x=1} = 2x\Big|_{x=1} = 2.$$

En appliquant la méthode de dérivation implicite à l'équation $x^2 + 2y^2 = 3$, on obtient

$$2x + 4y\frac{dy}{dx} = 0,$$

de sorte que

$$\frac{dy}{dx} = \frac{-2x}{4y} = \frac{-x}{2y}.$$

Finalement,

$$\left.\frac{dy}{dx}\right|_{(1,1)} = -\frac{1}{2}.$$

Comme le produit des deux pentes est égal à -1, les courbes sont orthogonales au point $(1,1)$. $\square$

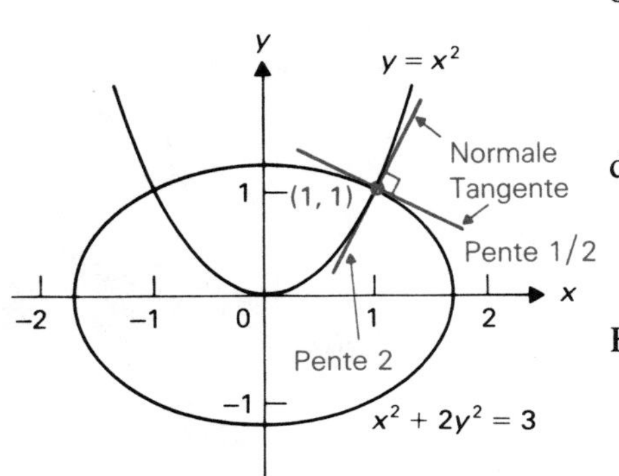

Figure 3.22 Les courbes $y = x^2$ et $x^2 + 2y^2 = 3$ sont orthogonales au point $(1,1)$.

EXEMPLE 4 Le point $(1, -2)$ est sur le graphique de l'équation $y^3 + 3xy + 4x^3 = -10$. En supposant que l'équation définit une fonction implicite $y = f(x)$ près de $(1, -2)$, calculer approximativement l'ordonnée du point de la courbe ayant pour abscisse 1,05. Utiliser les différentielles.

Solution Utilisons l'approximation

$$f(x + dx) \simeq f(x) + f'(x)dx,$$

où $x = 1$, $f(1) = -2$ et $dx = 0{,}05$. On doit calculer $f'(1) = dy/dx|_{x=1}$. En utilisant la méthode de dérivation implicite,

$$3y^2 \frac{dy}{dx} + 3x \frac{dy}{dx} + 3y + 12x^2 = 0,$$

$$\frac{dy}{dx} = \frac{-3y - 12x^2}{3y^2 + 3x},$$

$$\left.\frac{dy}{dx}\right|_{(1,-2)} = \frac{-6}{15} = -\frac{2}{5}.$$

Ainsi, $f(1{,}05) \simeq -2 - 2/5 \cdot (0{,}05) = -2 - 0{,}02 = -2{,}02$. □

Comme l'illustre le prochain exemple, on peut calculer des dérivées de différents ordres des fonctions implicites: il suffit d'appliquer la méthode plusieurs fois de suite.

EXEMPLE 5 Calculer y'' pour $x^2 + y^2 = 2$.

Solution Cette fois, utilisons les notations y' et y'' pour désigner les dérivées première et deuxième. En supposant qu'il existe une fonction implicite $y = f(x)$ définie par l'équation $x^2 + y^2 = 2$, nous obtenons

$$2x + 2yy' = 0, \quad \text{d'où} \quad y' = \frac{-x}{y}.$$

Dérivons de nouveau cette dernière égalité par rapport à x (ayant en vue que y est fonction de x):

$$y'' = \frac{y(-1) - (-x)y'}{y^2} = \frac{-y + xy'}{y^2}.$$

Puisque $y' = -x/y$, nous avons

$$y'' = \frac{-y + x(-x/y)}{y^2} = \frac{-y^2 - x^2}{y^3}.$$

Finalement, comme $x^2 + y^2 = 2$,

$$y'' = \frac{-2}{y^3}. \quad \square$$

RÉSUMÉ

Soit y une fonction de x définie implicitement. Pour trouver dy/dx, on procède ainsi:

Étape 1 Écrire une équation en x et en y.

Étape 2 Dériver les deux membres de l'équation par rapport à x, en ayant en vue que y est une fonction de x et en utilisant la règle de dérivation en chaîne.

Étape 3 Résoudre par rapport à dy/dx, en termes de x et de y.

EXERCICES

Dans les exercices 1 à 4, y est définie implicitement en tant que fonction de x près du point (x_1,y_1). On demande de calculer dy/dx en $x = x_1$, *a*) en exprimant y explicitement en fonction de x, puis en dérivant; *b*) en dérivant implicitement.

1. $x^2 + y^2 = 25$; $(x_1,y_1) = (-3,4)$.

2. $x - y^2 = 3$; $(x_1,y_1) = (7,2)$.

3. $y^2 - 2xy + 3x^2 = 1$; $(x_1,y_1) = (0,-1)$. [*Indice* Résoudre l'équation du second degré $y^2 + (-2x)y + (3x^2 - 1) = 0$ par rapport à y, au moyen de la formule quadratique.]

4. $2y^2 + 3x^2y - 4x = -2$; $(x_1,y_1) = (1,-2)$. [Voir l'indice de l'exercice 3.]

Dans les exercices 5 à 18, utiliser la méthode de dérivation implicite pour calculer dy/dx au point donné.

5. $x^2 - y^2 = 16$; $(5,-3)$

6. $x^3 + y^3 = 7$; $(-1,2)$

7. $xy = 12$; $(2,6)$

8. $xy^2 = 12$; $(3,-2)$

9. $xy^2 - 3x^2y + 4 = 0$; $(-1,1)$

10. $2x^2y^2 - 3xy + 1 = 0$; $(1,1)$

11. $(3x + 2y)^{1/2}(x - y) = 8$; $(4,2)$

12. $\sqrt{x + y}(x - 2y)^2 = 2$; $(3,1)$

13. $3x^2y^3 + 4xy^2 = 6 + \sqrt{y}$; $(1,1)$

14. $4xy^4 = 2x^2y^3 - y^{1/3} - 5$; $(-1,1)$

15. $\dfrac{x}{x^2 + y^2} = -\dfrac{1}{5}$; $(-1,2)$

16. $\dfrac{x^2 - 3y^2}{x + 2y} = 3$; $(3,-2)$

17. $\dfrac{xy - y^3}{\sqrt{x^2 + 2y}} = 52$; $(3,-4)$

18. $\dfrac{xy^4 - 3x^2y}{3x^2 + y} = 2$; $(1,2)$

19. Trouver les équations respectives de la tangente et de la normale à la courbe d'équation $y^2 = x^3 - 2x^2y + 1$ au point $(2,1)$.

20. Trouver l'équation de la tangente à la courbe d'équation $y^2 - 3x^2 = 1$ au point $(-1,2)$.

21. Trouver l'équation de la tangente à la courbe d'équation $\sqrt{xy} + 3y = 10$ au point $(8,2)$.

22. Trouver l'équation de la normale à la courbe d'équation $\sqrt{x + 3y^2} + x^2y = 21$ au point $(-3,2)$.

23. En quel(s) point(s) la courbe d'équation $y^2 - 3xy + 3x^2 = 4$ admet-elle une tangente horizontale?

24. En quel(s) point(s) la courbe d'équation $3y^2 - 3xy + x^2 = 1$ admet-elle une tangente verticale?

25. En quel(s) point(s) la courbe d'équation $x^2y - xy^2 = 16$ admet-elle une tangente verticale?

26. En quel(s) point(s) la courbe d'équation $y^3 + y^2 = x$ admet-elle une tangente de pente 1?

27. Soit $y = f(x)$ définie implicitement au moyen de l'équation $y^3 - 3xy + 2x^2 = 3$ près du point $(2,1)$. Calculer approximativement $f(1,98)$ à l'aide des différentielles.

28. Soit $y = f(x)$ définie implicitement au moyen de l'équation $xy^3 - 2xy + x^4 = 8$ près du point $(-2,2)$. Calculer approximativement $f(-2,1)$ à l'aide des différentielles.

29. Trouver d^2y/dx^2 au point $(4,3)$ pour la relation implicite $x^2 - y^2 = 7$.

30. Trouver d^2y/dx^2 au point $(1,2)$ pour la relation implicite $y^2 - xy = 2$.

31. Trouver d^2y/dx^2 au point $(2,-1)$ pour la relation implicite $y^3 - xy = 1$.

32. Trouver d^2y/dx^2 au point $(-2,1)$ pour la relation implicite $y^4 + x^2y = 5$.

33. Montrer que les courbes d'équations $2x^2 + y^2 = 24$ et $y^2 = 8x$ sont orthogonales au point d'intersection $(2,4)$.

34. Montrer que, pour tout $c \neq 0$ et pour tout k, les courbes d'équations $x^2 + 2y^2 = c$ et $y = kx^2$ sont orthogonales en tous leurs points d'intersection.

35. Démontrer que, quelles que soient les constantes non nulles c et k, les courbes d'équations $y^2 - x^2 = c$ et $xy = k$ sont orthogonales en tous leurs points d'intersection.

EXERCICES DIVERS

Exercices récapitulatifs — Série A

1. *a*) Définir le nombre dérivé $f'(x_1)$ de f au point $x = x_1$.
   b) Utiliser la définition de la dérivée pour trouver $f'(x)$ si $f(x) = x^2 - 3x$.
2. *a*) Trouver l'équation de la tangente à la courbe d'équation $y = x^3 - 3x^2 + 2$ au point $x = 1$.
   b) La position d'une particule sur l'axe des x à l'instant t est donnée par $x = t^2 - (t/3)$. Calculer la vitesse de la particule à l'instant $t = 2$.
3. Trouver dy/dx pour la fonction $y = (x^2 - 3x)(4x^3 - 2x + 17)$. Il n'est pas nécessaire de simplifier la réponse.
4. Trouver dy/dx pour la fonction $y = (8x^2 - 2x)/(4x^3 + 3)$.
5. Supposons que la Terre ait la forme exacte d'une sphère. Si l'on détermine que son rayon mesure 6 340 km avec un degré de précision de $\pm 0{,}1$ km, quelle variation du calcul de la superficie de la Terre est apportée par ce degré de précision?
6. Soit la fonction $y = 3x^2 - 6x$ et soit $x = g(t)$ une fonction dérivable telle que $g(14) = -2$ et $g'(14) = 8$. Calculer dy/dt en $t = 14$.
7. Trouver dy/dx pour la fonction $y = \sqrt{x^2 - 17x}$.
8. Trouver dy/dx et d^2y/dx^2 pour la fonction $y = (4x^3 - 7x)^5$. Il n'est pas nécessaire de simplifier les réponses.
9. Trouver l'équation de la tangente à la courbe d'équations paramétriques $x = 3t^2 - 10t$, $y = \sqrt{t + 1}$ pour $t = 3$.
10. Si $y^3 + x^2y - 4x^2 = 17$, trouver dy/dx.

Exercices récapitulatifs — Série B

1. Utiliser la définition de la dérivée pour trouver $f'(x)$ si $f(x) = 1/(2x + 1)$.
2. *a*) Trouver l'équation de la normale à la courbe d'équation $y = 4x^2 - 3x + 2$ au point $(-1{,}9)$.
   b) La position à l'instant t d'une particule se déplaçant sur l'axe des x est donnée par $x = t^3 + 2t$.
      i) Calculer la vitesse moyenne de la particule entre l'instant $t = 1$ et l'instant $t = 3$.
      ii) Calculer la vitesse de la particule à l'instant $t = 2$.
3. Sachant qu'il existe une fonction $\ln x$ dont la dérivée est $d(\ln x)/dx = 1/x$, trouver dy/dx pour la fonction $y = (x^2 + 3)(\ln x)$.
4. Trouver dy/dx pour la fonction $y = (x + 4)/(x^2 - 17)$.
5. Soit $y = 3x^2 - 6x + 7$. Trouver dy.
6. Trouver dy/dx pour la fonction $y = \dfrac{1}{\sqrt[3]{x^3 - 3x + 2}}$.
7. Soit les fonctions $y = \sqrt{x^2 - 3x}$ et $x = (t + 2)/(t - 1)$. Trouver dy/dt pour $t = 2$.
8. Trouver d^3y/dx^3 pour la fonction $y = \sqrt{3x + 4}$.
9. La position (x,y) d'une particule dans le plan à l'instant t est donnée par les équations paramétriques
$$x = \tfrac{1}{3}t^3 - \tfrac{3}{2}t^2 + 2t - 4,$$
$$y = t^3 - 9t^2.$$
   a) Trouver les valeurs de t pour lesquelles la particule se déplace en direction verticale.
   b) Trouver les valeurs de t pour lesquelles la particule se déplace en direction horizontale.
   c) Trouver l'intensité de la vitesse de la particule en $t = 4$.
10. Soit $y^2 - xy = 2$. Trouver dy/dx et d^2y/dx^2 au point $(1{,}2)$.

Exercices récapitulatifs — Série C

1. Trouver l'équation de la tangente à la courbe d'équation $y = x^4 - 3x^2 + 4x$ au point $(1{,}2)$.
2. Soit f une fonction dérivable et soit $y = x^2f(x)$. Sachant que $dy/dx|_{x=1} = 10$ et que $f(1) = 5$, trouver $f'(1)$.
3. Soit g une fonction dérivable et soit $y = (x^2 + 1)/g(x)$. Sachant que $dy/dx|_{x=3} = -4$ et que $g(3) = 2$, trouver $g'(3)$.
4. L'aire A d'un cercle de rayon r est $A = \pi r^2$. Pour un cercle de rayon 1, on a $A = \pi \simeq 3{,}14$. Utiliser les différentielles pour calculer approximativement le rayon d'un cercle dont l'aire est 3.
5. Soit $y = x^3 - 2x^2$ et $x = t^2/(t + 3)$. Utiliser la règle de dérivation en chaîne pour trouver dy/dt pour $t = 2$.
6. Trouver d^3y/dx^3 pour la fonction $y = 6(4x - 2)^{3/2}$.
7. La position (x,y) d'une particule dans le plan à l'instant t est donnée par les équations paramétriques
$$x = 3t^2 - 2t,$$
$$y = t^3 + 2.$$
   a) Trouver la première coordonnée de la vitesse quand $t = 1$.
   b) Trouver la deuxième coordonnée de l'accélération quand $t = 1$.
   c) Trouver l'intensité de la vitesse quand $t = 1$.
8. Trouver l'équation de la normale à la courbe d'équations paramétriques
$$x = \frac{2t}{t^2 + 1}, \qquad y = 2t - 3$$
en $t = 1$.
9. Trouver dy/dx au point $(4, -1)$ si $\sqrt{xy^2} - 3xy^3 = 14$.
10. Trouver en quels points la courbe d'équation $y^2 - xy + x^2 = 27$ admet une tangente horizontale.

Exercices récapitulatifs — Série D

1. Trouver l'équation de la normale à la courbe d'équation $y = 3x^2 - 4x - 7$ au point $(2, -3)$.
2. Trouver le taux d'accroissement moyen de la fonction $f(x) = x^2 - 4x$ sur l'intervalle $[-1{,}5]$.
3. Trouver dy/dx pour la fonction $y = (x^2 + 3)\sqrt{2x + 4}$.
4. Trouver dy/dx pour la fonction $y = (x^2 - 3x)/(2x^3 + 7)$.
5. Tracer le graphe d'une fonction dérivable en un point $x = x_1$ puis, après avoir posé $dx = \Delta x$ en $x = x_1$, indiquer sur le graphique ce que représentent
   a) Δy *b*) dy *c*) $|\Delta y - dy|$

6. Soit f une fonction dérivable et soit $y = (f(x))^3 + 3\sqrt{f(x) + 10}$. Sachant que $f(3) = -1$ et que $dy/dx|_{x=3} = 18$, calculer $f'(3)$.

7. Soit f une fonction admettant une dérivée première et une dérivée seconde, et soit $y = g(x) = x^3 f(x)$. Sachant que $g(-1) = 4$, $g'(-1) = 2$ et $g''(-1) = -3$, calculer $f''(-1)$.

8. Soit $x = t^2 + 4$ et $y = 3t + 2$. Trouver d^2y/dx^2 pour $t = 1$.

9. Trouver tous les points (x_1, y_1) de la courbe d'équation $x^2 + y^2 + 4x - 2y = 20$ où, dans un petit arc de courbe centré en (x_1, y_1), l'équation *ne peut* définir y implicitement en tant que fonction de x.

10. Trouver dy/dx si $(x^2 - 3xy)/(x^3 + y^2) = y^3$.

Exercices d'approfondissement

Certaines limites peuvent être identifiées comme des dérivées ou être récrites de manière à faire intervenir des dérivées. On peut alors les calculer au moyen des formules de dérivation. Résoudre les exercices 1 à 6 de cette façon.

1. Trouver $\lim_{\Delta x \to 0} \frac{f(2 + \Delta x) - f(2)}{\Delta x}$ pour la fonction $f(x) = x^4 - 3x^2$.

2. Trouver $\lim_{\Delta x \to 0} \frac{f(3 + \Delta x) - f(3)}{2 \cdot \Delta x}$ pour la fonction $f(x) = x/(x + 1)$.

3. Trouver $\lim_{\Delta x \to 0} \frac{f(1) - f(1 + 2 \cdot \Delta x)}{\Delta x}$ pour la fonction $g(x) = x^{10} - 7x^6 + 5x^4$.

4. Trouver $\lim_{h \to 0} \frac{f(1 - h) - f(1)}{h^3 + 3h}$ pour la fonction $f(x) = 3x^{10} - 7x^8 + 5x^6 - 21x^3 + 3x^2 - 7$.

5. Trouver $\lim_{h \to 0} \frac{f(2 + 3h) - f(2 + h)}{h}$ pour la fonction $f(x) = \frac{x^3 - 2x^2}{x - 1}$.

6. Trouver $\lim_{h \to 0} \frac{f(2h - 1) - f(-3h - 1)}{h}$ pour la fonction $f(x) = \frac{x^2}{3x + 4}$.

7. Soit f et g deux fonctions dérivables en $x = a$. Montrer que si $f(a) = 0$ et $g(a) = 0$, alors $(fg)'(a) = 0$.

8. Trouver une formule exprimant la dérivée du produit

$$f_1(x) f_2(x) f_3(x) \cdots f_n(x)$$

de n fonctions.

9. Soit $p(x)$ une fonction polynomiale. Montrer que si le polynôme a pour facteur $(x - a)^2$, alors $p(a) = 0$ et $p'(a) = 0$.

10. Généraliser le résultat de l'exercice 9.

11. Trouver les équations des droites passant par le point (4,10) et tangentes à la courbe représentative de la fonction $f(x) = (x^2/2) + 4$.

12. Soit f une fonction dérivable en $x = a$.

a) Trouver A, B et C tels que la fonction polynomiale $p(x) = Ax^2 + Bx + C$, représentée graphiquement par une parabole, passe par les trois points du graphe de la fonction $y = f(x)$ ayant pour abscisses $a - \Delta x$, a et $a + \Delta x$. (Lorsque Δx est petit, la fonction du second degré $p(x)$ est une approximation de $f(x)$ près de a.)

b) En utilisant le résultat obtenu en *a*, calculer $p'(a)$. De quelle expression familière s'agit-il?

13. Soit f et g deux fonctions dérivables de x et soit $y = f(x)/g(x)$. Déduire la formule donnant la dérivée d'un quotient en n'utilisant que la méthode de dérivation implicite et la formule donnant la dérivée d'un produit.

14. Nous verrons dans le prochain chapitre l'existence de fonctions $\sin x$ et $\cos x$ telles que

$$\frac{d(\sin x)}{dx} = \cos x \quad \text{et} \quad \frac{d(\cos x)}{dx} = -\sin x.$$

À partir de ces données, trouver la dérivée des fonctions suivantes:

a) $\sin 2x$ *b*) $\cos 4x^3$
c) $\sin(\cos x)$ *d*) $\cos(\sin 3x)$

15. En vertu de la règle de dérivation en chaîne,

$$\left.\frac{d[f(g(t))]}{dt}\right|_{t=t_1} = f'(g(t_1)) \cdot g'(t_1)$$

pourvu que certaines conditions soient satisfaites.

Trouver une formule analogue pour

$$\left.\frac{d[f(g(h(t)))]}{dt}\right|_{t=t_1}$$

pour des fonctions convenables f, g et h.

16. Soit f et g des fonctions dérivables et telles que

$$g'(a) \neq 0, \qquad g(a) = b \qquad \text{et} \qquad f(g(x)) = x.$$

Montrer que $f'(b) = 1/g'(a)$.

17. La période T du pendule d'une horloge (c'est-à-dire le temps d'une oscillation complète) est régie par la formule

$$T^2 = 4\pi^2 L/g,$$

où T est mesurée en secondes, $g = 9{,}8\ \text{m/s}^2$ et L, la longueur du pendule, est mesurée en mètres. Calculer approximativement

a) la longueur d'un pendule dont la période est $T = 1$ s;

b) la variation ΔT de la période occasionnée par un allongement du pendule de 0,003 m.

c) de combien le pendule avance ou retarde alors chaque jour.

4 FONCTIONS TRIGONOMÉTRIQUES

Jusqu'à présent, nous avons appris comment dériver des *fonctions algébriques* c'est-à-dire des fonctions qui peuvent être définies implicitement au moyen d'une équation polynomiale en x et en y. (Cette catégorie de fonctions comprend les fonctions polynomiales et les fonctions rationnelles, de même que les fonctions faisant intervenir des radicaux.) Nous allons maintenant parler des *fonctions transcendantes*, qui comprennent notamment les *fonctions trigonométriques*, les *fonctions trigonométriques inverses*, la *fonction logarithme* et la *fonction exponentielle*. Dans le présent chapitre, nous nous limiterons à l'étude des fonctions trigonométriques et de leurs dérivées. Les autres fonctions transcendantes mentionnées seront abordées au chapitre 7.

Si vous savez déjà mesurer des angles en radians et que vous connaissez les six fonctions trigonométriques, leurs graphes et les principales identités trigonométriques, passez directement à la section 4.3, où sont étudiées les dérivées des fonctions trigonométriques.

4.1 ÉVALUATION DES FONCTIONS TRIGONOMÉTRIQUES ET IDENTITÉS

Nous allons, dans cette section, définir les fonctions trigonométriques, calculer leur valeur pour certains angles et étudier quelques-unes de leurs propriétés.

LES SIX FONCTIONS TRIGONOMÉTRIQUES

La figure 4.1 représente le cercle d'équation $u^2 + v^2 = 1$, de rayon 1, que l'on désigne sous le nom de *cercle trigonométrique*. Les fonctions sinus et

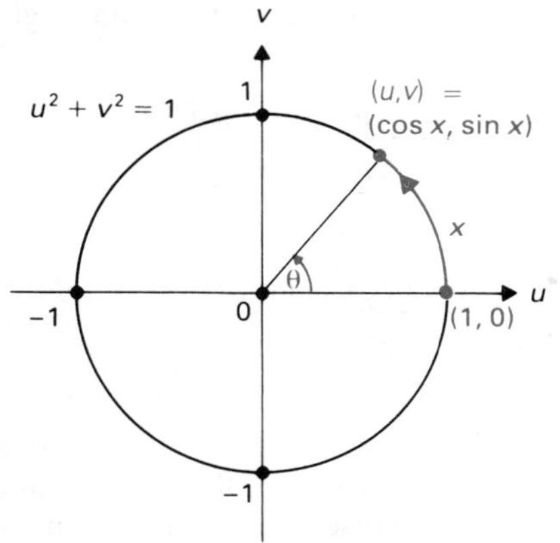

Figure 4.1 Point (u,v) du cercle trigonométrique correspondant à un arc de longueur algébrique x mesurée à partir du point (1,0).

cosinus sont faciles à obtenir: il suffit de prendre pour point de départ le point (1,0) du cercle et, si $x \geq 0$, de se déplacer *dans le sens inverse des aiguilles d'une montre* le long de la circonférence, jusqu'à ce que l'on ait parcouru une distance x. Comme le montre la figure 4.1, on s'arrête en un point (u,v) du cercle. On définit

$$\boxed{\sin x = v \qquad \text{et} \qquad \cos x = u.} \tag{1}$$

Les équations 1 sont encore valables lorsque $x < 0$, sauf que le déplacement s'effectue alors *dans le sens des aiguilles d'une montre*, sur une distance $|x|$ à partir du point (1,0).

EXEMPLE 1 Trouver les valeurs de sin 0 et cos 0.

Solution Puisque $x = 0$, il faut arrêter au point (1,0) du cercle (figure 4.1), d'où $u = 1$ et $v = 0$. Par conséquent, $\sin 0 = 0$ et $\cos 0 = 1$. □

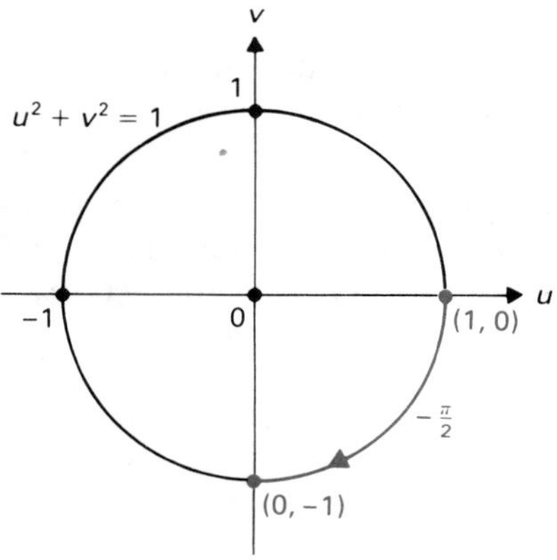

Figure 4.2 Point $(u,v) = (0,-1)$ du cercle trigonométrique correspondant à un arc de longueur algébrique $-\pi/2$ mesurée à partir du point (1,0).

EXEMPLE 2 Trouver les valeurs de $\sin(-\pi/2)$ et $\cos(-\pi/2)$.

Solution Comme $x = -\pi/2$, il faut se déplacer *dans le sens des aiguilles d'une montre* sur une distance d'un quart de cercle (la circonférence du cercle trigonométrique mesure 2π). Comme l'indique la figure 4.2, on arrive au point $(u,v) = (0,-1)$. On a donc $\sin(-\pi/2) = -1$ et $\cos(-\pi/2) = 0$. □

La longueur d'arc x représentée à la figure 4.1 est la mesure, *en radians*, de l'angle au centre θ. Cette mesure est définie par

$$\text{Mesure, en radians, de } \theta = \frac{\text{Longueur de l'arc intercepté par } \theta}{\text{Longueur du rayon}}.$$

Comme il s'agit ici d'un cercle de rayon 1, la mesure de θ en radians est donnée par la longueur x de l'arc. Par exemple, un angle mesurant 360° mesure 2π radians, car la longueur de la circonférence du cercle trigonométrique est 2π. On voit sans difficulté que

$$\boxed{\text{Mesure de } \theta \text{ en radians} = \left(\frac{\pi}{180}\right) \cdot (\text{Mesure de } \theta \text{ en degrés})}$$

puisque 180° correspond à π radians.

EXEMPLE 3 Trouver la mesure en radians d'un angle θ mesurant 240°.

Solution Selon notre formule de conversion,

$$\text{Mesure de } \theta \text{ en radians} = \left(\frac{\pi}{180}\right) \cdot (240) = \frac{4}{3}\pi. \quad \square$$

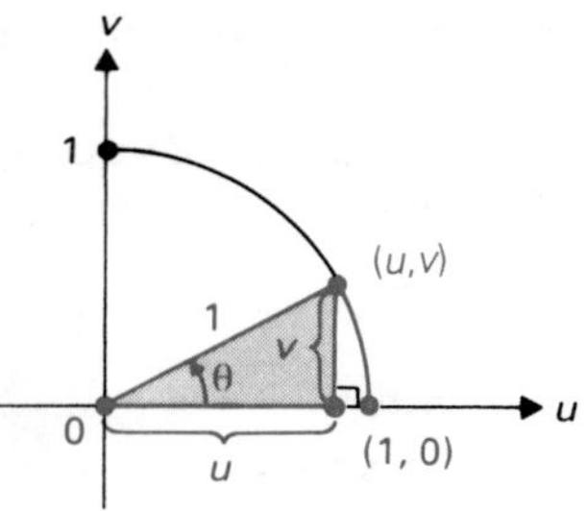

Figure 4.3 L'angle θ peut également être vu comme un angle aigu d'un triangle rectangle d'hypoténuse 1.

La figure 4.3 montre bien que si $0° < \theta < 90°$, alors θ est un angle aigu du triangle rectangle correspondant et

$$\sin \theta = v = \frac{v}{1} = \frac{\text{Longueur du côté opposé à } \theta}{\text{Longueur de l'hypoténuse}},$$

tandis que

$$\cos \theta = u = \frac{u}{1} = \frac{\text{Longueur du côté adjacent à } \theta}{\text{Longueur de l'hypoténuse}}.$$

Ces résultats correspondent aux définitions des fonctions trigonométriques du triangle rectangle, que vous connaissez probablement déjà. Les définitions des équations 1 ont toutefois l'avantage de faciliter le calcul de $\sin x$ pour $x > 90°$. Ainsi, $\sin (3\pi/2) = \sin (270°) = -1$, puisque l'arc de longueur $3\pi/2$ correspond au point $(0, -1)$ du cercle.

Des notions élémentaires de géométrie permettent de calculer aisément les longueurs des côtés des triangles rectangles d'hypoténuse 1 illustrés à la figure 4.4*. Les valeurs correspondantes de $\sin x$ et de $\cos x$ figurent au tableau 4.1. Remarquez que l'angle x est donné en *radians*. Nous verrons à la section 4.3 que le radian est l'unité de mesure la plus commode lorsque l'on dérive des fonctions trigonométriques.

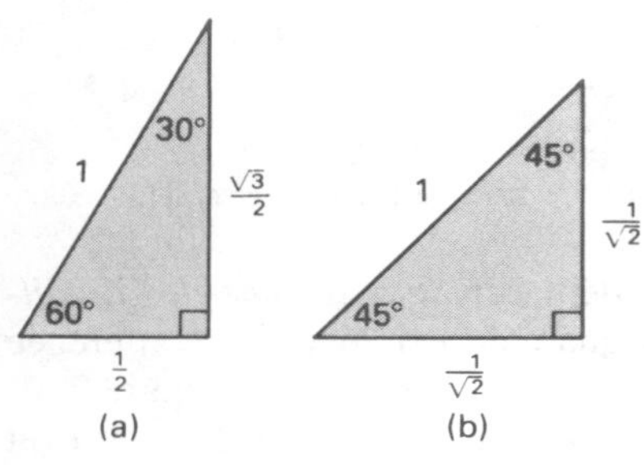

Figure 4.4
(a) $\sin 30° = \sin (\pi/6) = 1/2 = \cos 60° = \cos (\pi/3)$;
$\sin 60° = \sin (\pi/3) = \sqrt{3}/2 = \cos 30° = \cos (\pi/6)$;
(b) $\sin 45° = \sin (\pi/4) = 1/\sqrt{2} = \cos 45° = \cos (\pi/4)$.

> À moins d'indication contraire, l'angle x figurant dans des expressions comme $\sin x$ et $\cos x$ est mesuré en radians.

Lorsque l'on veut exprimer l'angle x en degrés, le symbole de degrés doit apparaître explicitement. Ainsi, $\sin 30° = 1/2$, mais $\sin 30$ désigne le sinus d'un angle de 30 radians soit, d'après nos calculatrices, environ $-0{,}988$.

EXEMPLE 4 Trouver les valeurs de $\sin(-2\pi/3)$ et $\cos(-2\pi/3)$.

Solution Comme $-2\pi/3$ équivaut à $-120° = -90° - 30°$, on a, en se basant sur la figure 4.5 et le triangle (a) de la figure 4.4,

$$\sin\left(-\frac{2\pi}{3}\right) = -\frac{\sqrt{3}}{2} \quad \text{et} \quad \cos\left(-\frac{2\pi}{3}\right) = -\frac{1}{2}. \quad \square$$

Définissons maintenant les quatre autres fonctions trigonométriques, soit la tangente (tg), la cotangente (cotg), la sécante (sec) et la cosécante (cosec), en fonction des coordonnées du point (u,v) de la figure 4.1**.

$$\operatorname{tg} x = \frac{v}{u} = \frac{\sin x}{\cos x}, \quad \operatorname{cotg} x = \frac{u}{v} = \frac{\cos x}{\sin x} = \frac{1}{\operatorname{tg} x},$$
$$\sec x = \frac{1}{u} = \frac{1}{\cos x}, \quad \operatorname{cosec} x = \frac{1}{v} = \frac{1}{\sin x}. \qquad \textbf{(2)}$$

Tableau 4.1

x	$\sin x$	$\cos x$
0	0	1
$\frac{\pi}{6}$	$\frac{1}{2}$	$\frac{\sqrt{3}}{2}$
$\frac{\pi}{4}$	$\frac{1}{\sqrt{2}}$	$\frac{1}{\sqrt{2}}$
$\frac{\pi}{3}$	$\frac{\sqrt{3}}{2}$	$\frac{1}{2}$
$\frac{\pi}{2}$	1	0

* Bien entendu, nous pourrions obtenir les mêmes résultats, écrits sous forme décimale, en faisant appel à nos calculatrices scientifiques. Nous croyons cependant que la démarche adoptée dans ces pages permet de mieux comprendre les fonctions trigonométriques.

** Les fonctions trigonométriques portent également le nom de **fonctions circulaires**.

Les fonctions trigonométriques ci-dessus sont définies à l'aide de rapports d'autres fonctions. Sont donc exclus de leurs domaines respectifs les points où le dénominateur s'annule. Ainsi cotg x n'est pas définie aux points où $\sin x = 0$, c'est-à-dire aux points de la forme $x = n\pi$, où n est un entier quelconque.

En se basant sur la figure 4.3, on peut démontrer sans difficulté que les définitions ci-dessus sont équivalentes aux définitions des fonctions correspondantes dans le triangle rectangle, soit

$$\text{tg } \theta = \frac{\text{Longueur du côté opposé à } \theta}{\text{Longueur du côté adjacent à } \theta},$$

$$\text{cotg } \theta = \frac{\text{Longueur du côté adjacent à } \theta}{\text{Longueur du côté opposé à } \theta},$$

$$\sec \theta = \frac{\text{Longueur de l'hypoténuse}}{\text{Longueur du côté adjacent à } \theta},$$

$$\text{cosec } \theta = \frac{\text{Longueur de l'hypoténuse}}{\text{Longueur du côté opposé à } \theta}.$$

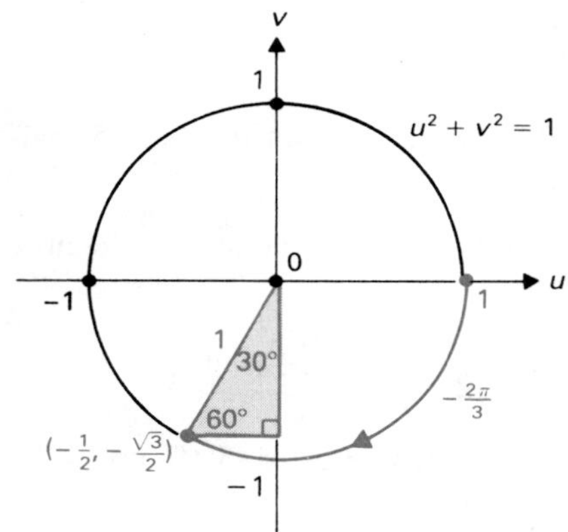

Figure 4.5 Calcul des fonctions trigonométriques de $-2\pi/3$.

EXEMPLE 5 En se reportant à l'exemple 4, calculer les valeurs des quatre autres fonctions trigonométriques de l'angle $-2\pi/3$.

Solution D'après la figure 4.5,

$$\text{tg}\left(-\frac{2\pi}{3}\right) = \frac{-\sqrt{3}/2}{-1/2} = \sqrt{3},$$

$$\text{cotg}\left(-\frac{2\pi}{3}\right) = \frac{1}{\text{tg}\,(-2\pi/3)} = \frac{1}{\sqrt{3}},$$

$$\sec\left(-\frac{2\pi}{3}\right) = \frac{1}{-1/2} = -2,$$

$$\text{cosec}\left(-\frac{2\pi}{3}\right) = \frac{1}{-\sqrt{3}/2} = -\frac{2}{\sqrt{3}}. \quad \square$$

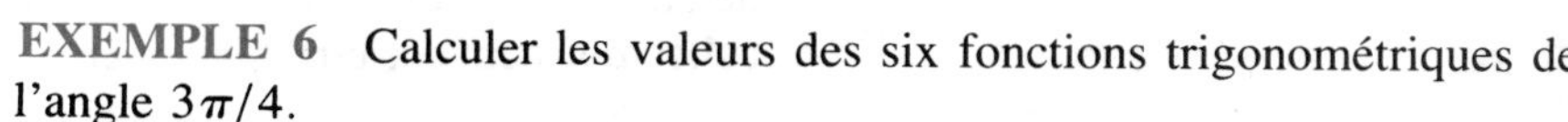

EXEMPLE 6 Calculer les valeurs des six fonctions trigonométriques de l'angle $3\pi/4$.

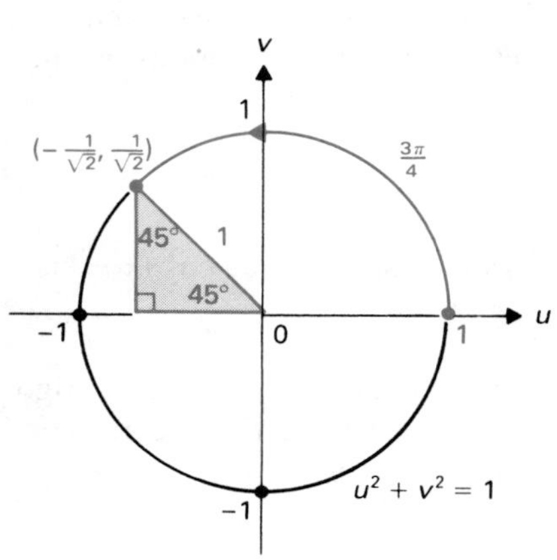

Figure 4.6 Calcul des fonctions trigonométriques de $3\pi/4$.

Solution Si on se base sur le triangle (b) de la figure 4.4, on s'aperçoit qu'en se déplaçant sur une longueur d'arc de $3\pi/4$ à partir du point (1,0), on arrive au point $(u,v) = (-1/\sqrt{2}, 1/\sqrt{2})$ du cercle trigonométrique (figure 4.6). Il s'ensuit que

$$\sin\frac{3\pi}{4} = \frac{1}{\sqrt{2}}, \qquad \cos\frac{3\pi}{4} = -\frac{1}{\sqrt{2}},$$

$$\text{tg}\,\frac{3\pi}{4} = \frac{1/\sqrt{2}}{-1/\sqrt{2}} = -1, \qquad \text{cotg}\,\frac{3\pi}{4} = \frac{-1/\sqrt{2}}{1/\sqrt{2}} = -1,$$

$$\sec\frac{3\pi}{4} = \frac{1}{-1/\sqrt{2}} = -\sqrt{2}, \quad \text{cosec}\,\frac{3\pi}{4} = \frac{1}{1/\sqrt{2}} = \sqrt{2}. \quad \square$$

IDENTITÉS TRIGONOMÉTRIQUES

D'après les conventions que nous avons établies (équations 1 et figure 4.1), $\sin x = v$, $\cos x = u$ et $v^2 + u^2 = 1$, d'où

$$\sin^2 x + \cos^2 x = 1.$$

(Remarquez que $\sin^2 x$ désigne $(\sin x)^2$.) L'équation que nous venons d'énoncer est une identité trigonométrique fondamentale. Il existe plusieurs autres identités, dont certaines s'obtiennent de façon presque immédiate. Ainsi, en divisant les deux membres de l'identité $\sin^2 x + \cos^2 x = 1$ par $\cos^2 x$, on a

$$\frac{\sin^2 x}{\cos^2 x} + \frac{\cos^2 x}{\cos^2 x} = \frac{1}{\cos^2 x},$$

ou encore

$$\operatorname{tg}^2 x + 1 = \sec^2 x.$$

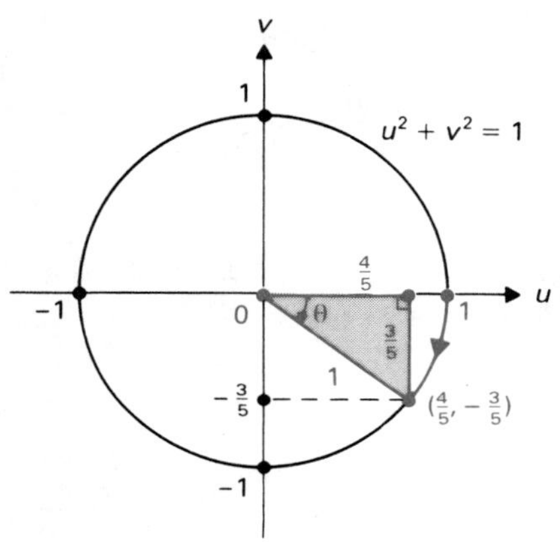

Figure 4.7 Calcul de tg θ, lorsque $\sin \theta = -3/5$ et $-\pi/2 \leq \theta \leq \pi/2$.

EXEMPLE 7 Sachant que $-\pi/2 \leq \theta \leq \pi/2$ et que $\sin \theta = -3/5$, calculer tg θ.

Solution Comme $-\pi/2 \leq \theta \leq \pi/2$, $u = \cos \theta \geq 0$. On déduit de l'identité $\sin^2 \theta + \cos^2 \theta = 1$ que

$$\cos \theta = \pm\sqrt{1 - \sin^2 \theta} = \pm\sqrt{1 - \frac{9}{25}} = \pm\sqrt{\frac{16}{25}} = \pm\frac{4}{5}.$$

Puisque $\cos \theta \geq 0$, la seule valeur possible de $\cos \theta$ est 4/5 (figure 4.7). Finalement,

$$\operatorname{tg} \theta = \frac{\sin \theta}{\cos \theta} = \frac{-3/5}{4/5} = -\frac{3}{4}. \quad \square$$

Vous trouverez dans le résumé quelques-unes des plus importantes identités trigonométriques. Nous n'avons pas l'intention de donner ici le détail des preuves de toutes ces identités. Voyons plutôt, à l'aide d'exemples, celles qui peuvent être facilement obtenues à partir des définitions de $\sin x$ et de $\cos x$.

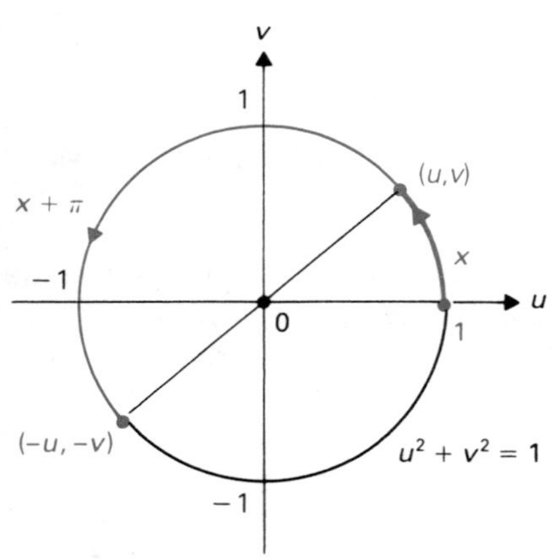

Figure 4.8 L'arc x se termine au point (u,v); l'arc $x + \pi$ se termine au point $(-u, -v)$.

EXEMPLE 8 Démontrer que $\sin(x + \pi) = -\sin x$ et que $\cos (x + \pi = -\cos x$ (identités 14 et 15 du résumé).

Solution Faisons correspondre à l'angle x un point (u,v) du cercle trigonométrique, de sorte que $\cos x = u$ et $\sin x = v$. À l'angle $x + \pi$ correspond alors le point $(-u, -v)$ du cercle (figure 4.8). Il s'ensuit que

$$\sin(x + \pi) = -v = -\sin x$$

et

$$\cos(x + \pi) = -u = -\cos x. \quad \square$$

Les preuves des formules d'addition 6 et 7 du résumé sont un peu plus complexes.

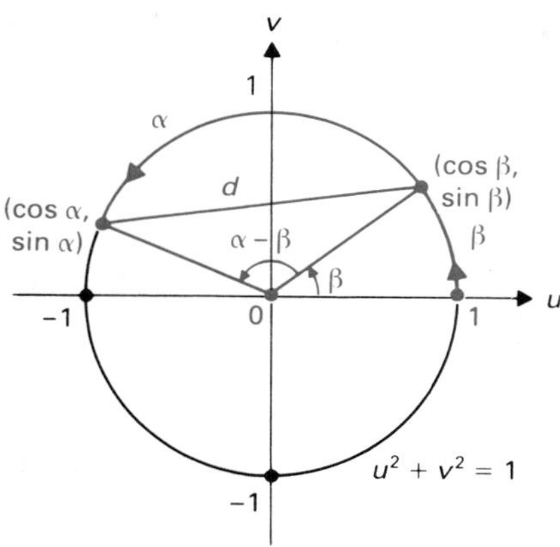

Figure 4.9 Les points ($\cos\alpha, \sin\alpha$) et ($\cos\beta, \sin\beta$) du cercle trigonométrique correspondent aux arcs de longueurs α et β.

EXEMPLE 9 Démontrer que $\cos(x + y) = \cos x \cos y - \sin x \sin y$ (identité 7 du résumé).

Solution Soit α et β deux angles auxquels on fait correspondre les points indiqués sur la partie supérieure du cercle trigonométrique, l'angle $\alpha - \beta$ étant indiqué sur la figure 4.9. En utilisant la formule de la distance d entre les points ($\cos\beta, \sin\beta$) et ($\cos\alpha, \sin\alpha$) du cercle, on obtient

$$\begin{aligned} d^2 &= (\cos\alpha - \cos\beta)^2 + (\sin\alpha - \sin\beta)^2 \\ &= \cos^2\alpha - 2\cos\alpha\cos\beta + \cos^2\beta \\ &\quad + \sin^2\alpha - 2\sin\alpha\sin\beta + \sin^2\beta \\ &= (\sin^2\alpha + \cos^2\alpha) + (\sin^2\beta + \cos^2\beta) \\ &\quad - 2(\cos\alpha\cos\beta + \sin\alpha\sin\beta) \\ &= 2 - 2(\cos\alpha\cos\beta + \sin\alpha\sin\beta). \end{aligned}$$

D'autre part, en déplaçant l'angle $\alpha - \beta$ (figure 4.10) et en utilisant de nouveau la formule de la distance, on obtient, pour la même distance d,

$$\begin{aligned} d^2 &= [\cos(\alpha - \beta) - 1]^2 + [\sin(\alpha - \beta) - 0]^2 \\ &= \cos^2(\alpha - \beta) - 2\cos(\alpha - \beta) + 1 + \sin^2(\alpha - \beta) \\ &= [\sin^2(\alpha - \beta) + \cos^2(\alpha - \beta)] + 1 - 2\cos(\alpha - \beta) \\ &= 2 - 2\cos(\alpha - \beta). \end{aligned}$$

En égalisant les deux expressions trouvées pour d^2, on obtient, après simplification,

$$\cos(\alpha - \beta) = \cos\alpha\cos\beta + \sin\alpha\sin\beta.$$

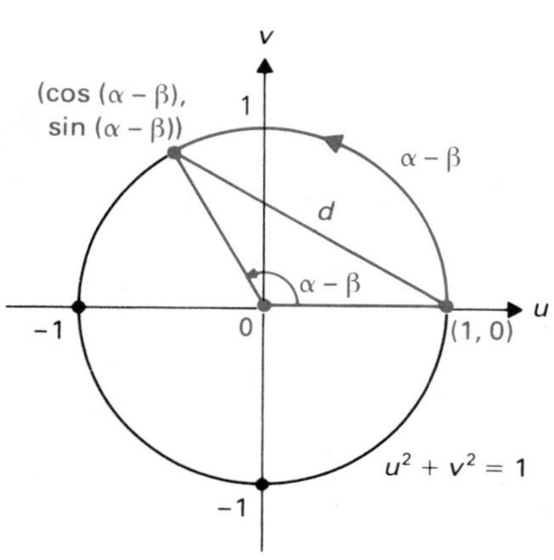

Figure 4.10
Le point ($\cos(\alpha - \beta), \sin(\alpha - \beta)$) du cercle trigonométrique correspond à l'arc de longueur $\alpha - \beta$

Si à l'angle α correspond un point situé sur la partie inférieure du cercle trigonométrique, alors l'angle $\alpha + \pi$ doit avoir pour correspondant un point du demi-cercle supérieur. La démarche précédente est donc valable pour $\cos[(\alpha + \pi) - \beta]$ et, en appliquant les identités 14 et 15 démontrées à l'exemple 8, on obtient de nouveau la même identité pour $\cos(\alpha - \beta)$. On emploiera un raisonnement similaire si l'angle β a pour correspondant un point situé dans le demi-cercle inférieur. On peut donc affirmer que

$$\cos(\alpha - \beta) = \cos\alpha\cos\beta + \sin\alpha\sin\beta$$

quels que soient α et β. Enfin, si on pose $\alpha = x$ et $\beta = -y$ et qu'on emploie les identités 10 et 11 du résumé (démontrées à l'exercice 41), on obtient

$$\begin{aligned} \cos(x + y) &= \cos x \cos(-y) + \sin x \sin(-y) \\ &= \cos x \cos y - \sin x \sin y. \quad \square \end{aligned}$$

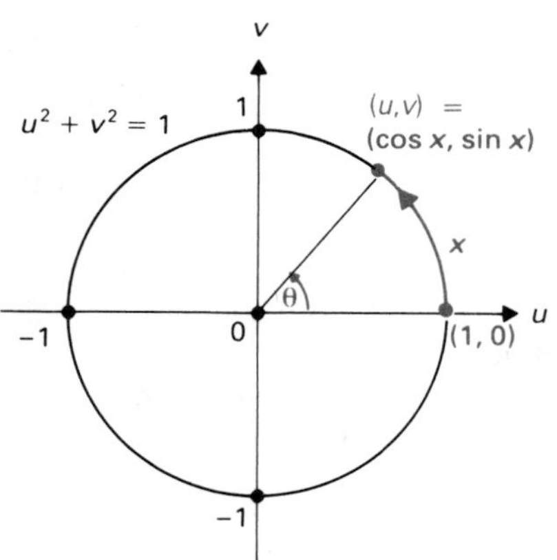

Figure 4.11 Point (u,v) du cercle trigonométrique correspondant à un arc de longueur algébrique x mesurée à partir du point (1,0).

RÉSUMÉ

1. Les fonctions trigonométriques du cercle sont définies comme suit (figure 4.11):

$$\sin x = v,$$

$$\cos x = u,$$

$$\operatorname{tg} x = \frac{v}{u} = \frac{\sin x}{\cos x},$$

$$\operatorname{cotg} x = \frac{u}{v} = \frac{\cos x}{\sin x} = \frac{1}{\operatorname{tg} x},$$

$$\sec x = \frac{1}{u} = \frac{1}{\cos x},$$

$$\operatorname{cosec} x = \frac{1}{v} = \frac{1}{\sin x}.$$

2. Dans la trigonométrie du triangle rectangle, les définitions ci-dessus ont les équivalents suivants, où θ est un angle aigu d'un triangle rectangle:

$$\sin \theta = \frac{\text{Longueur du côté opposé à } \theta}{\text{Longueur de l'hypoténuse}},$$

$$\cos \theta = \frac{\text{Longueur du côté adjacent à } \theta}{\text{Longueur de l'hypoténuse}},$$

$$\operatorname{tg} \theta = \frac{\text{Longueur du côté opposé à } \theta}{\text{Longueur du côté adjacent à } \theta} = \frac{\sin \theta}{\cos \theta},$$

$$\operatorname{cotg} \theta = \frac{\text{Longueur du côté adjacent à } \theta}{\text{Longueur du côté opposé à } \theta} = \frac{\cos \theta}{\sin \theta} = \frac{1}{\operatorname{tg} \theta},$$

$$\sec \theta = \frac{\text{Longueur de l'hypoténuse}}{\text{Longueur du côté adjacent à } \theta} = \frac{1}{\cos \theta},$$

$$\operatorname{cosec} \theta = \frac{\text{Longueur de l'hypoténuse}}{\text{Longueur du côté opposé à } \theta} = \frac{1}{\sin \theta}.$$

3. Identités trigonométriques s'ajoutant aux définitions 1 et 2 du texte:

$$\sin^2 x + \cos^2 x = 1 \tag{3}$$

$$\operatorname{tg}^2 x + 1 = \sec^2 x \tag{4}$$

$$1 + \operatorname{cotg}^2 x = \operatorname{cosec}^2 x \tag{5}$$

$$\sin (x + y) = \sin x \cos y + \cos x \sin y \tag{6}$$

$$\cos (x + y) = \cos x \cos y - \sin x \sin y \tag{7}$$

$$\sin 2x = 2 \sin x \cos x \tag{8}$$

$$\cos 2x = \cos^2 x - \sin^2 x \tag{9}$$

$$\sin (-x) = -\sin x \tag{10}$$

$$\cos (-x) = \cos x \tag{11}$$

$$\sin\left(x + \frac{\pi}{2}\right) = \cos x \tag{12}$$

$$\cos\left(x + \frac{\pi}{2}\right) = -\sin x \tag{13}$$

$$\sin(x + \pi) = -\sin x \tag{14}$$

$$\cos(x + \pi) = -\cos x \tag{15}$$

$$\sin(x + 2n\pi) = \sin x \tag{16}$$

$$\cos(x + 2n\pi) = \cos x \tag{17}$$

$$\sin\frac{x}{2} = \pm\sqrt{\frac{1 - \cos x}{2}} \tag{18}$$

$$\cos\frac{x}{2} = \pm\sqrt{\frac{1 + \cos x}{2}} \tag{19}$$

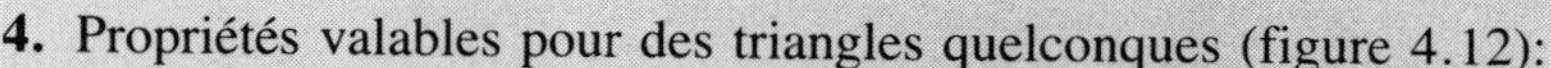

4. Propriétés valables pour des triangles quelconques (figure 4.12):

Loi des sinus: $\dfrac{\sin A}{a} = \dfrac{\sin B}{b} = \dfrac{\sin C}{c}$

Loi des cosinus: $c^2 = a^2 + b^2 - 2ab\cos C$

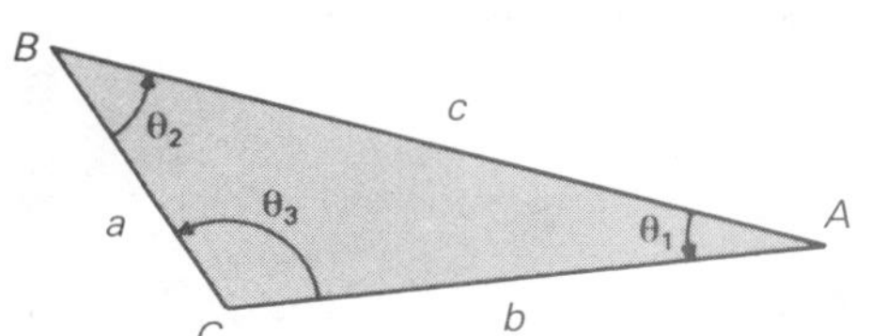

Figure 4.12 Angles d'un triangle et leurs côtés opposés.

EXERCICES

Dans les exercices 1 à 30, trouver, lorsque c'est possible, les valeurs des fonctions données.

1. $\sin\frac{\pi}{3}$
2. $\cos\frac{3\pi}{2}$
3. $\text{tg}\,\frac{5\pi}{6}$
4. $\sin\frac{4\pi}{3}$
5. $\sec\frac{5\pi}{4}$
6. $\text{tg}\,\frac{3\pi}{4}$
7. $\text{cosec}\,\frac{\pi}{3}$
8. $\text{tg}\,\frac{\pi}{2}$
9. $\text{cotg}\,\pi$
10. $\text{cotg}\,\frac{\pi}{2}$
11. $\sec\frac{5\pi}{2}$
12. $\text{cosec}\,2\pi$
13. $\text{cosec}\left(-\frac{\pi}{4}\right)$
14. $\sin\left(-\frac{2\pi}{3}\right)$
15. $\sec\left(-\frac{3\pi}{4}\right)$
16. $\text{cotg}\left(-\frac{5\pi}{4}\right)$
17. $\text{cosec}\,\frac{7\pi}{6}$
18. $\text{cotg}\left(-\frac{2\pi}{3}\right)$
19. $\text{tg}\,\pi$
20. $\cos 3\pi$
21. $\sec 2\pi$
22. $\sin 5\pi$
23. $\sin(-3\pi)$
24. $\cos(-3\pi)$
25. $\sin\left(-\frac{\pi}{2}\right)$
26. $\text{tg}\,\frac{5\pi}{4}$
27. $\text{tg}\,\frac{3\pi}{2}$
28. $\text{cotg}\,5\pi$
29. $\sec\frac{9\pi}{4}$
30. $\text{cosec}\,\frac{23\pi}{6}$

31. Sachant que $-\pi/2 \leq \theta < \pi/2$ et que $\sin\theta = -1/3$, trouver la valeur de $\cos\theta$.
32. Sachant que $\pi/2 \leq \theta < 3\pi/2$ et que $\text{tg}\,\theta = 4$, trouver la valeur de $\sec\theta$.
33. Sachant que $0 \leq \theta < \pi$ et que $\cos\theta = -1/5$, trouver la valeur de $\text{cotg}\,\theta$.
34. Sachant que $\pi \leq \theta < 2\pi$ et que $\sec\theta = 3$, trouver la valeur de $\text{tg}\,\theta$.
35. Sachant que $\pi/2 \leq \theta < 3\pi/2$ et que $\sin\theta = 1/4$, trouver la valeur de $\text{cotg}\,\theta$.

36. Sachant que $0 \leq \theta < \pi$ et que $\cos \theta = 1/3$, trouver la valeur de $\sin 2\theta$.

37. Sachant que $-\pi/2 \leq \theta < \pi/2$ et que $\sin \theta = -2/3$, trouver la valeur de $\sin 2\theta$.

38. Sachant que $0 < \theta < \pi/2$ et que $\operatorname{tg} \theta = 3$, trouver la valeur de $\cos 2\theta$.

39. Sachant que $0 < \theta < \pi/2$ et que $\sec \theta = 4$, trouver la valeur de $\cos 2\theta$.

40. Sachant que $0 < \theta < \pi/2$ et que $\cos \theta = 1/3$, trouver la valeur de $\sin 3\theta$.

41. Supposons que l'arc correspondant à l'angle x se termine au point (u,v), comme à la figure 4.1.

a) En quel point l'arc correspondant à l'angle $-x$ se termine-t-il?

b) Utiliser le résultat trouvé en *a* pour vérifier les identités 10 et 11 du résumé.

42. Supposons que l'arc correspondant à l'angle x se termine au point (u,v), comme à la figure 4.1.

a) En quel point l'arc correspondant à l'angle $x + \pi/2$ se termine-t-il?

b) Utiliser le résultat trouvé en *a* pour vérifier les identités 12 et 13 du résumé.

43. Supposons que l'arc correspondant à l'angle x se termine au point (u,v), comme à la figure 4.1.

a) En quel point l'arc correspondant à l'angle $x - \pi/2$ se termine-t-il?

b) Utiliser le résultat trouvé en *a* pour obtenir des identités analogues aux identités 12 et 13 du résumé.

Utiliser les identités du résumé pour démontrer les identités des exercices 44 à 52.

44. $\operatorname{tg}(-x) = -\operatorname{tg}(x)$

45. $\sec(-x) = \sec x$

46. $\operatorname{tg}\left(x + \dfrac{\pi}{2}\right) = -\operatorname{cotg} x$

47. $\sin\left(x - \dfrac{\pi}{2}\right) = -\cos x$

48. $\cos\left(x - \dfrac{\pi}{2}\right) = \sin x$

49. $\sec\left(x - \dfrac{\pi}{2}\right) = \operatorname{cosec} x$

50. $\sin(x - y) = \sin x \cos y - \cos x \sin y$

51. $\cos 2x = 2\cos^2 x - 1 = 1 - 2\sin^2 x$

52. $\operatorname{tg}(x + y) = \dfrac{\operatorname{tg} x + \operatorname{tg} y}{1 - \operatorname{tg} x \operatorname{tg} y}$

Soit un triangle dont les angles A, B et C sont opposés respectivement aux côtés a, b et c (figure 4.13). Utiliser au besoin la loi des sinus ou la loi des cosinus pour calculer la quantité demandée.

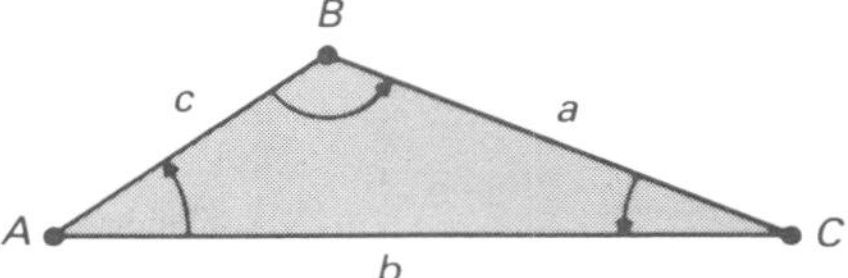

Figure 4.13 Triangle d'angles *A*, *B* et *C* et de côtés *a*, *b* et *c*.

53. $A = \pi/6$, $a = 5$ et $c = 3$. Calculer $\sin C$.

54. $B = 3\pi/4$, $\sin C = 1/(2\sqrt{2})$ et $b = 10$. Calculer c.

55. $c = 5$, $b = 7$ et $A = \pi/4$. Calculer a.

56. $a = 6$, $c = 4$ et $B = 3\pi/4$. Calculer b.

57. $a = 8$, $c = 4$ et $b = 10$. Calculer $\sin C$.

58. $A = \pi/4$, $a = \sqrt{2}$ et $c = 4/5$. Calculer $\operatorname{tg} C$.

4.2 COURBES REPRÉSENTATIVES DES FONCTIONS TRIGONOMÉTRIQUES

Les fonctions trigonométriques sont utilisées très souvent, notamment en arpentage, en astronomie et dans le domaine maritime. C'est pourquoi il est aussi important de connaître leurs graphiques que ceux des monômes x, x^2, x^3 ou x^4, par exemple. On peut tracer les graphiques de $\sin x$, $\cos x$ et $\operatorname{tg} x$, puis construire les courbes de $\operatorname{cosec} x$, $\sec x$ et $\operatorname{cotg} x$ en calculant l'inverse multiplicatif des hauteurs des trois premiers graphes. Ainsi, le graphe de la fonction $y = \operatorname{cosec} x$ peut être obtenu au moyen de la relation

$$\operatorname{cosec} x = \frac{1}{\sin x},$$

de sorte qu'en un point où le graphe de $\sin x$ a une hauteur de $3/10$, celui de $\operatorname{cosec} x$ aura une hauteur de $10/3$.

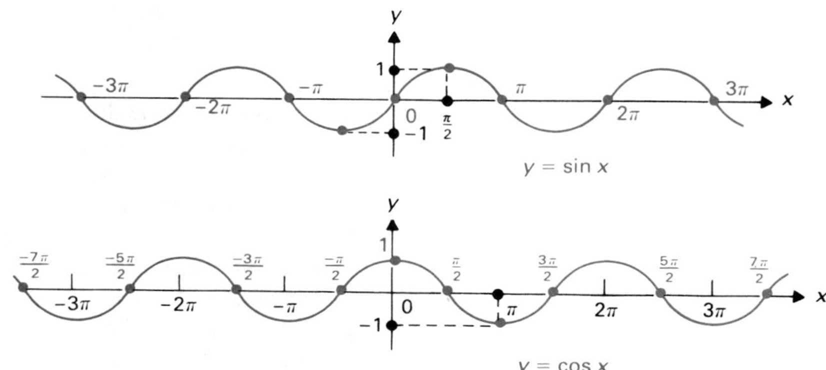

Figure 4.14 Courbe représentative de $y = \sin x$.

Figure 4.15 Courbe représentative de $y = \cos x$.

GRAPHES DES SIX FONCTIONS TRIGONOMÉTRIQUES

On peut facilement vérifier en faisant un tableau des valeurs* que la figure 4.14 représente bien le graphe de la fonction $y = \sin x$. Remarquez que la courbe coupe l'axe des x à tous les multiples de π.

En vertu de l'identité $\cos x = \sin (x + \pi/2)$, il suffit, pour obtenir le graphe de $\cos x$, d'effectuer une translation du graphe de $\sin x$ d'une distance de $\pi/2$ vers la gauche (figure 4.15).

La hauteur du graphe de tg x en un point quelconque est donnée par le rapport $(\sin x)/(\cos x)$, où $\cos x \neq 0$. Ainsi, le graphe de tg x, illustré à la figure 4.16, a été construit à partir des graphes de $\sin x$ et de $\cos x$. Remarquez que les droites d'équations $x = \pm\pi/2$, $x = \pm 3\pi/2$, $x = \pm 5\pi/2$, ... , parallèles à l'axe des y, sont des asymptotes verticales de la courbe de $y = \text{tg } x$. Ainsi, la figure 4.16 montre bien que

$$\lim_{x \to \pi/2+} \text{tg } x = -\infty \qquad \text{et} \qquad \lim_{x \to \pi/2-} \text{tg } x = \infty.$$

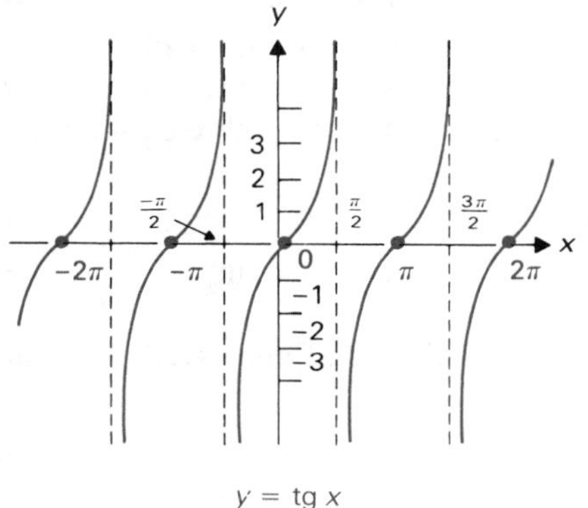

Figure 4.16 Courbe représentative de $y = \text{tg } x$.

Si on calcule les inverses multiplicatifs des hauteurs du graphe de tg x, on obtient le graphe de $\text{cotg } x = 1/(\text{tg } x)$, illustré à la figure 4.17. Les figures 4.18 et 4.19 représentent respectivement les graphes des fonctions $\sec x = 1/(\cos x)$ et $\text{cosec } x = 1/(\sin x)$.

* Oui, vous avez la permission d'utiliser vos calculatrices!

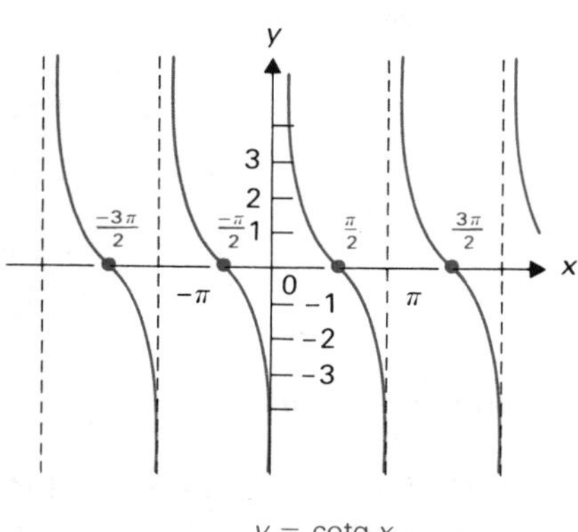

Figure 4.17 Courbe représentative de $y = \text{cotg } x$.

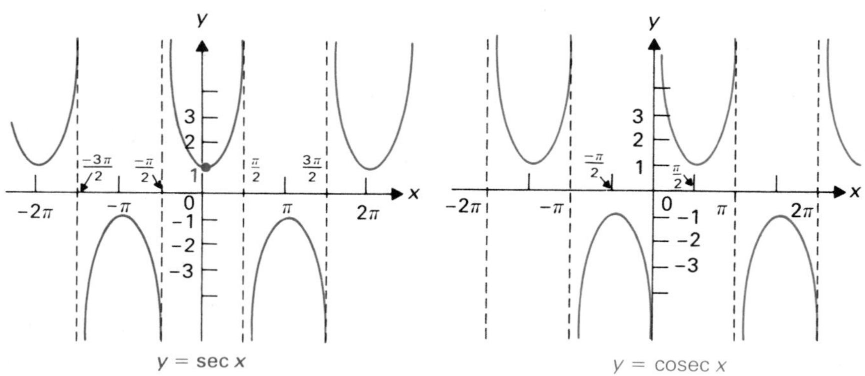

Figure 4.18 Courbe représentative de $y = \sec x$.

Figure 4.19 Courbe représentative de $y = \text{cosec } x$.

GRAPHE DE LA FONCTION $y = a \cdot \sin [b(x - c)]$

Avant de tracer le graphe de la fonction $y = a \cdot \sin [b(x - c)]$, voyons plutôt l'effet de chacune des constantes a, b et c sur le graphe.

Le graphe de $\sin x$ oscille en hauteur entre -1 et 1: on dit que l'*amplitude* de la fonction sinus est 1. De la même manière, le graphe de la fonction $a(\sin x)$ oscille entre $-a$ et a, et son **amplitude** est $|a|$. La constante a détermine donc l'amplitude du graphe.

Le graphe de $\sin x$ se répète toutes les 2π unités sur l'axe des x: on dit qu'il est de *période* 2π. Le graphe de $\sin bx$ se répète chaque fois que bx varie de 2π, c'est-à-dire chaque fois que x varie de $|2\pi/b|$. La fonction $\sin bx$ a donc une **période** de $|2\pi/b|$, et la constante b détermine la période du graphe.

Étudions finalement le graphe de la fonction $\sin (x - c)$. Nous avons déjà vu que la substitution $\bar{x} = x - c$, $\bar{y} = y - 0$ a pour effet de transporter l'origine du système d'axes au point $(c,0)$. Le graphe de $\sin (x - c)$ s'obtient donc en déplaçant le graphe de $\sin x$ de c unités vers la droite. Remarquez que $\sin (x - c)$ s'annule en $x = c$ plutôt qu'en $x = 0$. Le nombre c est appelé le **déphasage**.

EXEMPLE 1 Tracer le graphique de la fonction $y = 4 \sin x$.

Solution Le graphe de la fonction est représenté à la figure 4.20. Il a une amplitude de 4. □

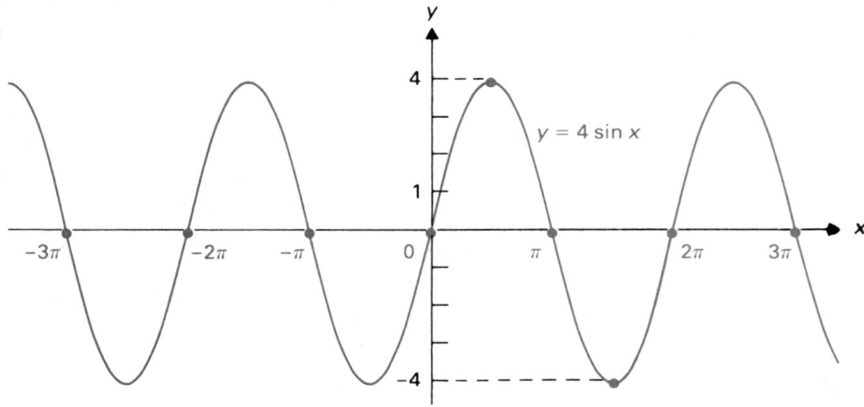

Figure 4.20 L'amplitude de la fonction $y = 4 \sin x$ est 4.

EXEMPLE 2 Tracer le graphe de la fonction $y = -\sin (x/2)$.

Solution Le graphe est tracé à la figure 4.21. La fonction est de la forme $y = a \sin bx$, où $b = 1/2$. La fonction a pour période $2\pi/(1/2) = 4\pi$. Comme $a = -1$, le signe de la fonction est opposé au signe de $y = \sin (x/2)$ de sorte qu'à partir de l'origine vers la droite, le tracé de la courbe commence vers le bas. □

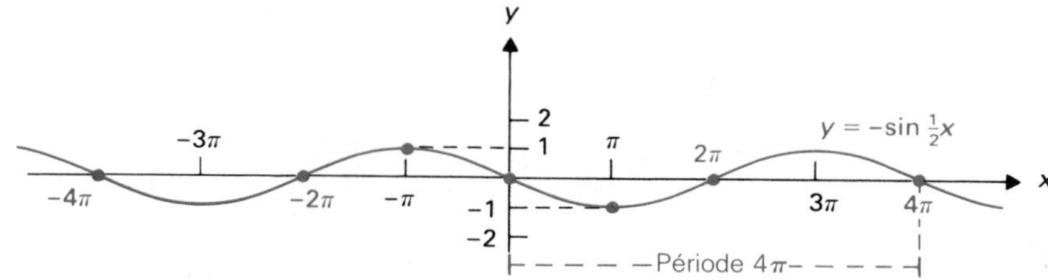

Figure 4.21 La période de la fonction $y = -\sin(x/2)$ est $2\pi/(1/2) = 4\pi$.

EXEMPLE 3 Tracer le graphe de la fonction $y = \sin(x - \pi)$.

Solution Le graphe est représenté à la figure 4.22. Le déphasage est π. En posant $\bar{x} = x - \pi$ et $\bar{y} = y - 0$, on obtient l'équation $\bar{y} = \sin \bar{x}$, conformément au repère $\bar{x}$, $\bar{y}$ indiqué sur la figure. □

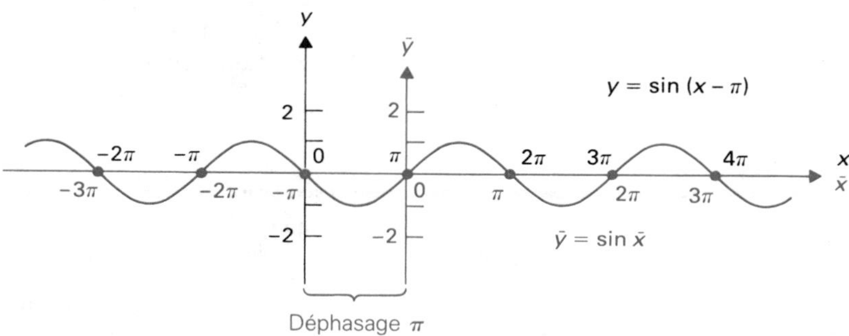

Figure 4.22 Le déphasage de la fonction $y = \sin(x - \pi)$ est π.

EXEMPLE 4 Tracer le graphe de la fonction $y = 3 \sin(2x + \pi)$.

Solution Récrivons la fonction sous la forme

$$y = 3 \sin(2x + \pi) = 3 \sin 2\left[x - \left(-\frac{\pi}{2}\right)\right].$$

Le graphe a une amplitude de 3, une période de $2\pi/2 = \pi$ et un déphasage de $-\pi/2$ (figure 4.23). On peut s'imaginer que l'on a déplacé la courbe de la fonction $y = \sin x$ de $\pi/2$ unités vers la gauche, qu'on lui a imprimé une oscillation trois fois plus grande (l'amplitude est 3 plutôt que 1) et deux fois plus rapide (la période est π plutôt que 2π). □

Les constantes a, b et c de la fonction $y = a \cdot \cos[b(x - c)]$ jouent le même rôle que celles de la fonction $y = a \cdot \sin[b(x - c)]$. De fait, lorsqu'on multiplie n'importe quelle des six fonctions trigonométriques par une constante a et qu'on remplace x par $b(x - c)$, les résultats sont similaires.

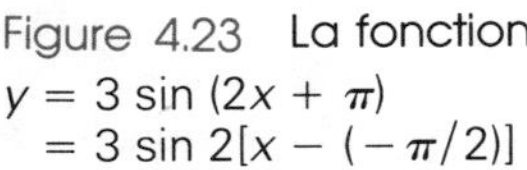

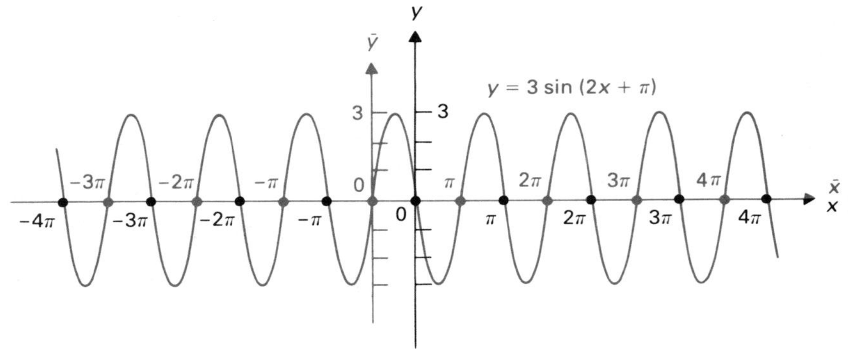

Figure 4.23 La fonction
$y = 3 \sin (2x + \pi)$
$= 3 \sin 2[x - (-\pi/2)]$
a une amplitude de 3, une période de $2\pi/2 = \pi$ et un déphasage de $-\pi/2$.

RÉSUMÉ

1. Les courbes représentatives des six fonctions trigonométriques sont tracées aux figures 4.14 à 4.19.
2. Le graphe d'une fonction $y = a \cdot \sin [b(x - c)]$ a une amplitude (hauteur de l'oscillation) égale à $|a|$, une période (la plus courte distance parcourue sur l'axe des x avant que le graphe ne se répète) de $|2\pi/b|$ et un déphasage c.

EXERCICES

Pour les exercices 1 à 16, on demande de trouver l'amplitude, la période et le déphasage des fonctions données, et de tracer leur courbe représentative.

1. $y = 3 \sin x$
2. $y = 4 \cos x$
3. $y = -\frac{1}{2} \cos x$
4. $y = -\frac{1}{3} \sin x$
5. $y = \sin (-x)$
6. $y = \cos (-x)$
7. $y = 3 \sin 3x$
8. $y = 2 \cos \left(\frac{x}{2}\right)$
9. $y = -4 \cos 2x$
10. $y = -6 \sin \left(\frac{x}{3}\right)$
11. $y = -2 \sin \left(x - \frac{\pi}{2}\right)$
12. $y = -3 \cos (x + \pi)$
13. $y = 5 \cos \left(\frac{x}{2} - \frac{\pi}{4}\right)$
14. $y = 3 \sin (4x + \pi)$
15. $y = 5 \sin \left(\frac{x}{4} - \pi\right)$
16. $y = -2 \cos (2x + 5\pi)$

Dans les exercices 17 à 24, calculer la période (la plus courte distance parcourue sur l'axe des x avant que le graphe ne se répète) et construire le graphique de la fonction indiquée.

17. $y = -\text{tg}\, x$
18. $y = \text{cotg}\, 2x$
19. $y = 3 \sec x$
20. $y = \text{cosec}\, (2x - \pi)$
21. $y = \sin^2 x$
22. $y = 4 \cos^2 x$
23. $y = \text{tg}^2\, x$
24. $y = \sec^2 x$

Tracer le graphique des fonctions des exercices 25 à 42.

25. $y = 1 + \sin x$
26. $y = 3 - 3 \cos x$
27. $y = \cos (2x) - 4$
28. $y = -2 - 3 \sin x$
29. $y = \sin (\pi - x)$
30. $y = -\cos \left(\frac{\pi}{2} - x\right)$
31. $y = 3 \cos (\pi - x)$
32. $y = \sin (\pi - 2x)$
33. $y = x + \sin x$
34. $y = x - \cos x$
35. $y = x + 2 \cos x$
36. $y = 3 \cos x - x$
37. $y = x \sin x$
38. $y = \frac{\cos x}{x}$
39. $y = \sin x + 2 \cos x$ [*Suggestion* Tracer les fonctions $y = \sin x$ et $y = 2 \cos x$ sur le même repère de coordonnées, puis additionner les hauteurs des deux graphes.]
40. $y = 2 \sin 2x - \cos (x/2)$ [*Suggestion* Procéder comme au numéro 39.]
41. $y = \cos x - \sin x$ [*Suggestion* Procéder comme au numéro 39.]
42. $y = \sin^2 x + \cos x$ [*Suggestion* Procéder comme au numéro 39.]

4.3 DÉRIVÉES DES FONCTIONS TRIGONOMÉTRIQUES

Abordons maintenant les dérivées des fonctions trigonométriques. Comme ces dernières ne s'expriment pas sous forme de fonctions dont les dérivées nous sont déjà connues, il vaut mieux retourner à la définition de la *dérivée en tant que limite*. La recherche de la dérivée de sin x fait intervenir deux limites, soit

$$\lim_{\Delta x \to 0} \frac{\sin \Delta x}{\Delta x} \qquad \text{et} \qquad \lim_{\Delta x \to 0} \frac{\cos(\Delta x) - 1}{\Delta x}.$$

Évaluons d'abord ces limites, en prenant pour variable x plutôt que Δx. L'expression $\lim_{x\to 0} (\sin x)/x$, où x est mesuré en radians, a une grande importance en mathématiques.

Une fois que nous aurons obtenu les formules des dérivées des fonctions trigonométriques et que nous aurons travaillé quelques exemples, nous verrons comment elles peuvent s'appliquer au mouvement harmonique simple.

$\lim_{x\to 0} (\sin x)/x = 1$

Nous voulons évaluer

$$\lim_{x\to 0} \frac{\sin x}{x} \qquad \text{et} \qquad \lim_{x\to 0} \frac{\cos x - 1}{x}, \text{ où } x \text{ est mesuré en radians.}$$

La fonction $(\sin x)/x$ n'est pas définie au point 0; de plus, le numérateur et le dénominateur tendent tous les deux vers zéro quand x tend vers zéro:

$$\lim_{x\to 0} (\sin x) = \lim_{x\to 0} x = 0.$$

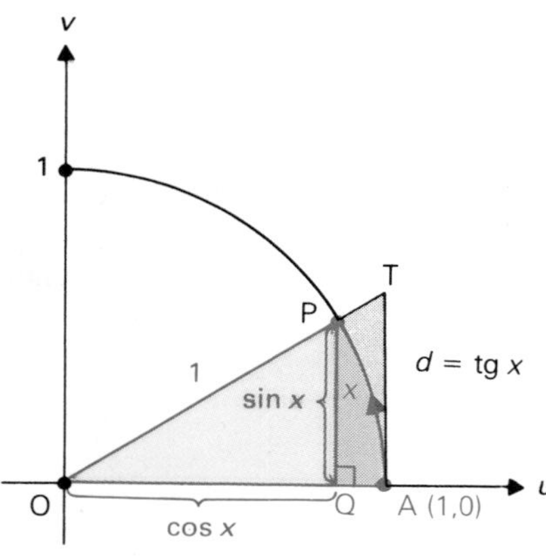

Figure 4.24 Aire du triangle $OPQ <$ aire du secteur circulaire $OPA <$ aire du triangle OTA, ou encore $(\sin x \cos x)/2 < (x/2\pi)\pi < (\operatorname{tg} x)/2$

La figure 4.24 illustre une partie du cercle trigonométrique. Nous supposerons pour l'instant que x est positif, de sorte qu'il corresponde à l'arc de couleur apparaissant sur la figure. Le triangle OPQ a pour hauteur sin x et les triangles OPQ et OTA sont semblables; par conséquent, si d désigne la hauteur du triangle OTA, alors on a

$$\frac{d}{\sin x} = \frac{1}{\cos x},$$

de sorte que $d = \operatorname{tg} x$. On admet sans difficulté que l'aire du triangle OPQ est plus petite que l'aire du secteur circulaire OPA, laquelle à son tour est plus petite que l'aire du triangle OTA. L'aire du secteur circulaire est la portion $x/2\pi$ de l'aire totale $\pi \cdot 1^2 = \pi$ du cercle, d'où

$$\frac{\sin x \cos x}{2} < \frac{x}{2\pi} \cdot \pi < \frac{\operatorname{tg} x}{2}. \qquad \textbf{(1)}$$

En multipliant chacun des membres de l'inéquation 1 par $2/(\sin x)$, on obtient

$$\cos x < \frac{x}{\sin x} < \frac{1}{\cos x}. \tag{2}$$

L'inéquation 2 est également valable si $x < 0$ et voisin de zéro, puisque

$$\sin(-x) = -\sin x \qquad \text{et} \qquad \cos(-x) = \cos x.$$

En vertu de la définition du cosinus et d'après son graphique illustré à la figure 4.15,

$$\lim_{x\to 0} (\cos x) = 1,$$

d'où

$$\lim_{x\to 0} \frac{1}{\cos x} = \frac{1}{1} = 1.$$

Or, d'après la relation 2, l'expression $x/(\sin x)$ est « coincée » entre $\cos x$ et $1/(\cos x)$, deux expressions qui tendent vers 1 quand $x \to 0$. Par conséquent,

$$\lim_{x\to 0} \frac{x}{\sin x} = 1.$$

Bien entendu, il s'ensuit que

$$\lim_{x\to 0} \frac{\sin x}{x} = \lim_{x\to 0} \frac{1}{[x/(\sin x)]} = \frac{1}{1} = 1.$$

Pour ce qui est de $\lim_{x\to 0} (\cos x - 1)/x$, on a, lorsque x est voisin de zéro,

$$\begin{aligned}\frac{\cos x - 1}{x} &= \frac{\cos x - 1}{x} \cdot \frac{\cos x + 1}{\cos x + 1}\\ &= \frac{-\sin^2 x}{x(\cos x + 1)} = -\frac{\sin x}{x} \cdot \frac{\sin x}{\cos x + 1}.\end{aligned}$$

Or, nous venons de démontrer que $\lim_{x\to 0} [(\sin x)/x] = 1$, d'où

$$\lim_{x\to 0} \frac{\cos x - 1}{x} = \left[\lim_{x\to 0} \left(-\frac{\sin x}{x}\right)\right]\left(\lim_{x\to 0} \frac{\sin x}{\cos x + 1}\right) = -1 \cdot \frac{0}{2} = 0.$$

Énonçons maintenant ces deux importants résultats sous forme de théorème.

THÉORÈME 4.1 Deux limites fondamentales de fonctions trigonométriques

Étant donné les fonctions trigonométriques $\sin x$ et $\cos x$, où x est mesuré en radians, on a

$$\lim_{x\to 0} \frac{\sin x}{x} = 1 \qquad \text{et} \qquad \lim_{x\to 0} \frac{\cos x - 1}{x} = 0. \tag{3}$$

EXEMPLE 1 Trouver $\lim_{x\to 0} [(\sin 5x)/x]$.

Solution Posons $u = 5x$, de sorte que $x = u/5$. Quand $x \to 0$, $u \to 0$ également, d'où

$$\lim_{x\to 0} \frac{\sin 5x}{x} = \lim_{u\to 0} \frac{\sin u}{u/5} = \lim_{u\to 0} \left(5 \cdot \frac{\sin u}{u}\right) = 5 \cdot 1 = 5.$$

On ne prend habituellement pas la peine d'écrire en détail la substitution $x = u/5$. Qu'il suffise de se rappeler que

$$\lim_{expression \to 0} \frac{\sin (expression)}{expression} = 1$$

Il s'agira alors d'ajuster la limite à la forme ci-dessus et d'écrire

$$\lim_{x\to 0} \frac{\sin 5x}{x} = \lim_{x\to 0} \left(5 \cdot \frac{\sin 5x}{5x}\right) = 5 \cdot 1 = 5. \quad \square$$

EXEMPLE 2 Trouver $\lim_{x\to 0} [(1 - \cos 2x)/x]$.

Solution Utilisons le deuxième résultat énoncé au théorème 4.1, en supposant implicitement $u = expression = 2x$.

On a alors

$$\lim_{x\to 0} \frac{1 - \cos 2x}{x} = \lim_{x\to 0} \left(-2 \cdot \frac{\cos 2x - 1}{2x}\right) = -2 \cdot 0 = 0. \quad \square$$

EXEMPLE 3 Trouver $\lim_{x\to 0} [(\sin 4x)/(\sin 3x)]$.

Solution En ajustant la limite pour qu'elle prenne la forme de la première limite du théorème 4.1, on obtient

$$\lim_{x\to 0} \frac{\sin 4x}{\sin 3x} = \lim_{x\to 0} \left(\frac{4}{3} \cdot \frac{\sin 4x}{4x} \cdot \frac{3x}{\sin 3x}\right) = \frac{4}{3} \cdot 1 \cdot 1 = \frac{4}{3}. \quad \square$$

EXEMPLE 4 Trouver $\lim_{x\to 3} [\sin (x - 3)]/(x^2 - x - 6)$.

Solution Ici, c'est $(x - 3)$ qui joue le rôle de l'*expression* de l'exemple 1. (Remarquez que l'*expression* tend bien toujours vers zéro.)

On a alors

$$\lim_{x\to 3} \frac{\sin (x - 3)}{x^2 - x - 6} = \lim_{x\to 3} \frac{\sin (x - 3)}{(x - 3)(x + 2)}$$

$$= \lim_{x\to 3} \left[\frac{\sin (x - 3)}{x - 3} \cdot \frac{1}{x + 2}\right] = 1 \cdot \frac{1}{5} = \frac{1}{5}. \quad \square$$

DÉRIVÉE DE sin x

Pour calculer la dérivée de $f(x) = \sin x$, où x est mesuré en radians, reportons-nous à la définition de la dérivée:

$$f'(x_1) = \lim_{\Delta x \to 0} \frac{f(x_1 + \Delta x) - f(x_1)}{\Delta x}.$$

Si on forme le taux d'accroissement pour ensuite utiliser l'identité 6 du résumé de la page 142, on obtient

$$\begin{aligned}\frac{f(x_1 + \Delta x) - f(x_1)}{\Delta x} &= \frac{\sin(x_1 + \Delta x) - \sin x_1}{\Delta x} \\ &= \frac{\sin x_1 \cos \Delta x + \cos x_1 \sin \Delta x - \sin x_1}{\Delta x} \\ &= \frac{\cos x_1 \sin \Delta x + (\sin x_1)(\cos \Delta x - 1)}{\Delta x} \\ &= \cos x_1 \frac{\sin \Delta x}{\Delta x} + \sin x_1 \frac{\cos \Delta x - 1}{\Delta x}.\end{aligned}$$

En passant à la limite, on a, en vertu des deux résultats du théorème 4.1,

$$\begin{aligned}f'(x_1) &= \lim_{\Delta x \to 0} \frac{f(x_1 + \Delta x) - f(x_1)}{\Delta x} \\ &= (\cos x_1)\left(\lim_{\Delta x \to 0} \frac{\sin \Delta x}{\Delta x}\right) + (\sin x_1)\left(\lim_{\Delta x \to 0} \frac{\cos \Delta x - 1}{\Delta x}\right) \\ &= (\cos x_1)(1) + (\sin x_1)(0) = \cos x_1.\end{aligned}$$

Ainsi,

$$\frac{d(\sin x)}{dx} = \cos x.$$

Si u est une fonction dérivable de x, on peut appliquer la règle de la dérivation en chaîne, soit

$$\frac{d(\sin u)}{dx} = \frac{d(\sin u)}{du} \cdot \frac{du}{dx},$$

et l'on obtient

$$\boxed{\frac{d(\sin u)}{dx} = (\cos u)\frac{du}{dx}.} \qquad \textbf{(4)}$$

Voici maintenant plusieurs applications de cette formule.

EXEMPLE 5 Trouver la dérivée de la fonction $y = \sin(x^3)$.

Solution En utilisant la formule 4, on a

$$\frac{dy}{dx} = \cos(x^3) \cdot \frac{d(x^3)}{dx} = 3x^2 \cos x^3. \quad \square$$

EXEMPLE 6 Soit la fonction $y = \sin^5 3x$. Calculer dy/dx.

Solution Utilisons la formule donnant la dérivée d'une puissance:

$$\begin{aligned}\frac{d(\sin^5 3x)}{dx} &= 5\sin^4 3x \cdot \frac{d(\sin 3x)}{dx}\\ &= (5\sin^4 3x)(\cos 3x)(3) = 15\sin^4 3x\cos 3x.\end{aligned}$$ □

EXEMPLE 7 Calculer dy/dx si $y = (\sin 4x)/x$.

Solution En vertu de la formule de dérivation d'un quotient,

$$\begin{aligned}\frac{dy}{dx} &= \frac{x[d(\sin 4x)/dx] - (\sin 4x)\cdot 1}{x^2}\\ &= \frac{x(\cos 4x)4 - \sin 4x}{x^2} = \frac{4x\cos 4x - \sin 4x}{x^2}.\end{aligned}$$ □

Voyons enfin pourquoi le radian est l'unité de mesure la plus commode à utiliser dans le calcul différentiel. Soit x la mesure d'un angle en radians et soit t sa mesure en degrés. On a alors

$$x = \frac{\pi}{180}t$$

et

$$\frac{d(\sin x)}{dt} = \frac{d(\sin x)}{dx}\cdot\frac{dx}{dt} = (\cos x)\left(\frac{\pi}{180}\right).$$

Autrement dit, si nous utilisions le degré comme unité de mesure, il faudrait ajouter, dans les formules de dérivation des fonctions trigonométriques, le facteur $\pi/180$.

DÉRIVÉES DES AUTRES FONCTIONS TRIGONOMÉTRIQUES

Nous pouvons maintenant obtenir sans difficulté les dérivées des cinq autres fonctions trigonométriques. Ainsi, comme $\cos x = \sin[x + (\pi/2)]$, nous pouvons écrire

$$\frac{d(\cos x)}{dx} = \frac{d[\sin(x + \pi/2)]}{dx} = \cos\left(x + \frac{\pi}{2}\right).$$

Or, $\cos[x + (\pi/2)] = -\sin x$, d'où

$$\frac{d(\cos x)}{dx} = -\sin x.$$

En appliquant la règle de la dérivation en chaîne, on obtient

$$\boxed{\frac{d(\cos u)}{du} = (-\sin u)\frac{du}{dx}.} \qquad \textbf{(5)}$$

On peut également obtenir la formule $d(\cos x)/dx = -\sin x$ en dérivant implicitement l'identité $\sin^2 x + \cos^2 x = 1$. On aura:

$$2 \sin x \cos x + 2 \cos x \frac{d(\cos x)}{dx} = 0$$

et

$$\frac{d(\cos x)}{dx} = \frac{-2 \sin x \cos x}{2 \cos x} = -\sin x.$$

Les quatre autres fonctions trigonométriques sont le quotient de fonctions faisant intervenir 1, $\sin x$ et $\cos x$, dont nous connaissons les dérivées. Elles peuvent donc être obtenues au moyen de la formule de la dérivée d'un quotient. Ainsi,

$$\frac{d(\operatorname{tg} x)}{dx} = \frac{d[(\sin x)/(\cos x)]}{dx} = \frac{(\cos x)(\cos x) - (\sin x)(-\sin x)}{\cos^2 x}$$

$$= \frac{\cos^2 x + \sin^2 x}{\cos^2 x} = \frac{1}{\cos^2 x} = \sec^2 x.$$

On obtient de façon analogue

$$\frac{d(\operatorname{cotg} x)}{dx} = -\operatorname{cosec}^2 x, \qquad \frac{d(\sec x)}{dx} = \sec x \operatorname{tg} x$$

et

$$\frac{d(\operatorname{cosec} x)}{dx} = -\operatorname{cosec} x \operatorname{cotg} x.$$

Si u est une fonction dérivable de x, on peut appliquer la règle de la dérivation en chaîne et obtenir:

$$\frac{d(\operatorname{tg} u)}{dx} = (\sec^2 u) \frac{du}{dx}$$

$$\frac{d(\operatorname{cotg} u)}{dx} = -(\operatorname{cosec}^2 u) \frac{du}{dx}$$

$$\frac{d(\sec u)}{dx} = (\sec u \operatorname{tg} u) \frac{du}{dx}$$

$$\frac{d(\operatorname{cosec} u)}{dx} = -(\operatorname{cosec} u \operatorname{cotg} u) \frac{du}{dx}$$

Les quatre formules que nous venons d'énoncer, de même que les formules 4 et 5, doivent être mémorisées. Remarquez la similitude entre les dérivées des fonctions $\sin x$, $\operatorname{tg} x$ et $\sec x$, et celles des dérivées de leurs « cofonctions » $\cos x$, $\operatorname{cotg} x$ et $\operatorname{cosec} x$: ces dernières peuvent être obtenues à partir de la dérivée de la fonction correspondante en introduisant un signe moins et en remplaçant la fonction par sa cofonction.

EXEMPLE 8 Calculer dy/dx pour $y = x^3 \operatorname{tg} 2x$.

Solution

$$\frac{dy}{dx} = x^3 \frac{d(\operatorname{tg} 2x)}{dx} + (\operatorname{tg} 2x) \frac{d(x^3)}{dx}$$

$$= x^3(\sec^2 2x)(2) + (\operatorname{tg} 2x)(3x^2)$$

$$= 2x^3(\sec^2 2x) + 3x^2(\operatorname{tg} 2x). \quad \square$$

EXEMPLE 9 Calculer dy/dx sachant que $y = \sin^2 x/\cos^3 x$.

Solution Il suffit d'appliquer la formule de la dérivée d'un quotient, pour obtenir

$$\begin{aligned}\frac{dy}{dx} &= \frac{(\cos^3 x)(2 \sin x \cos x) - (\sin^2 x)(3 \cos^2 x)(-\sin x)}{\cos^6 x} \\ &= \frac{(\cos^2 x)(2 \sin x \cos^2 x + 3 \sin^3 x)}{\cos^6 x} \\ &= \frac{2 \sin x \cos^2 x + 3 \sin^3 x}{\cos^4 x}. \quad \square\end{aligned}$$

EXEMPLE 10 Trouver l'équation de la tangente au graphe de la fonction $y = \text{tg } x$ au point $(\pi/4, 1)$.

Solution

Point $\left(\frac{\pi}{4}, 1\right)$

Pente $\left.\frac{dy}{dx}\right|_{\pi/4} = \sec^2 x|_{\pi/4} = (\sqrt{2})^2 = 2$

Équation $y - 1 = 2\left(x - \frac{\pi}{4}\right)$, ou encore $y = 2x + 1 - \frac{\pi}{2}$. $\square$

MOUVEMENT HARMONIQUE SIMPLE

Considérons un poids suspendu à un ressort fixé à une poutre (figure 4.25). Remontons le poids d'une hauteur a à partir de sa position d'équilibre, de manière que le ressort conserve une certaine tension, puis relâchons le poids; il se mettra à osciller de chaque côté de sa position d'équilibre. Les lois de la physique nous montrent que si le poids est relâché à l'instant $t = 0$, alors sa position y à l'instant t, telle qu'illustrée à la figure 4.25, est donnée par

$$y = a \cos \omega t. \tag{6}$$

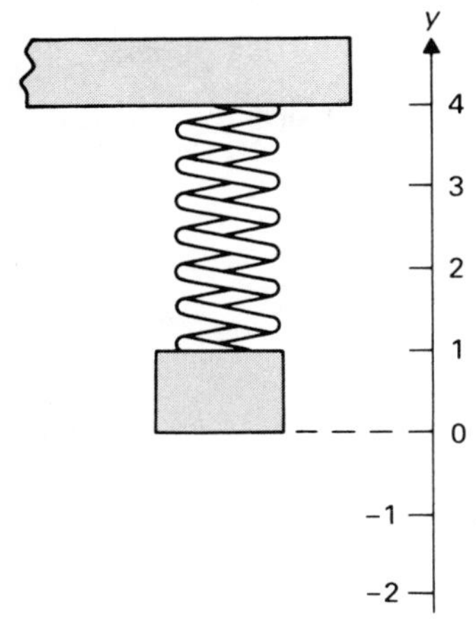

Figure 4.25 Position d'équilibre $y = 0$ d'un poids suspendu à un ressort.

La constante ω de l'équation 6 dépend de la rigidité du ressort. Le poids oscille avec une *amplitude* a, d'un point situé a unités au-dessus de sa position d'équilibre à un point situé a unités au-dessous. (La résistance de l'air et le frottement finissent pas arrêter le mouvement, mais on ne tient pas compte de ces facteurs ici.) Un mouvement analogue se produit lorsqu'on soulève légèrement un cube de bois flottant dans l'eau pour ensuite le relâcher.

Qu'il s'agisse d'un poids attaché à un ressort ou d'un cube flottant dans l'eau, le fait d'éloigner un corps de sa position d'équilibre soumet ce dernier à une force de rétablissement proportionnelle à la longueur du déplacement. (On suppose que l'on n'a pas dépassé la limite d'élasticité du ressort et que le cube n'a pas été plongé sous l'eau ou sorti complètement de l'eau.) Un mouvement soumis à une telle force de rétablissement s'appelle *mouvement harmonique simple*.

L'équation générale de ce mouvement est

$$y = a \cos \omega t + b \sin \omega t \tag{7}$$

où a, b et ω sont des constantes. L'équation 6 est un cas particulier de l'équation 7.

EXEMPLE 11 La position (mesurée en cm) d'un corps soumis à un mouvement harmonique simple est définie par la fonction $y = 4 \cos 3t$ après t secondes. Trouver

a) l'amplitude du mouvement;

b) la vitesse à l'instant $t = \pi/2$ s;

c) l'intensité de la vitesse à l'instant $t = \pi/2$ s;

d) l'accélération à l'instant $t = \pi/2$ s.

Solution Le mouvement harmonique simple est un exemple du mouvement rectiligne dont il a été question à la section 3.5.

a) L'amplitude du mouvement est donnée par le coefficient de $\cos 3t$, soit 4 cm.

b) La vitesse $v = dy/dt = -12 \sin 3t$ d'où, quand $\pi/2$,

$$v = -12 \sin 3t|_{t=\pi/2} = -12 \sin \frac{3\pi}{2} = -12(-1) = 12 \text{ cm/s}.$$

c) L'intensité de la vitesse $|v| = 12$ cm/s.

d) L'accélération est donnée par $d^2y/dt^2 = -36 \cos 3t$ d'où, quand $t = \pi/2$,

$$-36 \cos 3t|_{t=\pi/2} = -36 \cos \frac{3\pi}{2} = 0 \text{ cm/s}^2. \quad \square$$

EXEMPLE 12 La position d'un corps soumis à un mouvement harmonique simple est définie par l'équation 7, où $\omega = 2$. Si $y = 0$ cm et $v = -5$ cm/s à l'instant $t = 0$ s, trouver l'équation de y en fonction de t.

Solution En posant $y = 0$ et $t = 0$ dans l'équation 7, on obtient

$$0 = a \cos 0 + b \sin 0 = a(1) + b(0) = a,$$

de sorte que l'équation 7 devient

$$y = b \sin 2t.$$

On a alors

$$v = \frac{dy}{dt} = 2b \cos 2t.$$

Si on pose $v = -5$ et $t = 0$ dans cette dernière équation, on obtient

$$-5 = 2b(\cos 0) = 2b(1) = 2b, \qquad \text{d'où} \qquad b = -\frac{5}{2}.$$

L'équation cherchée est $y = -(5 \sin 2t)/2$, où y est mesuré en cm et t, en secondes. $\square$

RÉSUMÉ

1. Limites importantes:

$$\lim_{x\to 0} \frac{\sin x}{x} = 1, \qquad \lim_{x\to 0} \frac{\cos x - 1}{x} = 0$$

2. Formules de dérivation:

$$\frac{d(\sin u)}{dx} = (\cos u)\frac{du}{dx}, \qquad \frac{d(\cos u)}{dx} = -(\sin u)\frac{du}{dx},$$

$$\frac{d(\operatorname{tg} u)}{dx} = (\sec^2 u)\frac{du}{dx}, \qquad \frac{d(\operatorname{cotg} u)}{dx} = -(\operatorname{cosec}^2 u)\frac{du}{dx},$$

$$\frac{d(\sec u)}{dx} = (\sec u \operatorname{tg} u)\frac{du}{dx}, \qquad \frac{d(\operatorname{cosec} u)}{dx} = -(\operatorname{cosec} u \operatorname{cotg} u)\frac{du}{dx}.$$

3. La position d'un corps se déplaçant en ligne droite sur l'axe des y suivant un mouvement harmonique simple est régie par l'équation

$$y = a \cos \omega t + b \sin \omega t,$$

où a, b et ω sont des constantes.

EXERCICES

Trouver, si elles existent, les limites demandées dans les exercices 1 à 17. Utiliser au besoin les symboles ∞ et $-\infty$.

1. $\lim_{x\to 0} \frac{\sin x}{|x|}$

2. $\lim_{x\to 0^-} \frac{\sin x}{|x|}$

3. $\lim_{t\to 0} \frac{\sin 2t}{t}$

4. $\lim_{t\to 0} \frac{\sin 2t}{\sin 3t}$

5. $\lim_{x\to 0} \frac{\cos 2x}{\cos 3x}$

6. $\lim_{x\to 0} \frac{\sin 2x}{\cos 3x}$

7. $\lim_{\theta\to 0} (\theta^2 \operatorname{cosec}^2 \theta)$

8. $\lim_{x\to 0^+} (x \operatorname{cosec}^2 x)$

9. $\lim_{v\to 0} \frac{\operatorname{tg} 3v}{v}$

10. $\lim_{u\to 0} \frac{u^2}{\operatorname{tg}^4 u}$

11. $\lim_{x\to 2} \frac{\sin (x-2)}{x^2 - 4}$

12. $\lim_{t\to -3} \frac{\sin (t+3)}{t^3 + 3t^2}$

13. $\lim_{t\to -1} \sin\left(\frac{1}{t+1}\right)$

14. $\lim_{x\to 0} \frac{\cos^2 x - 1}{x^2}$

15. $\lim_{u\to -\pi/2} \frac{\cos u}{u + (\pi/2)}$

[*Indice* Utiliser l'identité $\cos x = \sin (x + \pi/2)$.]

16. $\lim_{x\to \pi} \frac{\sin x}{x - \pi}$

[*Indice* Utiliser les identités $\sin(-x) = -\sin x$ et $\sin (x + \pi) = -\sin x$.]

17. $\lim_{t\to \pi} \frac{\cos t}{(t-\pi)^2}$

18. Démontrer que $d(\operatorname{cotg} x)/dx = -\operatorname{cosec}^2 x$.

19. Démontrer que $d(\sec x)/dx = \sec x \operatorname{tg} x$.

20. Démontrer que $d(\operatorname{cosec} x)/dx = -\operatorname{cosec} x \operatorname{cotg} x$

Pour les exercices 21 à 40, trouver la dérivée des fonctions données. Il n'est pas nécessaire de simplifier les réponses.

21. $x \cos x$

22. $x^2 \operatorname{tg} x$

23. $(x^2 + 3x) \sec x$

24. $\frac{\operatorname{cosec} x}{x}$

25. $\sin^2 x$

26. $\sin 2x$

27. $\sec^2 x$

28. $\sin x \operatorname{tg} x$

29. $\frac{x}{\operatorname{cotg} x}$

30. $\frac{x^2 - 2x}{\operatorname{cosec} x}$

31. $y = \sin 2x$

32. $y = \sec (3x + 1)$

33. $y = \cos^2 (2 - 3x)$

34. $y = \operatorname{cotg}^2 x$

35. $y = \sin^2 x \cos^2 x$

36. $y = \operatorname{tg} x \sec 2x$

37. $y = \sqrt{\operatorname{cotg}^2 x + \operatorname{cosec}^2 x}$

38. $y = \sqrt{8x^2 + \cos^2 x}$

39. $y = \sin (\operatorname{tg} 3x)$

40. $y = \operatorname{cosec} (x + \cos x^2)$

Dans les exercices 41 à 46, calculer dy/dx au point indiqué en dérivant implicitement l'équation donnée.

41. $x \cos y + y \sin x = \pi/2$ au point $(\pi/2, \pi)$.

42. $(\sin x)(\cos y) = 1/2$ au point $(\pi/4, \pi/4)$.

43. $\sin(xy) + 3y = 4$ au point $(\pi/2, 1)$.

44. $\operatorname{tg} xy = 1$ au point $(\pi/4, 1)$.

45. $\sec x + \operatorname{tg} y = 1$ au point $(0,0)$.

46. $\operatorname{cosec}(\pi x y^2/2) + \sin(\pi y/2) + y = 3$ au point $(1,1)$.

47. Trouver l'équation de la tangente à la courbe d'équation $y = \sin x$ au point $x = \pi/4$.

48. Trouver l'équation de la normale à la courbe d'équation $y = \operatorname{tg} x$ au point $x = 3\pi/4$.

49. Trouver l'équation de la normale à la courbe d'équation $y = x^2 + 3x - \cos^2(x - \pi/4)$ au point $x = 0$.

50. Trouver l'équation de la tangente à la courbe d'équation $y = \operatorname{tg}^3 x$ au point $x = \pi/4$.

51. La position d'un corps soumis à un mouvement harmonique simple est régie par l'équation $y = -5 \sin \pi t$ à l'instant t, mesuré en secondes. Trouver

a) l'amplitude du mouvement;
b) la vitesse à l'instant $t = 1/3$;
c) l'intensité de la vitesse à l'instant $t = 1/3$;
d) l'accélération à l'instant $t = 1/3$.

52. La position d'un corps soumis à un mouvement harmonique simple est régie par l'équation $y = 10 \cos 2\pi t$ à l'instant t, mesuré en secondes. Trouver

a) la vitesse à l'instant $t = 1/4$;
b) l'intensité de la vitesse à l'instant $t = 1/3$;
c) l'accélération à l'instant $t = 1/2$.

53. La position d'un corps soumis à un mouvement harmonique simple est régie par l'équation $y = a \cos \pi t + b \sin \pi t$. Si $y = 0$ cm et $v = 3$ cm/s quand $t = 0$ s, trouver les valeurs des constantes a et b.

54. La position d'un corps soumis à un mouvement harmonique simple est régie par l'équation $y = a \cos[(\pi/2)t] + b \sin[(\pi/2)t]$. Si $y = -2$ cm et $v = -3$ cm/s quand $t = 0$ s, trouver l'accélération à l'instant $t = 1/2$.

EXERCICES DIVERS

Exercices récapitulatifs — Série A

1. Trouver la valeur de *a*) $\operatorname{tg}(5\pi/6)$; *b*) $\cos(5\pi/4)$.

2. Sachant que $0 \leq \theta < \pi$ et que $\sec \theta = -5$, trouver la valeur de $\sin \theta$.

3. Utiliser l'identité

$$\sin(x - y) = \sin x \cos y - \cos x \sin y$$

pour calculer $\sin 15°$.

4. Trouver l'amplitude et la période de la fonction $y = 3 \sin(2x - \pi)$ et tracer le graphique correspondant.

5. Trouver la période de la fonction $|\sin 3x|$.

6. Trouver, si elles existent, les limites demandées.

a) $\lim\limits_{x \to 0} \dfrac{\sin x}{x^2 + 4x}$ *b*) $\lim\limits_{x \to 3} \dfrac{\sin(x^2 - 9)}{x - 3}$

7. Calculer dy/dx pour

a) $y = \sin^3 2x$ *b*) $y = x^2 \operatorname{cosec} x^3$

8. Trouver dy/dx sachant que $x^2 \cos y + y^3 = -3$.

Exercices récapitulatifs — Série B

1. Trouver la valeur de

a) $\sin \dfrac{11\pi}{6}$; *b*) $\operatorname{cotg}\left(-\dfrac{4}{3}\pi\right)$.

2. Sachant que $\pi/2 \leq \theta < 3\pi/2$ et que $\operatorname{tg} \theta = 2/3$, trouver la valeur de $\sin \theta$.

3. Les longueurs des côtés d'un triangle sont 2, 4 et 5. Si θ est l'angle opposé au côté de longueur 5, trouver $\cos \theta$.

4. Trouver l'amplitude et la période de la fonction

$$(-1/2) \cdot \cos(x/3).$$

5. Tracer le graphique de la fonction $y = 3 \sec(x/2)$.

6. Trouver, si elles existent, les limites demandées.

a) $\lim\limits_{x \to 0} \dfrac{\sin^2 x}{x^2 + 4x}$ *b*) $\lim\limits_{x \to 0} (2x + 4) \cdot \sin\left(\dfrac{1}{x + 1}\right)$

7. Calculer dy/dx pour

a) $y = \operatorname{tg}(x^2 + 1)$; *b*) $y = \dfrac{\sin^2 x}{x - 4}$.

8. Trouver l'équation de la tangente à la courbe d'équation $y = 2 \cos[x - (\pi/2)]$ à l'origine.

Exercices récapitulatifs — Série C

1. Trouver la valeur de

a) $\sin 23\pi/2$; *b*) $\operatorname{cosec}(-7\pi/4)$.

2. Sachant que $\pi/2 \leq \theta < 3\pi/2$ et que $\operatorname{tg} \theta = \sqrt{3}$, trouver la valeur de $\sin \theta$.

3. Si deux des côtés d'un triangle ont pour mesure 2 et 4, et si l'angle compris entre ces deux côtés mesure 30°, quelle est la longueur du troisième côté?

4. Trouver l'amplitude et la période de la fonction $y = -2 \sin 4x$ et tracer le graphique correspondant.

5. Trouver la période de la fonction $y = 5 \cos(3x - 2)$.

6. Trouver, si elles existent, les limites demandées.

a) $\lim\limits_{x \to 0} \dfrac{\sin x^2}{x^3 + 4x^2}$ *b*) $\lim\limits_{x \to 0} \dfrac{1 - \cos^2 x}{x}$

7. Trouver dy/dx pour

a) $y = \dfrac{x + 1}{\cos x}$; *b*) $\cos(xy) + y^2 = 3$.

8. En utilisant les différentielles, calculer approximativement $\sin 28°$.

Exercices récapitulatifs — Série D

1. Trouver la valeur de

a) $\sec 17\pi$; *b*) $\cos(5\pi/6)$.

2. Sachant que $\cos \theta = 1/2$ et que $\pi \leq \theta < 2\pi$, trouver la valeur de θ.

3. Un des angles d'un triangle, opposé à un côté de longueur 10, mesure 45°. Si l'un des deux autres angles du triangle mesure 30°, quelle est la longueur du côté qui lui est opposé?

4. Trouver les valeurs de c pour lesquelles la fonction $y = \cos [(cx - 3)/5]$ a une période égale à 4.

5. Trouver la période et l'amplitude de la fonction $y = 2 \sin [(\pi - x)/2]$ et tracer le graphique correspondant.

6. Trouver, si elles existent, les limites demandées.

   a) $\lim\limits_{x \to 1} \dfrac{\sin (x - 1)}{x - x^2}$ *b*) $\lim\limits_{t \to 0} (t \operatorname{cosec} 4t)$

7. Trouver dy/dx pour

   a) $y = \sin 2x \operatorname{tg}^3 x$; *b*) $x \sin y - y \sin x = 0$.

8. Calculer approximativement $\cos^2 61°$ en utilisant les différentielles.

Exercices d'approfondissement

Trouver, si elles existent, les limites demandées dans les exercices 1 à 10.

1. $\lim_{x \to \infty} x \sin (1/x)$
2. $\lim_{x \to \infty} x^2 \sin (1/x)$
3. $\lim\limits_{x \to 0} \dfrac{\cos 2x - 1}{x}$
4. $\lim\limits_{x \to 0} \dfrac{\cos 3x - 1}{\cos 5x - 1}$
5. $\lim\limits_{x \to 1} \dfrac{\sin (x^2 - 1)}{x - 1}$
6. $\lim\limits_{x \to -3} \dfrac{\sin (x^2 + x - 6)}{x + 3}$
7. $\lim\limits_{x \to 0} \dfrac{\sin (\sin x)}{x}$
8. $\lim\limits_{x \to 0} \dfrac{\sin (\sin^2 x)}{\sin x}$
9. $\lim\limits_{x \to \pi/4} \dfrac{\operatorname{tg} x - 1}{x - \pi/4}$

   [*Indice* Ne pas oublier que certaines limites peuvent correspondre à la dérivée d'une fonction en un point donné.]

10. $\lim\limits_{x \to \pi/6} \dfrac{2 \sin x - 1}{6x - \pi}$

5 APPLICATIONS DE LA DÉRIVÉE

Le calcul différentiel est très souvent utilisé dans le domaine scientifique. Aussi verrons-nous dans le présent chapitre quelques-unes des applications les plus courantes. Nous démontrerons aussi l'importance du calcul différentiel dans l'étude des fonctions et la construction des graphiques.

5.1 PROBLÈMES DE TAUX LIÉS

Vous savez déjà que la dérivée dy/dx représente le taux instantané d'accroissement de y par rapport à x et que la notation de Leibniz permet de faire ressortir les variables qui sont en relation. Ainsi, en supposant qu'on lance un caillou dans un plan d'eau, produisant des ondes circulaires à partir du point de chute, il suffit d'utiliser la dérivée pour connaître les taux d'accroissement suivants:

le taux d'accroissement du *rayon* par unité de *temps*, $\dfrac{dr}{dt}$;

le taux d'accroissement de l'*aire* par unité de *temps*, $\dfrac{dA}{dt}$;

le taux d'accroissement de l'*aire* par unité de *rayon*, $\dfrac{dA}{dr}$;

le taux d'accroissement de la *circonférence* par unité de *temps*, $\dfrac{dC}{dt}$.

La notation de Leibniz permet de se rappeler le taux d'accroissement à calculer.

Dans de nombreux problèmes de ce type, on cherche à calculer le taux d'accroissement d'une quantité Q par rapport au temps, le taux d'accroissement d'autres quantités, disons r et s, par rapport au temps étant connu, de même que leur relation à la quantité Q. Avant d'énoncer une marche à suivre pour résoudre de tels *problèmes de taux liés*, voyons quelques exemples de la démarche que nous allons utiliser.

EXEMPLE 1 Le rayon d'un disque s'accroît de 3 cm/s. Calculer le taux d'accroissement de l'aire du disque quand le rayon mesure 4 cm.

Solution Désignons par A l'aire du disque et par r son rayon.

Étape 1 Il faut calculer dA/dt quand $r = 4$ cm.

Étape 2 On sait que $dr/dt = 3$ cm/s.

Étape 3 $A = \pi r^2$.

Étape 4 $dA/dt = 2\pi r \cdot dr/dt$.

Étape 5 Quand $r = 4$ et $dr/dt = 3$, $dA/dt = 2\pi \cdot 4 \cdot 3 = 24\pi$ cm²/s. □

EXEMPLE 2 Un bateau A, voguant vers le nord à une vitesse de 18 km/h, franchit une bouée à 9 h. Un bateau B, qui file vers l'est à une vitesse de 27 km/h, franchit cette même bouée une heure plus tard. À quelle vitesse les deux bateaux s'éloignent-ils l'un de l'autre à 11 h?

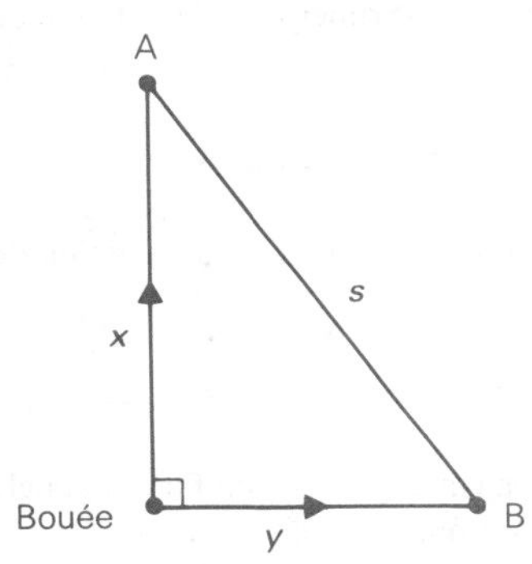

Figure 5.1 Positions des bateaux A et B par rapport à la bouée.

Solution Traçons une figure pour représenter le déplacement des deux bateaux et désignons les variables à l'aide de lettres (figure 5.1).

Étape 1 Il faut calculer ds/dt à l'instant $t = 11$ h.

Étape 2 On sait que $dx/dt = 18$ km/h et que $dy/dt = 27$ km/h.

Étape 3 $s^2 = x^2 + y^2$.

Étape 4 $2s(ds/dt) = 2x(dx/dt) + 2y(dy/dt)$.

Étape 5 À 11 h, le bateau A a franchi la bouée depuis deux heures: il a donc parcouru $x = 36$ km. De façon analogue, le bateau B a franchi la bouée depuis une heure et a parcouru $y = 27$ km. De plus, $dx/dt = 18$, $dy/dt = 27$ et

$$s = \sqrt{x^2 + y^2} = \sqrt{36^2 + 27^2} = 45.$$

Si on substitue ces valeurs dans l'équation de l'étape 4, on obtient

$$2 \cdot 45 \frac{ds}{dt} = 2 \cdot 36 \cdot 18 + 2 \cdot 27 \cdot 27 = 2\ 754,$$

d'où

$$\frac{ds}{dt} = \frac{2\ 754}{90} = 30{,}6 \text{ km/h.} \quad \square$$

EXEMPLE 3 On insuffle du gaz dans un ballon sphérique de manière que le volume augmente à un taux constant. Montrer que le taux d'accroissement du rayon est inversement proportionnel à la surface du ballon.

Solution Désignons respectivement par V, r et S le volume, le rayon et la surface du ballon au temps t.

Étape 1 Il faut calculer dr/dt et montrer que $dr/dt = k/S$, où k est une constante.

Étape 2 On sait que $dV/dt = c$, où c est une constante.

Étape 3 Le volume de la sphère est $V = 4/3 \cdot \pi r^3$.

Étape 4 $dV/dt = 4/3 \cdot 3\pi r^2(dr/dt) = 4\pi r^2(dr/dt)$.

Étape 5 Or, $dV/dt = c$ et la surface d'une sphère est $S = 4\pi r^2$, d'où

$$c = S\frac{dr}{dt} \quad \text{et} \quad \frac{dr}{dt} = \frac{c}{S}. \quad \square$$

MARCHE À SUIVRE POUR LA RÉSOLUTION DE PROBLÈMES DE TAUX LIÉS

Lire attentivement le problème. Tracer au besoin une figure, choisir les lettres qui désigneront les variables (par exemple, Q, r et s), puis suivre les étapes suivantes:

Étape 1 Établir le taux d'accroissement à calculer et l'exprimer dans la notation de Leibniz:

$$\text{Il faut calculer } \frac{dQ}{dt} \text{ quand } t = \_\_\_\_\_ .$$

Étape 2 Établir les taux d'accroissement connus et les exprimer dans la notation de Leibniz:

$$\text{On sait que } \frac{dr}{dt} = \_\_\_\_\_ \text{ et que } \frac{ds}{dt} = \_\_\_\_\_ \text{ quand } t = \_\_\_\_\_ .$$

Étape 3 Trouver une équation exprimant la relation entre Q, r et s en faisant appel, au besoin, à une figure ou encore à une formule géométrique.

Étape 4 Dériver la relation énoncée à l'étape 3 (on procède souvent par dérivation implicite) afin de trouver une équation liant dQ/dt, dr/dt et ds/dt.

Étape 5 Remplacer les variables r, s et Q, de même que les taux d'accroissement dr/dt et ds/dt par leurs valeurs à l'instant t, puis résoudre l'équation pour dQ/dt.

EXEMPLE 4 Les côtés d'un parallélogramme mesurent respectivement 8 et 12 cm. Si la mesure d'un angle intérieur θ du parallélogramme décroît au rythme de 2°/min, à quel taux varie l'aire du parallélogramme quand $\theta = 30°$?

Solution Soit A l'aire du parallélogramme et h sa hauteur (figure 5.2).

Étape 1 Il faut calculer dA/dt quand $\theta = 30° = \pi/6$ rad.

Étape 2 On sait que $d\theta/dt = -2°/\text{min} = -\pi/90$ rad/min. (Il faut transformer les degrés en radians parce que nos formules de dérivation sont données en radians. Le signe moins indique que θ décroît.)

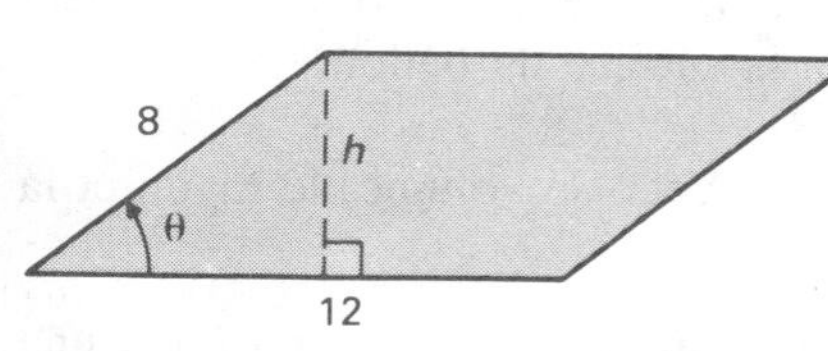

Figure 5.2 Parallélogramme de côtés 8 et 12, de hauteur h et dont l'un des angles intérieurs est θ.

Étape 3 L'aire du parallélogramme est $A = 12h$ et, comme on le voit à la figure 5.2, $h = 8 \sin \theta$. Il s'ensuit que $A = 12(8 \sin \theta) = 96 \sin \theta$.

Étape 4 $dA/dt = 96(\cos \theta)(d\theta/dt)$.

Étape 5 Quand $\theta = \pi/6$ et $d\theta/dt = -\pi/90$,

$$\frac{dA}{dt} = 96\,\frac{\sqrt{3}}{2}\cdot\frac{-\pi}{90} = -\frac{8\sqrt{3}\pi}{15}\ \text{cm}^2/\text{min.}\quad \square$$

EXEMPLE 5 Un gaz est enfermé dans un contenant dont le volume augmente de 10 cm^3/s. Le gaz est maintenu à une température constante. Selon la loi de Boyle-Mariotte, la pression du gaz sur les parois du contenant est inversement proportionnelle au volume. Si, lorsque le volume du contenant est 400 cm^3, le gaz exerce une pression de 80 g/cm^2, à quel taux décroît la pression du gaz quand le contenant a un volume de 600 cm^3?

Solution Désignons par V le volume du contenant et par P la pression du gaz.

Étape 1 Il faut calculer dP/dt quand $V = 600\ \text{cm}^3$.

Étape 2 On sait que $P = 80\ \text{g}/\text{cm}^2$ quand $V = 400\ \text{cm}^3$ et que $dV/dt = 10\ \text{cm}^3$ en tout temps.

Étape 3 En vertu de la loi de Boyle-Mariotte,

$$P = \frac{k}{V},$$

où k est une constante. Les données de l'étape 2 nous permettent de trouver k. En effet, comme $P = k/V$, nous avons

$$80 = \frac{k}{400}, \qquad \text{d'où } k = 32\ 000.$$

Ainsi, $P = 32\ 000/V = 32\ 000\ V^{-1}$.

Étape 4 $dP/dt = 32\ 000(-1)V^{-2}\cdot dV/dt = -(32\ 000/V^2)dV/dt$.

Étape 5 Or, $dV/dt = 10\ \text{cm}^3/\text{s}$, de sorte que lorsque $V = 600\ \text{cm}^3$,

$$\frac{dP}{dt} = -\frac{32\,000}{600^2}\cdot 10 = -\frac{32}{36} = -\frac{8}{9}\ (\text{g}/\text{cm}^2)/\text{s}.\quad \square$$

EXEMPLE 6 On verse du café dans un verre de carton en forme de tronc de cône au taux constant de 48 cm^3/s. Le rayon de la petite base du verre est 3 cm, celui de la grande base, 5 cm et la hauteur, 10 cm (figure 5.3). À quelle vitesse le niveau du café monte-t-il lorsque celui-ci atteint 5 cm?

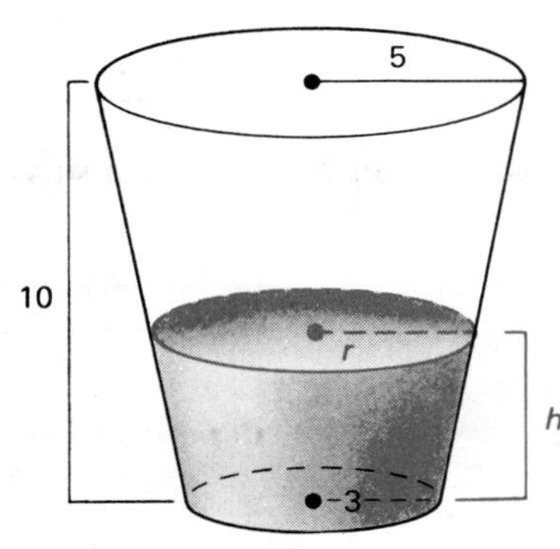

Figure 5.3 Verre contenant une hauteur h de liquide dont la surface a pour rayon r.

Solution Soit r le rayon de la surface du liquide lorsque le verre contient un volume V et une hauteur h de café (figure 5.3).

Étape 1 Il faut calculer dh/dt quand $h = 5$ cm.

Étape 2 On sait que $dV/dt = 48\ \text{cm}^3/\text{s}$.

Étape 3 Il faut trouver comment sont reliées les variables V et h. Exprimons d'abord V en fonction de r et de h: le volume d'un cône est donné par

$$\frac{1}{3}\,\pi\ (\text{Rayon})^2(\text{Hauteur}).$$

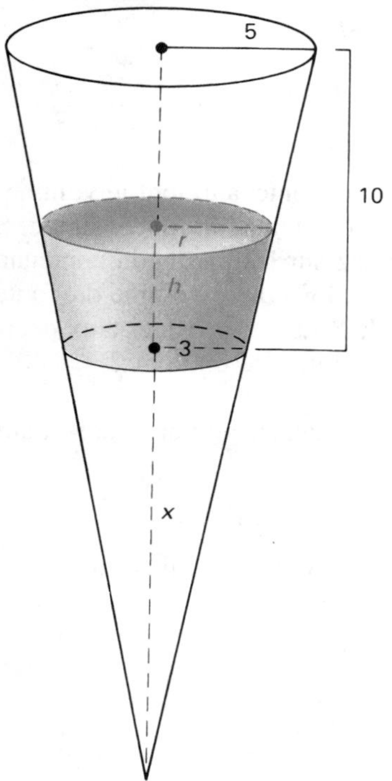

Figure 5.4 Le verre de la figure 5.3 est issu d'un cône de hauteur $10 + x$.

Complétons le tronc du cône de manière à reconstruire le cône dont il est issu (figure 5.4). Soit x la distance séparant le centre de la petite base du sommet du cône; alors, en vertu des propriétés des triangles semblables,

$$\frac{5}{3} = \frac{10 + x}{x},$$

c'est-à-dire $5x = 30 + 3x$, ou encore $2x = 30$ et $x = 15$. Le volume V de café dans le verre correspond à la différence de volume des deux cônes. Ainsi,

$$V = \frac{1}{3}\pi r^2(15 + h) - \frac{1}{3}\pi \cdot 3^2 \cdot 15.$$

En utilisant de nouveau les propriétés des triangles semblables, on a

$$\frac{r}{3} = \frac{x + h}{x}.$$

Or $x = 15$, d'où

$$\frac{r}{3} = \frac{15 + h}{15}, \quad \text{de sorte que} \quad r = \frac{15 + h}{5} = 3 + \frac{h}{5}.$$

Par conséquent,

$$\begin{aligned} V &= \frac{1}{3}\pi\left(3 + \frac{h}{5}\right)^2(15 + h) - \frac{1}{3}\pi \cdot 3^2 \cdot 15 \\ &= \frac{5}{3}\pi\left(3 + \frac{h}{5}\right)^3 - \frac{1}{3}\pi \cdot 3^2 \cdot 15. \end{aligned}$$

Étape 4 $dV/dt = 5\pi(3 + h/5)^2 \cdot 1/5 \cdot dh/dt$.

Étape 5 Or $dV/dt = 48\ \text{cm}^3/\text{s}$ quand $h = 5$ cm, d'où

$$48 = 5\pi(3 + 1)^2 \cdot \frac{1}{5} \cdot \frac{dh}{dt} = 16\pi \frac{dh}{dt}.$$

On a donc $dh/dt = 3/\pi$ cm/s. □

RÉSUMÉ

Pour résoudre les problèmes de taux liés, se reporter à la marche à suivre énoncée à la page 162.

EXERCICES

1. Du carburant s'échappe d'un pétrolier en formant une nappe circulaire. Quand le rayon de la nappe atteint 100 m, l'aire de la nappe augmente à raison de 50 m^2/s. À quelle vitesse le rayon de la nappe s'accroît-il alors?

2. Si l'aire d'un disque s'accroît au taux constant de $200\pi\ \text{cm}^2/\text{s}$, à quelle vitesse s'accroît la circonférence du disque quand cette circonférence mesure 100π cm?

3. Les côtés d'un triangle équilatéral s'accroissent au taux constant de 2 cm/min. Quel est le taux d'accroissement de l'aire du triangle lorsque les côtés mesurent 10 cm?

4. Les deux côtés égaux d'un triangle isocèle ont une longueur fixe de 10 cm. La mesure de l'angle opposé à la base du triangle augmente de 1/2 rad/min.

a) Quel est le taux d'accroissement de la base du triangle lorsque l'angle qui lui est opposé mesure 60°?

b) Quel est le taux d'accroissement de l'aire du triangle lorsque l'angle opposé à la base mesure 60°?

5. Un phare, situé à un kilomètre au large du point P d'un littoral rectiligne, projette un faisceau lumineux à une vitesse de rotation de 1/10 rad/s. À quelle vitesse le faisceau lumineux balaie-t-il le littoral

a) au point P?

b) en un point situé à 2 km du point P le long du littoral?

6. La longueur d'un rectangle s'accroît au taux constant de 6 cm/min, tandis que sa largeur décroît au taux constant de 4 cm/min. À quel taux l'aire du rectangle varie-t-elle lorsque ce dernier mesure 100 cm de longueur sur 30 cm de largeur?

7. Les diagonales d'un rectangle mesurent 50 cm. Si l'angle θ entre les diagonales augmente au taux de 3°/min et si la longueur des diagonales ne varie pas, à quel taux varie l'aire du rectangle quand $\theta = 60°$?

8. Refaire l'exercice 7, en considérant cette fois un parallélogramme dont les diagonales, de longueur fixe, mesurent respectivement 50 cm et 30 cm.

9. La différence de potentiel V (mesurée en volts) entre les bornes d'une résistance de R ohms est liée à l'intensité du courant I (mesurée en ampères) par la relation $V = RI$. Si, à un instant donné, une résistance de 500 ohms laisse passer un courant de 0,5 ampère et si la résistance décroît de 2 ohms/min tandis que l'intensité du courant s'accroît de 0,01 ampère/min, quel est le taux de variation de la différence de potentiel en cet instant?

10. La puissance P (mesurée en watts) dissipée par un courant d'une intensité de I ampères circulant dans un circuit pourvu d'une résistance de R ohms est régie par la relation $P = RI^2$. Si le courant circulant dans un circuit pourvu d'une résistance constante de 5 ohms augmente au taux constant de 0,2 ampère/min, à quelle vitesse la puissance augmente-t-elle quand $I = 4$ ampères?

11. Une échelle de 6 m de longueur est appuyée contre un mur. Si on éloigne le pied de l'échelle du mur à une vitesse de 1 m/s, à quelle vitesse le haut de l'échelle descend-il le long du mur quand le pied de l'échelle est à 2,5 m du mur?

12. En utilisant les données de l'exercice précédent, calculer le taux de variation de l'aire du triangle formé par l'échelle, le mur et le sol quand le pied de l'échelle est à 2,5 m du mur.

13. Un bateau, filant à la vitesse de 6 m/s, passe une bouée située à 400 m à tribord. À quelle vitesse la distance entre le bateau et la bouée s'accroît-elle 25 s plus tard? (Supposer que le bateau navigue en ligne droite pendant ces 25 secondes.)

14. Un avion se déplaçant en ligne droite à une vitesse de 900 km/h et à une altitude constante de 6 km passe directement au-dessus d'une tour. À quelle vitesse l'avion s'éloigne-t-il de cette tour 48 s plus tard? (Ne pas tenir compte de la courbure de la Terre.)

15. Un point se déplace le long de la courbe $y = \sqrt{5x+4} - 2$. Si, à l'instant $t = 0$, le point est situé à l'origine et que l'abscisse du point varie au taux constant de 4 unités/s, à quelle vitesse variera l'ordonnée du point 7 s plus tard?

16. Un point se déplace le long du cercle d'équation $x^2 + y^2 = 25$. Quand les coordonnées du point sont $(3, -4)$, sa vitesse a pour première composante 2 unités/s. Quelle est alors la deuxième composante de la vitesse?

17. Jean, un jeune homme de dix-sept ans mesurant 1,80 m, marche à la vitesse de 1 m/s vers un lampadaire dont la lumière est à 6 m du sol. À quelle vitesse l'ombre de Jean décroît-elle quand ce dernier n'est plus qu'à 10 m du lampadaire?

18. Deux des côtés d'un triangle ont des longueurs constantes de 10 cm et 15 cm respectivement. On fait augmenter l'angle θ compris entre ces deux côtés au taux constant de 9°/min. À quelle vitesse le troisième côté augmente-t-il quand $\theta = 60°$?

19. Deux des côtés d'un triangle ont des longueurs constantes de 5 m et 7 m respectivement, tandis que la longueur du troisième côté décroît au taux constant de 50 cm/min. Si θ désigne l'angle compris entre les deux côtés de longueurs constantes, à quelle vitesse θ diminue-t-il quand $\cos\theta = 3/5$?

20. Suzanne, debout sur le bord d'un quai, tire une chaloupe vers elle au moyen d'un câble attaché à un anneau placé à l'avant de la chaloupe, à 1 m au-dessus du niveau de l'eau. Si Suzanne tire le câble à la vitesse de 1 m/s, ses mains étant à 2,5 m au-dessus du niveau de l'eau, à quelle vitesse le bateau s'approche-t-il du quai quand il en est éloigné de 4 m?

21. On lance une fusée verticalement de sorte qu'elle atteigne une hauteur de $5t^2$ m après t secondes. Un observateur dont les yeux sont à 1,60 m du sol se tient à 100 m de la rampe de lancement. À quelle vitesse l'angle d'élévation (formé par la rencontre de la direction horizontale et de la droite imaginaire reliant les yeux de l'observateur et la fusée) augmente-t-il quand il mesure 45°?

22. Un ballon sphérique est gonflé de gaz avec un débit constant de 4 m^3/min. Quel est le taux d'accroissement du rayon du ballon quand celui-ci est égal à 3 m?

23. On dit qu'une boule de neige fond à une vitesse directement proportionnelle à sa surface. Montrer qu'on peut en conclure que le taux de diminution du rayon de la boule de neige est constant.

24. Le tronc d'un sapin est de forme conique. À un moment donné, son diamètre à la base mesurait 30 cm et s'accroissait de 3/4 cm/an, tandis que sa hauteur atteignait 6 m, avec une croissance de 15 cm/an. À quel taux le volume du tronc s'accroissait-il à ce moment-là?

25. On verse de l'eau dans un récipient de forme conique de 10 cm de rayon et de 25 cm de hauteur avec un débit de 45 cm^3/s. À quelle vitesse le niveau d'eau dans le récipient s'accroît-il quand il atteint 12 cm?

26. On verse du sable sur un tas en forme de cône avec un débit de 2 m^3/min. La hauteur du tas est toujours égale à trois fois la longueur du rayon. À quelle vitesse l'aire de la base du cône s'accroît-elle quand le cône atteint 3 m de hauteur?

27. L'angle au sommet d'un cône circulaire droit d'apothème constante a décroît au taux constant de 1/5 rad/s. Trouver, en fonction de l'apothème a du cône, le taux auquel varie le volume du cône quand l'angle au sommet mesure 90°. (L'apothème d'un cône circulaire droit est la distance du sommet du cône à un point quelconque du cercle de base.)

28. Il existe sur le marché un dispositif de harnais pour bébés qu'on suspend à un ressort fixé au cadre d'une porte pour leur permettre de sautiller sur place. Le ressort a la forme d'un cylindre dont le rayon et la hauteur varient suivant les mouvements du bébé. Supposons que le volume du cylindre demeure toujours constant. Si, à un moment donné, le bébé descend à une vitesse de 30 cm/s et que le diamètre et la hauteur du cylindre mesurent alors respectivement 3 cm et 90 cm, à quel taux varie alors le diamètre du cylindre?

29. Le tablier d'un pont est situé à 20 m au-dessus du niveau de l'eau. Une voiture circulant sur le pont à une vitesse de 12 m/s passe directement au-dessus d'un canot qui remonte la rivière à la vitesse de 5 m/s. À quelle vitesse la distance entre la voiture et le canot s'accroît-elle 3 secondes plus tard?

30. Le ruban d'un magnétophone est déroulé d'une bobine A pour s'enrouler sur une bobine B. Désignons par r_1 le rayon du disque formé par la portion de ruban enroulée sur la bobine A au temps t et par r_2 le rayon similaire sur la bobine B. Démontrer, à l'aide du calcul différentiel, qu'en n'importe quel instant t,

$$\frac{dr_1/dt}{dr_2/dt} = -\frac{r_2}{r_1}.$$

[*Indice* Se rappeler que le volume total du ruban est constant.]

5.2 THÉORÈME DES ACCROISSEMENTS FINIS

La présente section est surtout consacrée à la présentation du théorème des accroissements finis pour la dérivée, et à l'étude des concepts de maximums et minimums relatifs d'une fonction. Nous verrons aussi comment le théorème des accroissements finis, qui permet de justifier de nombreux résultats, peut être utilisé pour trouver des bornes à la fonction $f(x)$ lorsque $f'(x)$ est elle-même bornée.

Nous avons énoncé à la section 2.4 deux propriétés importantes des fonctions continues: le théorème des valeurs intermédiaires (théorème 2.3, page 78) et le théorème d'existence de maximums et de minimums dont voici à nouveau l'énoncé:

THÉORÈME 5.1 Existence d'extremums

Une fonction continue admet toujours un maximum M et un minimum m sur un intervalle fermé de son domaine.

La fonction dont le graphe est tracé à la figure 5.5 atteint son maximum sur l'intervalle $[a,b]$ en $x = b$ et son minimum en $x = a$. La valeur $f(x_1)$ n'est pas un maximum des valeurs de $f(x)$ sur l'intervalle $[a,b]$; par contre, il s'agit bien d'un maximum des valeurs de $f(x)$ pour des x voisins de x_1. De même, $f(x_2)$ est un minimum des valeurs de $f(x)$ pour des x voisins de x_2.

DÉFINITION 5.1 Maximums et minimums relatifs

On dit qu'une fonction f admet un **maximum relatif** en un point $x = x_1$ si $f(x_1) \geq f(x)$ pour tout x compris dans l'intervalle $[x_1 - \Delta x, x_1 + \Delta x]$, où Δx est une quantité positive suffisamment voisine de zéro.
De même, une fonction f admet un **minimum relatif** en un point $x = x_2$ si $f(x_2) \leq f(x)$ pour tout x compris dans l'intervalle $[x_2 - \Delta x, x_2 + \Delta x]$.

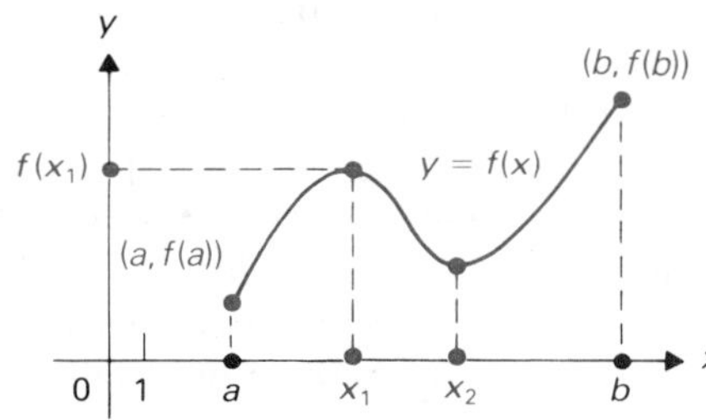

Figure 5.5 La fonction f admet un maximum relatif en x_1 et un minimum relatif en x_2.

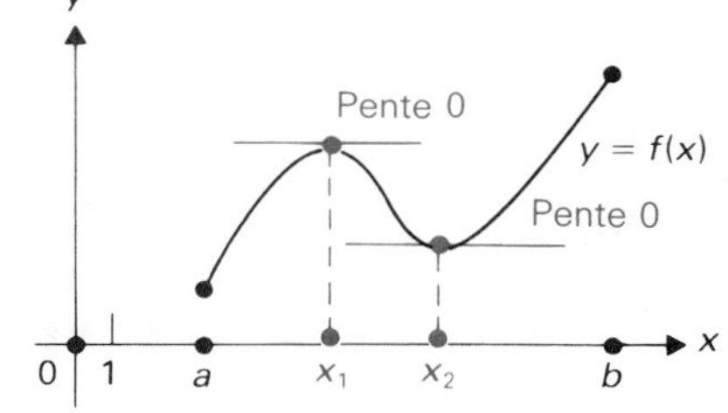

Figure 5.6 Si un point d'une courbe est un maximum ou un minimum relatif et que la courbe admet une tangente en ce point, alors la tangente est horizontale.

À titre d'exemple, la fonction f de la figure 5.5 admet un maximum relatif en $x = x_1$ et un minimum relatif en $x = x_2$.

D'après la figure 5.6, il semble bien que si la fonction f est dérivable, alors la courbe représentative de f admet une tangente horizontale aux points où elle présente des maximums ou des minimums relatifs. C'est ce que nous allons démontrer par le théorème suivant.

THÉORÈME 5.2 Extremums relatifs et dérivée

Si f est une fonction dérivable au point x_1 et si f admet un maximum (ou un minimum) relatif en $x = x_1$, alors $f'(x_1) = 0$.

Démonstration Rappelez-vous que $f'(x_1)$ est définie par

$$f'(x_1) = \lim_{\Delta x \to 0} \frac{f(x_1 + \Delta x) - f(x_1)}{\Delta x}. \tag{1}$$

Si f admet un maximum en x_1 alors, pour une valeur de Δx suffisamment petite,

$$f(x_1 + \Delta x) \leq f(x_1).$$

Il s'ensuit que le numérateur du quotient de l'équation 1 ne peut être que négatif ou nul. Par conséquent, si $\Delta x > 0$, le quotient est inférieur ou égal à zéro. Si, au contraire, $\Delta x < 0$, alors le quotient est supérieur ou égal à zéro. Or, pour que l'on puisse s'approcher de $f'(x_1)$ à la fois par des valeurs positives et des valeurs négatives, il faut nécessairement que $f'(x_1) = 0$. On peut montrer de façon analogue que si f admet un minimum en x_1 et que $a < x_1 < b$, alors $f'(x_1) = 0$. ◆

Démontrons maintenant le théorème de Rolle, qui est un cas particulier du théorème des accroissements finis. Le résultat nous servira de lemme lorsqu'il s'agira de démontrer le théorème principal.

THÉORÈME 5.3 Théorème de Rolle

Si f est une fonction continue sur l'intervalle fermé $[a,b]$ et dérivable dans l'intervalle ouvert $]a,b[$ et que $f(a) = f(b)$, alors il existe au moins un nombre c dans l'intervalle $]a,b[$ tel que $f'(c) = 0$.

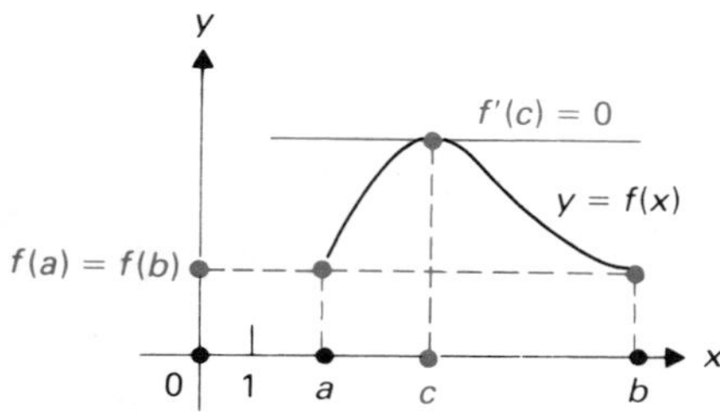

Figure 5.7 Illustration du théorème de Rolle.

Démonstration Le théorème de Rolle est illustré à la figure 5.7. D'après le théorème 5.1, f admet un maximum M et un minimum m sur l'intervalle $[a,b]$. Si f est une fonction constante sur $[a,b]$, de sorte que $f(x) = f(a) = f(b)$ pour tout x appartenant à $[a,b]$, alors on a, bien entendu, $f'(c) = 0$ pour tout c tel que $a < c < b$. Par contre, si f n'est pas une fonction constante sur $[a,b]$ alors, comme $f(a) = f(b)$, l'un ou l'autre des extremums de f est nécessairement atteint en un point c tel que $a < c < b$. En vertu du théorème 5.2, on a alors $f'(c) = 0$, ce qu'il fallait démontrer. ◆

Comme on peut le voir à la figure 5.8, il peut exister plus d'un point entre a et b où la dérivée s'annule. Dans ce cas précis, $f'(x)$ s'annule pour $x = c_1$ et $x = c_2$, ces deux points satisfaisant aux conditions du théorème.

EXEMPLE 1 Soit la fonction $f(x) = x^3 - 3x + 4$, définie sur l'intervalle fermé $[-1,2]$. Montrer que les hypothèses du théorème de Rolle sont satisfaites et trouver une valeur de c prévue par le théorème.

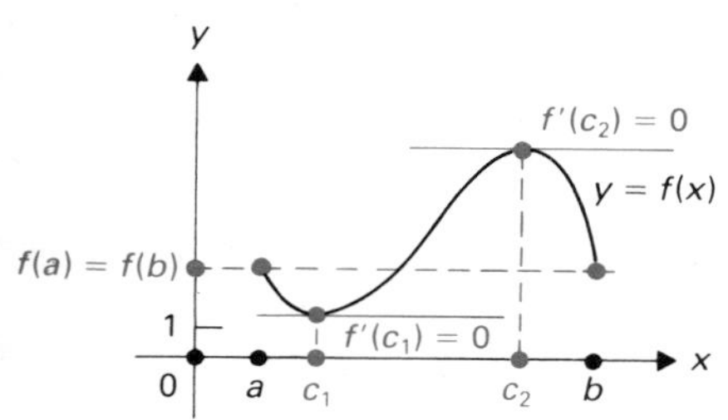

Figure 5.8 Les points c_1 et c_2 satisfont tous les deux au théorème de Rolle.

Solution Comme f est une fonction polynomiale, elle est continue et dérivable en tout point de $[-1,2]$. De plus,

$$f(-1) = 6 \qquad \text{et} \qquad f(2) = 6.$$

Les hypothèses du théorème de Rolle sont donc satisfaites. On a

$$f'(x) = 3x^2 - 3 = 3(x^2 - 1) = 3(x - 1)(x + 1),$$

qui s'annule quand $x = \pm 1$. Or, -1 n'est pas dans l'intervalle ouvert $]-1,2[$, alors que 1 l'est. C'est donc dire que dans ce cas, une seule valeur c satisfait au théorème de Rolle: $c = 1$. □

EXEMPLE 2 À l'aide du théorème des valeurs intermédiaires et du théorème de Rolle, montrer que l'équation $6x^3 + x^2 + x - 5 = 0$ admet une et une seule racine dans l'intervalle $[0,1]$.

Solution Posons $f(x) = 6x^3 + x^2 + x - 5$. Comme $f(0) = -5$ et $f(1) = 3$, le théorème des valeurs intermédiaires (ou, plus précisément, son corollaire en page 82) garantit qu'il existe effectivement un nombre a dans l'intervalle $[0,1]$ tel que $f(a) = 0$. Supposons qu'il puisse exister un autre nombre b tel que $f(b) = 0$, et supposons $a < b$. En vertu du théorème de Rolle, appliqué à l'intervalle $[a,b]$, il faudrait que $f'(x) = 18x^2 + 2x + 1$ s'annule en un certain point c de l'intervalle $]a,b[$ et, par conséquent, de l'intervalle $]0,1[$. Or, bien entendu, $18x^2 + 2x + 1 > 0$ pour tout $x \geq 0$. Un tel b ne saurait donc exister, d'où $x = a$ est l'unique racine de l'équation $6x^3 + x^2 + x - 5 = 0$ comprise dans l'intervalle $[0,1]$. □

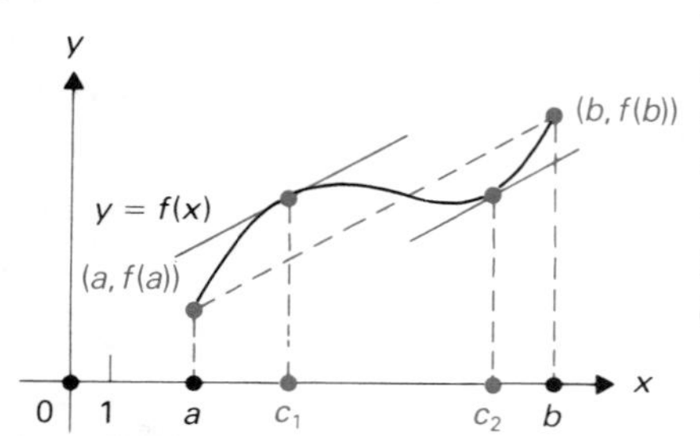

Figure 5.9 Théorème des accroissements finis: les tangentes à la courbe en $x = c_1$ et en $x = c_2$ sont parallèles à la droite passant par $(a, f(a))$ et $(b, f(b))$.

Le théorème des accroissements finis (figure 5.9) n'est qu'une extension du théorème de Rolle. Les deux théorèmes affirment que si une fonction f est continue sur l'intervalle fermé $[a,b]$ et dérivable sur l'intervalle ouvert $]a,b[$, alors il existe au moins un point c de $]a,b[$ pour lequel la tangente au graphe de f au point correspondant est parallèle à la droite passant par les points $(a,f(a))$ et $(b,f(b))$.

La pente de cette droite est

$$\frac{f(b) - f(a)}{b - a},$$

de sorte que la conclusion du théorème des accroissements finis est de la forme

$$f'(c) = \frac{f(b) - f(a)}{b - a} \quad \text{, ou encore} \quad f(b) - f(a) = (b - a)f'(c) \ ,$$

pour un certain point c compris dans l'intervalle $]a,b[$. La fonction illustrée à la figure 5.9 comporte deux tels points: c_1 et c_2.

THÉORÈME 5.4 Théorème des accroissements finis*

Si f est une fonction continue sur l'intervalle $[a,b]$ et dérivable sur l'intervalle $]a,b[$, alors il existe un point c de l'intervalle $]a,b[$ tel que

$$f(b) - f(a) = (b - a)f'(c). \qquad \textbf{(2)}$$

Démonstration Pour pouvoir obtenir ce résultat à partir du théorème de Rolle, définissons une fonction g dont le domaine est $[a,b]$ et dont la valeur au point x est illustrée à la figure 5.10. Le graphe montre bien qu'il faut définir g au moyen de l'expression

$$g(x) = f(x) - \left[f(a) + \frac{f(b) - f(a)}{b - a}(x - a)\right]$$

$$= [f(x) - f(a)] - \left[\frac{f(b) - f(a)}{b - a}(x - a)\right].$$

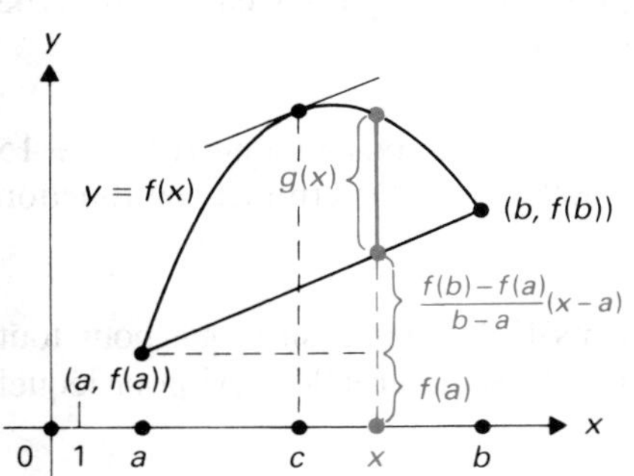

Figure 5.10 Démonstration du théorème des accroissements finis: $g(x) = f(x) - \left[f(a) + \frac{f(b) - f(a)}{b - a}(x - a)\right]$ satisfait aux hypothèses du théorème de Rolle.

Comme la fonction f est continue sur $[a,b]$ et dérivable sur $]a,b[$, la fonction g l'est également; de plus, comme $g(a) = g(b) = 0$, les hypothèses du théorème de Rolle sont satisfaites. On peut donc affirmer l'existence d'un point c de l'intervalle $]a,b[$ pour lequel $g'(c) = 0$. Or,

$$g'(x) = f'(x) - \frac{f(b) - f(a)}{b - a},$$

d'où

$$0 = g'(c) = f'(c) - \frac{f(b) - f(a)}{b - a}$$

et $f(b) - f(a) = (b - a)f'(c)$. ◆

EXEMPLE 3 Illustrer le théorème des accroissements finis pour la fonction $f(x) = x^2$, sur l'intervalle $[0,3]$.

Solution Il nous faut trouver un point c de l'intervalle $[0,3]$ pour lequel $f(3) - f(0) = (3 - 0)f'(c)$, c'est-à-dire pour lequel $9 = 3 \cdot f'(c)$. Or, $f'(x) = 2x$ et $9 = 3 \cdot 2c$ quand $c = 3/2$. Comme l'affirme le théorème des accroissements finis, la valeur que nous avons trouvée est bien comprise dans l'intervalle $]0,3[$. □

* *N.D.L.T.* On appelle parfois ce théorème le « théorème de la moyenne ».

On peut ajouter une dimension intéressante au théorème des accroissements finis car l'expression $(f(b) - f(a))/(b - a)$ représente le taux moyen d'accroissement de la fonction $f(x)$ sur l'intervalle $[a,b]$. Ainsi, ce qu'affirme le théorème des accroissements finis, c'est qu'*il existe un point de l'intervalle* $[a,b]$ *où le taux instantané d'accroissement de la fonction est égal au taux moyen d'accroissement sur l'intervalle*.

EXEMPLE 4 Une automobile accélère uniformément, sa vitesse passant de 10 km/h à 80 km/h en 14 secondes. Démontrer qu'à un moment donné l'automobile a une accélération de 5 km/s^2.

Solution Par *accélération uniforme*, on entend que la vitesse de l'automobile est une fonction dérivable du temps. Supposons que l'automobile roule à une vitesse de 10 km/h à l'instant t_1 et à une vitesse de 80 km/h à l'instant $t_2 = t_1 + 14$. Alors l'accélération moyenne au cours des 14 secondes est

$$\frac{v(t_2) - v(t_1)}{t_2 - t_1} = \frac{80 - 10}{14} = \frac{70}{14} = 5 \text{ km/s}^2.$$

Or, en vertu du théorème des accroissements finis, il y a un instant c au cours de ce mouvement où l'accélération est exactement 5 km/s^2. □

Le théorème des accroissements finis permet également de déterminer les bornes d'une fonction $f(x)$ quand on connaît les bornes de la fonction $f'(x)$. Ce genre de démarche présente plus d'intérêt que les calculs du type de celui que nous avons effectué à l'exemple 3.

EXEMPLE 5 Soit f une fonction dérivable. Supposons que $f(2) = -15$ et que $|f'(x)| \leq 3$ pour tout x dans l'intervalle $[2,6]$. Déterminer, en fonction de x, des bornes de $f(x)$ sur l'intervalle $[2,6]$.

Solution Le théorème des accroissements finis nous assure que pour tout $x \neq 2$ dans l'intervalle $[2,6]$, il existe un c dans l'intervalle $]2,x[$ pour lequel

$$\frac{f(x) - f(2)}{x - 2} = \frac{f(x) + 15}{x - 2} = f'(c).$$

Mais comme $|f'(c)| \leq 3$ par hypothèse et que $x - 2$ est positif, on a

$$\left|\frac{f(x) + 15}{x - 2}\right| = \frac{|f(x) + 15|}{x - 2} \leq 3.$$

Par conséquent

$$|f(x) + 15| \leq 3(x - 2),$$
$$-3(x - 2) \leq f(x) + 15 \leq 3(x - 2),$$
$$-15 - 3x + 6 \leq f(x) \leq -15 + 3x - 6,$$
$$-3x - 9 \leq f(x) \leq 3x - 21,$$

quand x est dans l'intervalle $[2,6]$. (En effet, comme $f(2) = -15$, la double inéquation est également valable pour $x = 2$.) La fonction $f(x)$ est donc bornée par les quantités ci-dessus, qui sont fonction de x. Par exemple, $-24 \leq f(5) \leq -6$. □

RÉSUMÉ

1. Si f est une fonction dérivable, alors $f'(x) = 0$ en tout point x où la fonction admet un maximum ou un minimum relatif.
2. *Théorème de Rolle* Si f est une fonction continue sur $[a,b]$ et dérivable sur $]a,b[$ et si $f(a) = f(b)$, alors il existe un point c de $]a,b[$ tel qu'en ce point $f'(c) = 0$.
3. *Théorème des accroissements finis* Si f est une fonction continue sur $[a,b]$ et dérivable sur $]a,b[$, alors il existe un point c de $]a,b[$ tel que

$$\frac{f(b) - f(a)}{b - a} = f'(c).$$

EXERCICES

Dans les exercices 1 à 6, on demande de vérifier si les hypothèses du théorème de Rolle sont satisfaites dans l'intervalle donné, puis de calculer toutes les valeurs de c prévues par le théorème.

1. $f(x) = x^2 + x + 4$ sur l'intervalle $[-3,2]$.

2. $f(x) = -3x^2 + 12x + 4$ sur l'intervalle $[0,4]$.

3. $f(x) = \sin x$ sur l'intervalle $[0,\pi]$.

4. $f(x) = \cos x$ sur l'intervalle $[0,2\pi]$.

5. $f(x) = x^3 - 6x^2 + 5x + 3$ sur l'intervalle $[1,5]$.

6. $f(x) = (x^2 - 1)/(x + 2)$ sur l'intervalle $[-1,1]$.

Dans les exercices 7 à 10, utiliser le théorème des valeurs intermédiaires et le théorème de Rolle pour démontrer que les équations données admettent une et une seule racine dans l'intervalle donné. (Voir l'exemple 2.)

7. $x^2 - 3x + 1 = 0$ dans l'intervalle $[2,6]$.

8. $10 - 5x - x^2 = 0$ dans l'intervalle $[-1,2]$.

9. $\sin x = x/4$ dans l'intervalle $[\pi/2,\pi]$.

10. $\cos x = x$ dans l'intervalle $[0,\pi/2]$.

11. Démontrer l'extension suivante du théorème de Rolle: si f est une fonction dérivable et si $f(x)$ s'annule en r points distincts d'un intervalle $[a,b]$, alors $f'(x)$ s'annule en au moins $r - 1$ points distincts de $[a,b]$.

12. Soit f une fonction dérivable. Si $f'(x)$ s'annule au maximum trois fois dans un intervalle $]a,b[$, quel est le nombre maximal de racines distinctes que peut admettre l'équation $f(x) = 10$ dans l'intervalle $[a,b]$?

Dans les exercices 13 à 18, on demande de calculer les valeurs de c prévues par le théorème des accroissements finis pour les fonctions données sur l'intervalle indiqué.

13. $f(x) = 3x - 4$ sur l'intervalle $[1,4]$.

14. $f(x) = x^3$ sur l'intervalle $[-1,2]$.

15. $f(x) = x - (1/x)$ sur l'intervalle $[1,3]$.

16. $f(x) = x^{1/2}$ sur l'intervalle $[9,16]$.

17. $f(x) = \sqrt{1 - x}$ sur l'intervalle $[-3,0]$.

18. $f(x) = (x - 1)/(x + 3)$ sur l'intervalle $[2,4]$.

19. Soit f une fonction pour laquelle les hypothèses du théorème des accroissements finis sont satisfaites sur un intervalle $[a,b]$.
a) Trouver une interprétation de l'expression $(f(b) - f(a))/(b - a)$ en termes de taux d'accroissement.
b) Trouver une interprétation de $f'(c)$ en termes de taux d'accroissement.
c) Reformuler le théorème des accroissements finis en termes de taux d'accroissement.

20. Les villes A et B sont reliées par un tronçon d'autoroute de 16 km où la vitesse maximale permise est de 90 km/h. M. Caron se fait arrêter pour excès de vitesse et admet avoir parcouru la distance entre A et B en 8 minutes. La contravention prévue par le Code de la sécurité routière dans ce cas est de 20 \$ plus 5 \$ par tranche de 5 km/h excédant la limite. Utiliser le théorème des accroissements finis pour expliquer que le policier peut émettre à M. Caron une contravention de 50 \$. [*Suggestion* Utiliser les résultats de l'exercice 19.]

21. Soit f une fonction du second degré définie par $f(x) = ax^2 + bx + c$. Montrer que le point compris entre x_1 et x_2 pour lequel la tangente à la courbe de $f(x)$ est parallèle à la corde passant par les points $(x_1, f(x_1))$ et $(x_2, f(x_2))$ est situé à mi-chemin entre x_1 et x_2. Ce résultat est illustré dans un exemple de la présente section. De quel exemple s'agit-il?

22. Trouver l'erreur dans le raisonnement suivant: Les dépenses d'épicerie de la famille Barrette se sont chiffrées, la semaine dernière, à 99,61 \$, ce qui représente une moyenne de 14,23 \$ par jour. Par conséquent, en vertu du théorème des accroissements finis, la famille Barrette a dépensé exactement 14,23 \$ pour l'épicerie au moins une fois au cours de la semaine.

23. Soit f une fonction définie et dérivable sur l'intervalle $[a,b]$. Supposons de plus que $m \leq f'(x) \leq M$ pour tout x appartenant à l'intervalle $[a,b]$. À l'aide du théorème des accroissements finis, démontrer que

$$f(a) + m(x - a) \leq f(x) \leq f(a) + M(x - a)$$

pour tout x appartenant à l'intervalle $[a,b]$.

Les fonctions f dont il est question dans les exercices 24 à 28 sont supposées dérivables pour tout x. À l'aide du théorème des accroissements finis et des propriétés indiquées des fonctions f et f', déterminer des bornes des valeurs de $f(x)$ et indiquer pour quelles valeurs de x les bornes sont valables.

24. $f(0) = 3$ et $|f'(x)| \leq 3$ où x est dans l'intervalle $[0,8]$.

25. $f(-2) = 1$ et $|f'(x)| \leq 5$ où x est dans l'intervalle $[-2,4]$.

26. $f(1) = 7$ et $|f'(x)| \leq 2\sqrt{x}$ où x est dans l'intervalle $[1,3]$.

27. $f(2) = 4$ et $f'(x) \leq 5$ où x est dans l'intervalle $[0,2]$.

28. $f(0) = 1$ et $3 \leq f'(x) \leq 7$ pour tout x.

5.3 POINTS CRITIQUES

Rappelons de nouveau le théorème 5.1 de la section précédente:

> Une fonction continue admet toujours un maximum M et un minimum m sur un intervalle fermé de son domaine.
>
> ***Existence d'extremums***

Nous avons utilisé ce théorème à la section précédente dans la démonstration du théorème des accroissements finis. Voyons maintenant comment calculer les valeurs de M et de m. Voici d'abord quelques illustrations du théorème.

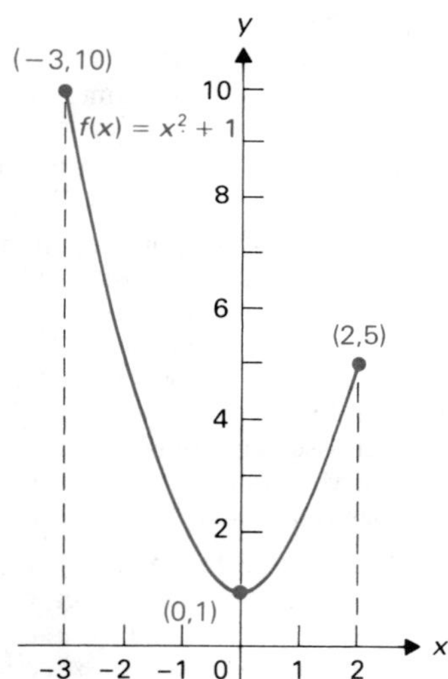

Figure 5.11 La fonction $f(x) = x^2 + 1$ atteint un maximum de 10 et un minimum de 1 sur l'intervalle $[-3,2]$.

EXEMPLE 1 Tracer le graphique de la fonction $f(x) = x^2 + 1$, puis utiliser le graphique pour trouver le maximum et le minimum de la fonction sur l'intervalle $[-3,2]$.

Solution La figure 5.11 représente le graphique de la fonction. La valeur maximale qu'atteint la fonction $f(x) = x^2 + 1$ sur l'intervalle $[-3,2]$ est 10; il s'agit de la valeur de la fonction en $x = -3$. La fonction admet un minimum de 1 en $x = 0$. □

EXEMPLE 2 Refaire la même démarche qu'à l'exemple 1 avec la fonction $f(x) = \sin x$ dans l'intervalle $[-2\pi,2\pi]$.

Solution Le graphique de la fonction est représenté à la figure 5.12. Dans l'intervalle $[-2\pi,2\pi]$, la fonction $\sin x$ admet un maximum de 1, valeur correspondant à $x = -3\pi/2$ et à $x = \pi/2$. Le minimum de la fonction, -1, est atteint pour $x = -\pi/2$ et $x = 3\pi/2$. □

Supposons que le maximum M de $f(x)$ dans l'intervalle $[a,b]$ soit atteint en un point autre que les extrémités a et b. Dans ce cas, M est également un maximum relatif de la fonction. Si $f(x_1) = M$ et si f est dérivable au point x_1 alors, en vertu du théorème 5.2 de la page 167, $f'(x_1) = 0$. Le même raisonnement s'applique si f admet un minimum relatif en un point x_2 de l'intervalle ouvert $]a,b[$. Par conséquent, si nous trouvons tous les points de l'intervalle ouvert $]a,b[$ pour lesquels ou bien $f'(x)$ n'existe pas, ou bien $f'(x) = 0$, nous aurons toutes les *possibilités* de maximums et de minimums de la fonction f sur cet intervalle ouvert.

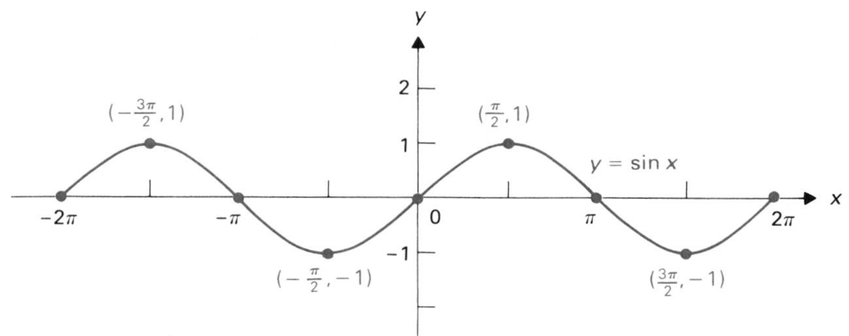

Figure 5.12 Sur l'intervalle $[-2\pi, 2\pi]$, la fonction $f(x) = \sin x$ atteint un maximum de 1 aux points $-3\pi/2$ et $\pi/2$ et un minimum de -1 aux points $-\pi/2$ et $3\pi/2$.

DÉFINITION 5.2 Point critique

On appelle **point critique** ou **valeur critique** d'une fonction f un point x_0 de son domaine pour lequel ou bien $f'(x_0)$ n'existe pas, ou bien $f'(x_0) = 0$*.

EXEMPLE 3 Trouver les points critiques de la fonction $f(x) = (x - 1)^{2/3}$.

Solution La fonction f est définie pour tout x. On a

$$f'(x) = \frac{2}{3}(x - 1)^{-1/3} = \frac{2}{3(x - 1)^{1/3}} \quad \text{pour } x \neq 1.$$

Par conséquent, $f'(x)$ ne s'annule pour aucune valeur de x, et $f'(1)$ n'existe pas. Il s'ensuit que 1 est le seul point critique de la fonction. En examinant la figure 5.13, on voit sans peine que $f(x)$ admet un minimum en $x = 1$, mais que $f'(1)$ n'existe pas. (La tangente en $x = 1$ est verticale.) Cet exemple démontre bien qu'une fonction peut admettre un minimum relatif (ou un maximum relatif) en un point sans que sa dérivée existe en ce point. □

Figure 5.13 La fonction $f(x) = (x - 1)^{2/3}$ atteint un minimum de 0 en $x = 1$; toutefois, $f'(1)$ n'existe pas car la tangente est verticale en ce point.

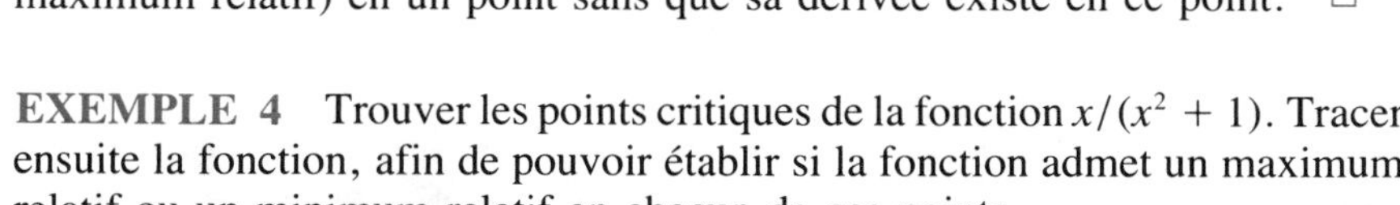

EXEMPLE 4 Trouver les points critiques de la fonction $x/(x^2 + 1)$. Tracer ensuite la fonction, afin de pouvoir établir si la fonction admet un maximum relatif ou un minimum relatif en chacun de ces points.

Solution De nouveau, la fonction f est définie pour tout x.

$$f'(x) = \frac{(x^2 + 1)1 - x(2x)}{(x^2 + 1)^2} = \frac{-x^2 + 1}{(x^2 + 1)^2}.$$

La fonction $f'(x)$ est donc également définie pour tout x. Toutefois, $f'(x)$ s'annule quand $-x^2 + 1 = 0$, c'est-à-dire quand $x = \pm 1$. Les points critiques sont donc -1 et 1.

* *N.D.L.T.* De façon stricte, la **valeur critique** est un élément x_0 du domaine de f, alors que le **point critique** est le point correspondant $(x_0, f(x_0))$ du graphe de la fonction. Cependant, l'usage veut que l'on utilise « point critique » pour chacune des deux notions. Il s'agit du même abus de langage que celui par lequel nous écrivons « au point a » plutôt que « au point d'abscisse a ».

Si on se reporte à $f(x)$, on constate que $f(x) > 0$ quand $x > 0$ et $f(x) < 0$ quand $x < 0$. De plus, $f(0) = 0$ et

$$\lim_{x \to \infty} \frac{x}{x^2 + 1} = \lim_{x \to -\infty} \frac{x}{x^2 + 1} = 0.$$

La courbe représentative de $f(x)$ a donc l'allure de la courbe tracée à la figure 5.14; au point $(1,1/2)$ correspond un maximum relatif de f et au point $(-1,-1/2)$, un minimum relatif. En réalité, les valeurs $1/2$ et $-1/2$ sont ici respectivement le maximum et le minimum de la fonction f sur la totalité de son domaine. (Ne vous inquiétez pas si vous avez eu du mal à tracer le graphe de f. Nous étudierons en détail le processus de construction de graphes dans les prochaines sections.) □

EXEMPLE 5 Tracer le graphe de la fonction $f(x) = |\sin x|$, puis l'utiliser pour identifier les points critiques de la fonction.

Solution Comme on le voit à la figure 5.15, la fonction admet des maximums relatifs égaux à 1 aux points

$$x = \pm\frac{\pi}{2}, \pm\frac{3\pi}{2}, \pm\frac{5\pi}{2}, \ldots,$$

pour lesquels $f'(x) = 0$: tous ces points sont donc des points critiques. On voit aussi sur le graphique que $f'(x)$ n'existe pas aux points

$$x = 0, \ \pm\pi, \ \pm 2\pi, \ \pm 3\pi, \ldots$$

parce que ce sont des points anguleux de la courbe. Ces points sont donc également des points critiques de la fonction; ils correspondent aux minimums relatifs de la fonction, dont la valeur est zéro. □

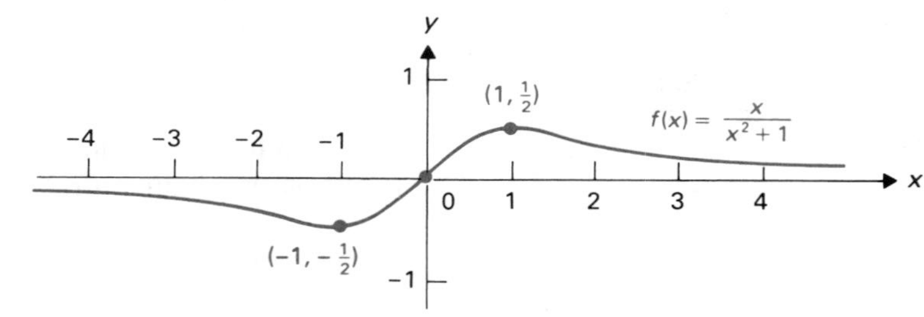

Figure 5.14 La fonction $f(x) = x/(x^2 + 1)$ atteint un maximum de $1/2$ en $x = 1$ et un minimum de $-1/2$ en $x = -1$.

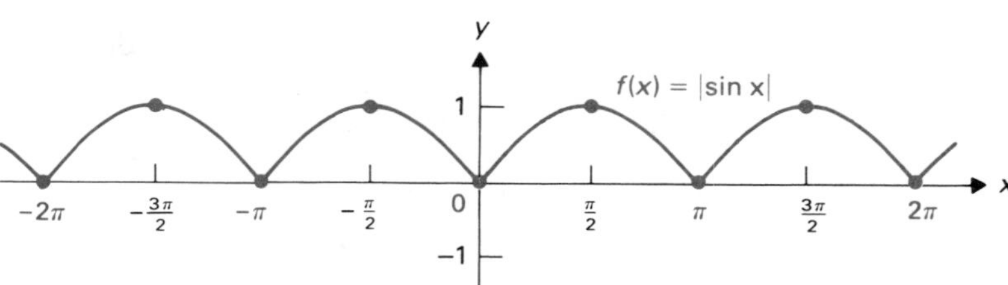

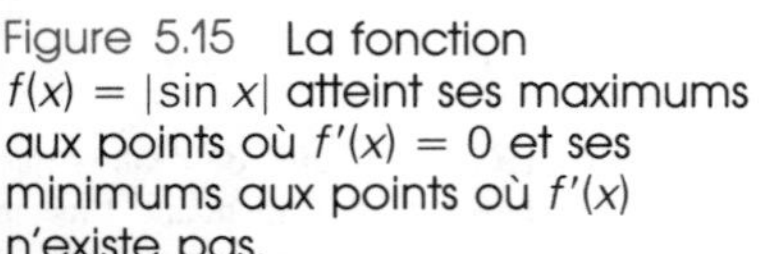

Figure 5.15 La fonction $f(x) = |\sin x|$ atteint ses maximums aux points où $f'(x) = 0$ et ses minimums aux points où $f'(x)$ n'existe pas.

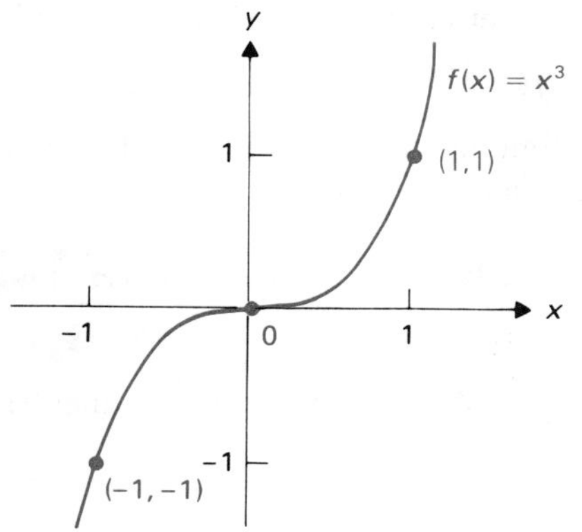

Figure 5.16 La fonction $f(x) = x^3$ n'atteint ni maximum relatif, ni minimum relatif en $x = 0$, même si $f'(0) = 0$.

EXEMPLE 6 Trouver les points critiques de la fonction $f(x) = x^3$, puis tracer son graphique afin d'établir si ces points critiques correspondent à des maximums ou à des minimums relatifs de la fonction.

Solution La dérivée $f'(x) = 3x^2$ pour tout x. Bien entendu, $f'(x)$ ne s'annule que si $x = 0$, de sorte que $x = 0$ est le seul point critique de la fonction. Comme le montre la figure 5.16, la fonction n'admet pas de maximum ou de minimum relatif en $x = 0$. □

En résumé,

> si une fonction admet un maximum ou un minimum relatif en un certain point d'un intervalle ouvert, alors ce point est nécessairement un point critique.

Toutefois, comme nous l'avons vu à l'exemple 6,

> un point critique ne correspond pas nécessairement à un maximum ou à un minimum relatif d'une fonction.

Nous pouvons maintenant résoudre le problème posé en début de section, soit calculer le maximum M et le minimum m d'une fonction continue dans un intervalle fermé.

> **Marche à suivre pour le calcul du maximum M et du minimum m d'une fonction continue f dans un intervalle $[a,b]$**
>
> **Étape 1** Trouver les points critiques de f dans l'intervalle ouvert $]a,b[$.
>
> **Étape 2** Calculer $f(x)$ pour toutes les valeurs de x trouvées à l'étape 1; calculer également $f(a)$ et $f(b)$. La plus grande des valeurs calculées correspond au maximum M et la plus petite, au minimum m.

La méthode que nous venons d'énoncer permet d'étudier un très grand nombre de fonctions. Elle peut toutefois occasionner des problèmes lorsque f admet une infinité de points critiques dans l'intervalle $[a,b]$.

EXEMPLE 7 Trouver les extremums de la fonction $f(x) = 3x^4 + 4x^3 - 12x^2 + 5$ dans l'intervalle $[-1/2,2]$.

Solution

Étape 1 Comme f est une fonction polynomiale, sa dérivée existe pour tout x et les seuls points critiques sont ceux qui annulent $f'(x)$. Si on dérive $f(x)$, on obtient

$$\begin{aligned} f'(x) &= 12x^3 + 12x^2 - 24x = 12x(x^2 + x - 2) \\ &= 12x(x + 2)(x - 1). \end{aligned}$$

Il s'ensuit que $f'(x) = 0$ pour $x = -2$, 0 et 1. Parmi ces trois points, seuls 0 et 1 appartiennent à l'intervalle $[-1/2,2]$.

Étape 2 Calculons f aux points critiques et aux extrémités de l'intervalle:

$$f(0) = 5, \quad f(1) = 0, \quad f(-1/2) = 27/16, \quad f(2) = 37.$$

La fonction admet donc un minimum de 0, qu'elle atteint au point $x = 1$, et un maximum de 37, atteint au point $x = 2$. □

EXEMPLE 8 Trouver les extremums de la fonction $f(x) = \sin x - \cos x$ dans l'intervalle $[0, \pi]$.

Solution De nouveau, les seuls points critiques sont ceux qui annulent $f'(x)$.

Étape 1 La dérivée de f est

$$f'(x) = \cos x + \sin x.$$

Par conséquent, $f'(x) = 0$ quand $\cos x + \sin x = 0$, c'est-à-dire quand $\sin x = -\cos x$, ce qui équivaut à $\operatorname{tg} x = -1$. Or, dans l'intervalle $[0, \pi]$, $\operatorname{tg} x = -1$ seulement pour $x = 3\pi/4$.

Étape 2 Le calcul de f au point critique et aux extrémités de l'intervalle donne

$$f(0) = 0 - 1 = -1, \quad f\left(\frac{3\pi}{4}\right) = \frac{1}{\sqrt{2}} - \frac{-1}{\sqrt{2}} = \frac{2}{\sqrt{2}} = \sqrt{2},$$

$$\text{et} \quad f(\pi) = 0 - (-1) = 1.$$

Dans l'intervalle $[0, \pi]$, la fonction f atteint donc un maximum de $\sqrt{2}$ au point $x = 3\pi/4$ et un minimum de -1 au point $x = 0$. □

RÉSUMÉ

1. Si une fonction f est continue en tout point d'un intervalle $[a,b]$, alors $f(x)$ admet un maximum M et un minimum m sur $[a,b]$.
2. Si $f'(x_0)$ n'existe pas ou si $f'(x_0)$ s'annule pour un certain x_0 du domaine de f, alors x_0 est un point critique de f.
3. Si une fonction f est définie sur un intervalle $]a,b[$, alors la fonction ne peut admettre un maximum relatif ou un minimum relatif qu'en ses points critiques.
4. La marche à suivre pour trouver le maximum M et le minimum m d'une fonction continue sur un intervalle $[a,b]$ est décrite à la page 175.

EXERCICES

1. Répondre par vrai ou faux.

a) Si x_0 est un point critique d'une fonction f, alors on a nécessairement $f'(x_0) = 0$.

b) Si $f'(x_0) = 0$, alors x_0 est nécessairement un point critique de f.

c) Si f est une fonction dérivable sur l'intervalle ouvert $]a,b[$ et qu'elle admet un maximum relatif en un point x_0 de $]a,b[$, alors on a nécessairement $f'(x_0) = 0$.

d) Si l'intervalle ouvert $]a,b[$ fait partie du domaine de f et si f admet un minimum relatif en un point x_0 de $]a,b[$, alors x_0 est nécessairement un point critique de f.

e) Si l'intervalle ouvert $]a,b[$ fait partie du domaine de f et si f admet un minimum relatif en un point x_0 de $]a,b[$, alors on a nécessairement $f'(x_0) = 0$.

2. Répondre par vrai ou faux.

a) À un point critique d'une fonction correspond nécessairement un maximum relatif ou un minimum relatif de la fonction.

b) Si une fonction est continue sur un intervalle fermé $[a,b]$, alors le maximum ou le minimum de la fonction doit être atteint à l'une des extrémités de l'intervalle.

c) Il est possible qu'une fonction continue sur un intervalle fermé admette à la fois un maximum et un minimum en un même point de l'intervalle.

d) Si $f'(x_0) = 0$, alors f admet nécessairement un maximum relatif ou un minimum relatif au point x_0.

e) Un point critique d'une fonction peut ne pas faire partie du domaine de la fonction.

3. On sait que la fonction $f(x) = 1/x$ a pour dérivée $f'(x) = -1/x^2$. Par conséquent, $f'(0)$ n'existe pas. Pourtant, $x_0 = 0$ n'est pas un point critique de f. Justifier.

4. Soit la fonction $f(x) = \text{tg } x$, alors $f'(x) = \sec^2 x = 1/(\cos^2 x)$. Comme $\cos(\pi/2) = 0$, $f'(\pi/2)$ n'existe pas. Faut-il en déduire que $x_0 = \pi/2$ est un point critique de f? Justifier.

Dans les exercices 5 à 20, on demande de trouver les points critiques des fonctions données. À l'aide des méthodes exposées dans les chapitres précédents, tracer les courbes des fonctions avec une précision suffisante pour qu'il soit possible de vérifier, en chacun des points critiques, si la fonction admet ou non un maximum relatif ou un minimum relatif.

5. $f(x) = 5 + 4x - 2x^2$ **6.** $f(x) = x^2 - 4x + 3$

7. $f(x) = 4x^2 - 8x$ **8.** $f(x) = -x^2 - 6x - 2$

9. $f(x) = 2x^3 - 4$ **10.** $f(x) = x^3 - 3x^2$

11. $f(x) = x^4 - 1$ **12.** $f(x) = 3 - x^5$

13. $f(x) = \dfrac{1}{x^2 - 1}$ [*Attention*! Voir l'exercice 3.]

14. $f(x) = \dfrac{1}{x^2 + 1}$ **15.** $f(x) = \dfrac{-x}{x^2 + 1}$

16. $f(x) = \dfrac{x}{1 - x^2}$ **17.** $f(x) = \sec 2x$

18. $f(x) = \text{cosec } x$ **19.** $f(x) = |\cos x|$

20. $f(x) = |\text{tg } x|$

Dans les exercices 21 à 32, trouver le maximum et le minimum des fonctions données dans les intervalles indiqués.

21. $f(x) = x^4$ dans l'intervalle $[-2,1]$

22. $f(x) = 1/x$ dans l'intervalle $[2,4]$

23. $f(x) = 1/(x^2 + 1)$ dans l'intervalle $[-1,2]$

24. $f(x) = x^3 - 3x^2 + 1$ dans les intervalles

a) $[1,3]$

b) $[-1,3]$

c) $[-2,4]$

25. $f(x) = x^2 + 4x - 3$ dans les intervalles

a) $[-5,-3]$

b) $[-4,-1]$

c) $[-4,0]$

26. $f(x) = 1/(x^2 - 1)$ dans l'intervalle $[-3,-2]$

27. $f(x) = (x^2 - x + 1)/(x^2 + 1)$ dans les intervalles

a) $[-3,2]$

b) $[-2,0]$

c) $[0,2]$

d) $[-2,2]$

28. $f(x) = \sin x$ dans les intervalles

a) $[0,\pi/4]$

b) $[-\pi/4,\pi/4]$

c) $[-3\pi/4,3\pi/4]$

29. $f(x) = \sin x + \cos x$ dans les intervalles

a) $[0,\pi/2]$

b) $[-\pi/2,\pi/2]$

c) $[0,\pi]$

d) $[\pi/2,2\pi]$

30. $f(x) = \sqrt{3}\sin x - \cos x$ dans les intervalles

a) $[0,\pi/2]$

b) $[0,\pi]$

c) $[0,3\pi/2]$

d) $[0,2\pi]$

31. $f(x) = |\cos x|$ dans l'intervalle $[0,3\pi/4]$

32. $f(x) = |\text{tg } x|$ dans l'intervalle $[-\pi/3,\pi/4]$

Dans les exercices 33 à 36, la variable y représente la hauteur (mesurée en mètres) d'un objet au-dessus du sol à l'instant t (mesuré en secondes). Dans chacun des cas, calculer, pour l'intervalle de temps indiqué,

a) la hauteur maximale et la hauteur minimale de l'objet;

b) la vitesse (v) maximale et la vitesse minimale de l'objet;

c) l'intensité ($s = |v|$) maximale et l'intensité minimale de la vitesse.

33. $y = 490 - 4{,}9t^2$, $0 \leq t \leq 5$

34. $y = 100 + 19{,}6t - 4{,}9t^2$, $1 \leq t \leq 4$

35. $y = 1\,000 + 49t - 4{,}9t^2$, $3 \leq t \leq 6$

36. $y = 100 + 98t - 4{,}9t^2$, $2 \leq t \leq 4$

37. Soit f une fonction polynomiale de degré pair n et soit a_n, le coefficient de x^n, un nombre réel positif. Démontrer qu'il existe une valeur de x pour laquelle $f(x)$ atteint un minimum. [*Indice* Calculer $\lim_{x\to\infty} f(x)$ et $\lim_{x\to-\infty} f(x)$, puis appliquer le théorème 5.1 à un grand intervalle de la forme $[-c,c]$.]

Dans les exercices 38 à 42, on demande d'utiliser le résultat de l'exercice 37 et la marche à suivre exposée à la page 175 pour calculer le minimum de chacune des fonctions données.

38. $3x^2 + 6x - 4$

39. $3x^4 - 8x^3 + 2$

40. $x^4 - 2x^2 + 7$

41. $3x^4 - 4x^3 - 12x^2 + 5$

42. $x^6 - 6x^4 - 8$

5.4 CONSTRUCTION DE GRAPHIQUES À L'AIDE DE LA DÉRIVÉE PREMIÈRE

Nous allons, dans la présente section, étudier le rôle que joue le signe de $f'(x)$ dans la construction du graphique d'une fonction $y = f(x)$. Nous traiterons de la dérivée seconde à la section suivante.

FONCTIONS CROISSANTES ET FONCTIONS DÉCROISSANTES

Il est clair, d'un point de vue géométrique, que dans un intervalle où $f'(x)$ est positive, la courbe monte vers la droite, tandis que si $f'(x)$ est négative, la courbe descend vers la droite. Comme nous le verrons après la définition suivante, cette propriété est une conséquence du théorème des accroissements finis.

DÉFINITION 5.3 Fonctions croissantes et fonctions décroissantes

Soit f et g deux fonctions définies sur un intervalle donné. Si $f(x_1) < f(x_2)$ quand $x_1 < x_2$, quels que soient les points x_1 et x_2 de l'intervalle, alors on dit que f est une fonction **croissante** sur l'intervalle. De même, si $g(x_1) > g(x_2)$ quand $x_1 < x_2$, quels que soient les points x_1 et x_2 de l'intervalle, alors on dit que g est une fonction **décroissante** sur l'intervalle.

EXEMPLE 1 En se basant sur le graphe tracé à la figure 5.17, déterminer les intervalles de croissance et de décroissance de la fonction f.

Solution D'après la figure 5.17, la fonction f est croissante pour $x < -1$, décroissante pour $-1 < x < 2$ et croissante pour $x > 2$. □

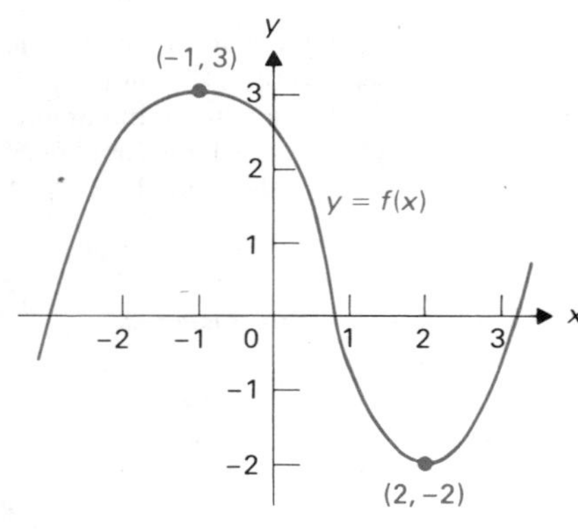

Figure 5.17 La fonction f est croissante pour $x < -1$ et $x > 2$; elle est décroissante pour $-1 < x < 2$.

Revenons maintenant à la proposition que nous voulons démontrer, soit qu'une fonction f monte quand $f'(x) > 0$ et descend quand $f'(x) < 0$. Supposons que $f'(x) > 0$ pour tout point x d'un intervalle donné comprenant les points x_1 et x_2 et posons $x_1 < x_2$. En vertu du théorème des accroissements finis, il existe un point c compris entre x_1 et x_2 pour lequel

$$\frac{f(x_2) - f(x_1)}{x_2 - x_1} = f'(c) > 0. \tag{1}$$

Comme $x_1 < x_2$, on peut déduire de l'équation 1 que $f(x_2) - f(x_1) > 0$, d'où $f(x_1) < f(x_2)$. Par conséquent, la fonction f est croissante sur l'intervalle. De même, si $f'(x) < 0$ pour tout point x d'un intervalle donné, alors f est une fonction décroissante sur l'intervalle. En effet, si on choisit deux points x_1 et x_2 de l'intervalle tels que $x_1 < x_2$, alors on déduit de l'équation 1 que $f(x_1) > f(x_2)$. Ce résultat fait l'objet du théorème 5.5.

THÉORÈME 5.5 Critère pour déterminer si une fonction est croissante ou décroissante

Soit f une fonction dérivable sur un intervalle. Si $f'(x) > 0$ en tout point de l'intervalle, alors $f(x)$ est une fonction croissante sur l'intervalle. Si $f'(x) < 0$ en tout point de l'intervalle, alors $f(x)$ est une fonction décroissante sur l'intervalle.

EXEMPLE 2 Déterminer les intervalles de croissance et de décroissance de la fonction $f(x) = x^3 - 3x^2 + 2$.

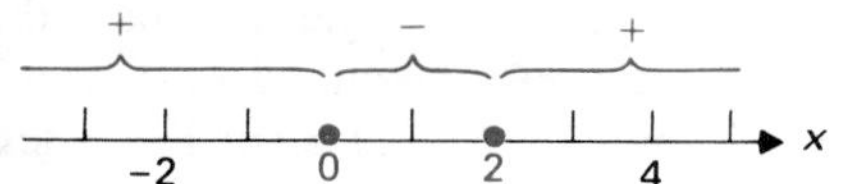

Figure 5.18 Signe de $f'(x) = 3x(x - 2)$: f est décroissante pour $0 < x < 2$.

Solution Comme $f'(x) = 3x^2 - 6x = 3x(x - 2)$, il s'ensuit que $f'(x) = 0$ quand $x = 0$ ou $x = 2$. Les points 0 et 2 partagent l'axe des x en trois sections, le signe de $f'(x)$ étant le même en tout point d'une section donnée (figure 5.18). Ainsi pour $x < 0$, on a $3x < 0$ et $x - 2 < 0$, d'où $f'(x) = 3x(x - 2) > 0$. On peut établir de façon analogue que $f'(x) < 0$ pour $0 < x < 2$ et que $f'(x) > 0$ pour $x > 2$. Il s'ensuit que la fonction f est croissante pour $x < 0$ et $x > 2$ et qu'elle est décroissante pour $0 < x < 2$. □

Voyons maintenant si le signe de $f'(x)$ change toujours en un point x_0 pour lequel $f'(x_0) = 0$. Supposons que $f'(x)$ soit une fonction *polynomiale* et que $f'(x_0) = 0$. Alors $(x - x_0)$ est un facteur du polynôme $f'(x)$. De fait, $(x - x_0)$ peut être un facteur d'ordre supérieur à 1. (Par exemple, si $f'(x) = x^4 - 2x^3 + x^2$, alors $f'(0) = 0$ et $f'(1) = 0$ et $f'(x) = x^4 - 2x^3 + x^2 = x^2(x - 1)^2$. Ici, $(x - 0)$ et $(x - 1)$ sont tous les deux des facteurs d'ordre 2.) Il en est de même si $f'(x)$ est une fonction *rationnelle*, puisque $f'(x_0)$ ne s'annule que si le numérateur de la fonction s'annule en $x = x_0$.

Supposons que $f'(x_0) = 0$ et que nous puissions écrire $f'(x)$ sous la forme

$$f'(x) = (x - x_0)^n g(x),$$

où n est un entier positif, $g(x)$ une fonction continue et $g(x_0) \neq 0$. Comme $g(x)$ est une fonction continue et qu'elle ne s'annule pas en x_0, elle ne change donc pas de signe quand x passe de la gauche de x_0 à la droite de x_0. Le facteur $(x - x_0)$, pour sa part, change de signe quand x franchit x_0. Il s'ensuit que si n est un nombre pair, alors $(x - x_0)^n$ ne change pas de signe quand x franchit x_0, mais que si n est impair, alors $(x - x_0)^n$ change effectivement de signe. En résumé,

> Si $f'(x) = (x - x_0)^n g(x)$, où $g(x)$ est une fonction continue et $g(x_0) \neq 0$, alors $f'(x)$ change de signe lorsque x franchit x_0 si n est impair et $f'(x)$ ne change pas de signe si n est pair.

EXEMPLE 3 Déterminer les intervalles de croissance et de décroissance de la fonction $f(x) = (x - 1)^3$.

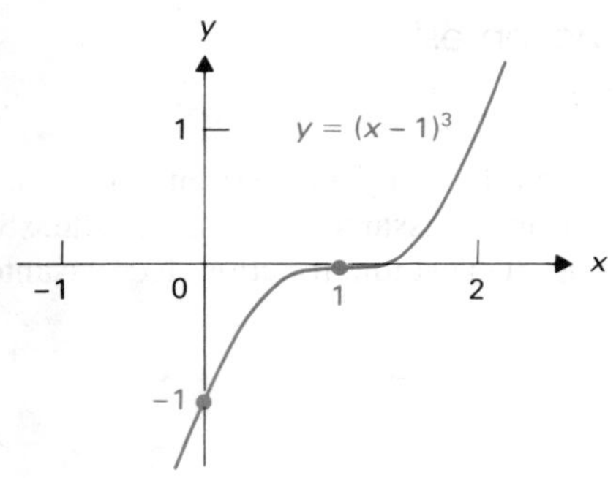

Figure 5.19 La fonction $f(x) = (x-1)^3$ est croissante pour tout x, même si $f'(1) = 0$.

Solution La dérivée $f'(x) = 3(x-1)^2 = 0$ seulement quand $x = 1$. Comme l'exposant 2 est un nombre pair, $f'(x)$ ne change pas de signe quand x franchit le point 1. Il est bien évident que $f'(x) \geq 0$ quel que soit x, de sorte que $f(x)$ est une fonction croissante en tout point x. Le graphe de la fonction est tracé à la figure 5.19. □

EXEMPLE 4 Sachant que $f'(x) = x^2(x-2)^3(x+1)$, déterminer les intervalles de croissance et de décroissance de f.

Solution Traçons un axe des x et indiquons-y les endroits où $f'(x) < 0$ et où $f'(x) > 0$ (figure 5.20). Il est clair que $f'(x) = 0$ aux points -1, 0 et 2, mais en étudiant la forme de $f'(x)$, on constate que la fonction dérivée change de signe quand x franchit les points -1 et 2, mais non quand x franchit le point 0. Si on multipliait les facteurs de $f'(x)$ entre eux, le terme de la puissance la plus élevée de x serait x^6, qui constitue un terme dominant du polynôme quand $x \to -\infty$. Il s'ensuit que $f'(x)$ est positive quand x est grand et négatif. Il ne reste plus qu'à indiquer les points -1, 0 et 2 sur l'axe des x, puis à procéder systématiquement de gauche à droite. Ainsi,

$f'(x) > 0$ pour $x < -1$,

$f'(x) < 0$ pour $-1 < x < 0$ (puisque $f'(x)$ change de signe au point -1),

$f'(x) < 0$ pour $0 < x < 2$ (puisque $f'(x)$ ne change pas de signe au point 0),

$f'(x) > 0$ pour $x > 2$ (puisque $f'(x)$ change de signe au point 2).

Par conséquent, f est une fonction croissante pour $x < -1$ et pour $x > 2$, et une fonction décroissante pour $-1 < x < 2$. □

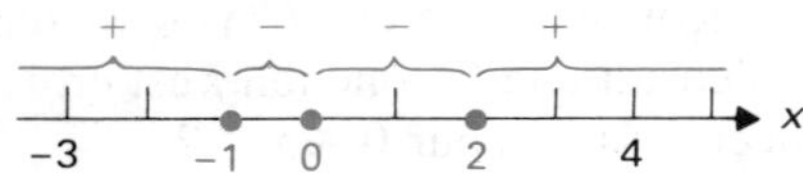

Figure 5.20 Signe de $f'(x) = x^2(x-2)^3(x+1)$: $f(x)$ est croissante pour $x < -1$ et $x > 2$ et décroissante pour $-1 < x < 2$.

MAXIMUMS RELATIFS ET MINIMUMS RELATIFS

L'interprétation géométrique que nous venons de donner au signe de $f'(x)$ va nous aider à déterminer si à un point critique donné d'une fonction f correspond un maximum relatif de la fonction, un minimum relatif ou ni l'un, ni l'autre. Soit x_1 un point critique, de sorte que $f'(x_1) = 0$ ou que $f'(x_1)$ n'existe pas. Supposons que $f'(x)$ soit définie pour des valeurs voisines de x_1, situées de chaque côté de x_1. Si $f'(x)$ change de signe quand x franchit x_1, alors la fonction admet un extremum relatif en x_1. Si le signe de $f'(x)$ passe de positif à négatif lorsque x s'accroît, comme c'est le cas pour les points critiques x_1 et x_5 de la figure 5.21, alors la fonction admet

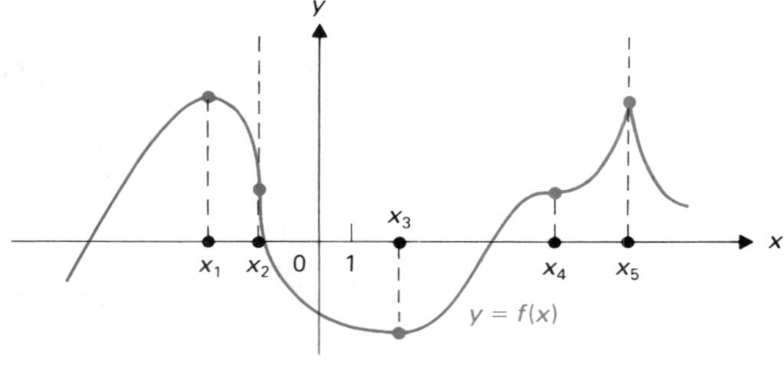

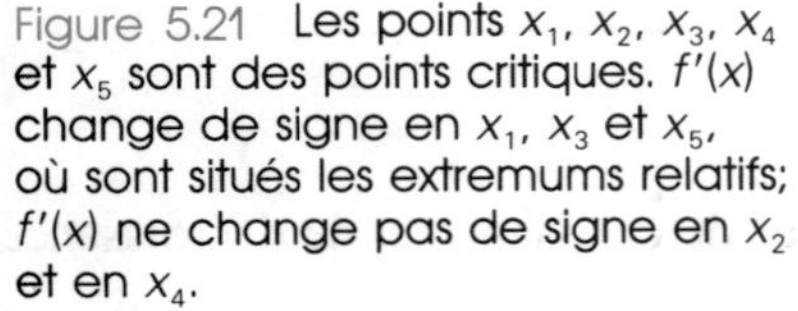

Figure 5.21 Les points x_1, x_2, x_3, x_4 et x_5 sont des points critiques. $f'(x)$ change de signe en x_1, x_3 et x_5, où sont situés les extremums relatifs; $f'(x)$ ne change pas de signe en x_2 et en x_4.

un maximum relatif. Si le signe de $f'(x)$ passe de négatif à positif, alors la fonction admet un minimum relatif, comme c'est le cas au point x_3. Si le signe de $f'(x)$ ne change pas, comme aux points critiques x_2 et x_4, alors la fonction n'y présente pas d'extremum relatif. Nous pouvons utiliser ces conclusions pour énoncer une marche à suivre pour la construction de courbes à l'aide du signe de la dérivée première.

CONSTRUCTION DU GRAPHIQUE D'UNE FONCTION f À L'AIDE DU SIGNE DE LA DÉRIVÉE PREMIÈRE

Étape 1 Calculer $f'(x)$, puis trouver les points critiques de f. Choisir un repère cartésien, reporter les points critiques sur l'axe des x et les points correspondants sur le graphique.

Étape 2 Déterminer les intervalles de croissance ($f'(x) > 0$) et de décroissance ($f'(x) < 0$) de la fonction.

Étape 3 En chacun des points critiques, déterminer si la fonction présente un maximum relatif ($f'(x)$ passe de positive à négative quand x s'accroît) ou un minimum relatif ($f'(x)$ passe de négative à positive quand x s'accroît), ou encore si la fonction ne présente ni maximum relatif, ni minimum relatif ($f'(x)$ ne change pas de signe).

Étape 4 Tracer le graphe de la fonction en utilisant les informations recueillies au cours des trois premières étapes. (Il peut être utile d'identifier quelques points supplémentaires.)

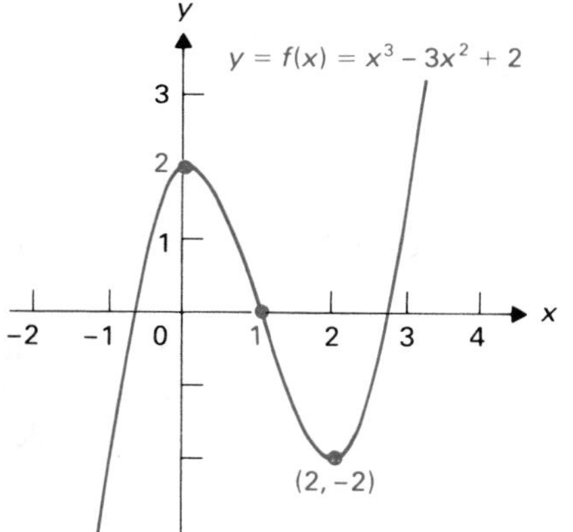

Figure 5.22 La fonction f est croissante pour $x < 0$ et $x > 2$ et décroissante pour $0 < x < 2$; elle atteint un maximum relatif en $x = 0$ et un minimum relatif en $x = 2$.

EXEMPLE 5 Tracer le graphique de la fonction $f(x) = x^3 - 3x^2 + 2$.

Solution

Étape 1 La dérivée $f'(x) = 3x^2 - 6x = 3x(x - 2) = 0$ quand $x = 0$ ou $x = 2$. Les points 0 et 2 constituent donc les points critiques de la fonction. Les points correspondants du graphique sont (0,2) et (2, −2).

Étape 2 Comme nous l'avons vu à l'exemple 2, la fonction f est croissante pour $x < 0$ et $x > 2$, et elle est décroissante pour $0 < x < 2$.

Étape 3 Lorsque x franchit le point 0, $f'(x)$ passe de positive à négative; la fonction f présente donc un maximum relatif en $x = 0$. Par ailleurs, lorsque x franchit le point 2, $f'(x)$ passe de négative à positive, d'où l'existence d'un minimum relatif en $x = 2$.

Étape 4 Le graphique de la fonction est représenté à la figure 5.22. □

EXEMPLE 6 Construire le graphique de la fonction $f(x) = x^4 - 2x^3 + 1$.

Solution

Étape 1 La dérivée $f'(x) = 4x^3 - 6x^2 = 2x^2(2x - 3) = 0$ quand $x = 0$ ou $x = 3/2$. Les points critiques de la fonction sont donc 0 et 3/2, auxquels correspondent les points (0,1) et (3/2, −11/16) du graphique de f.

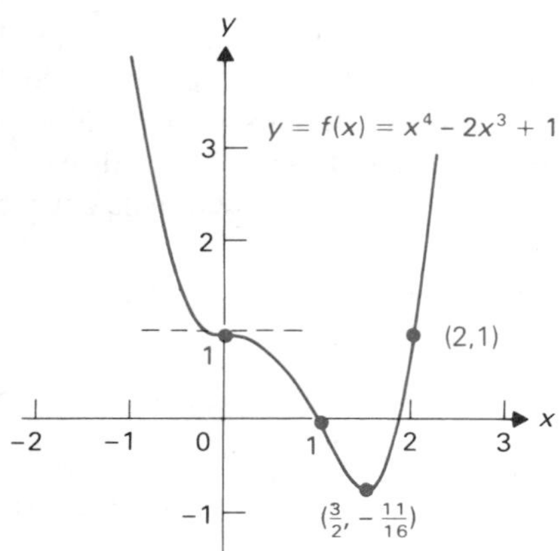

Figure 5.23 La fonction f est croissante pour $x > 3/2$ et décroissante pour $x < 0$ et $0 < x < 3/2$; elle atteint un minimum relatif au point critique $x = 3/2$ mais ne présente pas d'extremum relatif au point critique $x = 0$.

Étape 2 La forme factorisée de $f'(x)$ montre bien que $f'(x)$ change de signe quand x franchit le point $3/2$, mais pas quand x franchit le point 0. Comme, de plus, $\lim_{x\to-\infty} f'(x) = -\infty$, on en déduit que la fonction f est décroissante pour $x < 0$ et pour $0 < x < 3/2$, et qu'elle est croissante pour $x > 3/2$.

Étape 3 Nous avons vu que $f'(x)$ ne change pas de signe en $x = 0$; la fonction n'y présente donc pas d'extremum relatif. Au point $x = 3/2$, par contre, $f'(x)$ passe de négative à positive, d'où l'existence d'un minimum relatif au point $3/2$.

Étape 4 Le graphe est représenté à la figure 5.23. Remarquez la forme du graphique au point (0,1): comme $f'(0) = 0$, le graphique admet une tangente horizontale en ce point. □

Voici un dernier exemple pour montrer que $f'(x)$ peut changer de signe en un point qui n'appartient pas au domaine de f.

EXEMPLE 7 Tracer le graphique de la fonction

$$f(x) = \frac{1}{x^2(x-1)} + 3.$$

Solution

Étape 1 On remarquera que f n'est pas définie aux points 0 et 1. La dérivée est donnée par

$$f'(x) = \frac{-1[x^2 + (x-1)2x]}{x^4(x-1)^2} = \frac{-3x^2 + 2x}{x^4(x-1)^2} = \frac{-3x + 2}{x^3(x-1)^2}.$$

On a donc $f'(x) = 0$ quand $3x = 2$, c'est-à-dire quand $x = 2/3$. Ce point critique, le seul de la fonction, correspond au point $(2/3, -15/4)$ du graphe.

Étape 2 En regardant la forme de $f'(x)$ à la lumière des critères de parité énoncés en page 179, on constate que $f'(x)$ change de signe aux points $2/3$ et 0, mais pas au point 1. Comme $f'(x) < 0$ pour des x grands et négatifs, on peut en déduire que

f est décroissante pour $x < 0$;

f est croissante pour $0 < x < 2/3$;

f est décroissante pour $2/3 < x < 1$;

f est décroissante pour $x > 1$.

Étape 3 Comme $f'(x)$ passe de positive à négative au point $2/3$, la fonction f présente un maximum relatif en ce point.

Étape 4 Le graphique de la fonction est tracé à la figure 5.24. Remarquez les asymptotes verticales d'équations $x = 0$ et $x = 1$, et l'asymptote horizontale d'équation $y = 3$. □

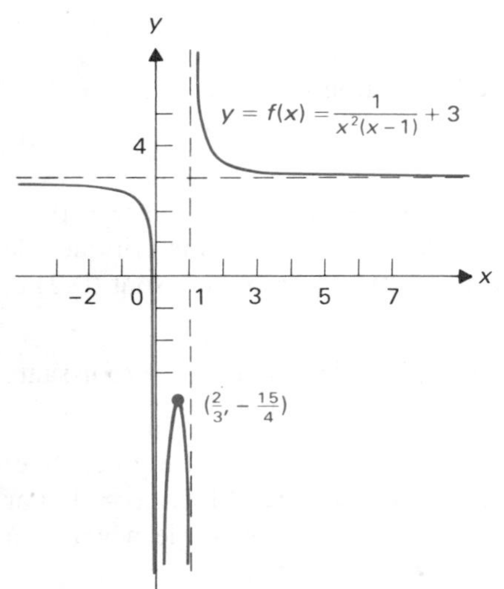

Figure 5.24 La fonction f est croissante pour $0 < x < 2/3$, décroissante pour $x < 0$, $2/3 < x < 1$ et $x > 1$; maximum relatif en $x = 2/3$, asymptotes verticales d'équations $x = 0$ et $x = 1$, asymptote horizontale d'équation $y = 3$.

RÉSUMÉ

Ce qu'il faut savoir au sujet de la dérivée première:

1. Si $f'(x) > 0$ en tout point d'un intervalle, alors la fonction f est croissante sur cet intervalle.
2. Si $f'(x) < 0$ en tout point d'un intervalle, alors la fonction f est décroissante sur cet intervalle.
3. Si x_1 est un point critique de f, c'est-à-dire un point pour lequel $f'(x_1)$ n'existe pas ou $f'(x_1) = 0$, alors *il est possible* que f présente un maximum relatif ou un minimum relatif en ce point. Plus précisément,

   a) si $f'(x)$ passe de négative à positive quand x franchit x_1, alors $f(x_1)$ est un minimum relatif de la fonction;

   b) si $f'(x)$ passe de positive à négative quand x franchit x_1, alors $f(x_1)$ est un maximum relatif de la fonction;

   c) si $f'(x)$ ne change pas de signe quand x franchit x_1, alors $f(x_1)$ n'est ni un maximum relatif, ni un minimum relatif.

EXERCICES

Pour les exercices 1 à 14, déterminer les intervalles de croissance et de décroissance des fonctions données.

1. $f(x) = x^2 - 6x + 2$

2. $f(x) = 4 - 3x - 2x^2$

3. $f(x) = x^3 + 3x^2 - 9x + 5$

4. $f(x) = x^3 - 6x^2 + 4$

5. $f(x) = 8 + 12x - x^3$

6. $f(x) = 3 - 12x + 6x^2 - x^3$

7. $f(x) = x^3 + 3x^2 + 3x - 5$

8. $f(x) = \dfrac{x}{x^2 + 1}$ **9.** $f(x) = \dfrac{1}{x + 2}$

10. $f(x) = \dfrac{1}{(x - 1)^2}$ **11.** $f(x) = \dfrac{x}{x^2 - 1}$

12. $f(x) = \dfrac{x^3}{x^2 - 4}$ **13.** $f(x) = (x^2 - 4)^{2/3}$

14. $f(x) = (x^2 - 8)^{1/3}$

15. Quelle valeur doit prendre b pour que la fonction polynomiale $f(x) = x^2 + bx - 7$ présente un minimum relatif au point 4?

16. Soit la fonction polynomiale $f(x) = ax^2 + 4x + 13$.

a) Calculer la valeur que doit prendre a pour que la fonction présente un extremum relatif au point 1. S'agit-il d'un maximum ou d'un minimum?

b) Calculer la valeur que doit prendre a pour que la fonction présente un extremum relatif au point -1. S'agit-il d'un maximum ou d'un minimum?

17. Soit la fonction polynomiale $f(x) = ax^2 + bx + 24$.

a) Quel doit être le rapport b/a pour que la fonction présente un minimum relatif au point 2?

b) Trouver les valeurs que doivent prendre a et b pour que la fonction présente un minimum relatif au point 2 et que $f(2) = 12$.

c) Est-il possible de donner des valeurs à a et à b de sorte que f présente un maximum relatif au point 2 et que $f(2) = 12$?

18. Construire le graphique d'une fonction $f(x)$ pour laquelle $f'(x)$ et $f''(x)$ existent, et telle que $f(1) = 3$, $f(4) = 1$, et f présente un minimum relatif au point 1 et un maximum relatif au point 4.

19. Est-il possible qu'une fonction admette une dérivée première et une dérivée seconde, satisfasse aux conditions de l'exercice 18 et ne présente aucun extremum relatif dans l'intervalle $]1,4[$?

Dans les exercices 20 à 26, déterminer, à partir de la dérivée première $f'(x)$ donnée:

a) les intervalles de croissance de f;
b) les intervalles de décroissance de f;
c) les valeurs de x pour lesquelles f présente un maximum relatif;
d) les valeurs de x pour lesquelles f présente un minimum relatif.

20. $f'(x) = x(x - 1)^2$

21. $f'(x) = (x - 3)^2(x + 1)^3$

22. $f'(x) = x^2(x + 4)^3(x - 1)^3$

23. $f'(x) = \dfrac{x^2}{(x - 1)(x + 2)}$ **24.** $f'(x) = \dfrac{(x - 1)(x + 2)}{(x + 3)^2}$

25. $f'(x) = \dfrac{x^2(x - 4)}{(x - 1)(x + 2)}$ **26.** $f'(x) = \dfrac{(x - 1)^3(x + 1)^2}{x^2(x + 4)}$

Compléter les phrases suivantes:

27. Une fonction polynomiale de degré n peut admettre tout au plus ______ extremums relatifs.

28. Si f est une fonction polynomiale de degré n, où n est un nombre pair, et si le coefficient a_n de x^n est positif, alors f peut admettre tout au plus ______ maximums relatifs et ______ minimums relatifs.

29. Si f est une fonction polynomiale de degré n, où n est un nombre pair, et si le coefficient a_n de x^n est négatif, alors f peut admettre tout au plus ______maximums relatifs et ______ minimums relatifs.

30. Si f est une fonction polynomiale de degré n, où n est un nombre impair, alors f peut admettre tout au plus ______ maximums relatifs et ______ minimums relatifs.

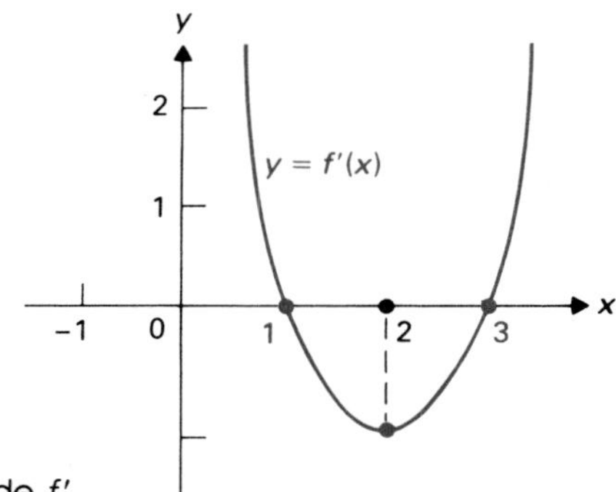

Figure 5.25
Graphique de f'.

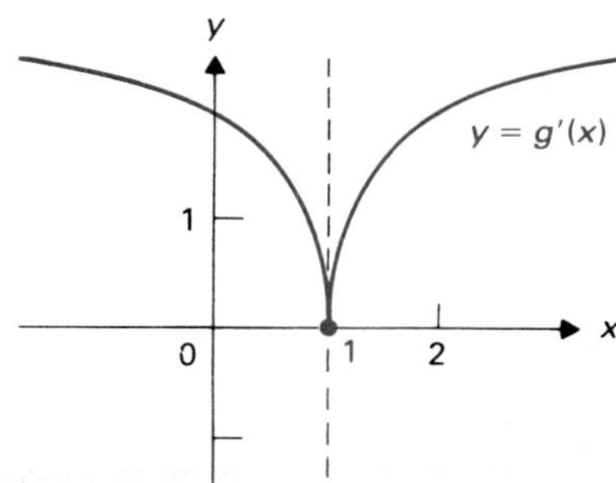

Figure 5.26
Graphique de g'.

Pour les exercices 31 à 34, se reporter aux figures 5.25 à 5.28 qui illustrent les *dérivées* de fonctions définies et continues en tout point. Répondre à chaque question par vrai ou faux.

31. Si à f correspond la dérivée $f'(x)$ représentée à la figure 5.25, alors
a) f présente un minimum relatif au point $x = 2$;
b) f présente un minimum relatif au point $x = 1$;
c) f présente un minimum relatif au point $x = 3$;
d) f présente un maximum relatif au point $x = 1$;
e) f est une fonction croissante pour $x > 2$.

32. Si à g correspond la dérivée $g'(x)$ représentée à la figure 5.26, alors
a) g est une fonction décroissante pour $x < 1$;
b) g est une fonction croissante pour $x > 1$;
c) g est une fonction croissante quel que soit x;
d) g présente un minimum relatif au point $x = 1$;
e) g ne présente ni maximum relatif, ni minimum relatif, au point $x = 1$.

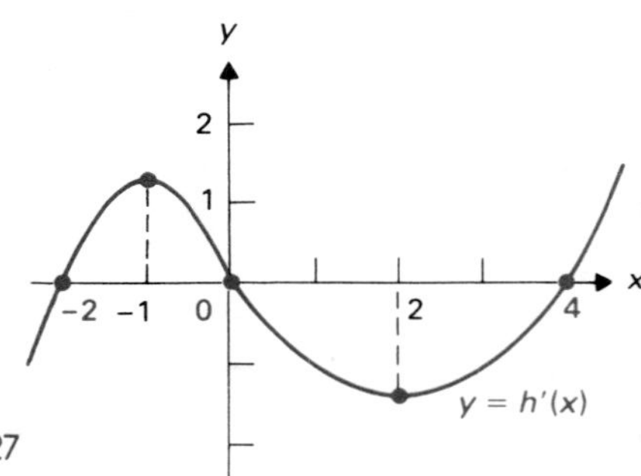

Figure 5.27
Graphique de h'.

33. Si à h correspond la dérivée $h'(x)$ représentée à la figure 5.27, alors
a) h est une fonction décroissante pour $0 < x < 4$;
b) h présente un maximum relatif au point $x = -2$;
c) h présente un minimum relatif au point $x = 4$;
d) h présente un minimum relatif au point $x = 0$;
e) h est une fonction croissante pour $x > 2$.

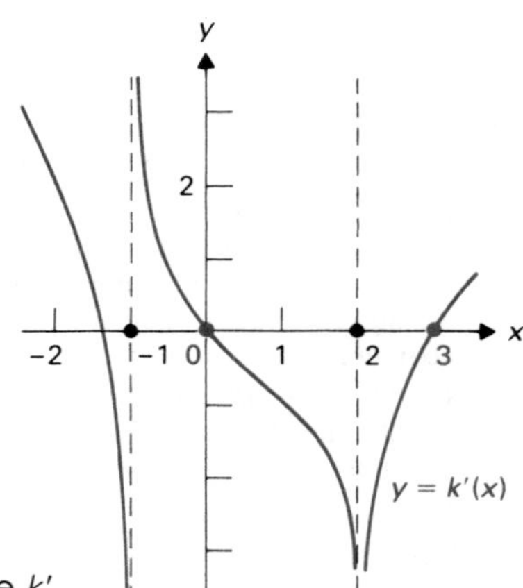

Figure 5.28
Graphique de k'.

34. Si à k correspond la dérivée $k'(x)$ représentée à la figure 5.28, alors
a) le graphique de k admet une tangente verticale en $x = 2$;
b) k présente un minimum relatif au point $x = 2$;
c) k présente un minimum relatif au point $x = -1$;
d) k est une fonction décroissante pour $0 < x < 3$;
e) k présente un maximum relatif au point $x = 0$.

Dans les exercices 35 à 44, calculer la dérivée première de la fonction, puis utiliser cette dérivée pour tracer le graphique de la fonction. Les fonctions suggérées sont des multiples de certaines des fonctions étudiées dans les exercices 1 à 14 (voir les références entre parenthèses). Utiliser au besoin les résultats de ces exercices.

35. $f(x) = x^2 - 6x + 2$ (Exercice 1)

36. $f(x) = 4 - 3x - 2x^2$ (Exercice 2)

37. $f(x) = (x^3 + 3x^2 - 9x + 5)/8$ (Exercice 3)

38. $f(x) = (8 + 12x - x^3)/8$ (Exercice 5)

39. $f(x) = x^3 + 3x^2 + 3x - 5$ (Exercice 7)

40. $f(x) = \dfrac{x}{x^2 + 1}$ (Exercice 8)

41. $f(x) = \dfrac{x}{x^2 - 1}$ (Exercice 11)

42. $f(x) = \dfrac{1}{2} \cdot \dfrac{x^3}{x^2 - 4}$ (Exercice 12)

43. $f(x) = (x^2 - 4)^{2/3}$ (Exercice 13)

44. $f(x) = (x^2 - 8)^{1/3}$ (Exercice 14)

5.5 CONSTRUCTION DE GRAPHIQUES À L'AIDE DE LA DÉRIVÉE SECONDE

Complétons la démarche entreprise à la section précédente en étudiant cette fois le rôle de la dérivée seconde. Ensuite nous vous donnerons un résumé de la marche à suivre pour construire des graphiques à l'aide des dérivées première et seconde.

CONCAVITÉ

Soit f une fonction pour laquelle $f'(x)$ et $f''(x)$ existent. Puisque

$$f''(x) = \frac{d(f'(x))}{dx},$$

on en déduit que $f'(x)$ est croissante dans tout intervalle où $f''(x) > 0$. Nous savons que $f'(x)$ est la pente de la tangente à la courbe de f au point x. Or, la pente de la tangente s'accroît lorsque la tangente se déplace *dans le sens inverse des aiguilles d'une montre* à mesure que x s'accroît. Dans ce cas, le graphe est incliné vers le haut (figure 5.29). On dit alors que la courbe *a sa concavité tournée vers les* y *positifs* ou, plus simplement, qu'elle est *concave vers le haut*. Si, au contraire, $f''(x) < 0$, alors la pente décroît, la tangente se déplaçant *dans le sens des aiguilles d'une montre* lorsque x s'accroît, et la courbe *a sa concavité tournée vers les* y *négatifs* ou, plus simplement, *vers le bas* (figure 5.30).

Les points où $f''(x) = 0$ correspondent aux endroits où la concavité de la courbe est susceptible de changer du haut vers le bas, ou inversement. Les points où la courbe change effectivement de concavité sont appelés *points d'inflexion* (figure 5.31).

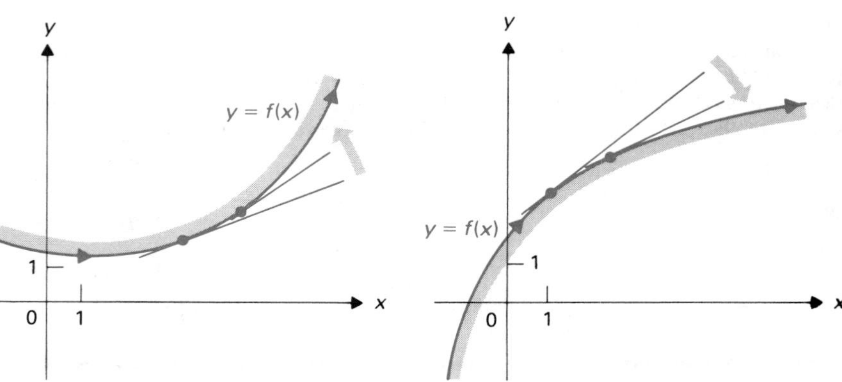

Figure 5.29 $f''(x) > 0$; la tangente se déplace dans le sens inverse des aiguilles d'une montre à mesure que x s'accroît; la courbe est concave vers le haut.

Figure 5.30 $f''(x) < 0$; la tangente se déplace dans le sens des aiguilles d'une montre lorsque x s'accroît; la courbe est concave vers le bas.

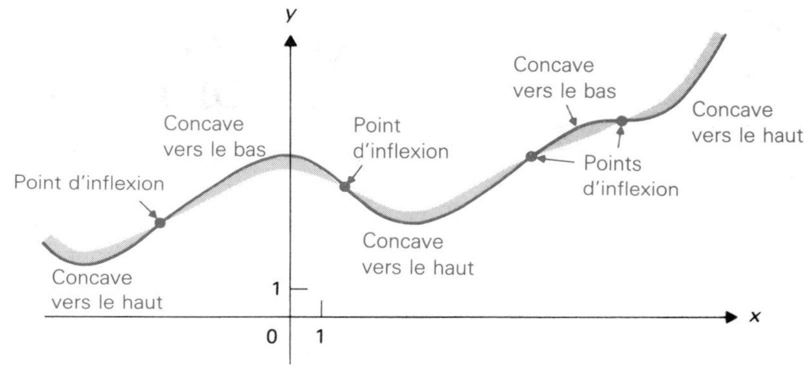

Figure 5.31 Aux points d'inflexion se produit un changement de concavité.

En résumé,

DÉFINITION 5.4 Concavité et points d'inflexion

Soit f une fonction qui admet une dérivée première et une dérivée seconde. On dit que la courbe de f est **concave vers le haut** dans un intervalle si dans cet intervalle $f''(x) > 0$. La courbe de f est **concave vers le bas** dans un intervalle si dans cet intervalle $f''(x) < 0$. On appelle **point d'inflexion** d'une courbe un point où la courbe change de concavité.

Supposons que la courbe de f ait un point d'inflexion en $x = x_1$ et que $f''(x)$ existe et soit continue pour des valeurs de x voisines de x_1. Il s'ensuit nécessairement que $f''(x) > 0$ pour x voisin de x_1 d'un côté de x_1 et que $f''(x) < 0$ pour x voisin de x_1 de l'autre côté de x_1. En vertu du théorème des valeurs intermédiaires, $f''(x_1)$ doit s'annuler. Par conséquent, si une fonction admet une dérivée seconde continue, alors seuls les points où $f''(x) = 0$ peuvent être des points d'inflexion. (Mais attention! ils ne le sont pas forcément, comme nous le verrons plus loin.)

EXEMPLE 1 Trouver les points d'inflexion et déterminer les intervalles de concavité vers le haut et vers le bas de la courbe $f(x) = x^3 - 3x^2 + 2$.

Solution Les dérivées première et seconde sont respectivement $f'(x) = 3x^2 - 6x$ et $f''(x) = 6x - 6$. Il s'ensuit que $f''(x) = 0$ quand $6x - 6 = 0$, c'est-à-dire quand $x = 1$. Comme $6x - 6 < 0$ quand $x < 1$, la courbe est concave vers le bas quand $x < 1$. Par ailleurs, la courbe est concave vers le haut quand $x > 1$, puisque $6x - 6 > 0$. La concavité change donc lorsque x franchit le point 1, de sorte que (1,0) est un point d'inflexion de la courbe (figure 5.32). Nous avions déjà repéré le maximum relatif et le minimum relatif de cette fonction à l'exemple 5 de la section 5.4. □

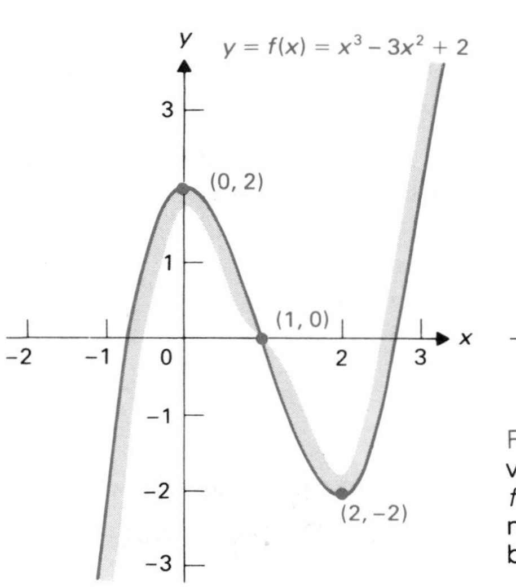

Figure 5.32 Concavité tournée vers le bas quand $x < 1$; concavité tournée vers le haut quand $x > 1$; le point (1,0) est un point d'inflexion.

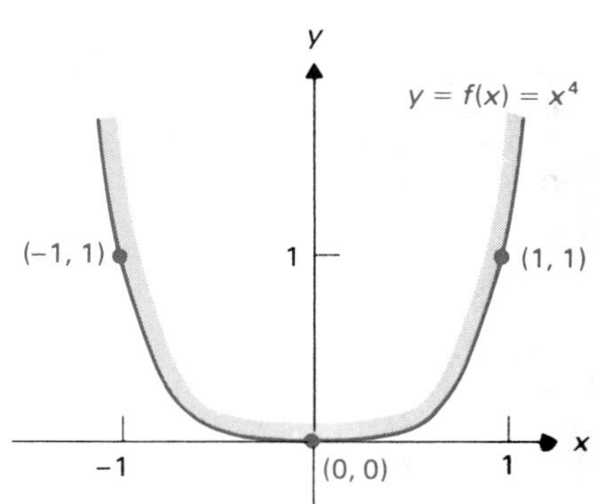

Figure 5.33 Concavité tournée vers le haut quand $x < 0$ et $x > 0$; $f''(0) = 0$, toutefois le point (0,0) n'est pas un point d'inflexion, mais bien un minimum relatif.

EXEMPLE 2 Trouver les points d'inflexion et déterminer les intervalles de concavité vers le haut et vers le bas de la courbe $f(x) = x^4$.

Solution Puisque $f(x) = x^4$, on a $f'(x) = 4x^3$ et $f''(x) = 12x^2$. Bien que $f''(0) = 0$, le point (0,0) n'est pas un point d'inflexion puisque $f''(x) > 0$ de chaque côté de $x = 0$. La courbe, représentée à la figure 5.33, est donc concave vers le haut tant pour $x < 0$ que pour $x > 0$, et elle n'a pas de point d'inflexion. En fait, la fonction présente un minimum relatif en $x = 0$ car $f'(0) = 0$, $f'(x) < 0$ quand $x < 0$ et $f'(x) > 0$ quand $x > 0$. □

EXEMPLE 3 Soit une fonction f telle que $f''(x) = x^2(x - 1)^3(x + 2)$. Trouver les abscisses des points d'inflexion du graphe de f.

Solution $f''(x) = 0$ quand $x = -2$, 0 ou 1. En utilisant la propriété énoncée à la page 179, on en déduit que $f''(x)$ change de signe lorsque x franchit les points -2 et 1, mais qu'elle ne change pas de signe au point 0. Donc, seuls les points -2 et 1 sont des points d'inflexion de la courbe. □

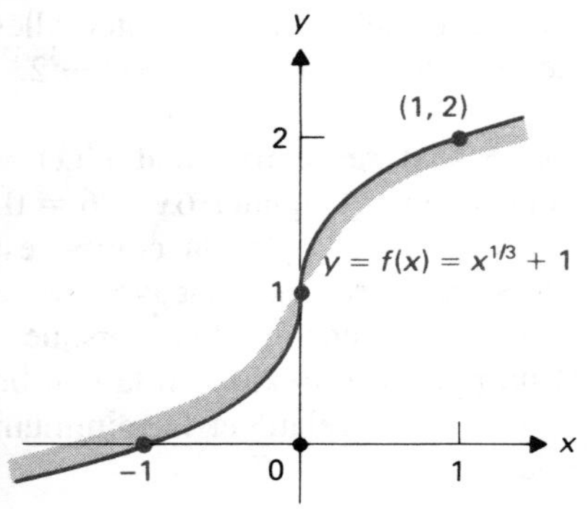

Figure 5.34 Concavité tournée vers le haut quand $x < 0$; concavité tournée vers le bas quand $x > 0$; $f''(0)$ n'existe pas, mais (0,1) est un point d'inflexion.

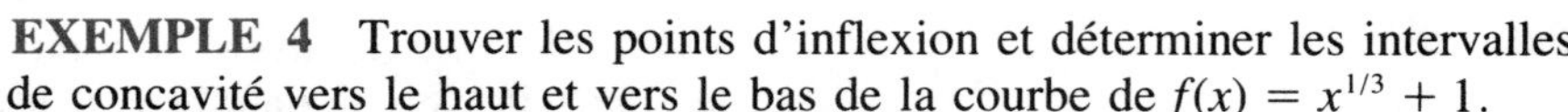

EXEMPLE 4 Trouver les points d'inflexion et déterminer les intervalles de concavité vers le haut et vers le bas de la courbe de $f(x) = x^{1/3} + 1$.

Solution

$$f'(x) = \frac{1}{3}x^{-2/3} \quad \text{et} \quad f''(x) = -\frac{2}{9}x^{-5/3} = \frac{-2}{9x^{5/3}}.$$

Il s'ensuit que $f''(x) \neq 0$ pour tout $x \neq 0$ et que $f''(0)$ n'existe pas. La fonction f, pour sa part, est définie en $x = 0$, et $f(0) = 1$. En analysant la concavité de la courbe, on trouve que

$f''(x) > 0$ quand $x < 0$, de sorte que la courbe est concave vers le haut quand $x < 0$;

$f''(x) < 0$ quand $x > 0$, de sorte que la courbe est concave vers le bas quand $x > 0$.

La courbe change donc de concavité quand x franchit le point 0; le point (0,1) est par conséquent un point d'inflexion de la courbe (figure 5.34). □

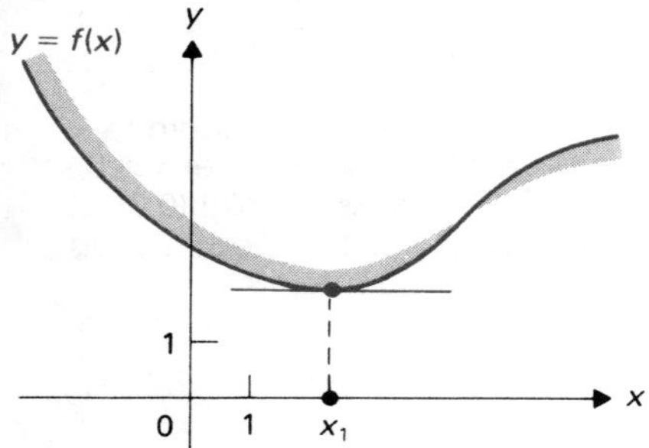

Figure 5.35 $f'(x_1) = 0$, $f''(x_1) > 0$, minimum relatif en $x = x_1$.

RECHERCHE DES EXTREMUMS RELATIFS À L'AIDE DE LA DÉRIVÉE SECONDE

Soit f une fonction qui admet une dérivée première et une dérivée seconde. Si $f'(x_1) = 0$ et $f''(x_1) > 0$, le graphe de f admet une tangente horizontale en $x = x_1$ et sa concavité est tournée vers le haut; on peut conclure que f présente un minimum relatif au point x_1 (figure 5.35). Si, par ailleurs, $f'(x_2) = 0$ et $f''(x_2) < 0$, le graphe admet une tangente horizontale en $x = x_2$, mais cette fois sa concavité est tournée vers le bas en x_2, de sorte que f présente alors un maximum relatif (figure 5.36). Par conséquent, si $f'(a) = 0$ mais que $f''(a) \neq 0$, alors on peut utiliser le signe de $f''(a)$ pour déterminer si la fonction présente un maximum relatif ou un minimum relatif en $x = a$.

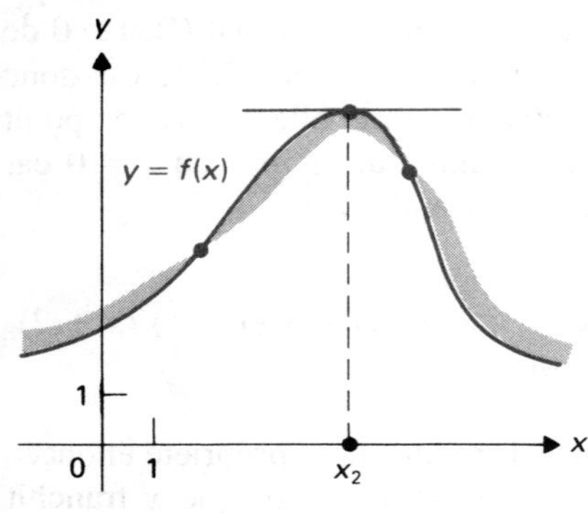

Figure 5.36 $f'(x_2) = 0$, $f''(x_2) < 0$, maximum relatif en $x = x_2$.

EXEMPLE 5 À l'aide de la dérivée seconde de la fonction, déterminer si $f(x) = x^3 - 3x^2 + 2$ présente un maximum relatif ou un minimum relatif aux points où $f'(x) = 0$.

Solution Nous avons déjà vu que $f'(x) = 3x^2 - 6x = 3x(x - 2) = 0$ quand $x = 0$ ou $x = 2$. De plus, $f''(x) = 6x - 6$. Comme $f''(0) = -6 < 0$, la courbe est concave vers le bas au point (0,2), qui ne peut être alors qu'un maximum relatif. Par ailleurs $f''(2) = 6 > 0$; la courbe est concave vers le haut au point $(2, -2)$ et celui-ci est un minimum relatif (figure 5.32). □

RÔLE DES DÉRIVÉES DANS LA CONSTRUCTION DES GRAPHIQUES

Le théorème 5.6 résume les concepts que nous avons vus jusqu'à présent dans cette section.

THÉORÈME 5.6 Dérivée seconde et points d'inflexion

Soit f une fonction qui admet une dérivée seconde continue.

1. Si $f''(x_1) = 0$ et si $f''(x)$ change de signe lorsque x franchit le point x_1, alors la courbe de f a un point d'inflexion en $x = x_1$.
2. Si $f'(a) = 0$ et si $f''(a) \neq 0$, alors la fonction présente un maximum relatif en $x = a$ si $f''(a) < 0$ et un minimum relatif si $f''(a) > 0$.

Voici maintenant un schéma général de l'étude des fonctions et de la construction des graphiques à l'aide de la dérivée première et de la dérivée seconde.

ÉTUDE D'UNE FONCTION f ET CONSTRUCTION DE SON GRAPHIQUE À L'AIDE DES DÉRIVÉES

Étape 1 Calculer $f'(x)$ et $f''(x)$.

Étape 2 Trouver les points critiques, c'est-à-dire les points pour lesquels $f'(x) = 0$ ou $f'(x)$ n'existe pas. Pour chaque point critique, déterminer s'il s'agit ou non d'un extremum relatif, soit au moyen de la dérivée seconde, soit en vérifiant si $f'(x)$ change de signe.

Étape 3 (Facultative) Déterminer les intervalles de croissance ($f'(x) > 0$) et de décroissance ($f'(x) < 0$) de la fonction. Si les consignes de l'étape 2 ont été bien suivies, ces intervalles devraient ressortir clairement lors de la construction du tableau de l'étape 6.

Étape 4 Rechercher les points susceptibles d'être des points d'inflexion, c'est-à-dire ceux pour lesquels $f''(x) = 0$ ou $f''(x)$ n'existe pas ou n'est pas continue. Vérifier ensuite, en chacun des points, si $f''(x)$ change de signe. Si c'est le cas, le point est un point d'inflexion du graphique.

Étape 5 (Facultative) Déterminer les intervalles où la courbe est concave vers le haut ($f''(x) > 0$) ou vers le bas ($f''(x) < 0$). Si les consignes des étapes 1, 2 et 4 ont été suivies à la lettre, ces intervalles devraient ressortir clairement lors de la construction du tableau de l'étape 6.

Étape 6 Construire un tableau récapitulatif des informations recueillies dans les cinq premières étapes.

Étape 7 Tracer le graphique de la fonction au moyen des informations inscrites dans le tableau. Il sera parfois utile d'identifier quelques points supplémentaires, comme les points d'intersection de la courbe avec les axes.

EXEMPLE 6 Étudier la fonction $f(x) = x^4/4 - 4x^3/3 + 2x^2 - 1$ et construire son graphique.

Solution

Étape 1 Calculons les dérivées:

$$f'(x) = x^3 - 4x^2 + 4x = x(x^2 - 4x + 4) = x(x-2)^2 \quad \text{et} \quad f''(x) = 3x^2 - 8x + 4 = (3x-2)(x-2).$$

Étape 2 On a $f'(x) = 0$ quand $x = 0$ ou quand $x = 2$. Comme la racine $x = 0$ de $f'(x)$ provient du facteur x, qui n'apparaît qu'une fois, et comme $(x-2)^2 > 0$, $f'(x)$ change de signe, passant de négative à positive, quand x franchit 0 de gauche à droite. On constate également que $f''(0) = 4 > 0$, de sorte que la courbe est concave vers le haut en $x = 0$. Cela nous permet de vérifier de deux façons différentes que $f(x)$ présente un minimum relatif en $x = 0$, qui correspond au point $(0, -1)$ du graphe.

Par contre, bien que $f'(2) = 0$, la dérivée $f'(x)$ *ne change pas* de signe quand x franchit le point 2, puisque le facteur $(x-2)^2$ est affecté d'un exposant *pair*. On ne trouve donc pas d'extremum relatif au point 2.

Étape 4 Passons l'étape 3 et voyons quels sont les points qui annulent $f''(x)$. Les possibilités de points d'inflexion sont $x = 2$ et $x = 2/3$. Or $f''(x)$ change effectivement de signe quand x franchit le point 2, car le facteur $(x-2)^1$ est affecté d'un exposant impair; le point $(2, f(2)) = (2, 1/3)$ est donc un point d'inflexion. On a également un point d'inflexion en $x = 2/3$, à cause de l'exposant impair dont est affecté le facteur $(3x-2)^1$ de $f''(x)$.

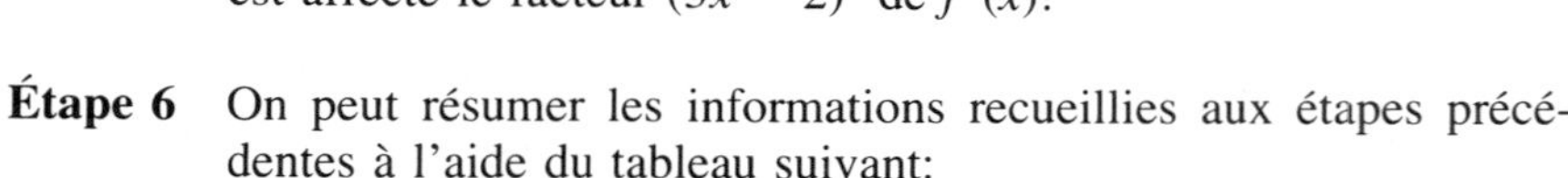

Étape 6 On peut résumer les informations recueillies aux étapes précédentes à l'aide du tableau suivant:

x		0		2/3		2	
Signe de $f'(x)$	−	0	+	+	+	0	+
Croissance ou décroissance de f	↘	min rel.	↗	↗	↗		↗
Signe de $f''(x)$	+	+	+	0	−	0	+
Concavité de f*	↘		↗	pt d'infl.	↗	pt d'infl.	↗
$f(x)$		−1		−37/81		1/3	

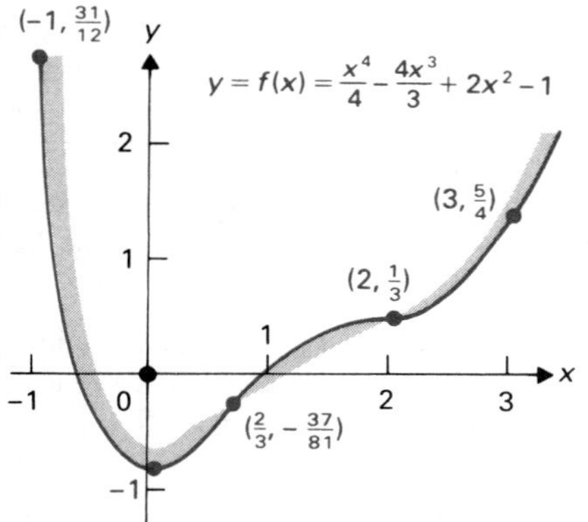

Figure 5.37 Minimum relatif de -1 en $x = 0$; points d'inflexion $(2/3, -37/81)$ et $(2, 1/3)$; tangentes horizontales en $x = 0$ et en $x = 2$.

Étape 7 Le graphe de la fonction est représenté à la figure 5.37. □

---

* Remarquez que nous faisons intervenir ici à la fois la dérivée première et la dérivée seconde. En effet, lorsque $f'(x) < 0$ et $f''(x) > 0$, par exemple, la courbe est décroissante et concave vers le haut, d'où la forme ↘. De même, dans un intervalle où $f'(x) > 0$ et $f''(x) > 0$, la courbe sera croissante et concave vers le haut, d'où la forme ↗.

EXEMPLE 1 Trouver les points d'inflexion et déterminer les intervalles de concavité vers le haut et vers le bas de la courbe $f(x) = x^3 - 3x^2 + 2$.

Solution Les dérivées première et seconde sont respectivement $f'(x) = 3x^2 - 6x$ et $f''(x) = 6x - 6$. Il s'ensuit que $f''(x) = 0$ quand $6x - 6 = 0$, c'est-à-dire quand $x = 1$. Comme $6x - 6 < 0$ quand $x < 1$, la courbe est concave vers le bas quand $x < 1$. Par ailleurs, la courbe est concave vers le haut quand $x > 1$, puisque $6x - 6 > 0$. La concavité change donc lorsque x franchit le point 1, de sorte que (1,0) est un point d'inflexion de la courbe (figure 5.32). Nous avions déjà repéré le maximum relatif et le minimum relatif de cette fonction à l'exemple 5 de la section 5.4. □

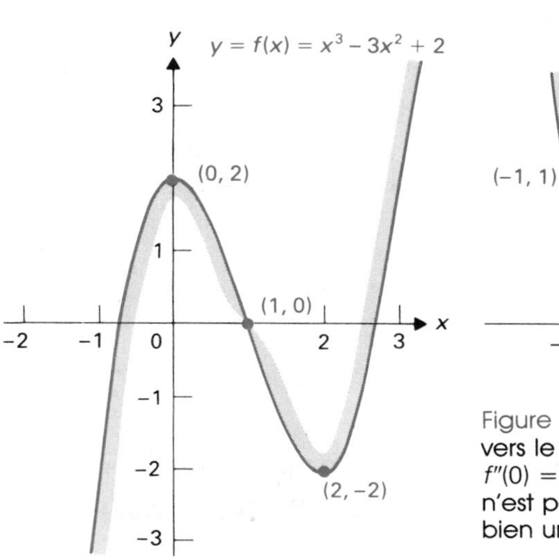

Figure 5.33 Concavité tournée vers le haut quand $x < 0$ et $x > 0$; $f''(0) = 0$, toutefois le point (0,0) n'est pas un point d'inflexion, mais bien un minimum relatif.

Figure 5.32 Concavité tournée vers le bas quand $x < 1$; concavité tournée vers le haut quand $x > 1$; le point (1,0) est un point d'inflexion.

EXEMPLE 2 Trouver les points d'inflexion et déterminer les intervalles de concavité vers le haut et vers le bas de la courbe $f(x) = x^4$.

Solution Puisque $f(x) = x^4$, on a $f'(x) = 4x^3$ et $f''(x) = 12x^2$. Bien que $f''(0) = 0$, le point (0,0) n'est pas un point d'inflexion puisque $f''(x) > 0$ de chaque côté de $x = 0$. La courbe, représentée à la figure 5.33, est donc concave vers le haut tant pour $x < 0$ que pour $x > 0$, et elle n'a pas de point d'inflexion. En fait, la fonction présente un minimum relatif en $x = 0$ car $f'(0) = 0$, $f'(x) < 0$ quand $x < 0$ et $f'(x) > 0$ quand $x > 0$. □

EXEMPLE 3 Soit une fonction f telle que $f''(x) = x^2(x - 1)^3(x + 2)$. Trouver les abscisses des points d'inflexion du graphe de f.

Solution $f''(x) = 0$ quand $x = -2$, 0 ou 1. En utilisant la propriété énoncée à la page 179, on en déduit que $f''(x)$ change de signe lorsque x franchit les points -2 et 1, mais qu'elle ne change pas de signe au point 0. Donc, seuls les points -2 et 1 sont des points d'inflexion de la courbe. □

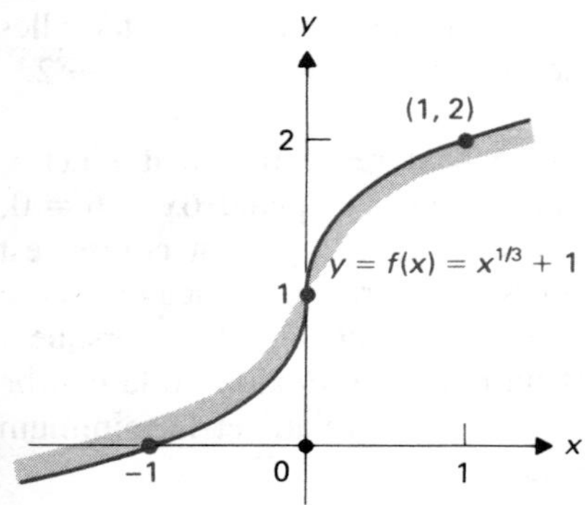

Figure 5.34 Concavité tournée vers le haut quand $x < 0$; concavité tournée vers le bas quand $x > 0$; $f''(0)$ n'existe pas, mais $(0,1)$ est un point d'inflexion.

EXEMPLE 4 Trouver les points d'inflexion et déterminer les intervalles de concavité vers le haut et vers le bas de la courbe de $f(x) = x^{1/3} + 1$.

Solution

$$f'(x) = \frac{1}{3}x^{-2/3} \qquad \text{et} \qquad f''(x) = -\frac{2}{9}x^{-5/3} = \frac{-2}{9x^{5/3}}.$$

Il s'ensuit que $f''(x) \neq 0$ pour tout $x \neq 0$ et que $f''(0)$ n'existe pas. La fonction f, pour sa part, est définie en $x = 0$, et $f(0) = 1$. En analysant la concavité de la courbe, on trouve que

$f''(x) > 0$ quand $x < 0$, de sorte que la courbe est concave vers le haut quand $x < 0$;

$f''(x) < 0$ quand $x > 0$, de sorte que la courbe est concave vers le bas quand $x > 0$.

La courbe change donc de concavité quand x franchit le point 0; le point $(0,1)$ est par conséquent un point d'inflexion de la courbe (figure 5.34). □

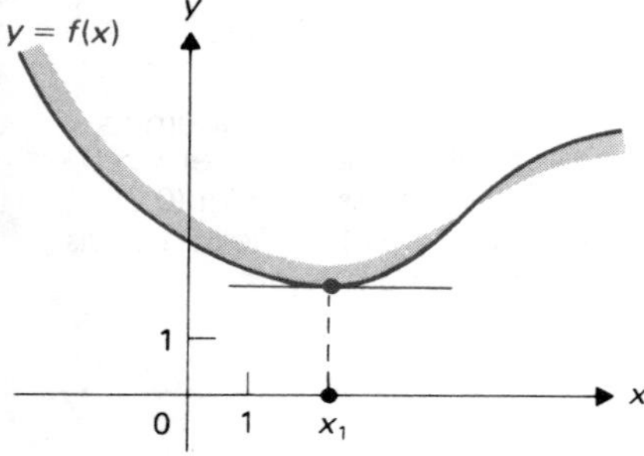

Figure 5.35 $f'(x_1) = 0$, $f''(x_1) > 0$, minimum relatif en $x = x_1$.

RECHERCHE DES EXTREMUMS RELATIFS À L'AIDE DE LA DÉRIVÉE SECONDE

Soit f une fonction qui admet une dérivée première et une dérivée seconde. Si $f'(x_1) = 0$ et $f''(x_1) > 0$, le graphe de f admet une tangente horizontale en $x = x_1$ et sa concavité est tournée vers le haut; on peut conclure que f présente un minimum relatif au point x_1 (figure 5.35). Si, par ailleurs, $f'(x_2) = 0$ et $f''(x_2) < 0$, le graphe admet une tangente horizontale en $x = x_2$, mais cette fois sa concavité est tournée vers le bas en x_2, de sorte que f présente alors un maximum relatif (figure 5.36). Par conséquent, si $f'(a) = 0$ mais que $f''(a) \neq 0$, alors on peut utiliser le signe de $f''(a)$ pour déterminer si la fonction présente un maximum relatif ou un minimum relatif en $x = a$.

Figure 5.36 $f'(x_2) = 0$, $f''(x_2) < 0$, maximum relatif en $x = x_2$.

EXEMPLE 5 À l'aide de la dérivée seconde de la fonction, déterminer si $f(x) = x^3 - 3x^2 + 2$ présente un maximum relatif ou un minimum relatif aux points où $f'(x) = 0$.

Solution Nous avons déjà vu que $f'(x) = 3x^2 - 6x = 3x(x - 2) = 0$ quand $x = 0$ ou $x = 2$. De plus, $f''(x) = 6x - 6$. Comme $f''(0) = -6 < 0$, la courbe est concave vers le bas au point $(0,2)$, qui ne peut être alors qu'un maximum relatif. Par ailleurs $f''(2) = 6 > 0$; la courbe est concave vers le haut au point $(2, -2)$ et celui-ci est un minimum relatif (figure 5.32). □

EXEMPLE 7 Étudier la fonction $f(x) = x + \sin x$ et construire son graphique.

Solution

Étape 1 Calculons d'abord les dérivées:

$$f'(x) = 1 + \cos x \qquad \text{et} \qquad f''(x) = -\sin x.$$

Étape 2 On a $1 + \cos x = 0$ quand $\cos x = -1$, c'est-à-dire quand $x = (2n + 1)\pi$, pour tout entier n. Toutefois, $f'(x) = 1 + \cos x$ ne change pas de signe lorsque x franchit ces points car $1 + \cos x \geq 0$ quel que soit x. La fonction ne présente donc ni maximum relatif, ni minimum relatif.

Étape 4 Voyons quels sont les points qui annulent $f''(x)$. (Remarquez que $f''(x) = -\sin x$ est définie pour tout x.) Nous savons que $f''(x) = -\sin x = 0$ quand $x = n\pi$ pour tout entier n, ce qui inclut également les cas où $f'(x)$ s'annule. En tous ces points, $f''(x)$ change de signe. Par conséquent, tous les points de la forme $x = n\pi$, où n est un entier, sont des points d'inflexion. Si n est impair, alors $f'(n\pi) = 0$ et f admet une tangente horizontale au point d'inflexion.

Étape 5 La courbe est concave vers le haut quand $-\sin x > 0$, c'est-à-dire quand $(2n - 1)\pi < x < 2n\pi$, pour tout n entier. Elle est concave vers le bas quand $2n\pi < x < (2n + 1)\pi$.

Étape 6 Résumons les informations recueillies aux étapes précédentes à l'aide du tableau suivant:

x	-2π		$-\pi$		0		π		2π
Signe de $f'(x)$	+	+	0	+	+	+	0	+	+
Croissance ou décroissance de f	↗	↗		↗	↗	↗		↗	↗
Signe de $f''(x)$	0	−	0	+	0	−	0	+	0
Concavité de f		↷	pt d'infl.	⤴	pt d'infl.	↷	pt d'infl.	⤴	
$f(x)$	-2π		$-\pi$		0		π		2π

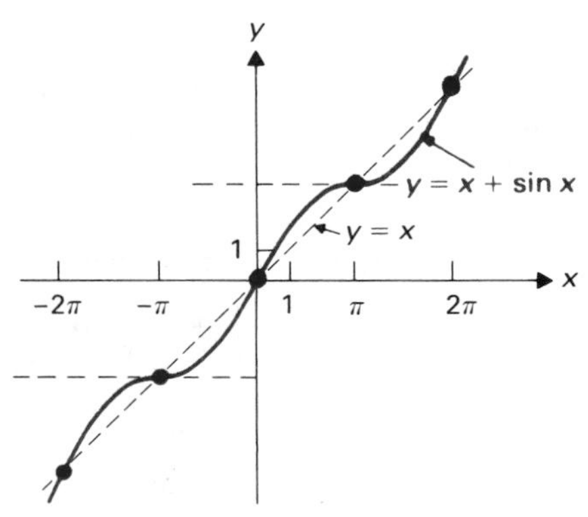

Figure 5.38 Pas d'extremum relatif; points d'inflexion en $x = n\pi$; tangentes horizontales aux points d'inflexion $x = n\pi$, pour n impair.

Étape 7 Le graphe est tracé à la figure 5.38. □

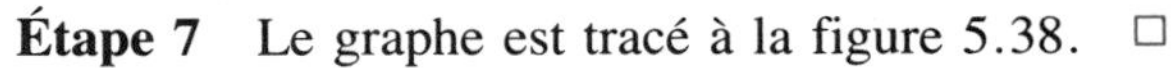

RÉSUMÉ

Ce qu'il faut savoir au sujet de la dérivée seconde:

1. Si $f''(x) > 0$ en tout point d'un intervalle, alors la courbe de f est concave vers le haut dans cet intervalle.
2. Si $f''(x) < 0$ en tout point d'un intervalle, alors la courbe de f est concave vers le bas dans cet intervalle.
3. Si $f''(x_2) = 0$, alors il est possible que le point $(x_2, f(x_2))$ soit un point d'inflexion de la courbe. En fait,
   a) si $f''(x)$ change de signe lorsque x franchit x_2, alors $(x_2, f(x_2))$ est un point d'inflexion;
   b) si $f''(x)$ ne change pas de signe lorsque x franchit x_2, alors $(x_2, f(x_2))$ n'est pas un point d'inflexion.
4. Si $f'(x_1) = 0$ et si $f''(x_1) \neq 0$, alors $f(x_1)$ est un minimum relatif de la fonction si $f''(x_1) > 0$ et un maximum relatif si $f''(x_1) < 0$.

EXERCICES

1. Soit f une fonction admettant une dérivée première et une dérivée seconde, et telle que sa dérivée seconde soit continue. Répondre par vrai ou faux.
   a) Si f présente un maximum relatif au point x_0, alors $f'(x_0) = 0$.
   b) Si f présente un maximum relatif au point x_0, alors $f''(x_0) < 0$.
   c) Si $f''(x_0) < 0$, alors f présente un maximum relatif au point x_0.
   d) Si $f'(x_0) = 0$ et $f''(x_0) < 0$, alors f présente un maximum relatif en x_0.
   e) Si $f'(x_0) > 0$, alors f est une fonction croissante près de x_0.
   f) Si $f'(x_0) = 0$, alors f ne peut pas être croissante près de x_0.
   g) Si f a un point d'inflexion en $x = x_0$, alors $f''(x_0) = 0$.
   h) Si $f''(x_0) = 0$, alors f a un point d'inflexion en $x = x_0$.
   i) Si f présente un minimum relatif en $x = x_0$, alors la tangente à la courbe de f au point $(x_0, f(x_0))$ est horizontale.
   j) Si f a un point d'inflexion en $x = x_0$, alors il est possible que la tangente à la courbe de f au point $(x_0, f(x_0))$ soit horizontale.
2. Une fonction f a les propriétés suivantes: sa dérivée première et sa dérivée seconde existent, $f(0) = 3$, $f'(0) = 0$, $f''(0) < 0$, $f(2) = 2$, $f'(2) = -1$, $f''(2) = 0$, $f(4) = 1$, $f'(4) = 0$ et $f''(4) > 0$. Construire son graphique.
3. Une fonction f a les propriétés suivantes: sa dérivée première et sa dérivée seconde existent, $f''(x) < 0$ quand $x < 1$, $f(1) = -1$, $f'(1) = 1$, $f''(1) = 0$, $f''(x) > 0$ quand $x > 1$ et $f(3) = 4$. Construire son graphique.
4. Une fonction f a les propriétés suivantes: sa dérivée première et sa dérivée seconde existent, $f'(x) > 0$ quand $x > 2$, $f''(x) > 0$ quand $x > 2$, $f''(2) = 0$, $f'(x) < 0$ quand $x < 2$ et $f''(x) > 0$ quand $x < 2$. Construire son graphique.
5. Peut-on trouver une fonction f telle que sa dérivée première et sa dérivée seconde existent, $f(0) = 0$, $f'(0) = 1$, $f''(x) > 0$ quand $x > 0$ et $f(1) = 1$? Expliquer.

Dans les exercices 6 à 26, on demande de déterminer, à l'aide des renseignements fournis, les intervalles où la courbe de f
a) est concave vers le haut;
b) est concave vers le bas.

6. $f(x) = 4 - x^2$
7. $f(x) = x^2 - 6x + 4$
8. $f(x) = \dfrac{1}{x+1}$
9. $f(x) = \dfrac{x^3}{3} + x^2 - 3x - 4$
10. $f(x) = \dfrac{x^3}{3} + x^2 + x - 6$
11. $f(x) = \dfrac{x^2}{x-1}$
12. $f(x) = x^4 - 4x + 1$
13. $f(x) = x^5 - 5x + 1$
14. $f(x) = 3x^4 - 4x^3$
15. $f(x) = x^4 - 2x^2 - 2$
16. $f(x) = x + 2 \sin x$
17. $f(x) = x - 2 \cos x$
18. $f''(x) = (x-1)^3(x+2)^2$
19. $f''(x) = x(x+1)^2(x-1)$
20. $f''(x) = x^3(x+2)^2(x-4)$
21. $f''(x) = x(x-1)^3(x+3)^5$
22. $f''(x) = \dfrac{x^2-1}{x^2}$
23. $f''(x) = \dfrac{x^2-x}{x+3}$
24. $f''(x) = \dfrac{x(x-1)^3}{(x+2)^3}$
25. $f''(x) = \dfrac{x^3-2x^2}{(x+1)^2}$

26. $f''(x) = \dfrac{x^3}{(x-1)^2(x+4)}$

Les exercices 27 à 30 se reportent aux figures 5.39 à 5.42, où sont représentées les *dérivées* de fonctions définies et continues partout. Répondre par vrai ou faux.

27. Si à f correspond la dérivée première représentée à la figure 5.39, alors

a) le graphe de f a un point d'inflexion en (0,0);
b) f présente un maximum relatif en $x = 0$;
c) f présente un maximum relatif en $x = -1$;
d) le graphe de f a un point d'inflexion en $x = -1$;
e) le graphe de f est concave vers le bas quand $-2 < x < 0$.

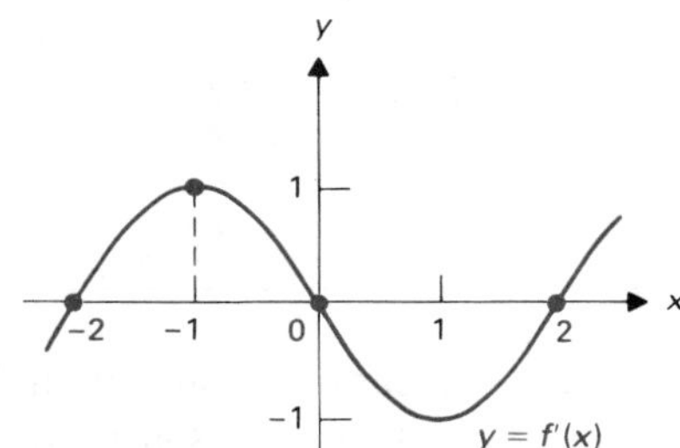

Figure 5.39
Graphique de f'.

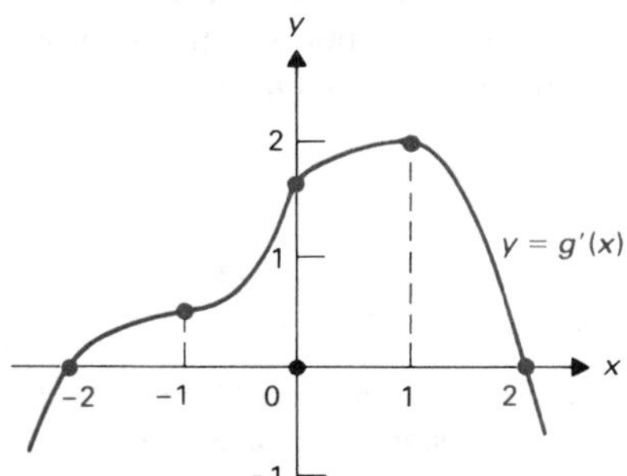

Figure 5.40
Graphique de g'.

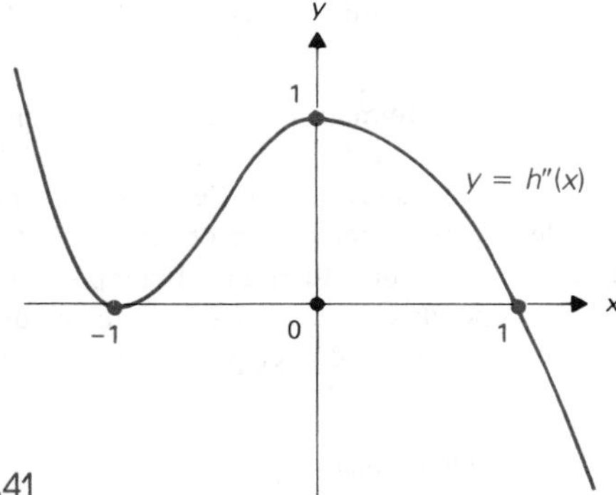

Figure 5.41
Graphique de h''.

28. Si à g correspond la dérivée première représentée à la figure 5.40, alors

a) le graphe de g a un point d'inflexion en $x = -1$;
b) le graphe de g a un point d'inflexion en $x = 1$;
c) le graphe de g est concave vers le bas quand $x < -1$;
d) le graphe de g est concave vers le bas quand $x > 1$;
e) le graphe de g présente un minimum relatif en $x = -2$.

29. Si à h correspond la dérivée seconde représentée à la figure 5.41, alors

a) la courbe de h est concave vers le haut quand $-1 < x < 1$;
b) la courbe de h a un point d'inflexion en $x = -1$;
c) la courbe de h a un point d'inflexion en $x = 1$;
d) $h'(x)$ présente un maximum relatif en $x = 1$;
e) la courbe de $h'(x)$ a un point d'inflexion en $x = -1$.

30. Si à k correspond la dérivée première représentée à la figure 5.42, alors

a) $k(x)$ admet un minimum relatif quand $x = -2$;
b) le graphe de k a un point d'inflexion en $x = -2$;
c) le graphe de k a un point d'inflexion en $x = 1$;
d) $k(x)$ admet un maximum relatif quand $x = 1$;
e) le graphe de k a un point d'inflexion en $x = 0$.

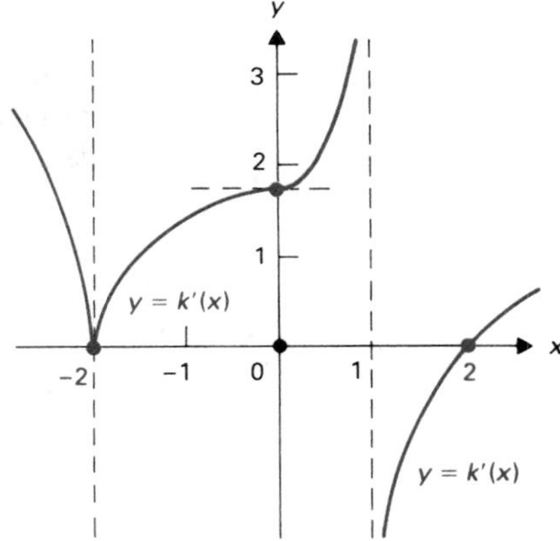

Figure 5.42 Graphique de k'.

Dans les exercices 31 à 42 on demande, pour chaque fonction, de

a) déterminer les maximums relatifs;
b) déterminer les minimums relatifs;
c) déterminer les points d'inflexion;
d) tracer le graphique correspondant. (La concavité de ces fonctions a été traitée dans les exercices 6 à 17. Se reporter aux numéros entre parenthèses.)

31. $f(x) = 4 - x^2$ (Exercice 6)

32. $f(x) = x^2 - 6x + 4$ (Exercice 7)

33. $f(x) = \dfrac{1}{x+1}$ (Exercice 8)

34. $f(x) = \dfrac{x^3}{3} + x^2 - 3x - 4$ (Exercice 9)

35. $f(x) = \dfrac{x^3}{3} + x^2 + x - 6$ (Exercice 10)

36. $f(x) = \dfrac{x^2}{x - 1}$ (Exercice 11)

37. $f(x) = x^4 - 4x + 1$ (Exercice 12)

38. $f(x) = x^5 - 5x + 1$ (Exercice 13)

39. $f(x) = 3x^4 - 4x^3$ (Exercice 14)

40. $f(x) = x^4 - 2x^2 - 2$ (Exercice 15)

41. $f(x) = x + 2 \sin x$ (Exercice 16)

42. $f(x) = x - 2 \cos x$ (Exercice 17)

Dans les exercices 43 à 46, tracer les graphiques des équations données. [*Indice* Considérer x comme une fonction de y, puis refaire la démarche utilisée tout au long du chapitre, en intervertissant x et y.]

43. $x = y^2 - 2y + 2$

44. $x = y^3 - 3y^2$

45. $x = \dfrac{1}{y^4 + 1}$

46. $x = \dfrac{y}{y^2 + 1}$

5.6 APPLICATION DE LA DÉRIVÉE À LA RÉSOLUTION DE PROBLÈMES DE MAXIMUMS OU DE MINIMUMS

Il est souvent intéressant de connaître la valeur maximale ou minimale d'une quantité. Ainsi, le manufacturier voudra maximiser son profit, tandis que l'entrepreneur en construction cherchera à réduire ses coûts au minimum. Il va sans dire que de tels problèmes de maximums et de minimums ont une grande importance dans la pratique. On peut souvent les résoudre au moyen du calcul différentiel, en utilisant les concepts que nous avons développés dans les sections précédentes. Voici comment faire:

RÉSOLUTION D'UN PROBLÈME CONCRET DE MAXIMUM OU DE MINIMUM

Étape 1 Tracer au besoin une figure, désigner les variables par des lettres et déterminer la quantité que l'on veut rendre maximale ou minimale.

Étape 2 Exprimer la quantité à rendre maximale ou minimale en fonction d'*une seule* variable x. (Ceci peut exiger d'avoir recours à des substitutions algébriques.)

Étape 3 Trouver les points critiques, c'est-à-dire les valeurs de x pour lesquelles $f'(x) = 0$ ou $f'(x)$ n'existe pas.

Étape 4 Déterminer si le maximum ou le minimum cherché se trouve en l'un des points critiques ou, si le domaine de f est un intervalle fermé, en l'une des extrémités de l'intervalle. (Il arrive souvent que l'existence du maximum ou du minimum découle de la nature même du problème; si l'étape 3 n'a fourni qu'un point critique, ce sera tout naturellement la réponse cherchée. Si, par contre, il y a plusieurs points critiques ou si le domaine de f est un intervalle fermé, il peut être nécessaire d'aller plus avant dans la vérification.)

Étape 5 Exprimer la réponse sous la forme demandée.

Pour trouver les maximums et les minimums relatifs d'une fonction f, il suffit de procéder comme suit: d'abord trouver les points critiques x de la fonction, là où $f'(x) = 0$ ou bien $f'(x)$ n'existe pas. Aux points où $f'(x) = 0$, vérifier si la dérivée change de signe, ou encore calculer la dérivée seconde, pour déterminer si, oui ou non, on se trouve en présence d'un maximum relatif ou d'un minimum relatif. Étudier ensuite le comportement de la fonction près des points où $f'(x)$ n'existe pas.

On ne saurait trop insister sur l'importance de la seconde partie de l'étape 1, c'est-à-dire l'identification de la quantité dont on cherche à calculer le maximum ou le minimum. En effet, tant qu'on n'a pas déterminé ce avec quoi on doit travailler, il est bien difficile de trouver quelle fonction on voudra dériver...

EXEMPLE 1 Trouver les deux nombres dont la somme est égale à 6 et qui entraînent le produit le plus élevé.

Solution

Étape 1 Nous voulons rendre maximal le produit P de deux nombres.

Étape 2 Si l'on désigne les deux nombres par x et y, on a $P = xy$. Comme $x + y = 6$, on a $y = 6 - x$, de sorte que $P = x(6 - x) = 6x - x^2$.

Étape 3 On a donc

$$\frac{dP}{dx} = 6 - 2x.$$

Par conséquent, $dP/dx = 0$ quand $6 - 2x = 0$, c'est-à-dire quand $x = 3$.

Étape 4 Comme $d^2P/dx^2 = -2 < 0$, il s'ensuit que P atteint un maximum en $x = 3$.

Étape 5 Comme $x = 3$, on a $y = 6 - x = 3$. Par conséquent, les deux nombres cherchés sont 3 et ...3! □

EXEMPLE 2 À l'aide de la démarche de la présente section, trouver le point de la droite d'équation $x + 3y = 6$ qui est le plus près du point $(-3,1)$.

Solution

Étape 1 Nous voulons rendre minimale la distance s entre un point (x,y) de la droite et le point $(-3,1)$ (figure 5.43).

Étape 2 On a

$$s = \sqrt{(x + 3)^2 + (y - 1)^2}.$$

Mais comme $x = 6 - 3y$, on obtient

$$s = \sqrt{(9 - 3y)^2 + (y - 1)^2}.$$

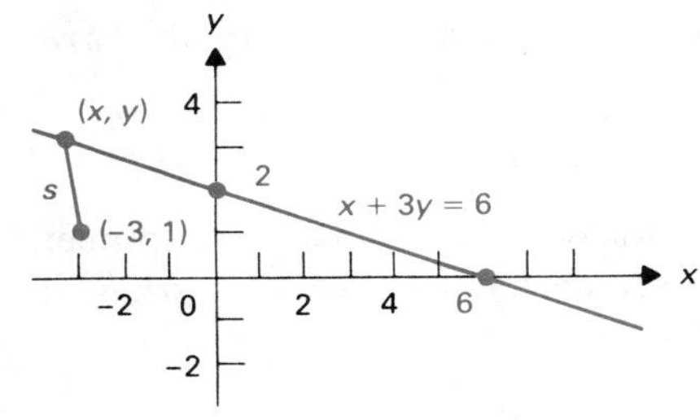

Figure 5.43 Distance s entre le point $(-3,1)$ et un point (x,y) de la droite $x + 3y = 6$.

Étape 3 Nous pouvons facilement éviter d'avoir à dériver une expression munie d'un radical: il suffit de voir que, puisque s est une quantité positive, rendre s minimal est équivalent à rendre s^2 minimal. Nous allons donc choisir de rendre

$$s^2 = (9 - 3y)^2 + (y - 1)^2$$

minimal. On obtient alors

$$\begin{aligned}\frac{d(s^2)}{dy} &= 2(9 - 3y)(-3) + 2(y - 1)\\ &= 20y - 56\\ &= 0 \quad \text{quand} \quad y = \frac{56}{20} = \frac{14}{5}.\end{aligned}$$

Étape 4 Il est bien évident que le problème admet une solution. Ainsi, comme nous n'avons trouvé qu'un point critique, la distance minimale est obtenue quand $y = 14/5$. (Bien entendu, on peut vérifier que $d^2(s^2)/dy^2 = 20 > 0$, ce qui démontre que $y = 14/5$ donne effectivement lieu à un minimum.)

Étape 5 Il ne faut pas trouver la distance minimale, mais bien le point (x,y) pour lequel la distance est minimale. Comme $y = 14/5$, il s'ensuit que $x = 6 - 3y = 6 - 42/5 = -12/5$. Le point cherché est donc $(-12/5, 14/5)$. □

EXEMPLE 3 Un fabricant de nourriture pour chiens désire vendre son produit sous forme de boîtes de métal cylindriques, chacune devant contenir un certain volume V_0 de nourriture. Sachant que la surface latérale, le fond et le couvercle de la boîte sont fabriqués avec du métal de même épaisseur, quel doit être le rapport de la hauteur de la boîte à son rayon si le fabricant veut rendre minimale la quantité de métal utilisée?

Solution

Étape 1 Le fabricant cherche à rendre minimale la surface S de la boîte.

Étape 2 La surface de la boîte est constituée de deux disques qui forment le fond et le couvercle de la boîte, et d'une surface latérale de forme cylindrique. Si nous désignons respectivement par r et h le rayon et la hauteur de la boîte, alors chacun des disques a pour mesure de surface πr^2, tandis que le cylindre a une aire de $2\pi rh$ (figure 5.44). Par conséquent,

$$S = 2\pi r^2 + 2\pi rh.$$

Calculons maintenant h en fonction de r, afin de pouvoir exprimer S en fonction de la variable r seulement. Comme $V_0 = \pi r^2 h$, il s'ensuit que $h = V_0/\pi r^2$. Ainsi,

$$S = 2\pi r^2 + 2\pi r \frac{V_0}{\pi r^2} = 2\left(\pi r^2 + \frac{V_0}{r}\right).$$

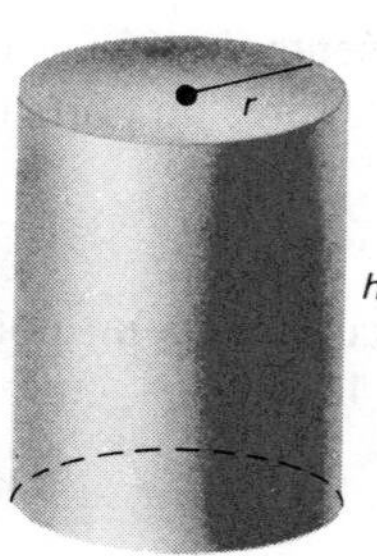

Figure 5.44 Boîte cylindrique de rayon r et de hauteur h.

Étape 3 On obtient
$$\frac{dS}{dr} = 2\left(2\pi r - \frac{V_0}{r^2}\right).$$
Ainsi, $dS/dr = 0$ quand $2\pi r - (V_0/r^2) = 0$, d'où $2\pi r^3 = V_0$ et
$$r^3 = \frac{V_0}{2\pi}.$$

Étape 4 Il est bien évident, de par la nature même du problème, que S admet un minimum. La fabrication d'une boîte de 1 mm de haut et de 2 m de diamètre requiert évidemment beaucoup de métal, tout comme une boîte de 1 mm de rayon et de 300 m de haut. Toutefois, on peut s'attendre à trouver, entre ces deux cas extrêmes, une boîte de dimensions raisonnables dont la fabrication nécessite une quantité minimale de métal. Comme l'étape 3 n'a permis d'obtenir qu'un seul point critique, c'est sûrement celui-là qui nous intéresse.

Étape 5 Il nous faut trouver le rapport h/r. Or $V_0 = \pi r^2 h$, d'où
$$h = \frac{V_0}{\pi r^2} \qquad \text{et} \qquad \frac{h}{r} = \frac{V_0}{\pi r^3}.$$
Nous avons vu à l'étape 3 que l'on utilise une quantité minimale de métal quand $r^3 = V_0/2\pi$, de sorte que
$$\frac{h}{r} = \frac{V_0}{\pi(V_0/2\pi)} = 2. \quad \square$$

L'exemple 3 est une bonne illustration de l'utilité pratique des problèmes de recherche d'extremums. Pour qu'une boîte cylindrique de volume donné ait une surface minimale, il faudrait que $h = 2r$, c'est-à-dire que sa hauteur soit égale au diamètre. Il faut bien dire que peu de boîtes de conserves sont de dimensions économiques, si l'on suppose que la surface latérale des boîtes, leur fond et leur couvercle sont faits d'un matériau équivalent du point de vue coût. Les boîtes de thon, par exemple, ne sont pas assez hautes, alors que les boîtes de soupe le sont trop.

EXEMPLE 4 Deux routes rectilignes, l'une en direction nord-sud et l'autre en direction est-ouest, se coupent à angle droit. André, adepte du jogging, traverse allégrement l'intersection en se dirigeant vers le nord à la vitesse constante de 9 km/h. Lucie, qui file vers l'ouest sur sa belle bicyclette de course à la vitesse constante de 18 km/h, franchit l'intersection 30 minutes plus tard. Trouver la distance minimale séparant André et Lucie.

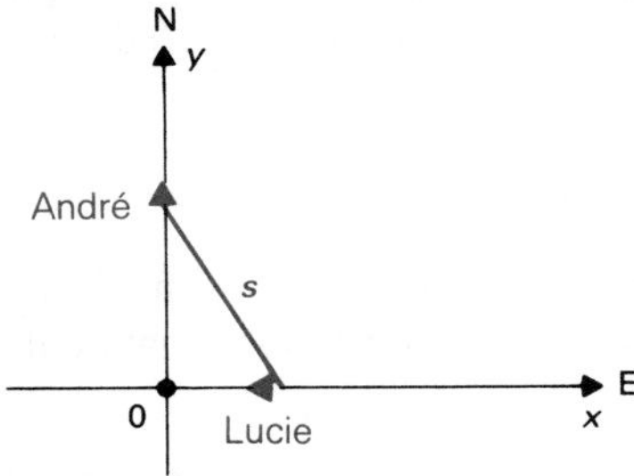

Figure 5.45 Distance s séparant André et Lucie.

Solution

Étape 1 Désignons les routes au moyen d'un système d'axes x,y, l'axe des y pointant vers le nord comme c'est l'usage sur les cartes routières (figure 5.45). Nous cherchons à rendre minimale la distance s séparant André et Lucie.

Étape 2 Désignons par t le temps, mesuré en heures, écoulé depuis le passage d'André à l'intersection. Comme André court à la vitesse constante de 9 km/h, il parcourt $9t$ km en t heures, de sorte que sa position au temps t est $(0,9t)$. Lucie, pour sa part, atteint l'origine du système d'axes au temps $t = 1/2$ h. Elle se dirige vers l'ouest, ce qui correspond à un déplacement vers la *gauche* sur l'axe des x, à la vitesse de 18 km/h. Au temps t, elle se situe donc au point $-18(t - 1/2)$ de l'axe des x, ou encore au point $(-18t + 9,0)$ du plan. La distance qui sépare André et Lucie est donnée par

$$s = \sqrt{(-18t + 9)^2 + 81t^2}.$$

Étape 3 Comme nous l'avons fait à l'exemple 2, nous allons nous simplifier la tâche en rendant minimale l'expression

$$s^2 = (-18t + 9)^2 + 81t^2,$$

qui atteint son minimum en même temps que s. On a alors

$$d(s^2)/dt = 2(-18t + 9)(-18) + 162t = 648t - 324 + 162t$$

$$= 810t - 324 = 0 \text{ quand } t = \frac{324}{810} = \frac{2}{5}.$$

Étape 4 Le problème admet certainement une solution et la seule possibilité de solution découle de $t = 2/5$. André et Lucie sont donc le plus près l'un de l'autre 24 minutes après que Jean ait traversé l'intersection.

Étape 5 Il faut calculer cette distance minimale. Si on porte la valeur $t = 2/5$ dans l'expression de s (étape 2), on obtient

$$s = \sqrt{\left[\left(-18 \times \frac{2}{5}\right) + 9\right]^2 + 81\left(\frac{2}{5}\right)^2}$$

$$= 9/\sqrt{5} \text{ km ou } 4{,}02 \text{ km environ.} \quad \square$$

EXEMPLE 5 Si une source de lumière ponctuelle est située en un point L au-dessus d'une surface plane, alors l'intensité lumineuse produite par la source de lumière en un point P de la surface est inversement proportionnelle au carré de la distance s qui sépare P de L et directement proportionnelle à $\sin \theta$, où θ désigne l'angle d'élévation de P à L (figure 5.46). À quelle hauteur faut-il alors placer la source lumineuse d'un lampadaire pour que l'intensité lumineuse en un point P situé sur le trottoir de l'autre côté de la rue, à 8 m de la base du lampadaire, soit maximale?

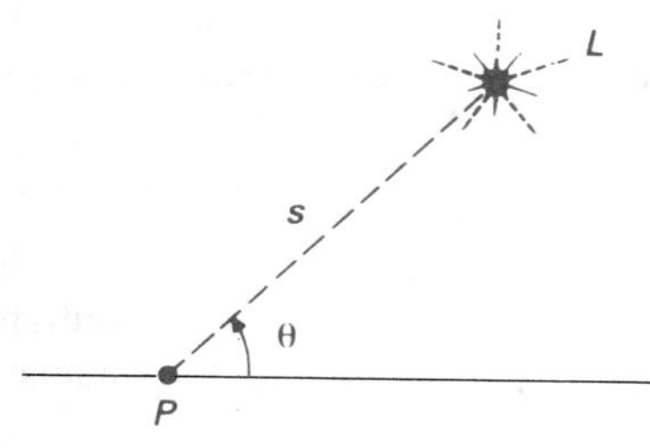

Figure 5.46 Distance s et angle d'élévation θ d'un point P d'une surface plane à une source de lumière L.

Solution

Étape 1 La distance du point P à la base B du lampadaire est 8 m (figure 5.47). Il nous faut trouver la valeur $y \geq 0$ qui rendra maximale l'intensité lumineuse I.

Étape 2 Comme I est directement proportionnelle à $\sin \theta$ et inversement proportionnelle à s^2, il existe une constante k telle que

$$I = k \cdot \frac{1}{s^2} \cdot \sin \theta$$

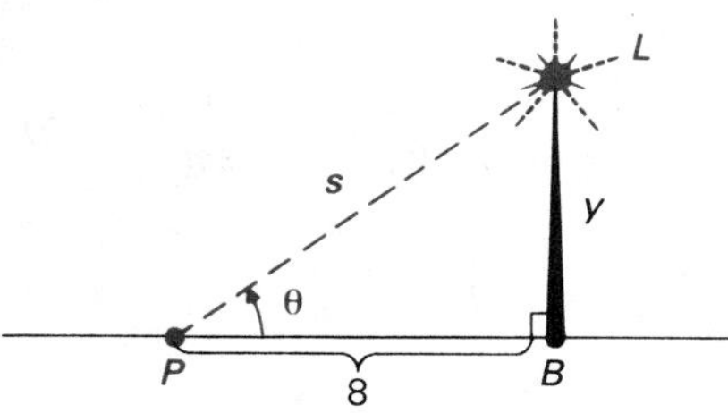

Figure 5.47 Lampadaire de y m de hauteur situé à 8 m d'un point P d'une surface plane.

$$= k \cdot \frac{1}{8^2 + y^2} \cdot \frac{y}{\sqrt{8^2 + y^2}}$$

$$= k \cdot \frac{y}{(64 + y^2)^{3/2}} .$$

Étape 3 Dérivons I par rapport à y, ce qui nous donne

$$\frac{dI}{dy} = k \cdot \frac{(64 + y^2)^{3/2} - y(3/2)(64 + y^2)^{1/2}(2y)}{(64 + y^2)^3}$$

$$= k \cdot \frac{\sqrt{64 + y^2}(64 + y^2 - 3y^2)}{(64 + y^2)^3}$$

$$= k \cdot \frac{64 - 2y^2}{(64 + y^2)^{5/2}} .$$

Ainsi, $dI/dy = 0$ quand

$$64 - 2y^2 = 0,$$

c'est-à-dire $$y^2 = \frac{64}{2} = 32,$$

ou $$y = \pm 4\sqrt{2}.$$

Étape 4 Quand $y = 0$, $\sin \theta = 0$, de sorte que l'intensité lumineuse I est nulle. De même, quand $y \to \infty$, l'intensité lumineuse $I \to 0$. L'intensité lumineuse atteint donc son maximum pour un certain $y > 0$ et la seule possibilité est $y = 4\sqrt{2}$ m.

Étape 5 Il n'est pas question ici d'évaluer l'intensité lumineuse maximale, mais bien de trouver la hauteur qui donne ce maximum. La réponse cherchée est donc $y = 4\sqrt{2}$ m. □

EXEMPLE 6 Un fil de fer de 5 m de long doit être coupé en deux morceaux, l'un de longueur x et l'autre de longueur $5 - x$. Si le premier morceau est plié en forme de carré et le deuxième recourbé en forme de cercle (figure 5.48), pour quelle valeur de x la somme des aires enfermées par ces deux figures atteint-elle un maximum?

Solution

Étape 1 Désignons respectivement par A_1 et A_2 l'aire du carré de périmètre x et du cercle de périmètre $5 - x$. Le problème consiste à rendre maximale la somme $A = A_1 + A_2$ des deux aires, sachant que $0 \leq x \leq 5$.

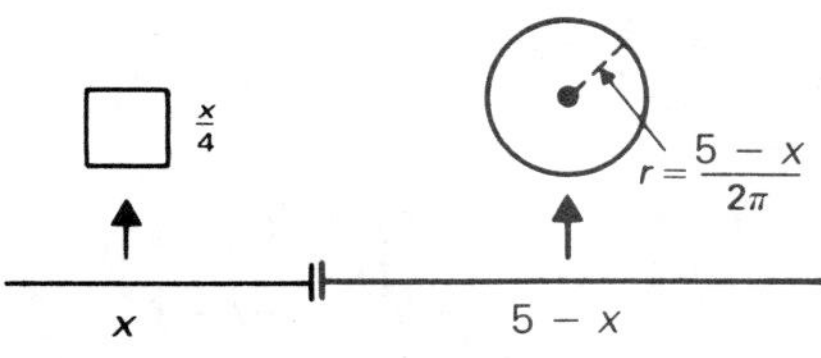

Figure 5.48 Morceaux de fil de fer de longueurs x et $5 - x$ formant respectivement un carré de $x/4$ de côté et un cercle de $(5 - x)/(2\pi)$ de rayon.

Étape 2 Chaque côté du carré mesure $x/4$, d'où $A_1 = x^2/16$. Le rayon du cercle, d'autre part, mesure $(5 - x)/(2\pi)$ et $A_2 = \pi(\text{rayon})^2 = \pi[(5 - x)/(2\pi)]^2$. Ainsi:

$$A = A_1 + A_2 = \frac{x^2}{16} + \pi \frac{(5 - x)^2}{4\pi^2} = \frac{1}{16}x^2 + \frac{1}{4\pi}(5 - x)^2$$

pour $0 \leq x \leq 5$.

Étape 3

$$\frac{dA}{dx} = \frac{1}{16}\cdot 2x + \frac{1}{4\pi}\cdot 2(5-x)(-1) = \frac{1}{16}(2x) + \frac{1}{2\pi}(x-5)$$
$$= \left(\frac{1}{8} + \frac{1}{2\pi}\right)x - \frac{5}{2\pi} = \left(\frac{\pi+4}{8\pi}\right)x - \frac{5}{2\pi}$$
$$= 0 \quad \text{quand} \quad x = \frac{5}{2\pi}\cdot\frac{8\pi}{\pi+4} = \frac{20}{\pi+4} \simeq 2{,}80.$$

Étape 4 Comme $d^2A/dx^2 = (\pi + 4)/(8\pi) > 0$, le point critique $x = 20/(\pi + 4)$ correspond à un minimum relatif plutôt qu'à un maximum relatif. Il s'ensuit que le maximum de A pour $0 \leq x \leq 5$ est atteint à l'une des extrémités de l'intervalle. Quand $x = 0$, $A = 5^2/(4\pi) = 25/(4\pi)$. Quand $x = 5$, $A = 5^2/16 = 25/16$. Comme $25/(4\pi) > 25/16$, c'est $x = 0$ qui permet d'obtenir l'aire maximale.

Étape 5 Le problème consistait à trouver la valeur de x qui permettrait d'obtenir une aire maximale. La réponse obtenue est $x = 0$. C'est dire que l'on obtient une aire totale maximale en ne coupant pas le fil de fer et en l'utilisant en entier pour former le cercle. Notre recherche a également montré que l'on obtient une aire minimale quand $x \simeq 2{,}80$. □

EXEMPLE 7 L'un des sommets d'un triangle est situé au centre d'un cercle de rayon a et les deux autres reposent sur la circonférence. Si on désigne par θ l'angle du triangle situé au centre du cercle (figure 5.49), pour quelle valeur de θ l'aire du triangle atteint-elle un maximum?

Solution

Étape 1 Il s'agit de trouver la valeur de θ qui rendra maximale l'aire A du triangle illustré à la figure 5.49.

Étape 2 Désignons par h la hauteur du triangle et par b, sa base. L'aire du triangle est donnée par

$$A = bh/2$$

En se reportant à la figure 5.49, on voit que $h = a \cos(\theta/2)$ et $b = 2a \sin(\theta/2)$. On a donc

$$A = \frac{1}{2}\left(2a \sin\frac{\theta}{2}\right)\left(a \cos\frac{\theta}{2}\right) = a^2 \sin\frac{\theta}{2}\cos\frac{\theta}{2}.$$

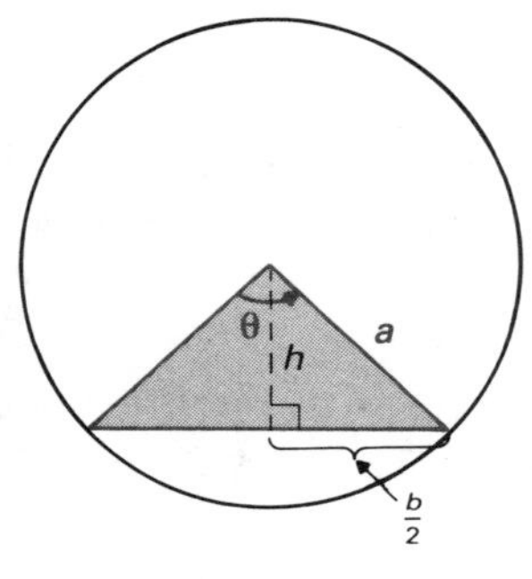

Figure 5.49 Triangle dont l'un des sommets est au centre d'un cercle de rayon a et les deux autres sont sur la circonférence.

Étape 3 Alors

$$\frac{dA}{d\theta} = a^2\left[\left(\sin\frac{\theta}{2}\right)\left(-\sin\frac{\theta}{2}\right)\frac{1}{2} + \left(\cos\frac{\theta}{2}\right)\left(\cos\frac{\theta}{2}\right)\frac{1}{2}\right]$$
$$= \frac{a^2}{2}\left(-\sin^2\frac{\theta}{2} + \cos^2\frac{\theta}{2}\right) = 0$$

quand $\sin^2(\theta/2) = \cos^2(\theta/2)$, c'est-à-dire $\text{tg}(\theta/2) = 1$, ce qui se produit quand $\theta/2 = \pi/4$, ou encore $\theta = \pi/2$.

Étape 4 Il est bien évident que l'aire A atteint un maximum pour un θ tel que $0 < \theta < \pi$ et $\theta = \pi/2$ est la seule valeur possible.

Étape 5 Le problème consistait à trouver la valeur de θ qui rendrait l'aire maximale; cette valeur de θ est $\pi/2$. □

RÉSUMÉ

Marche à suivre proposée pour la résolution de problèmes de maximums ou de minimums:

Étape 1 Déterminer la quantité qui doit être rendue maximale ou minimale. Tracer une figure chaque fois que c'est possible et que cela permet de clarifier la situation.

Étape 2 Exprimer la quantité comme une fonction f d'*une seule* variable.

Étape 3 Trouver les points critiques de f.

Étape 4 Déterminer si le maximum ou le minimum cherché se trouve en l'un des points critiques ou, si le domaine de f est un intervalle fermé, en l'une des extrémités de l'intervalle.

Étape 5 Présenter la réponse sous la forme demandée.

EXERCICES

1. Trouver l'aire maximale que peut avoir un rectangle dont le périmètre mesure 20 m.

2. *Généralisation de l'exercice 1* Montrer que le rectangle d'aire maximale, pour un périmètre donné, est le carré.

3. Trouver les deux nombres positifs, x et y, dont la somme est 6 et qui entraînent le produit xy^2 le plus élevé.

4. Trouver le nombre positif x qui, ajouté à son inverse multiplicatif, donne la somme la moins élevée.

5. Trouver les deux nombres positifs dont le produit est 36 et qui, élevés au cube, donnent la somme la moins élevée.

6. Quelle est la distance maximale, mesurée dans la direction horizontale, entre les courbes $y = x$ et $y = x^2$, pour $0 \leq x \leq 1$?

7. Trouver l'aire maximale d'un rectangle dont la base est située sur l'axe des x et dont les deux sommets supérieurs sont situés sur la parabole d'équation $y = 6 - x^2$ (figure 5.50).

8. Trouver le trapèze d'aire maximale que l'on peut inscrire dans une parabole d'équation $y = 4 - x^2$ sachant que la grande base a pour extrémités les points (2,0) et (−2,0).

9. Trouver l'aire maximale d'un triangle rectangle dont le sommet de l'angle droit est situé à l'origine, les côtés adjacents à cet angle reposant respectivement sur chacun des axes, et dont l'hypoténuse passe par le point (3,7).

10. Trouver le point de la parabole d'équation $y = x^2$ qui est le plus près du point (6,3).

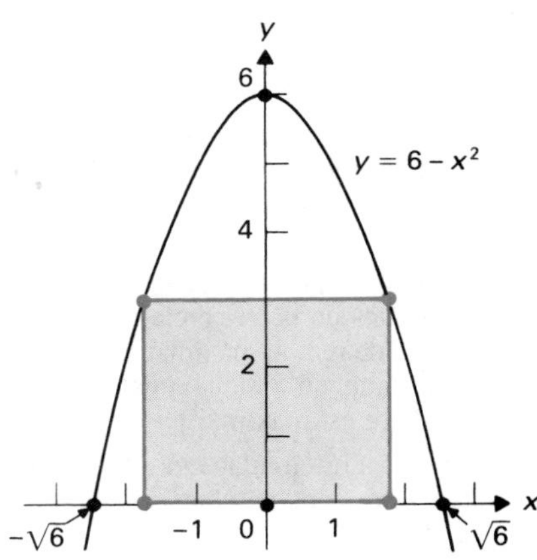

Figure 5.50

11. On veut construire une boîte de carton ouverte, de base carrée, ayant un volume de 108 cm^3. Quelle quantité minimale de carton demande ce projet? (Ne pas tenir compte des débris de construction.)

12. On veut construire une boîte ouverte d'une capacité de 4 m^3 dont la base carrée est renforcée. Si le matériau utilisé pour la base coûte trois fois plus cher que celui qui est utilisé pour les côtés, quelles doivent être les dimensions de la boîte pour que les coûts soient maintenus au minimum? (Ne pas tenir compte des débris de construction.)

13. Un service de livraison des colis n'accepte que les colis dont la somme de la longueur et du pourtour n'excède pas 2,40 m. (Le pourtour est le périmètre d'une section perpendiculaire à la longueur). Trouver le volume maximal que peut prendre

a) un colis rectangulaire de section carrée;

b) un colis cylindrique.

14. Un cultivateur dispose de 300 m de clôture pour entourer trois côtés d'un champ, le quatrième côté étant bordé par une rivière rectiligne. Trouver les dimensions du champ de superficie maximale qu'il peut entourer.

15. Un éleveur dispose de 400 m de clôture pour entourer un enclos double constitué de deux aires rectangulaires d'égale superficie (figure 5.51). Trouver l'aire maximale qu'il pourra entourer. (Ne pas tenir compte des débris de construction ni de la nécessité de barrières éventuelles.)

Figure 5.51

16. Monsieur et Madame Bergeron désirent entourer une portion rectangulaire de 600 m^2 de terrain pour permettre à leurs deux chiens de s'ébattre sans déranger les voisins. L'un des côtés du terrain, qui borde une route rectiligne, doit être muni d'une clôture décorative, dont le coût au mètre est trois fois plus élevé que celui du reste de la clôture. Trouver les dimensions du terrain pour lesquelles les coûts de construction de la clôture seront minimaux.

17. On veut fabriquer une gouttière de section rectangulaire en repliant les bords d'une longue feuille de métal de 20 cm de largeur. Trouver les dimensions que doit avoir la section de la gouttière pour que cette dernière ait une capacité maximale.

18. Un horticulteur dispose d'un certain nombre de planches de 20 cm de largeur pour construire un canal de section trapézoïdale servant à irriguer son jardin (figure 5.52). Quelle valeur doit prendre l'angle θ de la figure 5.52 pour que la section du canal ait une superficie maximale (ce qui revient à dire que le canal aurait une capacité d'irrigation maximale)?

19. Trouver les dimensions du rectangle d'aire maximale que l'on peut inscrire dans un demi-cercle de rayon a. [*Indice* Il peut être plus facile de rendre maximal le carré de l'aire. Il va sans dire que le rectangle d'aire maximale est également celui dont le carré de l'aire est maximal.]

20. Trouver le cylindre circulaire droit de volume maximal que l'on peut inscrire dans un cône circulaire droit de rayon a et de hauteur b.

21. Trouver la hauteur du cône circulaire droit de volume maximal que l'on peut inscrire dans une sphère de rayon a.

22. Trouver le triangle isocèle d'aire maximale que l'on peut inscrire dans un cercle de rayon a.

23. Un terrain de sport ayant la forme d'un rectangle terminé par un demi-cercle aux deux extrémités mesure 400 m de périmètre. Trouver les dimensions du terrain pour que la surface du rectangle soit maximale.

24. Parmi tous les secteurs circulaires de périmètre fixé P_0, trouver l'angle au centre θ de celui qui a une aire maximale, où $0 \leq \theta \leq 2\pi$.

25. La conception d'une affiche rectangulaire en carton est soumise aux contraintes suivantes: la surface imprimée doit avoir une superficie de 4 000 cm^2, les marges latérales doivent être de 5 cm chacune et les marges supérieure et inférieure de 8 cm chacune. Trouver les dimensions à donner à cette affiche pour qu'on utilise le moins de carton possible.

26. Un avion s'écrase dans le désert à une distance de 15 km du point A le plus rapproché sur une route rectiligne. Une équipe de sauveteurs part d'un point B de la route situé à 30 km du point A. Si le camion à bord duquel se déplacent les sauveteurs peut circuler à 80 km/h sur la route et que sa vitesse en ligne droite dans le désert n'atteint que 40 km/h, à quelle distance du point A le camion doit-il quitter la route pour atteindre l'épave de l'avion en un temps minimal?

27. La chaloupe à bord de laquelle se trouve Lise est à 1,5 km du point A le plus rapproché sur le rivage. Elle veut se rendre à un point B, situé à 3 km plus loin le long de la côte rectiligne. Si elle peut parcourir 6 km/h en ramant et 9 km/h en courant le long de la côte, à quelle distance du point A Lise devrait-elle accoster pour atteindre le point B le plus rapidement possible?

28. Dans le contexte de l'exercice 27, supposer que la vitesse à laquelle Lise peut courir le long du rivage est égale à k fois la vitesse à laquelle elle rame. Déterminer, pour un k quelconque supérieur à 0, à quelle distance de A elle doit accoster si elle veut atteindre le point B le plus rapidement possible.

29. L'intensité lumineuse en un point A est proportionnelle à la puissance de la source de lumière et inversement proportionnelle au carré de la distance du point à la source. Supposons qu'une source L_2 ait une puissance c fois supérieure à celle d'une source L_1 et que les deux sources soient distantes de a m. En quel point de la droite qui joint ces deux sources l'intensité lumineuse est-elle minimale?

30. Un fil de fer de 100 cm de long est coupé en deux morceaux dont l'un est plié en forme de carré et l'autre en forme de

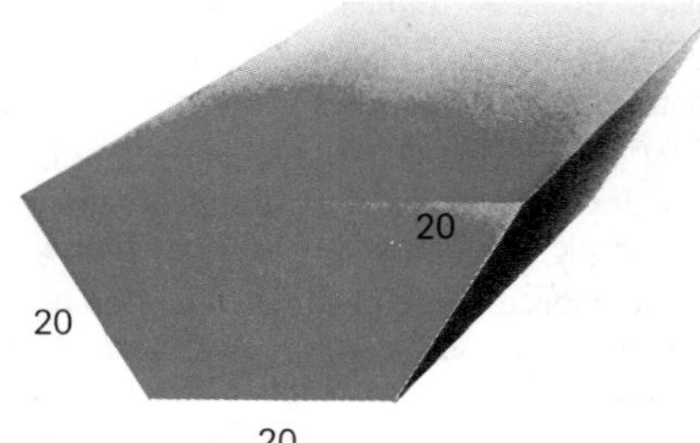

Figure 5.52

triangle équilatéral. Où doit-on couper le fil pour que la somme des aires des deux figures

a) soit minimale?

b) soit maximale?

31. Refaire l'exercice 30 en supposant cette fois que les deux morceaux sont pliés en forme de triangle équilatéral.

32. On fait osciller un poids suspendu à une poutre par un ressort. La hauteur du poids au-dessus du sol à l'instant t est donnée par $h = 48 + 12 \sin [(\pi/2)t]$ cm. Trouver les valeurs maximales et minimales de

a) la hauteur du poids au-dessus du sol;

b) la vitesse de déplacement du poids;

c) l'intensité de la vitesse de déplacement du poids;

d) l'accélération du poids.

33. On doit construire une fenêtre normande constituée d'un rectangle de vitre incolore surmonté d'un demi-cercle de vitre colorée. Le périmètre total de la fenêtre doit faire 12 m.

a) Si l'on veut que la portion incolore de la fenêtre ait une aire maximale, quel doit être le rapport entre la hauteur et la largeur de la fenêtre?

b) Si la vitre incolore laisse passer deux fois plus de lumière par mètre carré que la vitre colorée, quel doit être le rapport entre la hauteur et la largeur de la fenêtre pour que l'on obtienne le maximum d'éclairage?

c) Si la vitre colorée coûte quatre fois plus cher le mètre carré que la vitre incolore et que la fenêtre doit mesurer au moins un mètre de largeur, quelle largeur faut-il donner à la fenêtre pour réduire les coûts au minimum?

34. La résistance d'une poutre de section rectangulaire est proportionnelle à sa largeur et au carré de sa profondeur. Trouver les dimensions de la poutre la plus résistante que l'on peut fabriquer avec une bille de bois de 25 cm de rayon.

35. Un bateau A qui vogue droit vers le nord, franchit une bouée à 9 h. Un bateau B qui file droit vers l'est à une vitesse deux fois supérieure à celle du bateau A franchit la bouée deux heures plus tard. À quel moment les deux bateaux sont-ils le plus rapprochés?

36. On veut fabriquer un silo en forme de cylindre surmonté d'un hémisphère. Le matériau utilisé pour la construction de l'hémisphère coûte deux fois plus cher le mètre carré que le matériau du cylindre. Quel doit être le rapport de la hauteur du cylindre à son rayon pour que le coût du silo d'un volume donné soit minimal? (Ne pas tenir compte des débris de construction.)

37. On veut fabriquer une boîte ouverte à l'aide d'un morceau de carton rectangulaire en découpant un même carré à chaque coin et en repliant les bords. Déterminer le côté du carré qu'il faut enlever à chaque coin d'un morceau de carton de longueur a et de largeur b pour que le volume de la boîte soit maximal.

38. Voici un modèle économique simple régissant la production d'une denrée périssable qui doit être vendue la journée même.

Les frais généraux d'une entreprise se chiffrent à a dollars par jour. Chaque article produit coûte b dollars en ingrédients et en main-d'œuvre. De plus, une production de x articles par jour entraîne des coûts journaliers de cx^2 dollars, imputables à l'encombrement et au manque d'efficacité qui peuvent résulter d'une plus grande production. (La valeur de c est habituellement minime, de sorte que cx^2 est négligeable tant que x n'atteint pas des valeurs élevées.) Si on ne produisait qu'un seul de ces articles chaque jour, on pourrait en obtenir ce jour-là A dollars (le prix de demande initial). Cependant, le prix de vente de chaque article produit au cours d'une journée donnée décroît de B dollars par article (excédant le premier) produit ce jour-là. (Le nombre B, qui traduit le niveau de saturation du marché en fonction de chaque article produit, est habituellement très petit.)

a) Exprimer, au moyen d'une expression algébrique, le profit journalier réalisé par le fabricant pour une production journalière de x articles.

b) Trouver, en termes de a, b, c, A et B, le nombre x d'articles que le fabricant doit produire (niveau de production) chaque jour pour atteindre un profit journalier maximal.

39. Supposer que le gouvernement impose au fabricant dont il est question à l'exercice 38 une taxe de t dollars par article produit.

a) Trouver le niveau de production journalier qui entraîne le profit maximal. [*Indice* Si l'exercice 38 est déjà résolu, il n'est pas nécessaire de faire appel au calcul différentiel. Il suffit d'analyser les conséquences de la taxe sur les coûts de production.]

b) Trouver, en termes de a, b, c, A et B, la valeur de t qui rendra maximal le montant perçu en taxe par le gouvernement, en supposant que le fabricant cherche à rendre son profit maximal.

40. La *probabilité* p d'un événement est un nombre compris dans l'intervalle $[0,1]$ qui correspond aux chances que l'événement se produise. Par exemple, la probabilité d'un événement certain est 1, celle d'un événement impossible, zéro, et celle d'un événement qui a des chances égales de se produire ou non, $1/2$.

Soit p la probabilité qu'une pièce de monnaie truquée donne face. Supposer que pour chercher à estimer p on lance la pièce de monnaie n fois, produisant une succession de piles et de faces totalisant m faces et $n - m$ piles. En vertu de la théorie des probabilités, si la probabilité d'obtenir face en un lancer donné est x, alors la probabilité d'obtenir une succession donnée de piles et de faces est $x^m(1 - x)^{n-m}$. Comme cette succession de piles et de faces s'est réellement produite, il est naturel de choisir comme estimateur de p la valeur de x comprise dans l'intervalle $[0,1]$ qui rendra maximale la quantité $x^m(1 - x)^{n-m}$. Utiliser cette méthode pour estimer p (on l'appelle la *méthode du maximum de vraisemblance*).

41. Une clôture de h m de hauteur est parallèle à l'un des côtés d'une maison et placée à une distance de b m de la maison. Trouver la longueur de l'échelle la plus courte qui permette d'atteindre la maison, en partant du sol et en passant par-dessus la clôture.

42. L'apothème d'un cône circulaire droit mesure 10 cm (figure 5.53). Trouver l'angle au sommet θ pour lequel le cône a un volume maximal.

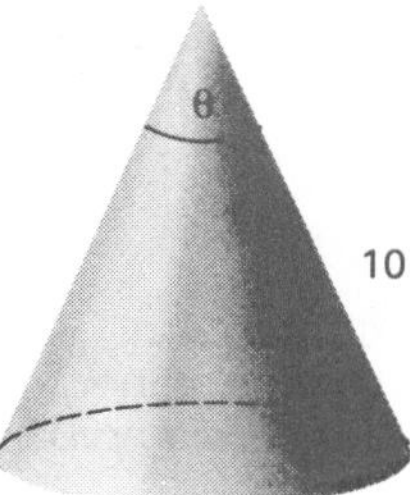

Figure 5.53

43. Une statue de 4 m de hauteur est posée sur un piédestal de 12 m de hauteur. À quelle distance du piédestal doit se placer un observateur dont les yeux sont à 1,55 m du sol pour que l'angle visuel* θ sous lequel il regarde la statue soit maximal? [*Indice* L'angle θ est maximal lorsque tg θ est maximale.]

44. Selon le principe de Fermat en optique, la lumière, pour aller d'un point à un autre, suit le chemin pour lequel le temps du parcours est le plus court. Supposons que la vitesse de propagation de la lumière dans le milieu 1 soit v_1 et qu'elle soit v_2 dans le milieu 2, et que la surface de séparation entre les deux milieux forme un plan (figure 5.54). Montrer que, en vertu du principe de Fermat, un rayon lumineux allant du point A au point B traverse la surface de séparation entre les deux milieux en un point P tel que

$$\frac{\sin \theta_1}{\sin \theta_2} = \frac{v_1}{v_2}.$$

L'équation ci-dessus est appelée la *loi de la réfraction de la lumière*.

Figure 5.54 Réfraction de la lumière allant du point A au point B.

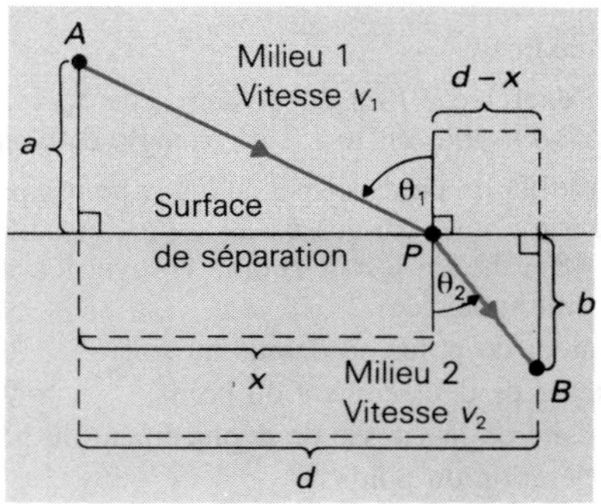

* *N.D.L.T.* L'angle visuel est l'angle formé dans l'œil de l'observateur par le croisement des rayons qui partent des extrémités de l'objet regardé.

5.7 MÉTHODE DE NEWTON

Il arrive souvent que l'on fasse appel aux mathématiques pour évaluer une grandeur numérique donnée, en construisant une équation satisfaite par la grandeur numérique, puis en résolvant l'équation. Nous avons tous, à plusieurs reprises, effectué ce genre de démarche. Une équation à une inconnue x peut toujours être exprimée sous la forme $f(x) = 0$: il suffit de ramener tous ses termes au membre de gauche. Vous avez certainement mis beaucoup de temps par le passé à apprendre comment résoudre des équations polynomiales simples du type de $x^2 - x + 6 = 0$. Cependant, on ne vous a pas montré à résoudre l'équation $x^5 + 7x^3 - 20 = 0$, par exemple, que l'on peut pourtant considérer comme une équation relativement simple. (Nous décrirons à l'exemple 3 comment approximer la seule racine réelle de cette équation.) La méthode de Newton consiste à résoudre ces équations par approximations successives. Voyons de quoi il s'agit.

Supposons que nous voulions résoudre l'équation $f(x) = 0$, où f est une fonction *dérivable* de x.

D'après la *méthode de Newton*, on doit d'abord trouver un nombre a_1 qui, à notre avis, est relativement rapproché d'une racine de l'équation. On peut, par exemple, substituer quelques valeurs de x dans l'équation pour voir à quel moment $f(x)$ prend des valeurs rapprochées de zéro, ou encore utiliser un ordinateur pour tracer la courbe représentative de f. Le corollaire suivant du théorème des valeurs intermédiaires, que vous avez déjà démontré à l'exercice 13 de la section 2.4 et qui est illustré à la figure 5.55, permet souvent de justifier cette démarche.

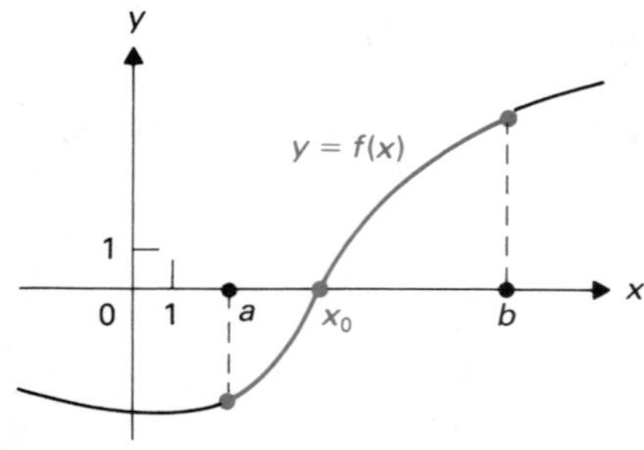

Figure 5.55 Si f est continue sur $[a,b]$ et si $f(a)$ et $f(b)$ sont de signe opposé, alors il existe un x_0 compris entre a et b tel que $f(x_0) = 0$.

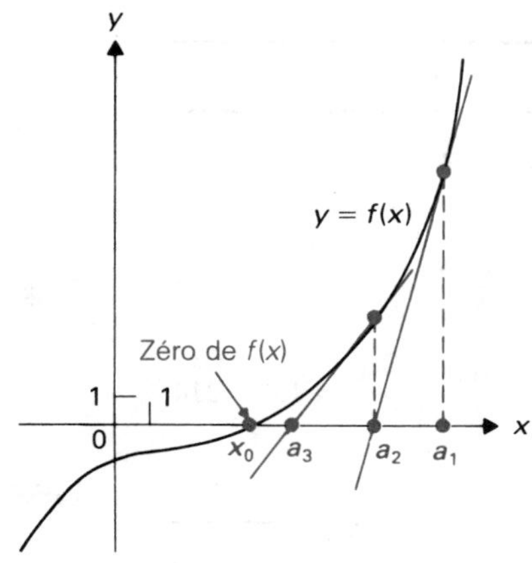

Figure 5.56 Approximation d'une racine x_0 de l'équation $f(x) = 0$ par la méthode de Newton: on choisit une première approximation a_1, puis on calcule les approximations successives a_2 et a_3.

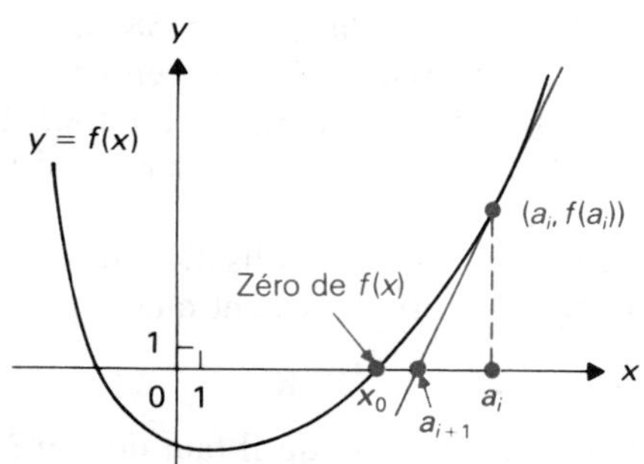

Figure 5.57 Méthode de Newton: la tangente au point $(a_i, f(a_i))$ coupe l'axe des x en a_{i+1}.

COROLLAIRE du théorème des valeurs intermédiaires

Si f est une fonction continue sur l'intervalle $[a,b]$ et si $f(a)$ et $f(b)$ sont de signe opposé, alors l'équation $f(x) = 0$ admet une racine x_0, où $a < x_0 < b$.

EXEMPLE 1 Utiliser le corollaire ci-dessus pour situer une racine de l'équation $x^3 + x - 1 = 0$ entre deux entiers consécutifs.

Solution Soit $f(x) = x^3 + x - 1$. On a $f(0) = -1$ et $f(1) = 1$. En vertu du corollaire, l'équation $x^3 + x - 1 = 0$ admet une solution entre 0 et 1. □

Supposons que nous ayons franchi la première étape, c'est-à-dire que nous ayons trouvé une première approximation a_1 d'une racine de l'équation $f(x) = 0$. Comme on le voit à la figure 5.56, la tangente au graphique de f au point $(a_1, f(a_1))$ coupe l'axe des x en un point a_2, qui semble être une meilleure approximation de x_0 que ne l'était a_1. De la même manière, si on construit une nouvelle tangente, cette fois en $(a_2, f(a_2))$, on obtiendra un nombre a_3 qui sera probablement une approximation encore meilleure, et ainsi de suite. Voilà l'essentiel de la démarche de Newton.

En nous reportant à la figure 5.57, nous pouvons trouver une formule qui permet, connaissant l'approximation a_i, de calculer l'approximation suivante a_{i+1}. La tangente à la courbe $y = f(x)$ en $x = a_i$ passe par le point $(a_i, f(a_i))$ et a pour pente $f'(a_i)$. Elle a donc pour équation

$$y - f(a_i) = f'(a_i)(x - a_i). \qquad \textbf{(1)}$$

Ainsi, pour trouver l'abscisse à l'origine a_{i+1} de la tangente, il suffit de poser $y = 0$ dans l'équation 1 et de résoudre pour x:

$$-f(a_i) = f'(a_i)(x - a_i),$$

$$x - a_i = -\frac{f(a_i)}{f'(a_i)}, \qquad x = a_i - \frac{f(a_i)}{f'(a_i)},$$

en supposant que $f'(a_i) \neq 0$. On obtient ainsi la *formule d'itération de la méthode de Newton*:

$$\boxed{a_{i+1} = a_i - \frac{f(a_i)}{f'(a_i)}.} \qquad \textbf{(2)}$$

En mathématiques, on appelle *formule d'itération* toute formule qui permet de calculer la valeur suivante d'une suite de valeurs données en fonction des valeurs déjà trouvées. Dans le cas présent, le calcul d'une approximation donnée ne fait appel qu'à l'approximation précédente.

EXEMPLE 2 Calculer une approximation de $\sqrt{2}$ en trouvant, au moyen de la méthode de Newton, une racine approchée de l'équation $f(x) = x^2 - 2 = 0$.

Solution On a $f'(x) = 2x$. Ainsi, l'équation 2 devient:

$$a_{i+1} = a_i - \frac{a_i^2 - 2}{2a_i}.$$

Tableau 5.1

i	a_i	a_{i+1}
1	2	$2 - 2/4 = 1{,}5$
2	1,5	$1{,}5 - 0{,}25/3 = 1{,}416\ 666$
3	1,416 666	$1{,}416\ 666 - \dfrac{0{,}006\ 942\ 5}{2{,}833\ 332} = 1{,}414\ 215$
4	1,414 215	$1{,}414\ 215 - \dfrac{0{,}000\ 004}{2{,}828\ 430} = 1{,}414\ 214$
5	1,414 214	

Les approximations successives de $\sqrt{2}$ sont inscrites au tableau 5.1. La première valeur choisie a été $a_1 = 2$ et les valeurs suivantes ont été obtenues sans difficulté à l'aide d'une calculatrice. Nous sommes parvenus, au moyen de quatre itérations seulement, à une précision de six chiffres significatifs. Bien entendu, un tel exemple n'a pas une grande utilité pratique; nous aurions pu tout aussi bien calculer $\sqrt{2}$ directement à l'aide d'une calculatrice. Il a cependant l'avantage d'offrir une illustration simple de la méthode de Newton. La plupart des calculatrices utilisent en fait la méthode de Newton pour calculer les racines de nombres, à cause de la rapidité avec laquelle elle converge.) □

Dans certains cas, la méthode de Newton peut ne pas converger. Si, par exemple, on choisit l'approximation a_1 illustrée à la figure 5.58, les a_i successifs s'éloignent de la racine x_0 de $f(x) = 0$, plutôt que de s'en approcher. Comme le démontrent les exercices 4 et 5 de la présente section, il peut également arriver que les a_i oscillent de chaque côté de x_0, sans tendre vers x_0 (figure 5.59).

La méthode de Newton n'est rien d'autre qu'une utilisation répétée d'approximations à l'aide de la différentielle. En effet, sachant que

$$dy = f'(a_i)\,dx,$$

si on pose $dy = -f(a_i)$, ce qui constitue l'accroissement qu'il faut donner à y pour annuler $f(x)$, on obtient

$$dx = \frac{-f(a_i)}{f'(a_i)}.$$

Il faut donc que x passe de a_i à

$$a_i + dx = a_i - \frac{f(a_i)}{f'(a_i)},$$

ce qui nous ramène justement à la formule d'itération prévue pour obtenir a_{i+1} lorsqu'on utilise la méthode de Newton.

La nature et la quantité des calculs à effectuer lorsqu'on utilise la méthode de Newton rendent quasi essentielle l'utilisation d'un ordinateur ou, à tout le moins, d'une calculatrice (programmable de préférence). En effet, on peut facilement programmer la formule d'itération 2 de sorte que le calcul soit répété autant de fois qu'on le désire. Voici trois exemples qui nécessitent l'utilisation d'une calculatrice.

EXEMPLE 3 Trouver une des racines de l'équation $x^5 + 7x^3 - 20 = 0$. (La calculatrice que nous avons utilisée était programmable, ce qui s'est révélé bien utile sans toutefois être essentiel à la résolution du problème.)

Solution Posons $f(x) = x^5 + 7x^3 - 20$. Il apparaît clairement que $f(x) \leq 0$ pour $x \leq 1$ et $f(x) \geq 0$ pour $x \geq 2$. Comme $f(1) = -12$ est plus rapproché de zéro que ne l'est $f(2) = 68$, choisissons $a_1 = 1$. La formule d'itération 2 nous donne

$$a_{i+1} = a_i - \frac{a_i^5 + 7a_i^3 - 20}{5a_i^4 + 21a_i^2}.$$

Les résultats sont inscrits au tableau 5.2. Comme il existe des cas où les valeurs des approximations tendent à se fixer autour d'une valeur donnée sans que l'on obtienne pour autant une racine de $f(x) = 0$ (voir l'exercice 6), nous avons choisi de calculer également les valeurs de $f(a_i)$ pour s'assurer de la convergence vers une racine de $f(x) = 0$. Ainsi, d'après les résultats inscrits dans le tableau, nous pouvons être certains que 1,317 924 316 est véritablement rapproché d'une des racines de l'équation. □

Tableau 5.2

i	a_i	$f(a_i)$
1	1	−12
2	1,461 538 462	8,522 746 187
3	1,335 597 387	0,927 151 971 1
4	1,318 225 329	0,015 524 815 7
5	1,317 924 405	0,000 004 580 5
6	1,317 924 316	1×10^{-11}
7	1,317 924 316	1×10^{-11}

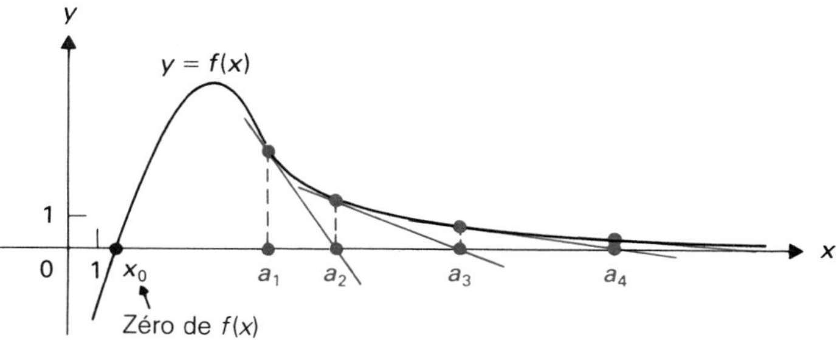

Figure 5.58 Les valeurs a_1, a_2, a_3, a_4,... s'éloignent de x_0 plutôt que de s'en approcher.

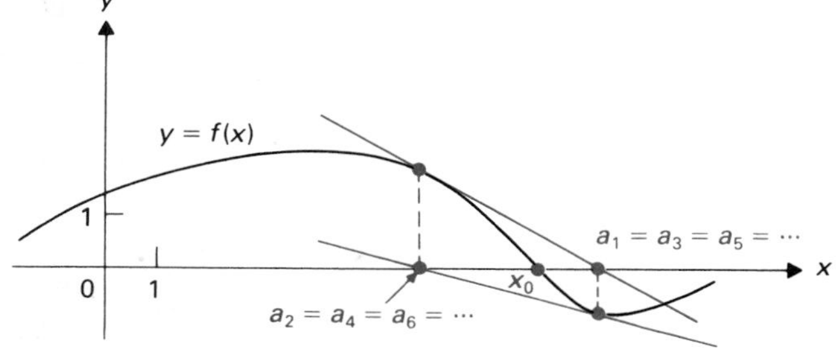

Figure 5.59 Les valeurs a_1, a_2, a_3, a_4,... oscillent de chaque côté de x_0, sans tendre vers x_0.

EXEMPLE 4 La pente du graphe de $y = x$ à l'origine est 1, tandis que celle du graphe de $y = \sin 2x$ est 2. On voit de plus sur la figure 5.60 que l'équation $\sin 2x = x$ admet une racine positive. Trouver cette racine à l'aide de la méthode de Newton.

Solution D'après la figure 5.60, l'équation $\sin 2x = x$ est vérifiée pour un certain x compris entre $\pi/4$ et $\pi/2$. En utilisant la méthode de Newton et en posant $f(x) = \sin 2x - x$ et $a_1 = 1$, on obtient:

$$a_{i+1} = a_i - \frac{\sin(2a_i) - a_i}{2\cos(2a_i) - 1}.$$

Les approximations successives sont inscrites au tableau 5.3. Les $f(a_i)$ du tableau montrent bien que $\sin 2x = x$ lorsque $x \simeq 0{,}947\ 747\ 133\ 5$. □

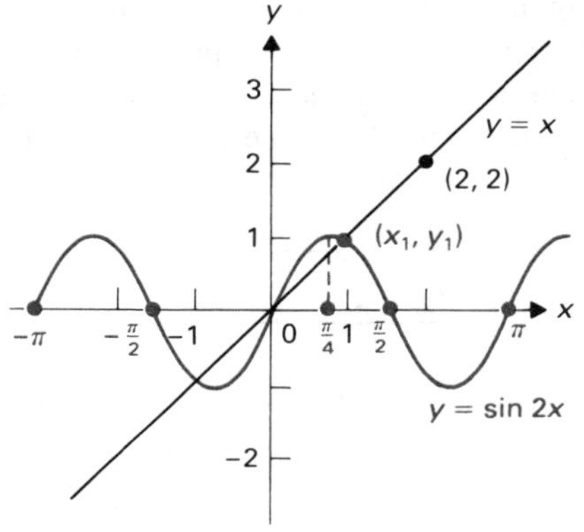

Figure 5.60 Il existe un $x_1 > 0$ pour lequel $\sin 2x_1 = x_1$.

Tableau 5.3

i	a_i	$f(a_i)$
1	1	−0,090 702 573 2
2	0,950 497 797 1	−0,004 520 043 6
3	0,947 755 822 7	−0,000 014 233 4
4	0,947 747 133 6	−0,000 000 000 1
5	0,947 747 133 5	-5×10^{-13}
6	0,947 747 133 5	-2×10^{-13}

EXEMPLE 5 Trouver un extremum relatif de la fonction $f(x) = x^6 + 3x^5 + 2x^4 + 7x^2 - 10x$ et déterminer s'il s'agit d'un maximum ou d'un minimum relatif.

Solution En dérivant $f(x)$, on obtient

$$f'(x) = 6x^5 + 15x^4 + 8x^3 + 14x - 10$$

et

$$f''(x) = 30x^4 + 60x^3 + 24x^2 + 14.$$

Il nous faut trouver une racine de l'équation $f'(x) = 0$, puis étudier le signe de $f''(x)$ pour cette valeur de x. Comme $f'(0) < 0$ et que $f'(1) > 0$, on en conclut que $f'(x)$ s'annule pour un certain x compris entre 0 et 1. Appliquons la méthode de Newton, en commençant par $a_1 = 0$. La formule d'itération prend ici la forme

$$a_{i+1} = a_i - \frac{6a_i^5 + 15a_i^4 + 8a_i^3 + 14a_i - 10}{30a_i^4 + 60a_i^3 + 24a_i^2 + 14}.$$

Les résultats des calculs effectués à l'aide d'une calculatrice programmable sont inscrits au tableau 5.4. Comme $f''(a_7) \simeq 31{,}908\ 119\ 05$, on en conclut que f admet un minimum relatif en $x \simeq 0{,}528\ 576\ 828\ 9$. □

Lorsqu'on utilise la méthode de Newton, on peut obtenir $f'(a_i)$ à l'aide d'une calculatrice en utilisant l'approximation numérique m_{sym} (voir page 93). Cependant, comme ce processus peut donner lieu à des erreurs dues au niveau de précision de la calculatrice, il est alors *essentiel* de vérifier les $f(a_i)$ pour s'assurer que les a_i convergent véritablement vers une racine de $f(x) = 0$. Voici un exemple dont les calculs ont été effectués à l'aide d'une calculatrice programmable.

EXEMPLE 6 À l'aide d'une calculatrice et de la méthode de Newton, trouver une valeur de x telle que $x^x = 100$.

Solution Posons $f(x) = x^x - 100$. Comme $f(3) < 0$ et $f(4) > 0$, il existe une racine comprise entre 3 et 4. Utilisons la méthode de Newton, en calculant la dérivée de f au moyen de

$$f'(a_i) \simeq m_{sym} = \frac{f(a_i + \Delta x) - f(a_i - \Delta x)}{2(\Delta x)},$$

où $\Delta x = 0{,}000\,01$. Les calculs, basés sur une première approximation $a_1 = 4$, sont résumés au tableau 5.5. On en conclut que $x^x = 100$ pour $x \simeq 3{,}597\,285\,024$. □

Tableau 5.4

i	a_i	$f'(a_i)$
1	0	−10
2	0,714 285 714 3	7,935 681 561
3	0,572 374 469 1	1,491 926 152
4	0,531 312 608 7	0,087 644 210 5
5	0,528 587 765 9	0,000 348 982 3
6	0,528 576 829 1	0,000 000 005 6
7	0,528 576 828 9	0,0

Tableau 5.5

i	a_i	$f(a_i)$
1	4	156
2	3,744 635 441	40,349 121 5
3	3,620 734 188	5,500 400 569
4	3,597 934 159	0,148 129 945 5
5	3,597 285 529	0,000 115 35
6	3,597 285 024	0,000 000 000 4
7	3,597 285 024	0,000 000 000 4

RÉSUMÉ

Méthode de Newton pour le calcul approché des racines d'une équation $f(x) = 0$: choisir une première approximation a_1 de la racine de $f(x) = 0$, puis calculer les approximations suivantes $a_2, a_3, a_4, \ldots$ de la racine au moyen de la formule d'itération

$$a_{i+1} = a_i - \frac{f(a_i)}{f'(a_i)}.$$

EXERCICES

On a, bien entendu, tout avantage à utiliser une calculatrice lorsqu'on applique la méthode de Newton. Néanmoins, les exercices 1 à 6 ont été conçus de manière à pouvoir être résolus sans que l'on ait recours à une calculatrice.

1. Utiliser la méthode de Newton pour calculer une racine de l'équation $x^3 + x - 1 = 0$. (Utiliser comme première approximation $a_1 = 1$ et calculer a_3.)

2. Utiliser la méthode de Newton pour calculer une racine de l'équation $x^3 + 2x - 1 = 0$. (Utiliser comme première approximation $a_1 = 1$ et calculer a_3.)

3. Utiliser la méthode de Newton pour calculer une racine de l'équation $x^3 + x^2 - 1 = 0$. (Utiliser comme première approximation $a_1 = 1$ et calculer a_3.)

4. *a*) Montrer que l'équation $x^4 + 4x^3 + 4x^2 - x - 1 = 0$ admet une solution dans l'intervalle $[-1,0]$.

b) En utilisant la méthode de Newton, chercher une racine de l'équation ci-dessus en prenant pour première approximation $a_1 = 0$. Que faut-il conclure?

5. Le présent exercice montre comment on peut construire des exemples comme le précédent, où les a_i oscillent autour de la racine.

a) Démontrer, au moyen d'un graphique, que si f est une fonction dérivable et si $f(0) = 1$, $f(1) = -1$ et $f'(0) = f'(1) = -1$, alors l'équation $f(x) = 0$ admet une solution dans l'intervalle $[0,1]$, mais que si on applique la méthode de Newton en utilisant comme première approximation $a_1 = 0$ ou $a_1 = 1$, alors les a_i oscillent autour de la valeur de la racine.

b) Construire une équation cubique $f(x) = ax^3 + bx^2 + cx + d$ ayant les propriétés décrites dans la partie *a*. Procéder comme suit:

i) Trouver l'équation en a, b, c et d correspondant à la condition $f(0) = 1$.

ii) Refaire la même démarche pour $f(1) = -1$.

iii) Refaire la même démarche pour $f'(0) = -1$.

iv) Refaire la même démarche pour $f'(1) = -1$.

v) Résoudre le système de quatre équations à quatre inconnues construit aux étapes précédentes pour obtenir l'équation cubique $f(x)$ cherchée.

6. Le présent exercice montre qu'il est possible que les valeurs de $a_1, a_2, \ldots, a_n$ tendent à se fixer autour d'une valeur donnée sans que l'on obtienne une racine de $f(x) = 0$. C'est pourquoi l'on a tout avantage à calculer les $f(a_i)$ pour éviter de tirer de fausses conclusions.

a) Soit $a_1, a_2, \ldots, a_n$ n nombres distincts tels que $a_1 > a_2 > \ldots > a_n$. Soit $c_1, c_2, \ldots, c_n$ des nombres quelconques supérieurs à 5 et soit $d_1, d_2, \ldots, d_n$ des nombres quelconques. Démontrer, au moyen d'un graphique, qu'il existe une fonction dérivable f telle que $f(x) \geq 3$ pour tout x, $f(a_i) = c_i$ et $f'(a_i) = d_i$, où $i = 1, 2, \ldots, n$.

b) D'après la proposition ci-dessus, il existe une fonction dérivable f telle que $f(x) \geq 3$ pour tout x et telle que $f(1) = f(1{,}1) = f(1{,}01) = f(1{,}001) = \ldots = f(1{,}000\,000\,01) = 10$, tandis que $f'(1{,}1) = 10/0{,}09$, $f'(1{,}01) = 10/0{,}009$, $f'(1{,}001) = 10/0{,}000\,9, \ldots, f'(1{,}000\,000\,1) = 10/0{,}000\,000\,09$. Si l'on utilise la méthode de Newton pour trouver les racines de $f(x) = 0$ et si l'on prend pour première approximation $a_1 = 1{,}1$, à quoi correspondent $a_2, a_3, \ldots, a_8$? Les valeurs des approximations ont-elles tendance à se fixer autour d'une valeur donnée? S'approche-t-on d'une racine de l'équation $f(x) = 0$?

Dans les exercices 7 à 10, on demande d'effectuer les calculs à l'aide d'une calculatrice.

7. Utiliser la méthode de Newton pour calculer une racine de l'équation $f(x) = x^3 + x + 16 = 0$. Continuer les calculs jusqu'à ce que la différence entre deux approximations successives soit inférieure à 0,000 005.

8. Utiliser la méthode de Newton pour calculer une racine de l'équation $x - 2 \sin x = 0$ en prenant pour première approximation $a_1 = 2$.

9. Construire un graphique pour justifier que l'équation $\cos x - x = 0$ admet une et une seule racine. Estimer cette racine au moyen de la méthode de Newton.

10. Utiliser la méthode de Newton pour calculer la racine positive de l'équation $\cos x - x^2 = 0$.

Dans les exercices 11 à 16, utiliser une calculatrice ou, encore mieux, un ordinateur pour calculer, par la méthode de Newton, une racine de l'équation donnée. Calculer les dérivées au moyen de m_{sym}.

11. $2^x = 9$ **12.** $3^x = 100$ **13.** $x^x = 5$

14. $x^x = 3000$ **15.** $2^x + 3^x = 50$ **16.** $5^x + x^x = 500$

5.8 APPLICATIONS DU CALCUL DIFFÉRENTIEL À L'ÉCONOMIE ET À LA GESTION

Les programmes des facultés d'économie et d'administration de nos universités comportent, au niveau du baccalauréat, un certain nombre de cours de mathématiques, dont des cours de calcul. Pour comprendre le rôle du calcul différentiel et intégral dans les théories économiques, considérons une situation économique simple. Supposons qu'une compagnie fabrique un produit en l'absence de toute concurrence. Dans cette situation idéale, la compagnie exerce donc le plein contrôle sur son évolution. Supposons encore que les données suivantes: coût de production d'une unité de ce produit, revenu provenant de sa vente et profit réalisé, soient des fonctions du nombre x d'unités produites par unité de temps (mois, année, etc.). Cette hypothèse nous permet de conclure notamment que les décisions touchant la publicité ou l'acheminement du produit vers ses marchés sont des fonctions du nombre x d'unités produites.

Dans de nombreuses situations économiques, seules les valeurs *entières* d'une variable x présentent de l'intérêt. Un entrepreneur en construction, par exemple, ne peut pas construire 31,347 maisons! Toutefois, bien que certaines des fonctions, comme la fonction coût, ne soient définies que pour des valeurs entières de x, considérons que toutes les fonctions sont dérivables et définies en tout point d'un intervalle donné. Définissons donc

$C(x)$ = coût de production de x unités par unité de temps,

$R(x)$ = revenu provenant de la production de x unités,

$P(x) = R(x) - C(x)$ = profit résultant de la production de x unités.

Ce qui intéresse les économistes, c'est l'évaluation du *coût marginal*, du *revenu marginal* et du *profit marginal* résultant de la production de x unités. Dans les cours d'économie de niveau élémentaire, où l'on ne fait pas appel au calcul différentiel, on définit le coût marginal en x comme le coût additionnel occasionné par la production, au cours d'une période donnée, de une unité de plus que la quantité x. Ainsi,

$$\text{Coût marginal} = C(x+1) - C(x) = \frac{C(x+1) - C(x)}{1}. \qquad \textbf{(1)}$$

L'équation 1 indique que le coût marginal en x est sensiblement égal à $C'(x)$, puisque l'équation 1 est tout simplement l'approximation

$$C'(x) \simeq \frac{C(x+\Delta x) - C(x)}{\Delta x},$$

pour $\Delta x = 1$. Dans les cours de niveau plus avancé, l'adjectif *marginal* fait généralement intervenir le concept de dérivée.

DÉFINITION 5.5 Grandeurs marginales

Le **coût marginal** est défini par dC/dx, le **revenu marginal** par dR/dx et le **profit marginal** par dP/dx.

EXEMPLE 1 Une firme réputée fabrique un modèle populaire de calculatrice. Sa fonction coût, en dollars, pour une année est donnée par

$$C(x) = 90\,000 + 500x + 0{,}01x^2,$$

où x représente le nombre de centaines de calculatrices fabriquées en une année. Le montant de 90 000 \$ représente les dépenses annuelles engagées par la firme pour les installations de production, assurances et autres frais fixes. Le coefficient 500 pourrait, par exemple, représenter ce qu'il en coûte, une fois les frais fixes exclus, pour fabriquer 100 calculatrices, lorsque la production est inférieure à un nombre donné. Le terme $0{,}01x^2$ n'a de poids que lorsque x est relativement élevé; il pourra par exemple représenter les problèmes occasionnés par un surplus de production, des stocks excédentaires ou une augmentation des coûts des matériaux imputable à une trop grande production provoquant une rareté des matériaux et, de ce fait, une augmentation des coûts. Supposons que la fonction revenu soit régie par l'équation

$$R(x) = 1\ 000x - 0{,}05x^2.$$

Le terme $1\ 000x$ indique que les premières calculatrices produites se vendent 10 \$ chacune (c'est-à-dire 1 000 \$ par centaine). Le terme $-0{,}05x^2$ s'explique par le fait que si x est élevé, il y a surabondance du produit sur le marché, forçant l'entreprise à réduire le prix de vente. Calculer le profit marginal et déterminer combien de calculatrices la firme devrait produire pour réaliser un profit maximal.

Solution On a

$$\begin{aligned} P(x) &= R(x) - C(x) \\ &= (1\ 000x - 0{,}05x^2) - (90\ 000 + 500x + 0{,}01x^2) \\ &= -90\ 000 + 500x - 0{,}06x^2. \end{aligned}$$

Par conséquent,

$$\text{Profit marginal} = \frac{dP}{dx} = 500 - 0{,}12x.$$

Le profit atteint son maximum quand $dP/dx = 0$, c'est-à-dire quand

$$0{,}12x = 500 \text{ ou } x = \frac{500}{0{,}12} = 4\ 166{,}666\ 66\ldots$$

Nous avons bien un maximum puisque $d^2P/dx^2 = -0{,}12 < 0$. Comme x représente des centaines de calculatrices, le nombre de calculatrices cherché est 416 666,666 66... Bien entendu, la compagnie ne va pas fabriquer 2/3 de calculatrice. Le calcul (effectué au moyen d'une... calculatrice!) du profit associé à la production de 416 666 et 416 667 calculatrices respectivement indique que

$$P(4\ 166{,}66) = P(4\ 166{,}67) = 951\ 666{,}666\ 7.$$

Cela revient à dire qu'en pratique l'entreprise réalise le même profit en fabriquant 416 666 calculatrices ou 416 667 calculatrices. Ce profit s'élève à 951 666,67 \$. [D'un point de vue strictement mathématique, $P(4\ 166{,}67) > P(4\ 166{,}66)$, ce qui est justifié par la symétrie de la parabole $P(x)$ de chaque côté de son sommet situé en $x = 4\ 166{,}666\ 666\ldots$ La similitude apparente de $P(4\ 166{,}66)$ et de $P(4\ 166{,}67)$ s'explique par le niveau de précision de la calculatrice.] □

Comme $C(x)$ représente le coût de production de x unités, on a

$$\text{Coût moyen par unité} = \frac{C(x)}{x}.$$

Il est, bien entendu, utile de connaître le nombre d'unités qu'il faut fabriquer pour rendre minimal le coût moyen par unité.

On dérive donc la fonction $C(x)/x$, obtenant ainsi

$$\frac{d}{dx}\left(\frac{C(x)}{x}\right) = \frac{xC'(x) - C(x)}{x^2}.$$

La dérivée s'annule quand

$$xC'(x) - C(x) = 0 \qquad \text{c'est-à-dire quand} \qquad C'(x) = \frac{C(x)}{x}.$$

C'est donc dire que *le coût moyen minimal par unité est atteint lorsque le coût marginal est égal au coût moyen*. Il faut, bien entendu, vérifier qu'il s'agit bien d'un minimum et non d'un maximum relatif.

EXEMPLE 2 Calculer le nombre de calculatrices que doit fabriquer la firme de l'exemple 1 pour que le coût moyen d'une calculatrice soit minimal.

Solution La fonction coût est

$$C(x) = 90\ 000 + 500x + 0{,}01x^2$$

et $C'(x) = 500 + 0{,}02x$. En posant l'équation $C'(x) = C(x)/x$, on obtient

$$500 + 0{,}02x = \frac{90\ 000 + 500x + 0{,}01x^2}{x},$$

ou encore

$$500x + 0{,}02x^2 = 90\ 000 + 500x + 0{,}01x^2.$$

On a ainsi

$$0{,}01x^2 = 90\ 000, \qquad \text{soit} \qquad x^2 = 9\ 000\ 000$$

$$\text{et } x = \sqrt{9\ 000\ 000} = 3\ 000.$$

Comme $\lim_{x\to 0+} C(x)/x = \lim_{x\to\infty} C(x)/x = \infty$, la fonction $C(x)/x$ admet certainement un minimum qui ne peut être que la valeur que nous venons de trouver. On atteindra donc un coût moyen minimal en fabriquant 300 000 calculatrices par an. Ce coût moyen minimal est $C(3\ 000)/3\ 000$, soit 560 \$ par centaine de calculatrices, ou 5,60 \$ la calculatrice. □

EXEMPLE 3 Une quincaillerie à grande surface vend 9 000 pneus d'automobiles par an. Les coûts annuels de stockage pour chaque pneu invendu (entreposage, assurances, etc.) sont de 0,50 \$. Les coûts de réapprovisionnement se chiffrent à 10 \$ la commande, plus 0,25 \$ par pneu commandé. Déterminer combien de fois par an la quincaillerie doit se réapprovisionner et combien de pneus elle doit commander chaque fois, si l'on veut rendre minimal le coût de gestion des stocks.

Solution Soit x le nombre de pneus commandés lors de chaque commande. On a

$$\text{Nombre de commandes par année} = \frac{9\ 000}{x}.$$

Le nombre moyen de pneus invendus au cours de l'année est alors $x/2$. Par conséquent,

$$\text{Coût annuel de stockage} = 0{,}5\left(\frac{x}{2}\right) \text{ dollars}$$

et

$$\begin{array}{l}\text{Coûts annuels de}\\ \text{réapprovisionnement}\end{array} = 10\left(\frac{9\ 000}{x}\right) + 0{,}25(9\ 000) \text{ dollars.}$$

Ainsi, le coût total de la gestion des stocks s'élève annuellement à

$$\begin{aligned} C(x) &= 0{,}5\left(\frac{x}{2}\right) + 10\left(\frac{9\ 000}{x}\right) + 0{,}25(9\ 000) \\ &= \frac{1}{4}x + 90\ 000x^{-1} + 2\ 250 \text{ dollars.} \end{aligned}$$

On a donc

$$C'(x) = \frac{1}{4} - 90\ 000x^{-2} = \frac{1}{4} - \frac{90\ 000}{x^2}.$$

Il s'ensuit que $C'(x) = 0$ quand $x^2 = 360\ 000$, c'est-à-dire quand $x = \sqrt{360\ 000} = 600$ pneus. Comme $C''(x) = 180\ 000x^{-3} > 0$, il s'agit bien d'un minimum. Il faudrait donc commander 600 pneus à la fois et passer $9\ 000/600 = 15$ commandes par an. □

EXEMPLE 4 Un pêcheur jouit de droits exclusifs sur un bassin où sont cultivées des palourdes. Supposons que les conditions de reproduction soient telles que p boisseaux de palourdes cette année se multiplient en $f(p) = 50p - (1/4)p^2$ boisseaux l'an prochain. (Le terme $-(1/4)p^2$ indique que la quantité de palourdes décroît lorsqu'il y a surpopulation, c'est-à-dire lorsque p est trop grand.) Combien de boisseaux le pêcheur devrait-il recueillir chaque année pour que le rendement du bassin soit maximal?

Solution Le pêcheur peut recueillir $h(p) = f(p) - p$ boisseaux de palourdes dans l'année sans décimer la population initiale de p boisseaux. Il cherche à rendre $h(p)$ maximal. On a

$$h(p) = f(p) - p = (50p - \frac{1}{4}p^2) - p = 49p - \frac{1}{4}p^2.$$

Ainsi,

$$h'(p) = 49 - \frac{1}{2}p,$$

d'où $h'(p) = 0$ quand $p = 98$. Comme $h''(p) = -1/2 < 0$, il s'agit bien d'un maximum. Le pêcheur devrait donc faire en sorte que la population de son bassin soit de 98 boisseaux, soit en la laissant augmenter, soit en recueillant le surplus. Il peut ramasser

$$h(98) = 49(98) - \frac{1}{4}(98)^2 = 2\ 401 \text{ boisseaux}$$

chaque année, soit environ 46 boisseaux par semaine, année après année. □

RÉSUMÉ

1. Si $C(x)$ représente le coût, $R(x)$ le revenu et $P(x) = R(x) - C(x)$ le profit résultant de la fabrication de x unités d'un produit par unité de temps, alors le coût marginal est obtenu par dC/dx, le revenu marginal par dR/dx et le profit marginal par dP/dx.
2. Le coût moyen d'une unité est $C(x)/x$. On peut définir les notions de revenu moyen et de profit moyen de façon analogue.
3. Pour que le coût moyen soit minimal, il faut que

$$\text{Coût marginal} = \text{coût moyen}.$$

EXERCICES

1. Dans le contexte de l'exemple 1, calculer
   a) le coût marginal;
   b) le revenu marginal;
   c) le profit marginal;
   d) le profit moyen;

   de la compagnie lorsqu'elle fabrique 2 000 calculatrices.
2. Dans le contexte de l'exemple 1, déterminer combien de calculatrices devraient être fabriquées pour que la compagnie réalise un profit moyen maximal. Quel sera alors ce profit moyen maximal?
3. Une petite entreprise fabrique des poêles à bois. Le coût $C(x)$ et le revenu $R(x)$ pour une production annuelle de x poêles sont donnés respectivement par les équations

$$C(x) = 10\ 000 + 150x + 0{,}03x^2$$

   et

$$R(x) = 250x - 0{,}02x^2.$$

   a) Calculer le profit marginal quand $x = 100$.
   b) Combien de poêles la compagnie devrait-elle fabriquer pour que son profit soit maximal? Quel sera ce profit maximal?
4. Dans le contexte de l'exercice 3, déterminer le nombre de poêles qui devraient être fabriqués pour que le coût soit maintenu au minimum et que le profit moyen soit maximal.
5. Un fournisseur de bois de chauffage a déterminé qu'un approvisionnement de x cordes de bois par an entraîne les coûts et les revenus annuels suivants:

$$C(x) = 500 + 50x + 0{,}02x^2$$

   et

$$R(x) = 80x - 0{,}01x^2.$$

   a) Calculer le revenu marginal quand $x = 100$ cordes.
   b) Calculer le revenu moyen par corde quand $x = 100$ cordes.
   c) Déterminer la valeur de x qui permet d'obtenir un profit maximal.
6. Dans le contexte de l'exercice 5, déterminer le nombre de cordes de bois qui permettra au fournisseur d'atteindre un profit moyen maximal.
7. Dans le contexte de l'exercice 5, en supposant que le fournisseur ne vend toujours qu'un nombre entier de cordes de bois, déterminer le nombre de cordes qu'il doit vendre pour obtenir un revenu moyen maximal
   a) en faisant appel, sans discernement, au calcul différentiel;
   b) en faisant appel au « gros bon sens »!

   Expliquer pourquoi le calcul différentiel ne donne pas de bons résultats dans ce cas.
8. Montrer qu'en tout $x > 0$ où le profit moyen atteint un maximum (ou un minimum) supérieur à zéro, le profit marginal est égal au profit moyen.
9. Expliquer intuitivement, sans faire appel au calcul différentiel, que le coût moyen n'atteint un minimum pour $x > 0$ que s'il est égal au coût marginal.

Résoudre les exercices 10 à 12 en fonction des concepts qui suivent. Les sommes économisées par un ménage sont une fonction $E(R)$ des revenus R et les sommes dépensées sont une fonction $C(R)$. La propension marginale à épargner est obtenue par dE/dR et la propension marginale à consommer par dC/dR.

10. Montrer que si un ménage consacre la totalité de ses revenus soit à l'épargne, soit à la consommation, alors

$$\begin{matrix}\text{Propension marginale} \\ \text{à consommer}\end{matrix} = 1 - \begin{matrix}\text{propension marginale} \\ \text{à épargner}\end{matrix}$$

11. Les sommes économisées par un ménage pendant un an sont données par

$$E(R) = \frac{2R^2}{5(R + 60\ 000)},$$

où R représente les revenus annuels du ménage.

a) Calculer la propension marginale à épargner du ménage quand $R = 30\ 000$ \$.

b) Si le ménage utilise à des fins de consommation tout l'argent qu'il n'épargne pas, quelle est sa propension marginale à consommer quand $R = 30\ 000$ \$?

12. Supposons que les revenus du ménage de l'exercice précédent soient très élevés. Calculer la limite de la proportion des revenus que le ménage parvient à épargner quand $R \to \infty$

a) en calculant la propension marginale à épargner et en étudiant sa limite quand $R \to \infty$;

b) en étudiant le comportement de la fonction $E(R)$ quand $R \to \infty$, comme nous avons appris à le faire au chapitre 2.

Un problème dans lequel $E(R)$ serait donné par

$$E(R) = \frac{2R^3}{5(R + 60\ 000)}$$

serait-il réaliste? Expliquer.

13. Dans un certain pays, les impôts versés par un ménage sont une fonction I des revenus R, caractérisée par

$$I(R) = \frac{3R^2}{80\ 000 + 5R}.$$

a) Déterminer le taux marginal d'imposition quand $R = 10\ 000$.

b) Calculer, s'ils existent, les taux minimal et maximal d'imposition.

14. Dans le contexte de l'exercice 13, trouver la limite du taux d'imposition quand $R \to \infty$

a) en calculant la limite du taux marginal d'imposition quand $R \to \infty$;

b) en étudiant le comportement de $I(R)$ quand $R \to \infty$, comme nous avons appris à le faire au chapitre 2.

15. Un magasin d'appareils ménagers vend 200 réfrigérateurs par année. Les frais annuels de stockage pour chaque appareil invendu sont de 10 \$. Les coûts de réapprovisionnement se chiffrent à 10 \$ la commande, plus 5 \$ par réfrigérateur commandé. Déterminer combien de fois par an le magasin doit se réapprovisionner et combien de réfrigérateurs il faut commander chaque fois, si l'on veut réduire au minimum le coût de gestion des stocks.

16. Une disquaire vend 100 000 disques par année. Les frais annuels de stockage pour chaque disque invendu sont de 0,25 \$ et les coûts de réapprovisionnement se chiffrent à 5 \$ la commande, plus 0,05 \$ par disque commandé. Déterminer combien de fois par an la disquaire doit se réapprovisionner et combien de disques elle doit commander chaque fois, si elle veut réduire au minimum le coût de gestion des stocks.

17. Un étudiant décide de louer une certaine superficie d'un centre commercial pendant la semaine qui précède Noël et de s'y installer pour vendre 2 000 arbres de Noël. Son fournisseur peut lui livrer les arbres en une seule fois ou encore effectuer plusieurs livraisons d'un nombre égal d'arbres, chaque livraison occasionnant alors des frais supplémentaires de 40 \$. L'étudiant a évalué que les frais de location de la superficie d'étalage s'élèveraient à 2 \$ par arbre. Déterminer combien d'arbres à la fois l'étudiant doit se faire livrer et combien de livraisons il doit prévoir pour rendre minimaux les coûts mentionnés.

18. Dans le contexte de l'exemple 4 de la présente section, quelle devrait être la taille de la population de palourdes pour qu'elle demeure constante d'une année à l'autre?

19. Un élevage de p lapins atteint l'année suivante une population

$$f(p) = 6p - \frac{1}{12}p^2.$$

a) Quelle taille doit avoir la population de lapins pour qu'elle demeure constante d'une année à l'autre?

b) Quel est le nombre maximal de lapins que l'on peut capturer chaque année? Quelle est la taille correspondante de la population?

20. Un horticulteur sait que p tubercules de topinambours peuvent donner $5p - (1/100)p^2$ tubercules l'année suivante.

a) Combien de tubercules faut-il cultiver pour que leur nombre demeure constant d'une année à l'autre?

b) Quel est le nombre maximal de tubercules que l'on peut récolter en une année? Quel nombre initial de tubercules permet d'obtenir cette récolte?

5.9 RECHERCHE DE PRIMITIVES

Nous avons, jusqu'à maintenant, consacré beaucoup de temps à dériver, c'est-à-dire à calculer des fonctions $f'(x)$ lorsque la fonction $f(x)$ est connue. Le processus inverse, qui consiste à calculer $f(x)$ lorsqu'on connaît $f'(x)$, est tout aussi important. La fonction $f(x)$ s'appelle alors une **primitive** de $f'(x)$ et le processus par lequel on obtient des primitives, l'**intégration**. Voici un exemple de l'importance de la recherche de primitives: nous avons vu que si nous connaissons la position x d'une particule sur une ligne droite à l'instant t, alors $dx/dt = v$ représente la vitesse de la particule à l'instant t et $d^2x/dt^2 = a$, son accélération. En pratique, cependant, il arrive souvent que la position et la vitesse ne soient connues qu'à l'instant $t = 0$, alors que l'accélération est connue en chaque instant $t \geq 0$. En effet, le mouvement est habituellement le résultat de l'application d'une force contrôlée F, comme la poussée d'un moteur. En vertu du second principe de Newton sur le mouvement, $F = ma$, où m désigne la masse de la particule. Il s'ensuit que si la force F est connue, on peut alors calculer l'accélération $a = F/m$. L'intégration de l'accélération nous donnera la vitesse, puis l'intégration de la vitesse, la position de la particule.

La présente section offre un premier aperçu du processus d'intégration. Nous en poursuivrons l'étude au chapitre 6, dans lequel nous verrons également le lien fondamental existant entre les processus de dérivation et d'intégration. Modifions quelque peu notre notation, de sorte que $f(x)$ désigne toujours la fonction connue. Si nous désignons par $F(x)$ la primitive cherchée, nous aurons alors

$$F'(x) = f(x).$$

EXEMPLE 1 Trouver une primitive $F(x)$ de la fonction $f(x) = x^2$.

Solution Lorsque nous dérivons un monôme, l'exposant de ce dernier est diminué de 1. Il est donc tout naturel de proposer x^3 comme primitive de x^2. Or, $d(x^3)/dx = 3x^2$. Aussi faut-il choisir comme primitive $F(x) = x^3/3$. Remarquez que $(x^3/3) + 2$ est également une primitive de x^2 et que, de façon générale,

$$F(x) = \frac{x^3}{3} + C,$$

où C est une constante quelconque, est une primitive de x^2. □

L'exemple 1 montre bien que si $F(x)$ est une primitive de $f(x)$, alors $F(x) + C$ l'est également, quelle que soit la constante C. Dans ce contexte, C est une constante arbitraire, dite *constante d'intégration*. On peut, en vertu du théorème des accroissements finis, démontrer qu'il n'existe pas d'autres primitives de $f(x)$, c'est-à-dire que *toutes* les primitives de $f(x)$ ont la forme $F(x) + C$.

Il s'agit d'abord de démontrer que si une fonction F est dérivable sur un intervalle $[a,b]$ et que sa dérivée $F'(x)$ s'annule en tout point de l'intervalle, alors F est constante dans tout l'intervalle. En effet, si on applique le théorème des accroissements finis à l'intervalle $[a,x]$ pour tout x tel que $a < x \leq b$, on a

$$\frac{F(x) - F(a)}{x - a} = F'(c) = 0,$$

où $a < c < x$. Il s'ensuit que $F(x) - F(a) = 0$, de sorte que $F(x) = F(a)$ pour tout x tel que $a < x \leq b$ et $F(x)$ est une fonction constante sur $[a,b]$.

Nous pouvons maintenant démontrer que si deux fonctions $F(x)$ et $G(x)$ sont des primitives de $f(x)$, alors elles ne diffèrent que par une constante. En effet, soit $F(x)$ et $G(x)$ telles que $F'(x) = G'(x) = f(x)$ pour tout x de l'intervalle $[a,b]$.

On a alors
$$\frac{d(G(x) - F(x))}{dx} = G'(x) - F'(x) = 0.$$

et, par suite, $G(x) - F(x) = G(a) - F(a)$. En posant $C = G(a) - F(a)$, on obtient $G(x) = F(x) + C$, ce que nous voulions démontrer. En bref,

THÉORÈME 5.7 Primitives de $f(x)$

Si $F'(x) = f(x)$, alors toutes les primitives de $f(x)$ ont la forme $F(x) + C$, C étant une constante quelconque.

EXEMPLE 2 Trouver la forme générale des primitives de x^2.

Solution D'après l'exemple 1, les primitives de x^2 ont pour forme générale $(x^3/3) + C$. □

EXEMPLE 3 Trouver la forme générale des primitives de x^n, où $n \neq -1$.

Solution Comme nous l'avons fait à l'exemple 1, nous pouvons, en première approximation, proposer comme primitive x^{n+1}. Toutefois $d(x^{n+1})/dx = (n+1)x^n$. Il est donc logique de vérifier si $x^{n+1}/(n+1)$ ne serait pas une primitive de x^n. On voit sans difficulté que
$$\frac{d\left(\dfrac{1}{n+1}x^{n+1}\right)}{dx} = x^n.$$
Par conséquent, les primitives de x^n ont pour forme générale
$$F(x) = \frac{1}{n+1}x^{n+1} + C \qquad \text{où } n \neq -1.$$

Lorsque $n = -1$, le dénominateur $n + 1$ s'annule et l'expression ci-dessus n'est plus valable. Cette situation sera étudiée au chapitre 7. Nous trouverons alors une primitive de la fonction $x^{-1} = 1/x$. Cette primitive est une fonction que nous n'avons pas encore étudiée dans le cadre de cet ouvrage. □

Supposons que f et g soient deux fonctions définies sur un même domaine. Si F est une primitive de f et G est une primitive de g, alors on peut facilement vérifier que $F + G$ est une primitive de $f + g$ et que cF est une primitive de cf. Il suffit de dériver $F + G$ pour obtenir
$$\frac{d(F(x) + G(x))}{dx} = \frac{d(F(x))}{dx} + \frac{d(G(x))}{dx} = f(x) + g(x)$$
et de dériver cF pour obtenir
$$\frac{d(c \cdot F(x))}{dx} = c \cdot \frac{d(F(x))}{dx} = c \cdot f(x).$$

EXEMPLE 4 En se basant sur l'exemple 3 et sur la remarque qui le suit, trouver la forme générale des primitives de la fonction polynomiale
$$f(x) = a_n x^n + \cdots + a_1 x + a_0.$$

Solution L'expression cherchée est

$$F(x) = a_n\left(\frac{x^{n+1}}{n+1}\right) + \cdots + a_1\frac{x^2}{2} + a_0x + C.$$

Par exemple, la forme générale des primitives de la fonction $3x^2 + 4x + 7$ est

$$3\left(\frac{x^3}{3}\right) + 4\left(\frac{x^2}{2}\right) + 7x + C = x^3 + 2x^2 + 7x + C. \quad \square$$

EXEMPLE 5 Trouver la forme générale des primitives de la fonction $f(x) = 2/x^2 + 4/x^3$.

Solution Récrivons $f(x)$ sous la forme $2x^{-2} + 4x^{-3}$. D'après l'exemple 3 et la remarque subséquente, la forme générale des primitives de la fonction est

$$F(x) = 2\frac{x^{-1}}{-1} + 4\frac{x^{-2}}{-2} + C = \frac{-2}{x} - \frac{2}{x^2} + C. \quad \square$$

EXEMPLE 6 Trouver la forme générale des primitives des fonctions $f(x) = \sin ax$ et $g(x) = \cos ax$.

Solution Comme la dérivée de $\cos x$ est $-\sin x$, proposons $-\cos ax$ comme primitive de $\sin ax$. On constate toutefois que $d(-\cos ax)/dx = a\sin(ax)$. La forme générale des primitives de $f(x) = \sin ax$ est donc

$$F(x) = -\frac{1}{a}\cos ax + C.$$

On peut montrer de façon analogue que la forme générale des primitives de $g(x) = \cos ax$ est

$$G(x) = \frac{1}{a}\sin ax + C. \quad \square$$

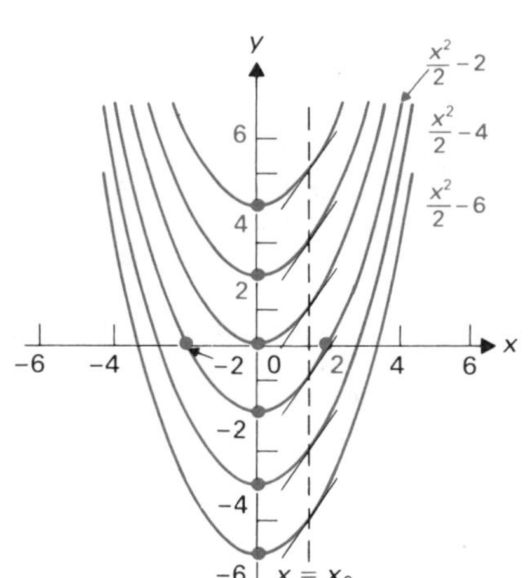

Figure 5.61 Représentation graphique de quelques primitives de la fonction $f(x) = x$. Leurs tangentes respectives en un point donné, x_0 par exemple, ont toutes la même pente.

On peut, sans difficulté, représenter géométriquement la « famille » des primitives $F(x)$ d'une fonction $f(x)$. Si $G(x) = F(x) + k$, alors la courbe de G est tout simplement la courbe de F déplacée de $|k|$ unités vers le haut si $k > 0$ ou de $|k|$ unités vers le bas si $k < 0$ (figure 5.61). L'ensemble des primitives $F(x) + C$ d'une fonction peut donc s'interpréter géométriquement comme un ensemble de courbes *congruentes*, c'est-à-dire de courbes que l'on peut superposer en les déplaçant vers le haut ou vers le bas.

RÉSUMÉ

1. Si $F'(x) = f(x)$, alors $F(x) + C$ est la forme générale des primitives de $f(x)$, où C est une constante quelconque.
2. La forme générale des primitives de x^n, où $n \neq -1$, est
$$(x^{n+1})/(n+1) + C.$$
3. La primitive d'une somme de fonctions est la somme des primitives des fonctions. La primitive d'une constante fois une fonction est la constante fois la primitive de la fonction.

EXERCICES

Dans les exercices 1 à 29, on demande de trouver la forme générale des primitives des fonctions données.

1. 2
2. -10
3. $x^2 - 3x + 2$
4. $8x^3 - 2x^2 + 4$
5. $x^{1/2}$
6. $x^{-2/3}$
7. $4x + x^{1/2}$
8. $2x^{3/4} - 4x^{-1/2}$
9. $\dfrac{1}{x^2} + 3x + 1$
10. $\dfrac{2}{x^4} - \dfrac{3}{x^2} + x^2$
11. $\dfrac{x+1}{x^3}$
12. $\dfrac{x^2 - 3x + 2}{x^4}$
13. $\dfrac{3x^2 - 2x + 1}{\sqrt{x}}$
14. $(x^2 + 1)^2$
15. $x(x^2 + 1)$
16. $x^2(x^2 - x + 2)$
17. $\sqrt{x - 1}$
18. $\sqrt{1 - 3x}$
19. $\dfrac{1}{\sqrt{x - 1}}$
20. $\dfrac{2}{\sqrt{1 - x}} + \sqrt{2x + 5}$
21. $\sin x$
22. $\cos 3x$
23. $5 \sin 8x$
24. $\sin (2x + 3)$
25. $\cos (2 - 4x)$
26. $\sec^2 3x$
27. $4 \operatorname{cosec}^2 2x$
28. $\sec x \operatorname{tg} x$
29. $\operatorname{cosec} 4x \operatorname{cotg} 4x$

EXERCICES DIVERS

Exercices récapitulatifs — Série A

1. Le volume d'un cône circulaire droit s'accroît au taux constant de 8 m^3/min mais sa hauteur, mesurant 10 m, ne varie pas. Calculer le taux d'accroissement du rayon du cône quand ce rayon mesure 4 m. (Le volume V d'un cône de rayon r et de hauteur h est $V = 1/3 \cdot \pi r^2 h$.)
2. Déterminer le maximum et le minimum de la fonction $x^3 - 3x + 1$ dans l'intervalle $[0,3]$.
3. Sachant que $f'(x) = (x-2)^3(x+1)^2$, déterminer les intervalles où la fonction est
   a) croissante; *b*) décroissante.
4. Tracer la courbe représentative de la fonction $y = x^3 - 3x^2 + 2$, et identifier les maximums et minimums relatifs, et les points d'inflexion.
5. Sachant que $f'(x) = (x-2)^3(x+1)^2$, déterminer les intervalles où la courbe de f
   a) est concave vers le haut;
   b) est concave vers le bas.
6. Le périmètre p et l'aire A d'un secteur circulaire de rayon r dont l'arc a pour longueur s sont donnés respectivement par
$$p = 2r + s \quad \text{et} \quad A = \frac{1}{2}rs.$$
   Le périmètre étant égal à 10 m, quelle est la valeur de r qui donne une aire maximale?
7. Si l'apothème d'un cône circulaire droit mesure 12 unités, quel doit être le rayon de la base du cône pour que ce dernier ait un volume maximal? (Le volume V d'un cône de rayon r et de hauteur h est $V = 1/3 \cdot \pi r^2 h$.)
8. On veut calculer une racine de l'équation $f(x) = x^3 - 3x + 1$. Comme $f(1) = -1$ et $f(2) = 3$, l'équation admet une racine comprise entre 1 et 2. En prenant 2 comme première approximation de la racine cherchée, utiliser la méthode de Newton pour trouver les deux approximations suivantes.
9. La fonction coût et la fonction revenu d'une entreprise sont données respectivement par
$$C(x) = 5\,000 + 1\,500x + 0{,}02x^2$$
   et
$$R(x) = 2\,000x - 0{,}5x^{3/2}.$$
   a) Calculer le profit marginal quand $x = 10\,000$.
   b) Calculer le profit moyen quand $x = 10\,000$.
10. Trouver la forme générale des primitives de la fonction $f(x) = \sin^2 x \cos x$.

Exercices récapitulatifs — Série B

1. Deux des côtés d'un triangle ont des longueurs constantes de 10 m et 15 m respectivement, tandis que l'angle θ compris entre ces deux côtés augmente au taux constant de 1/10 rad/min. À quelle vitesse le troisième côté augmente-t-il quand $\theta = \pi/3$?
2. Utiliser le théorème des accroissements finis et le théorème de Rolle pour démontrer que l'équation $x^4 + 3x + 1 = 0$ admet une et une seule racine dans l'intervalle $[-2, -1]$.
3. Sachant que $f(x) = 1/(x^2 - 4)$, trouver les intervalles où la fonction est
   a) croissante; *b*) décroissante.
4. Déterminer le maximum et le minimum de la fonction $x^4 - 8x^2 + 4$ dans l'intervalle $[-1,3]$.
5. Sachant que $f(x) = x/(x-2)$, déterminer les intervalles où la courbe de f
   a) est concave vers le haut;
   b) est concave vers le bas.
6. Tracer la courbe représentative de la fonction $y = 2x^2 - x^4 + 6$, et identifier les maximums et minimums relatifs, et les points d'inflexion.
7. Trouver le rectangle d'aire maximale dont la base est située sur l'axe des x et dont les deux sommets supérieurs sont situés sur la parabole d'équation $y = 16 - x^2$, pour $-4 \leq x \leq 4$.
8. À l'aide de la méthode de Newton, trouver le point d'intersection de la courbe $y = x^3$ et de la droite d'équation $y = x + 1$.
9. Une entreprise fabrique x unités d'un certain produit chaque année. La fonction coût est donnée par $C(x) = 10\,000 + 500x + 0{,}05x^2$ dollars, alors que le revenu marginal est $RM(x) = 900 - 0{,}04x$ dollars par an. Calculer le profit réalisé par l'entreprise si elle fabrique 100 unités en un an.
10. Trouver la forme générale des primitives de la fonction $f(x) = (3x - 1)^{234}$.

Exercices récapitulatifs — Série C

1. La consommation d'énergie électrique P (mesurée en watts) est liée à l'intensité du courant I et à la différence de potentiel V par la relation $P = VI$. Si la consommation d'énergie est constante et si, à un instant donné, l'intensité du courant est de 15 ampères et la différence de potentiel est de 120 volts, quel est le taux de variation de l'intensité du courant lorsque la différence de potentiel décroît au taux de 0,5 volt/s?
2. Énoncer de mémoire le théorème des accroissements finis.
3. Sachant que $f'(x) = (x + 1)^3(x - 5)^4$, trouver les valeurs de x pour lesquelles $f(x)$ admet
   a) un maximum relatif; *b*) un minimum relatif.
4. Déterminer le maximum et le minimum de la fonction $f(x) = x + \sin x$ dans l'intervalle $[0,2\pi]$.
5. Sachant que $f'(x) = (x + 1)^3(x - 5)^4$, trouver les abscisses des points d'inflexion de $f(x)$.
6. Tracer la courbe représentative de la fonction $f(x) = x + \cos x$ dans l'intervalle $[0,2\pi]$, et identifier les maximums et minimums relatifs, et les points d'inflexion.
7. Trouver le rectangle d'aire maximale que l'on peut inscrire dans un triangle équilatéral dont chacun des côtés mesure a m.
8. Utiliser une calculatrice ou un ordinateur pour calculer, par la méthode de Newton, une racine de l'équation $x^5 + 4x - 10 = 0$ avec six chiffres significatifs.
9. Un magasin d'articles de sport vend 1 600 paires de skis par année. Les frais annuels de stockage pour chaque paire invendue sont de 5 $ et les coûts de réapprovisionnement se chiffrent à 10 $ la commande, plus 0,50 $ par paire de skis commandée. Déterminer combien de paires de skis le magasin doit commander chaque fois si l'on veut rendre minimal le coût de gestion des stocks.
10. Trouver la forme générale des primitives de la fonction $f(x) = 1/(3x + 2)^2$.

Exercices récapitulatifs — Série D

1. Les côtés d'un triangle équilatéral s'accroissent au taux de 0,5 m/min. Si, à un instant donné, les côtés du triangle mesurent 10 m, quel est alors le taux d'accroissement de l'aire du rectangle d'aire maximale inscrit dans le triangle? (Se reporter à l'exercice 7 de la série précédente.)
2. Utiliser le théorème des accroissements finis et le théorème de Rolle pour démontrer que l'équation $2x^3 - 3x^2 - 12x - 6 = 0$ admet une et une seule racine dans l'intervalle $[-1,0]$.
3. Sachant que
   $$f'(x) = \frac{(x + 1)(x - 4)^5}{(x - 2)^3},$$
   trouver les valeurs de x pour lesquelles $f(x)$ admet
   a) un maximum relatif; *b*) un minimum relatif.
4. Déterminer le maximum et le minimum de la fonction $f(x) = x/2 - \sin x$ dans l'intervalle $[0,2\pi]$.
5. Sachant que
   $$f''(x) = \frac{(x - 2)^3(x + 3)^5}{x^3},$$
   déterminer les intervalles où la courbe de f
   a) est concave vers le haut;
   b) est concave vers le bas.
6. Tracer la courbe représentative de la fonction $f(x) = x/2 - \cos x$ dans l'intervalle $[0,2\pi]$, et identifier les maximums et minimums relatifs, et les points d'inflexion.
7. Trouver les deux nombres positifs x et y (pas nécessairement entiers) dont la somme est 20 et qui entraînent le produit xy^2 le plus élevé.
8. Utiliser une calculatrice ou un ordinateur pour calculer, par la méthode de Newton, une racine de l'équation $\cos x = x/2$ avec six chiffres significatifs.
9. On sait par expérience qu'une population de p truites en vivier peut s'accroître à $51p - 0{,}1p^2$ truites en cinq ans. Quel accroissement maximal de population peut-on espérer au cours de cette période?
10. Trouver la forme générale des primitives de la fonction $f(x) = 3/x^3 - 4x + \cos (x/2)$.

Exercices d'approfondissement

1. Un fermier dispose de 300 m de clôture, qu'il veut utiliser pour entourer deux enclos, l'un carré et l'autre circulaire. Si chaque enclos doit avoir une superficie d'au moins 1 000 m^2, quelles doivent être les dimensions de chacun des enclos pour que la superficie totale soit maximale? (Utiliser une calculatrice.)
2. Soit f une fonction dont la dérivée première et la dérivée seconde sont toutes les deux définies dans l'intervalle $[a,b]$. Démontrer que si $f(x)$ prend la même valeur en trois points distincts de l'intervalle $[a,b]$, alors il existe un point c dans l'intervalle $]a,b[$ tel que $f''(c) = 0$.
3. Généraliser la propriété énoncée à l'exercice précédent aux dérivées d'ordre n.
4. Soit f une fonction dérivable pour $0 \leq x \leq 10$. Si $f(2) = 17$ et $|f'(x)| \leq 3$ pour $0 \leq x \leq 10$,
   a) quelle valeur maximale $f(x)$ peut-elle atteindre sur l'intervalle $[0,10]$?
   b) quelle valeur minimale $f(x)$ peut-elle atteindre sur l'intervalle $[0,10]$?
5. Micheline, qui est sur le bord d'un lac circulaire de rayon a, décide de se rendre au point diamétralement opposé du lac. Sa vitesse moyenne au pas de course est de 12 km/h; elle dispose également d'une chaloupe qu'elle peut manœuvrer à la vitesse de 6 km/h. Elle peut donc faire le tour du lac à pied, traverser en chaloupe ou faire une partie du trajet en chaloupe et le reste à pied. Quelle solution doit-elle envisager pour se rendre de l'autre côté en un temps minimal?
6. Une ville A est située à une distance de 2 km de la rive d'une rivière rectiligne. Une ville B, située du même côté de la rivière mais 15 km en aval, est à 3 km de la rive. Les deux administrations municipales s'entendent pour construire, sur le bord de la rivière, une station de pompage qui devra alimenter les deux villes en eau. À quel endroit de la rive faut-il construire la station pour que la longueur totale de la canalisation la reliant aux deux villes soit minimale? (Résoudre le problème une première fois en faisant appel au calcul différentiel, puis le résoudre de nouveau en « déplaçant la ville A de l'autre côté de la rivière » et en employant des arguments géométriques. Que faut-il en conclure?)

7. Montrer qu'il existe une fonction polynomiale $f(x)$ de degré 5 telle que, lorsqu'on applique la méthode de Newton pour résoudre l'équation $f(x) = 0$ en prenant pour première approximation $x = 0$, l'on obtient comme approximations successives la suite 0, 1, 2, 0, 1, 2, 0, 1, 2,...

8. Trouver un exemple d'une fonction f et d'un nombre a_1 tels que, lorsqu'on applique la méthode de Newton pour résoudre l'équation $f(x) = 0$ en prenant pour première approximation a_1, on obtient des approximations alternativement positives et négatives, de plus en plus grandes.

L'INTÉGRALE

6

Dans les trois premières sections du présent chapitre sont exposées les notions fondamentales du calcul intégral des fonctions à une variable; la section 6.3, qui contient le théorème fondamental du calcul intégral, est particulièrement importante. Nous verrons ensuite à la section 6.4 comment utiliser des substitutions algébriques pour calculer des intégrales puis, à la section 6.5, une application simple de la théorie de l'intégration.

6.1 SOMMES DE RIEMANN

Nous avons vu dans les chapitres précédents que la dérivée peut s'interpréter géométriquement comme la pente de la tangente à une courbe en un point. Le calcul intégral, pour sa part, trouve son utilité géométrique dans le calcul d'aires. Quand nous avons commencé l'étude de la dérivée, nous avons appris à estimer la pente d'une tangente en calculant la pente m_{sec} d'une sécante à la courbe. En suivant une démarche analogue, voyons maintenant comment estimer des aires au moyen des *sommes de Riemann*.

SYMBOLE DE SOMMATION

Dans le présent chapitre, nous serons souvent appelés à écrire la somme de quantités représentées au moyen d'indices comme

$$a_1 + a_2 + \dots + a_n.$$

Pour nous simplifier la tâche, nous écrirons ces sommes sous forme abrégée en utilisant le *symbole de sommation* Σ, par exemple

$$\sum_{i=1}^{n} a_i,$$

qui se lit « la somme des a_i pour i allant de 1 jusqu'à n ». La lettre grecque Σ (sigma majuscule) est utilisée, en mathématiques, pour indiquer une *somme*; la valeur de i apparaissant sous le symbole Σ indique **la plus petite valeur de i** ou encore là où commence la somme, et la lettre n placée au-dessus du symbole indique **la plus grande valeur de *i***, c'est-à-dire là où la somme se termine. La lettre i, qui représente l'**indice de sommation**, peut être remplacée par n'importe quelle autre, les plus utilisées étant les lettres i, j et k. Ainsi,

$$a_1 + \cdots + a_n = \sum_{i=1}^{n} a_i = \sum_{j=1}^{n} a_j = \sum_{k=1}^{n} a_k.$$

Rien de mieux que quelques exemples pour bien comprendre l'utilisation du symbole de sommation. Lorsqu'on veut écrire au long une expression où apparaît le symbole de sommation, il suffit de remplacer successivement l'indice de sommation par les entiers allant de la plus petite valeur à la plus grande, puis d'additionner les termes ainsi obtenus.

EXEMPLE 1 Écrire au long les sommes $\sum_{i=1}^{2} a_i$, $\sum_{i=1}^{3} a_i$ et $\sum_{i=4}^{7} f(a_i)$.

Solution On a

$$\sum_{i=1}^{2} a_i = a_1 + a_2, \qquad \sum_{i=1}^{3} a_i = a_1 + a_2 + a_3,$$

$$\sum_{i=4}^{7} f(a_i) = f(a_4) + f(a_5) + f(a_6) + f(a_7). \quad \square$$

EXEMPLE 2 Calculer $\sum_{i=1}^{3} i^2$, $\sum_{j=2}^{4} (j-1)$ et $\sum_{k=0}^{2} (k^2+1)$.

Solution On a

$$\sum_{i=1}^{3} i^2 = 1^2 + 2^2 + 3^2 = 14,$$

$$\sum_{j=2}^{4} (j-1) = (2-1) + (3-1) + (4-1) = 1 + 2 + 3 = 6,$$

$$\sum_{k=0}^{2} (k^2+1) = (0^2+1) + (1^2+1) + (2^2+1) = 1 + 2 + 5 = 8. \quad \square$$

EXEMPLE 3 Démontrer que $\sum_{i=1}^{n} (a_i + b_i) = \sum_{i=1}^{n} a_i + \sum_{i=1}^{n} b_i$.

Solution On a

$$\begin{aligned}\sum_{i=1}^{n} (a_i + b_i) &= (a_1 + b_1) + \cdots + (a_n + b_n)\\ &= (a_1 + \cdots + a_n) + (b_1 + \cdots + b_n)\\ &= \sum_{i=1}^{n} a_i + \sum_{i=1}^{n} b_i. \quad \square\end{aligned}$$

PHÉNOMÈNES PHYSIQUES ET CALCUL INTÉGRAL

Nous savons déjà que le processus de dérivation s'utilise dans les cas où l'on calculerait normalement un *quotient* si les quantités en cause étaient constantes. Considérons, par exemple, un mobile partant de l'origine à l'instant $t = 0$ et se déplaçant dans la direction positive de l'axe des x. Si la vitesse v du mobile est constante, alors $v = x/t$, c'est-à-dire que

$$\text{Vitesse} = \frac{\text{Distance parcourue}}{\text{Temps}}. \tag{1}$$

Si la vitesse n'est pas constante, alors le *quotient* ci-dessus correspond à la vitesse moyenne du mobile et la vitesse instantanée en un instant donné s'obtient au moyen de la dérivée

$$v = \frac{dx}{dt}.$$

Le calcul intégral touche aussi l'étude des variations de quantités mais il convient plutôt aux cas où l'on ferait appel à un *produit* si les quantités étaient constantes. Ainsi, lorsqu'un mobile se déplace vers la droite sur l'axe des x à une vitesse constante, la formule 1 nous permet d'affirmer que la distance parcourue s'obtient au moyen du *produit*

$$\text{Distance parcourue} = (\text{Vitesse})(\text{Temps}).$$

La figure 6.1, qui représente le graphique d'une vitesse constante v_0 tracée en fonction du temps t, nous apprend que la *distance* $x = v_0 t$ parcourue en un temps t a pour valeur numérique l'aire du rectangle ombré de la figure.

À titre d'exemple supplémentaire, supposons que l'on déplace de s mètres une voiture en panne, en appliquant une force constante de F newtons en direction du mouvement de la voiture. Le *travail* W effectué par cette force est alors donné par le *produit*.

$$W = F \cdot s \text{ joules}.$$

C'est dire que

$$\text{Travail} = (\text{Force})(\text{Déplacement}) \tag{2}$$

lorsque la force appliquée est constante.

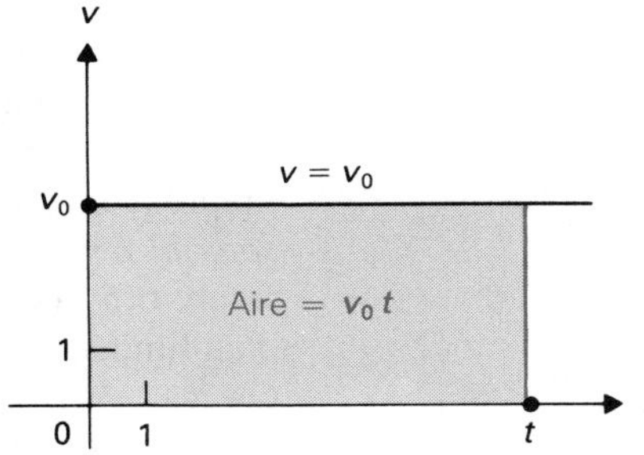

Figure 6.1 La distance parcourue par un mobile se déplaçant à une vitesse constante v_0 en un temps t est égale à $v_0 t$, qui a pour valeur numérique l'aire du rectangle ombré de la figure.

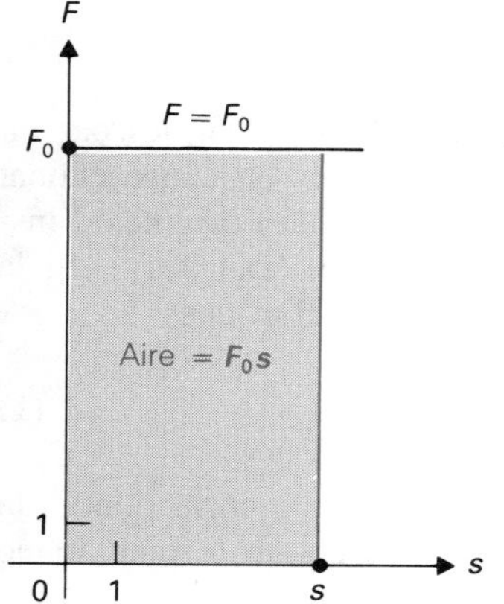

Figure 6.2 Le travail W effectué par une force constante F_0 pour déplacer un objet sur une distance s est égal à F_0s, qui a pour valeur numérique l'aire du rectangle ombré de la figure.

La figure 6.2 représente le graphique de la force constante F_0 en fonction du déplacement s. Le travail $W = F_0s$ correspond numériquement à l'aire du rectangle ombré de la figure.

Pour terminer, rappelons que l'aire A d'une région du plan ayant une base b et une hauteur constante h_0 est donnée par le *produit* $A = bh_0$ (figure 6.3). Lorsque la hauteur d'une région du plan est variable, comme dans la figure 6.4, l'aire est alors moins facile à évaluer.

Bien entendu, l'aire de la région ombrée de la figure 6.4 pourrait tout aussi bien représenter le *travail* effectué par une force d'intensité variable; il suffirait alors d'identifier les axes par s et F comme à la figure 6.2. On pourrait également faire correspondre à l'aire de la figure 6.4 la *distance parcourue* lors d'un mouvement où la vitesse est variable; les axes seraient alors identifiés par les lettres t et v comme à la figure 6.1. Nous reviendrons à ce type d'exemples à la fin de la section.

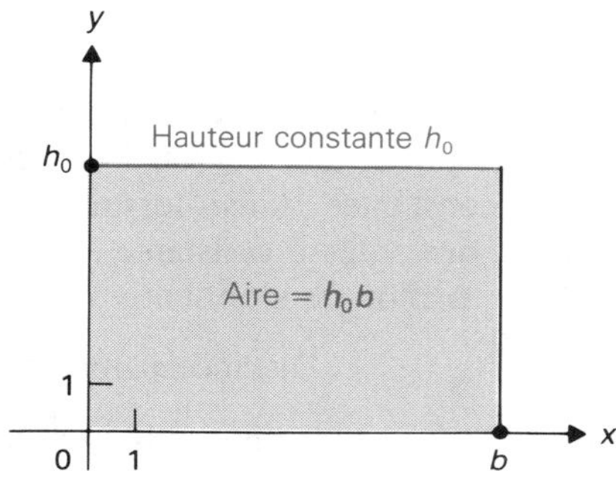

Figure 6.3 L'aire d'une région du plan de base b et de hauteur constante h_0 est $A = h_0b$.

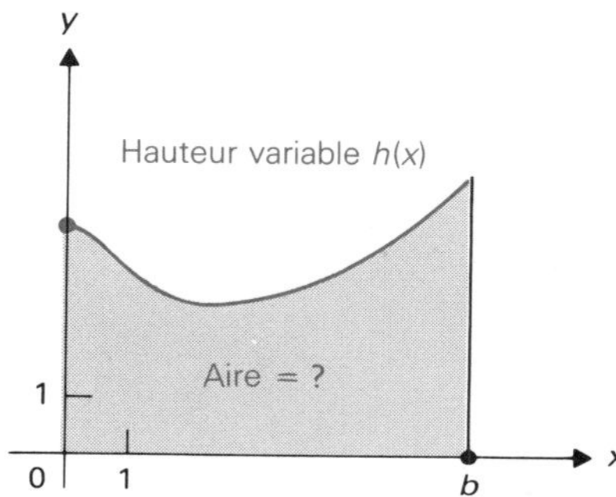

Figure 6.4 On veut trouver l'aire de la région du plan ayant une base b et une hauteur variable $h(x)$.

CALCUL APPROCHÉ D'UNE AIRE AU MOYEN DES SOMMES DE RIEMANN

Nous allons maintenant tenter d'estimer l'aire de régions semblables à celle que nous trouvons à la figure 6.4. Nous supposerons toutefois que la base de la région est un intervalle fermé $[a,b]$ pouvant être situé n'importe où sur l'axe des x.

Soit f une fonction continue et définie sur l'intervalle $[a,b]$ et telle que $f(x) \geq 0$ partout sur $[a,b]$. Comme une fonction *continue* f est représentée graphiquement par un trait ininterrompu, le concept d'*aire de la région sous la courbe de* f *entre* a *et* b, tel qu'illustré par la région ombrée de la figure 6.5, a certainement un sens. Il s'agit en fait de l'aire de la portion de plan limitée par la courbe de f, les droites d'équations $x = a$ et $x = b$ et l'axe des x.

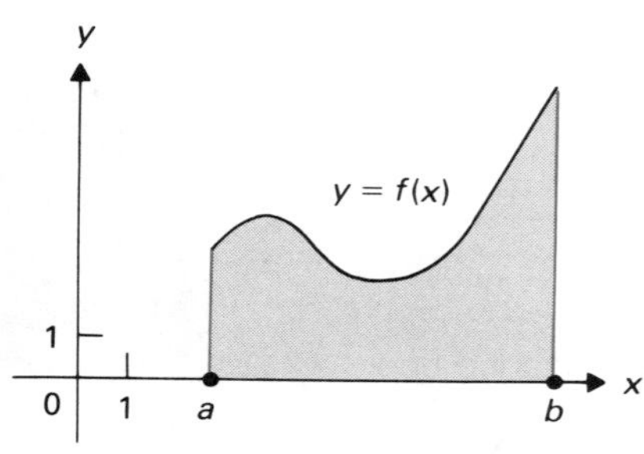

Figure 6.5 Région sous la courbe de $y = f(x)$ entre a et b.

Nous pouvons sans difficulté calculer l'aire de triangles, de rectangles, de cercles, de trapèzes et d'un certain nombre d'autres régions du plan qui nous sont familières, mais la région du plan située sous le graphe de f entre a et b peut très bien ne correspondre à aucune de ces figures. Toutefois, comme nous savons calculer l'aire de rectangles, nous pouvons calculer une approximation de l'aire cherchée en partant de rectangles dont la base est sur l'axe des x et la partie supérieure coupe le graphe de f (figure 6.6). La

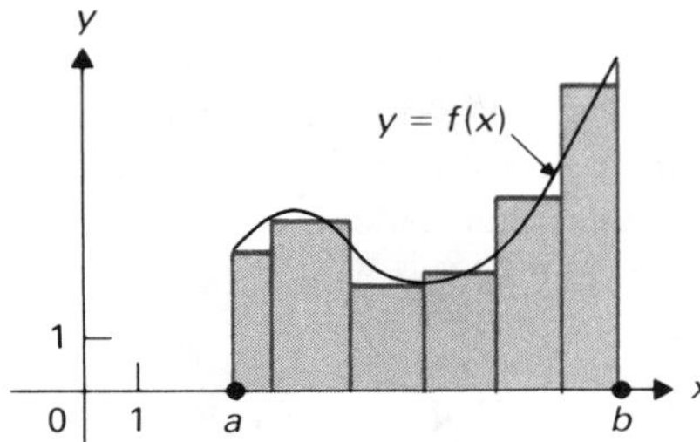

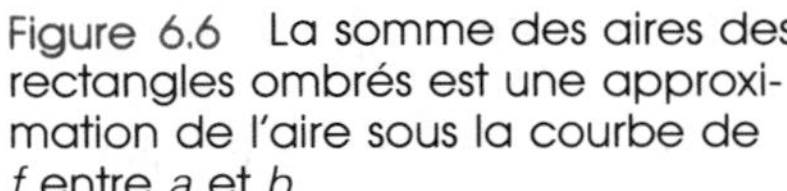
Figure 6.6 La somme des aires des rectangles ombrés est une approximation de l'aire sous la courbe de f entre a et b.

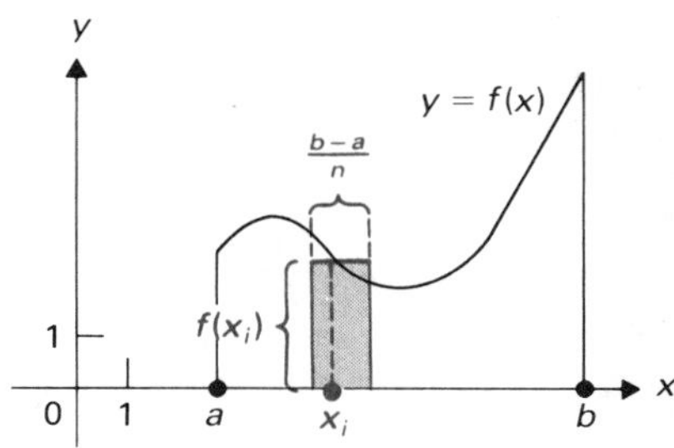

Figure 6.7 Le i^e rectangle a pour base $(b - a)/n$ et pour hauteur $f(x_i)$.

somme des aires de ces rectangles permettra d'obtenir une valeur approchée de l'aire sous la courbe de f.

Il s'agit donc de diviser l'intervalle $[a,b]$ en intervalles plus petits auxquels correspondront les bases des rectangles. Pour faciliter les calculs, partageons $[a,b]$ en n intervalles partiels de *même longueur*. La base de chaque rectangle aura donc pour mesure

$$\text{Longueur de la base} = \Delta x = \frac{b-a}{n}. \tag{3}$$

La hauteur du i^e rectangle est donnée par $f(x_i)$, pour un certain point x_i du i^e intervalle. Ainsi

$$\text{Aire du } i^e \text{ rectangle} = \text{Base} \cdot \text{Hauteur} = \frac{b-a}{n} \cdot f(x_i).$$

(Voir la figure 6.7). Notons S_n la *somme* des aires des n rectangles; on aura donc

$$\begin{aligned} S_n &= \frac{b-a}{n} \cdot f(x_1) + \frac{b-a}{n} \cdot f(x_2) + \cdots + \frac{b-a}{n} \cdot f(x_n) \\ &= \frac{b-a}{n} (f(x_1) + f(x_2) + \cdots + f(x_n)) = \frac{b-a}{n} \left(\sum_{i=1}^{n} f(x_i) \right). \end{aligned} \tag{4}$$

DÉFINITION 6.1 Somme de Riemann

L'expression

$$S_n = \frac{b-a}{n} \left(\sum_{i=1}^{n} f(x_i) \right)$$

s'appelle une **somme de Riemann*** d'ordre n de la fonction f sur l'intervalle $[a,b]$.

Il est important de souligner que la somme S_n peut être formée même lorsque $f(x)$ prend des valeurs négatives sur l'intervalle $[a,b]$. Nous verrons dans la prochaine section comment interpréter S_n géométriquement pour de telles fonctions.

* D'après le grand mathématicien allemand Bernhard Riemann (1826-1866).

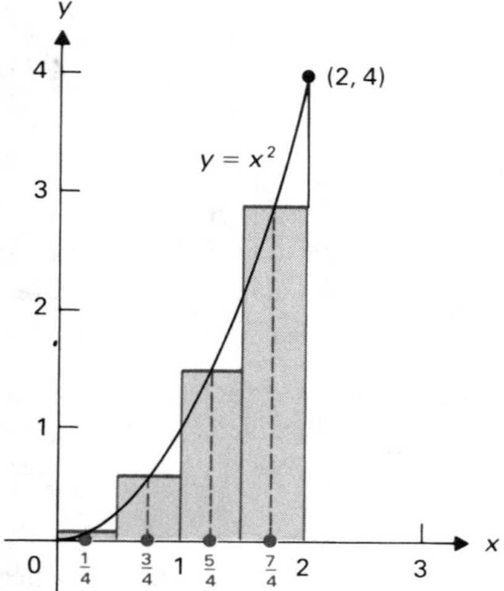

Figure 6.8 La somme S_4 pour la fonction x^2 sur l'intervalle [0,2], en prenant pour x_i les points milieux des intervalles, est la somme des aires des rectangles ombrés.

On aura compris que la somme de Riemann S_n de la définition 6.1 ne dépend pas seulement du nombre n, mais aussi de la fonction f, de l'intervalle $[a,b]$ et du choix des points $x_1, x_2, \ldots, x_n$ des intervalles partiels formés par la subdivision de l'intervalle $[a,b]$. Toutefois, pour ne pas alourdir la notation inutilement, nous désignerons les sommes de Riemann tout simplement par S_n.

EXEMPLE 4 Trouver une valeur approchée de l'aire A sous la courbe de la fonction x^2 entre $x = 0$ et $x = 2$ en calculant S_4 pour les x_i correspondant aux points milieux des quatre intervalles constitués.

Solution La situation est illustrée à la figure 6.8. On a

$$\frac{b-a}{n} = \frac{2-0}{4} = \frac{1}{2}$$

et

$$x_1 = \frac{1}{4}, \qquad x_2 = \frac{3}{4}, \qquad x_3 = \frac{5}{4}, \qquad x_4 = \frac{7}{4}.$$

En vertu de la définition 6.1, la somme de Riemann S_4 a pour valeur

$$S_4 = \frac{1}{2}\left[\left(\frac{1}{4}\right)^2 + \left(\frac{3}{4}\right)^2 + \left(\frac{5}{4}\right)^2 + \left(\frac{7}{4}\right)^2\right]$$
$$= \frac{1}{2}\left(\frac{1}{16} + \frac{9}{16} + \frac{25}{16} + \frac{49}{16}\right) = 2{,}625.$$

Nous verrons plus loin que la valeur exacte de l'aire cherchée est 8/3, de sorte que notre estimation est tout de même assez juste. □

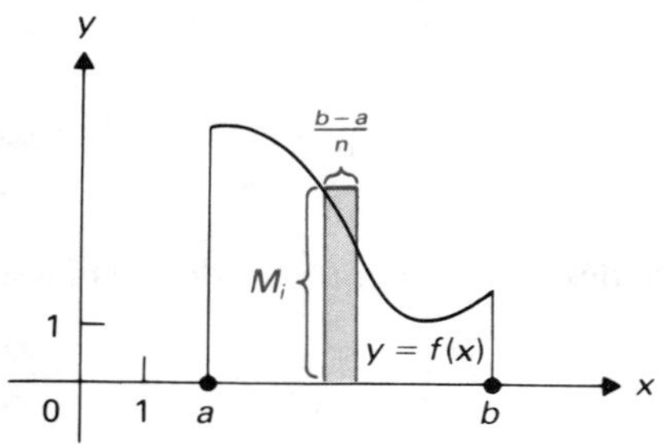

Figure 6.9 Rectangle de hauteur maximale pouvant être construit sur le i^e intervalle partiel.

Les points x_i d'une somme de Riemann peuvent être choisis de diverses façons. Ainsi, on peut choisir les x_i de sorte que chaque $f(x_i)$ corresponde au *maximum* M_i que peut prendre $f(x)$ dans le i^e intervalle (figure 6.9). Une somme de Riemann obtenue de cette façon donnera une approximation par excès de l'aire cherchée. On peut, au contraire, choisir les x_i de sorte que chaque $f(x_i)$ corresponde au *minimum* m_i de $f(x)$ dans le i^e intervalle (figure 6.10), ce qui donne une approximation par défaut de l'aire cherchée.
En résumé, on a

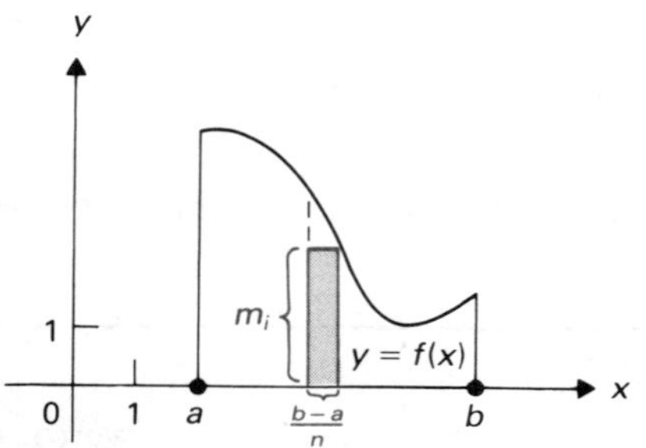

Figure 6.10 Rectangle de hauteur minimale pouvant être construit sur le i^e intervalle partiel.

Somme supérieure de Riemann: $\overline{S}_n = \dfrac{b-a}{n}\left(\sum_{i=1}^{n} M_i\right)$ **(5)**

Somme inférieure de Riemann: $\underline{S}_n = \dfrac{b-a}{n}\left(\sum_{i=1}^{n} m_i\right)$ **(6)**

Somme de Riemann (générale): $S_n = \dfrac{b-a}{n}\left(\sum_{i=1}^{n} f(x_i)\right)$ **(7)**

$$\underline{S}_n \leq S_n \leq \overline{S}_n \qquad \textbf{(8)}$$

L'aire exacte A est un nombre compris entre $\underline{S}_n$ et $\overline{S}_n$, de sorte que

$$\underline{S}_n \leq A \leq \overline{S}_n \qquad \textbf{(9)}$$

Remarquez que si f est une fonction *croissante* sur l'intervalle $[a,b]$, alors le maximum M_i est atteint en l'extrémité droite de l'intervalle considéré et le minimum m_i est atteint en l'extrémité gauche. Si f est une fonction *décroissante* sur l'intervalle $[a,b]$, alors la situation inverse se produit.

EXEMPLE 5 Estimer l'aire A sous la courbe de x^2 entre 0 et 1 au moyen de la somme inférieure $\underline{S}_2$ et de la somme supérieure $\overline{S}_2$.

Solution On a $n = 2$, d'où

$$\frac{b-a}{n} = \frac{1-0}{2} = \frac{1}{2}.$$

Comme x^2 est une fonction *croissante* sur l'intervalle $[0,1]$, on voit sans difficulté que

$$m_1 = 0 \quad \text{et} \quad m_2 = \frac{1}{4} \quad \text{(figure 6.11(a))},$$

et que

$$M_1 = \frac{1}{4} \quad \text{et} \quad M_2 = 1 \quad \text{(figure 6.11(b))}.$$

On a donc

$$\underline{S}_2 = \left(\frac{1}{2}\right)\left(0 + \frac{1}{4}\right) \quad \text{et} \quad \overline{S}_2 = \left(\frac{1}{2}\right)\left(\frac{1}{4} + 1\right),$$

d'où

$$\frac{1}{8} \leq A \leq \frac{5}{8}.$$

Bien entendu, en prenant $n = 2$ on ne peut espérer obtenir mieux qu'une approximation grossière de l'aire cherchée. □

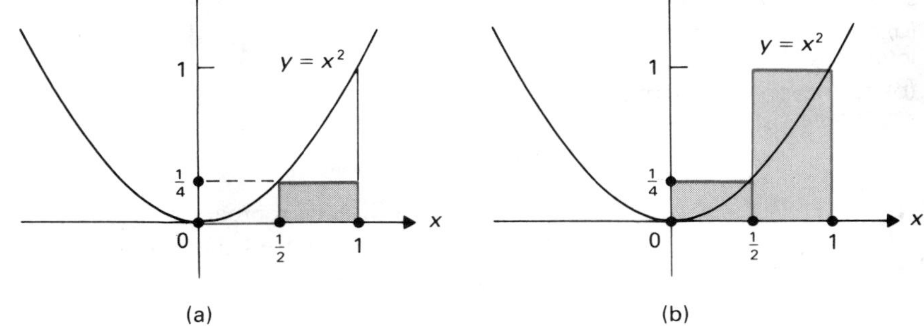

Figure 6.11 Estimation de l'aire sous la courbe de x^2 entre 0 et 1 (a) au moyen de la somme inférieure $\underline{S}_2$; (b) au moyen de la somme supérieure $\overline{S}_2$.

EXEMPLE 6 Estimer l'aire A sous la courbe de $1/x$ entre 1 et 3 au moyen de la somme inférieure $\underline{S}_4$ et de la somme supérieure $\overline{S}_4$.

Solution On a $n = 4$, d'où

$$\frac{b-a}{n} = \frac{3-1}{4} = \frac{1}{2}.$$

Comme $1/x$ est une fonction *décroissante* sur l'intervalle $[1,3]$,

$$m_1 = \frac{1}{\frac{3}{2}} = \frac{2}{3}, \quad m_2 = \frac{1}{2}, \quad m_3 = \frac{1}{\frac{5}{2}} = \frac{2}{5} \quad \text{et} \quad m_4 = \frac{1}{3} \quad \text{(figure 6.12(a))},$$

et

$$M_1 = \frac{1}{1} = 1, \quad M_2 = \frac{1}{\frac{3}{2}} = \frac{2}{3}, \quad M_3 = \frac{1}{2} \quad \text{et} \quad M_4 = \frac{1}{\frac{5}{2}} = \frac{2}{5} \quad \text{(figure 6.12(b))}.$$

On a donc

$$\underline{S}_4 = \frac{1}{2}\left(\frac{2}{3} + \frac{1}{2} + \frac{2}{5} + \frac{1}{3}\right) = \frac{1}{2}\left(1 + \frac{1}{2} + \frac{2}{5}\right) = \frac{1}{2}\cdot\frac{19}{10} = \frac{19}{20}$$

et

$$\overline{S}_4 = \frac{1}{2}\left(1 + \frac{2}{3} + \frac{1}{2} + \frac{2}{5}\right) = \frac{1}{2}\left(\frac{30 + 20 + 15 + 12}{30}\right) = \frac{77}{60},$$

d'où

$$\frac{19}{20} \leq A \leq \frac{77}{60}.$$

Or, $19/20 = 0{,}95$ et $77/60 \simeq 1{,}283\,3$. Nous verrons au chapitre 7 que $A \simeq 1{,}098\,612\,3$, nombre qui est effectivement compris à l'intérieur des bornes que nous venons de calculer. □

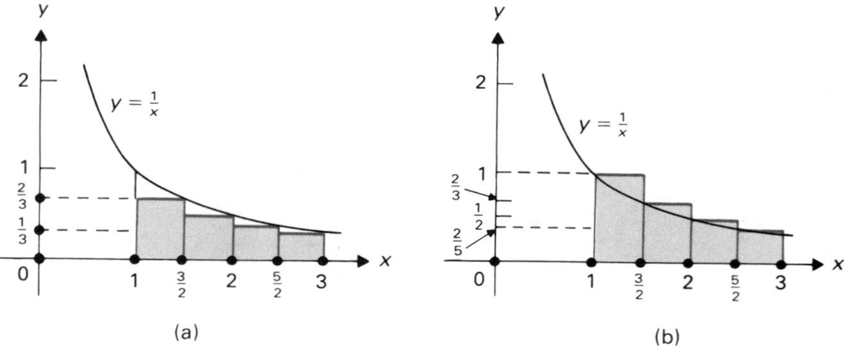

Figure 6.12 Estimation de l'aire sous la courbe de $1/x$ entre 1 et 3 (a) au moyen de la somme inférieure $\underline{S}_4$; (b) au moyen de la somme supérieure $\overline{S}_4$.

Si nous reprenons l'exemple 5 en donnant à n une valeur plus élevée, nous constaterons que nous pouvons obtenir une évaluation plus précise de l'aire cherchée.

EXEMPLE 7 Estimer l'aire A sous la courbe de x^2 entre 0 et 1 en calculant $\underline{S}_4$ et $\overline{S}_4$.

Solution On a

$$\frac{b-a}{n} = \frac{1-0}{4} = \frac{1}{4}$$

et

$$m_1 = 0, \quad m_2 = \frac{1}{16}, \quad m_3 = \frac{1}{4}, \quad m_4 = \frac{9}{16} \quad \text{(figure 6.13(a))},$$

tandis que

$$M_1 = \frac{1}{16}, \qquad M_2 = \frac{1}{4}, \qquad M_3 = \frac{9}{16}, \qquad M_4 = 1 \quad \text{(figure 6.13(b))}.$$

Ainsi

$$\underline{S}_4 = \left(\frac{1}{4}\right)\left(0 + \frac{1}{16} + \frac{1}{4} + \frac{9}{16}\right) = \frac{7}{32}$$

et

$$\overline{S}_4 = \left(\frac{1}{4}\right)\left(\frac{1}{16} + \frac{1}{4} + \frac{9}{16} + 1\right) = \frac{15}{32},$$

d'où

$$\frac{7}{32} \leq A \leq \frac{15}{32}.$$

Nous obtenons une précision plus grande qu'à l'exemple 5, où nous avions obtenu $4/32 \leq A \leq 20/32$.

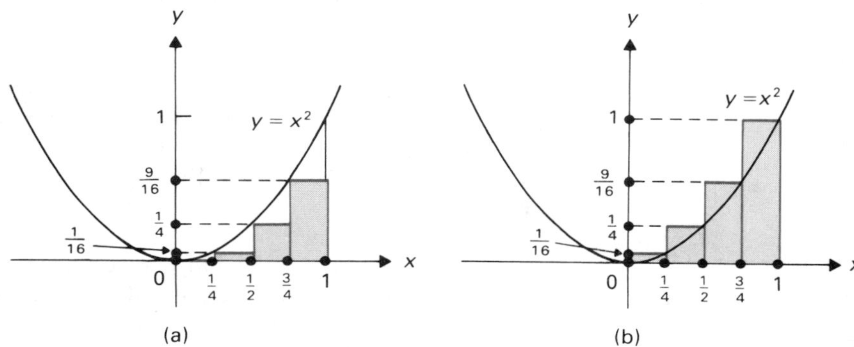

Figure 6.13 Estimation de l'aire sous la courbe de x^2 entre 0 et 1 (a) au moyen de la somme inférieure $\underline{S}_4$; (b) au moyen de la somme supérieure $\overline{S}_4$.

On peut donc supposer qu'en donnant à n des valeurs de plus en plus grandes et en calculant les sommes $\underline{S}_n$ et $\overline{S}_n$ correspondantes, on obtiendra des résultats qui diffèrent entre eux (et de l'aire cherchée) d'une quantité de plus en plus petite à mesure que n augmente. De là à conclure qu'il suffit de calculer $\lim_{n\to\infty} S_n$ pour obtenir la valeur exacte de l'aire cherchée il n'y a qu'un pas ... que nous franchirons à la prochaine section lorsque nous démontrerons que la valeur exacte de A est $1/3$.

Finalement, nous pourrions tenter d'estimer A en calculant la moyenne des deux nombres $7/32$ et $15/32$, ce qui nous donnerait $11/32$, qui n'est pas si éloigné de $1/3$. Cependant, comme nous le verrons à l'exercice 13 de la section 6.2, ce genre de calcul ne donne pas toujours de bons résultats. □

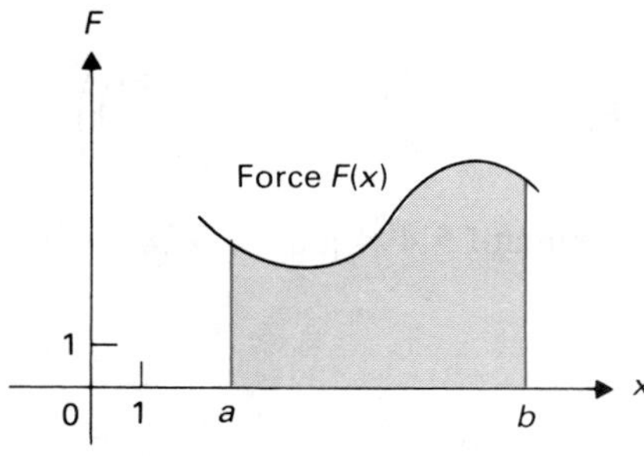

Figure 6.14 Le travail effectué par la force $F(x)$ sur l'intervalle $[a,b]$ correspond à l'aire de la région ombrée.

Revenons au concept de *travail* effectué par une force d'intensité variable agissant sur un objet qu'elle déplace le long d'un intervalle $[a,b]$. Nous avons déjà pressenti que le travail devrait correspondre numériquement à l'aire de la région située sous la courbe représentative de la force (figure 6.14). De façon analogue, il semble bien que la *distance* parcourue par un mobile qui se déplace à une vitesse positive variable devrait correspondre numériquement à l'aire sous la courbe représentative de la vitesse dans l'intervalle de temps donné. Revoyons ces hypothèses en faisant intervenir les sommes de Riemann.

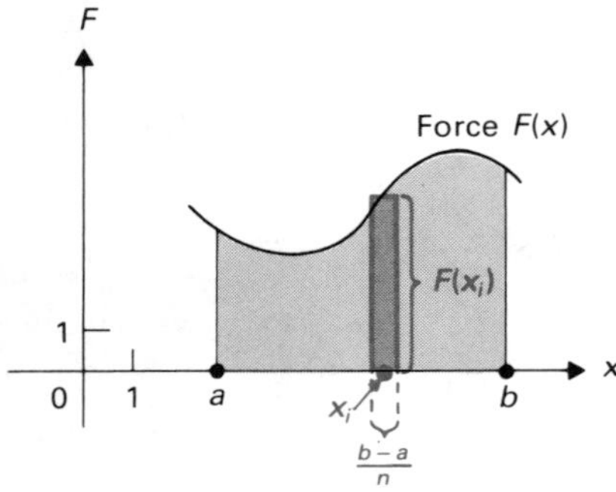

Figure 6.15 Le travail effectué par la force constante $F(x_i)$ sur une distance égale à la base du rectangle est $F(x_i) \cdot (b - a)/n$.

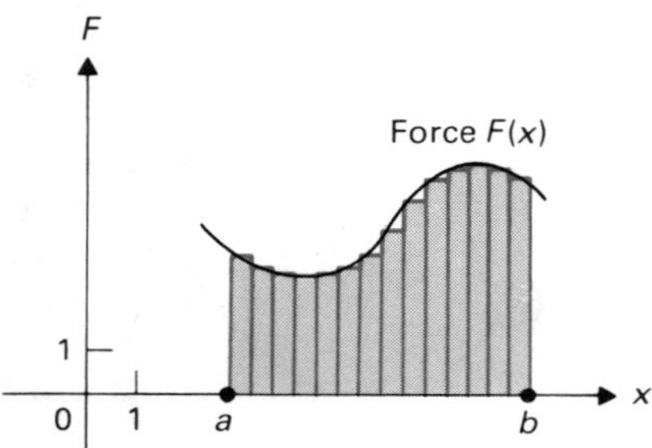

Figure 6.16 Approximation du travail total au moyen de S_{14}: on additionne les aires des petits rectangles correspondant au travail effectué par des forces constantes $F(x_i)$ le long des intervalles partiels.

La figure 6.15 montre l'un des rectangles utilisés pour le calcul de l'aire sous la courbe représentative de la force illustrée à la figure 6.14. La hauteur $F(x_i)$ du rectangle représente une force *constante* utilisée comme approximation de la force agissant le long de l'intervalle correspondant à la base du rectangle. Le travail effectué par la force $F(x)$ lorsqu'elle déplace l'objet le long de la base du rectangle est donc sensiblement égal au produit

$$F(x_i) \cdot \frac{b-a}{n},$$

soit précisément l'aire du rectangle. La somme de Riemann correspondant aux aires des rectangles représentés à la figure 6.16 peut s'interpréter comme une somme de petits éléments dont chacun serait le travail effectué par une force constante le long d'un intervalle partiel de $[a,b]$. Lorsque n est grand, la somme de Riemann devrait donc donner une bonne approximation du travail effectué par la force sur la totalité de l'intervalle $[a,b]$. La même somme de Riemann devrait également être une approximation valable de l'aire sous la courbe représentative de la force. On s'attendra donc à ce que le travail effectué corresponde à l'aire sous la courbe.

Voici deux exemples d'application des sommes de Riemann, l'un touchant le travail effectué par une force et l'autre, la distance parcourue par un mobile. Comme nous utilisons ici des valeurs de n supérieures à celles que nous avons utilisées jusqu'à maintenant, les sommes de Riemann seront obtenues à l'aide d'une calculatrice.

EXEMPLE 8 On déplace une pierre en ligne droite en appliquant une force dans la direction du mouvement. La force requise pour déplacer la pierre de x mètres à partir de l'origine est $F(x) = 4/(1 + x^2)$ newtons. À l'aide d'une calculatrice, trouver une valeur approchée du travail effectué pour déplacer la pierre sur les 5 premiers mètres, en calculant la somme de Riemann S_{20}. (Choisir pour valeurs de x_i les points milieux des intervalles partiels.)

Solution On a

$$\frac{b-a}{n} = \frac{5-0}{20} = \frac{1}{4}.$$

Le point milieu du premier intervalle partiel est $x_1 = [0 + 1/4]/2 = 1/8$. Les autres points milieux x_i sont calculés en ajoutant $1/4$ au point milieu de l'intervalle précédent. On aura donc

$$S_{20} = \frac{5-0}{20} \sum_{i=1}^{20} F(x_i) = \frac{1}{4}\left(F\left(\frac{1}{8}\right) + F\left(\frac{3}{8}\right) + F\left(\frac{5}{8}\right) + \cdots + F\left(\frac{39}{8}\right)\right).$$

On obtient par calculatrice le résultat approximatif 5,494 joules (ou newtons-mètres). □

EXEMPLE 9 Un mobile se déplace en ligne droite à la vitesse $v = t^2 + 2t$ cm/s, pour $0 \leq t \leq 10$ s. À l'aide d'une calculatrice, trouver une valeur approchée de la distance parcourue par le mobile au cours de ces 10 s, en calculant la somme de Riemann S_{20}. (Choisir pour valeurs de x_i les points milieux des intervalles partiels.)

Solution On a

$$\frac{b-a}{n} = \frac{10-0}{20} = \frac{1}{2}.$$

Le point milieu du premier intervalle partiel est $t_1 = [0 + 1/2]/2 = 1/4 = 0{,}25$. Les autres points milieux t_i sont calculés en ajoutant $1/2 = 0{,}5$ au point milieu de l'intervalle précédent. Posons $f(t) = t^2 + 2t$ et calculons

$$S_{20} = \frac{b-a}{n} \sum_{i=1}^{20} f(t_i) = \tfrac{1}{2}(f(0{,}25) + f(0{,}75) + f(1{,}25) + \cdots + f(9{,}75)).$$

On obtient pour réponse 433,125 cm. □

RÉSUMÉ

1. Pour écrire au long ou pour calculer une expression comprenant un symbole de sommation tel

$$\sum_{i=1}^{n},$$

il suffit de remplacer l'indice de sommation i successivement par les nombres 1, 2, ... , n puis d'additionner les termes obtenus. Par exemple,

$$\sum_{i=1}^{5} i^3 = 1^3 + 2^3 + 3^3 + 4^3 + 5^3.$$

2. Les sommes de Riemann permettent, entre autres, de calculer une valeur approchée

   a) du travail effectué par une force variable;

   b) de la distance parcourue par un mobile se déplaçant à une vitesse positive variable;

   c) de l'aire A sous la courbe d'une fonction $y = f(x)$ non constante dans un intervalle $[a,b]$.

Soit f une fonction définie et continue sur l'intervalle $[a,b]$. Si l'on partage $[a,b]$ en n intervalles partiels d'égale longueur et que l'on désigne respectivement par M_i et m_i le maximum et le minimum de $f(x)$ dans le i^e intervalle partiel, et par x_i un point quelconque de cet i^e intervalle partiel, alors

3. $\overline{S}_n = \dfrac{b-a}{n}(M_1 + M_2 + \cdots + M_n) = \dfrac{b-a}{n}\left(\displaystyle\sum_{i=1}^{n} M_i\right),$

4. $\underline{S}_n = \dfrac{b-a}{n}(m_1 + m_2 + \cdots + m_n) = \dfrac{b-a}{n}\left(\displaystyle\sum_{i=1}^{n} m_i\right),$

5. $S_n = \dfrac{b-a}{n}(f(x_1) + f(x_2) + \cdots + f(x_n)) = \dfrac{b-a}{n}\left(\displaystyle\sum_{i=1}^{n} f(x_i)\right),$

6. $\underline{S}_n \leq S_n \leq \overline{S}_n$.

7. De plus, si $f(x) > 0$, alors $\underline{S}_n \leq A \leq \overline{S}_n$.

EXERCICES

Dans les exercices 1 à 6, écrire au long les expressions données.

1. $\sum_{i=0}^{3} a_i$ **2.** $\sum_{j=2}^{6} b_j^2$ **3.** $\sum_{i=1}^{4} a_{2i}$

4. $\sum_{k=4}^{6} (a_{2k} + b_k^2)$ **5.** $\sum_{i=1}^{5} c^i$ **6.** $\sum_{i=2}^{4} 2^{a_i}$

Dans les exercices 7 à 11, calculer les sommes demandées.

7. $\sum_{i=0}^{3} (i+1)^2$ **8.** $\sum_{j=2}^{4} 2^j$ **9.** $\sum_{i=1}^{3} (2i-1)^2$

10. $\sum_{k=1}^{3} (2^k \cdot 3^{k-1})$ **11.** $\sum_{j=1}^{4} [(-1)^j \cdot j^3]$

Dans les exercices 12 à 17, on demande d'abréger chacune des expressions données au moyen du symbole de sommation. (Il peut y avoir plus d'une réponse possible.)

12. $a_1b_1 + a_2b_2 + a_3b_3$ **13.** $a_1b_2 + a_2b_3 + a_3b_4$

14. $a_1 + a_2^2 + a_3^3 + a_4^4$ **15.** $a_1^2 + a_2^3 + a_3^4$

16. $a_1b_2^2 + a_2b_4^2 + a_3b_6^2$ **17.** $a_1^{b_3} + a_2^{b_6} + a_3^{b_9}$

18. En utilisant une démarche analogue à celle de l'exemple 3, montrer que

$$\sum_{i=1}^{n} (c \cdot a_i) = c\left(\sum_{i=1}^{n} a_i\right).$$

19. En utilisant une démarche analogue à celle de l'exemple 3, montrer que

$$\sum_{i=1}^{n} (a_i + b_i)^2 = \sum_{i=1}^{n} a_i^2 + 2\left(\sum_{i=1}^{n} a_ib_i\right) + \sum_{i=1}^{n} b_i^2.$$

Dans les exercices 20 à 22, trouver une valeur approchée de l'aire sous la courbe de la fonction donnée dans l'intervalle $[a,b]$ indiqué, en calculant la somme de Riemann demandée. (Prendre pour x_i les points milieux des intervalles constitués.)

20. $f(x) = x^2$, $a = 0$, $b = 4$; calculer S_2.

21. $f(x) = 1/x$, $a = 1$, $b = 5$; calculer S_4.

22. $f(x) = x^2$, $a = -1$, $b = 1$; calculer S_2.

23. Calculer la somme supérieure $\overline{S}_2$ et la somme inférieure $\underline{S}_2$ de la fonction x^2 entre 0 et 2. (La valeur exacte de l'aire sous la courbe de x^2 entre 0 et 2 est $8/3$.)

24. Calculer la somme supérieure $\overline{S}_4$ et la somme inférieure $\underline{S}_4$ de la fonction x^2 entre 0 et 2. Comparer les réponses avec celles de l'exercice précédent.

25. Estimer l'aire A sous la courbe de $1/x$ entre 1 et 2 en calculant la somme supérieure $\overline{S}_4$ et la somme inférieure $\underline{S}_4$.

26. Calculer la valeur exacte de l'aire sous la courbe de la fonction constante 4 entre -2 et 3.

27. Trouver une valeur approchée de l'aire A sous la courbe de la fonction x^3 entre 1 et 5 en calculant S_4 pour les x_i correspondant aux points milieux des quatre intervalles considérés.

28. Estimer l'aire A sous la courbe de $\sin x$ entre 0 et π en calculant la somme supérieure $\overline{S}_4$ et la somme inférieure $\underline{S}_4$.

29. Trouver une valeur approchée de l'aire A sous la courbe de la fonction $\sin^2 x$ entre 0 et 2π en calculant S_4 pour les x_i correspondant aux points milieux des quatre intervalles considérés.

30. Trouver graphiquement la valeur exacte du travail effectué pour déplacer un objet en direction horizontale de $x = 0$ m à $x = 10$ m, si la force s'exerçant dans la direction du mouvement au point x est donnée par $F(x) = 1 + x$ newtons.

31. Refaire l'exercice précédent en supposant cette fois que la force est $F(x) = 3 + x/5$ newtons.

32. Estimer la distance parcourue par un mobile se déplaçant en sens unique sur une droite à une vitesse $v(t) = 1 + \sin \pi t$ m/s, pour $0 \le t \le 1$ s, en calculant S_4 pour les x_i correspondant aux points milieux des quatre intervalles considérés.

33. Refaire l'exercice 32 en supposant cette fois que la vitesse est donnée par $v(t) = 1 + 2t^2$ m/s, pour $0 \le t \le 4$ s.

Le calcul approché à l'aide des sommes de Riemann a une grande importance pratique et les estimations obtenues sont d'autant plus précises que n est grand.

Dans les exercices 34 à 44, trouver (à l'aide d'une calculatrice ou d'un ordinateur) une valeur approchée de l'aire sous la courbe de la fonction donnée dans l'intervalle $[a,b]$ indiqué, en calculant la somme de Riemann demandée. (Prendre pour x_i les points milieux des intervalles constitués.)

34. $f(x) = x^2$, $a = 0$, $b = 2$; calculer S_{10}.

35. $f(x) = \sqrt{x}$, $a = 0$, $b = 2$; calculer S_{10}.

36. $f(x) = 1/\sqrt{x}$, $a = 1$, $b = 4$; calculer S_{15}.

37. $f(x) = \sin x$, $a = 0$, $b = \pi$; calculer S_{12}.

38. $f(x) = 1/x$, $a = 1$, $b = 2$; calculer S_{10}.

39. $f(x) = \sin^2 x$, $a = 0$, $b = 2\pi$; calculer S_{10}.

40. $f(x) = 1/(1 + x^2)$, $a = 0$, $b = 1$; calculer S_{10}.

41. $f(x) = \sqrt{25 - x^2}$, $a = 0$, $b = 5$; calculer S_{10}.

42. $f(x) = \sin^2 x^2$, $a = 0$, $b = 2\pi$; calculer S_{12}.

43. $f(x) = \cos^2\sqrt{x}$, $a = 0$, $b = 4\pi$; calculer S_{14}.

44. $f(x) = (\cos^2 x)/(x + 1)$, $a = 0$, $b = 2\pi$; calculer S_{20}.

6.2 L'INTÉGRALE DÉFINIE

Nous avons vu, à la section précédente, que les sommes de Riemann trouvent leur utilité aussi bien dans le calcul approché de l'aire d'une région de hauteur variable que dans le calcul du travail effectué par une force variable ou de la distance parcourue à vitesse variable. Tous ces problèmes peuvent s'identifier géométriquement à la recherche de l'aire A sous la courbe d'une fonction positive f dans un intervalle $[a,b]$. Notre analyse graphique de la situation nous a permis de constater que les meilleures estimations de A s'obtiennent lorsqu'on utilise des sommes de Riemann avec des valeurs élevées de n. Par conséquent, il semble bien que nous devrions pouvoir trouver la valeur exacte de A en calculant $\lim_{n\to\infty} S_n$. Cette limite, connue sous le nom d'*intégrale définie*, fait l'objet de la présente section. Nous verrons entre autres comment on peut utiliser $\lim_{n\to\infty} S_n$ pour calculer l'aire sous la courbe de fonctions polynomiales de degré inférieur ou égal à 3. À la fin de la section sont présentées quelques-unes des propriétés importantes de l'intégrale définie.

INTÉGRALE DÉFINIE VUE COMME $\lim_{n\to\infty} S_n$

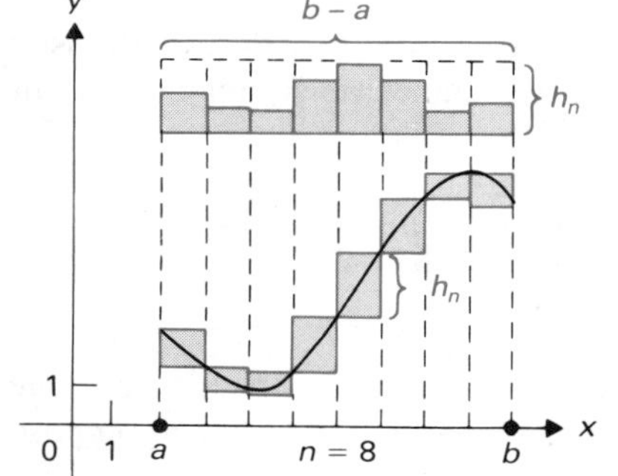

(a)

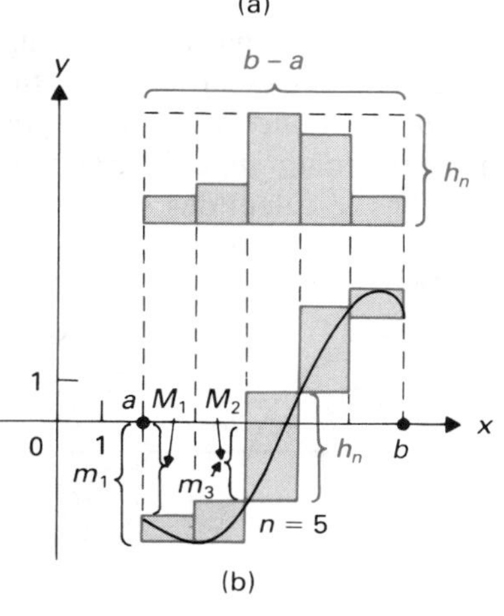

(b)

Figure 6.17 (a) $\overline{S}_n - \underline{S}_n$ lorsque $f(x) \geq 0$ partout sur $[a,b]$; (b) $\overline{S}_n - \underline{S}_n$ lorsque $f(x)$ prend des valeurs négatives en certains points de $[a,b]$.

Considérons à nouveau une fonction f continue sur $[a,b]$, et les définitions et propriétés suivantes des sommes de Riemann:

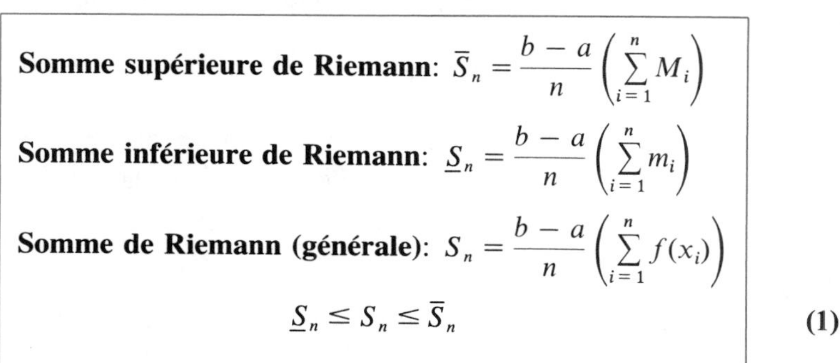

Somme supérieure de Riemann: $\overline{S}_n = \dfrac{b-a}{n}\left(\sum_{i=1}^{n} M_i\right)$

Somme inférieure de Riemann: $\underline{S}_n = \dfrac{b-a}{n}\left(\sum_{i=1}^{n} m_i\right)$

Somme de Riemann (générale): $S_n = \dfrac{b-a}{n}\left(\sum_{i=1}^{n} f(x_i)\right)$

$$\underline{S}_n \leq S_n \leq \overline{S}_n \qquad \textbf{(1)}$$

$$\underline{S}_n \leq A \leq \overline{S}_n \qquad \textbf{(2)}$$

On peut mesurer la précision des bornes $\underline{S}_n$ et $\overline{S}_n$ de A en analysant les valeurs de $\overline{S}_n - \underline{S}_n$. D'un point de vue géométrique, $\overline{S}_n - \underline{S}_n$ correspond à la somme des aires des petits rectangles tracés à la figure 6.17. (La figure 6.17(a) illustre le cas où $f(x) \geq 0$ pour tout x de l'intervalle $[a,b]$ et la figure 6.17(b) présente le cas d'une fonction $f(x)$ prenant des valeurs négatives en certains points de $[a,b]$.) Sur cette figure, h_n représente la hauteur du plus grand de ces petits rectangles, c'est-à-dire le maximum des $M_i - m_i$. En alignant les petits rectangles comme il est fait dans la partie supérieure des graphiques, on constate que la somme des aires des petits rectangles est inférieure à $h_n(b-a)$, de sorte que

$$\overline{S}_n - \underline{S}_n \leq h_n(b-a). \qquad \textbf{(3)}$$

Puisque f est une fonction continue, $f(x)$ est près de $f(x_0)$ chaque fois que x est suffisamment près de x_0. On peut donc affirmer qu'en donnant à n des valeurs de plus en plus grandes, de sorte que les bases des petits rectangles deviennent de plus en plus petites, les hauteurs des rectangles deviendront de plus en plus petites également. Il s'ensuit que h_n se rapproche de zéro pour des valeurs de n suffisamment grandes, d'où

$$\lim_{n \to \infty} h_n = 0.$$

Ainsi, d'après l'inéquation 3, $\lim_{n\to\infty} h_n = 0$ entraîne que $\overline{S}_n - \underline{S}_n$ est voisin de zéro lorsque n est suffisamment grand. En vertu de la double inéquation 2, avec $f(x) \geq 0$, les sommes $\overline{S}_n$ et $\underline{S}_n$ tendent donc toutes les deux vers A lorsque n devient grand, d'où le théorème suivant:

THÉORÈME 6.1 Égalité des limites des sommes de Riemann

Si f est une fonction continue sur $[a,b]$, alors

$$\lim_{n\to\infty} \underline{S}_n = \lim_{n\to\infty} S_n = \lim_{n\to\infty} \overline{S}_n \tag{4}$$

DÉFINITION 6.2 Intégrale définie

Soit f une fonction continue sur $[a,b]$. On appelle **intégrale définie de f sur** $[a,b]$, notée $\int_a^b f(x)\, dx$, la limite unique des sommes de Riemann de f sur l'intervalle $[a,b]$. Ainsi,

$$\int_a^b f(x)\, dx = \lim_{n\to\infty} \underline{S}_n = \lim_{n\to\infty} S_n = \lim_{n\to\infty} \overline{S}_n \tag{5}$$

Le signe « $\int$ » dans la notation de Leibniz $\int_a^b f(x)\, dx$ s'appelle le *signe somme*. Il peut être vu comme un S allongé, symbole d'addition. Si on pose $dx = \Delta x$, petit accroissement de x, alors l'expression $f(x)\, dx$ représente l'aire du rectangle indiqué sur la figure 6.18. Le symbolisme de l'intégrale tend donc à suggérer l'idée d'une somme de Riemann.

Dans la plupart des cas, nous avons tracé la courbe représentative d'une fonction f donnée en prenant pour acquis qu'il s'agissait d'une fonction positive ou nulle pour tout x de l'intervalle $[a,b]$. Si, toutefois, $f(x) < 0$ pour x dans le i^e intervalle partiel de $[a,b]$, alors le minimum m_i et le maximum M_i sont tous les deux négatifs, de sorte que dans le calcul des sommes $\underline{S}_n$

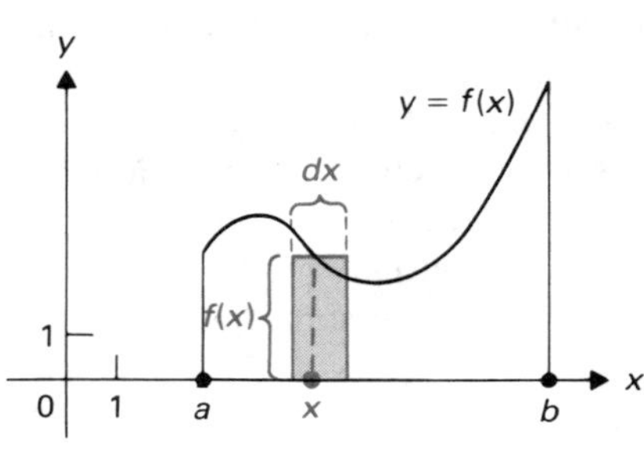

Figure 6.18 Interprétation graphique de $f(x)\, dx$ dans la notation $\int_a^b f(x)\, dx$.

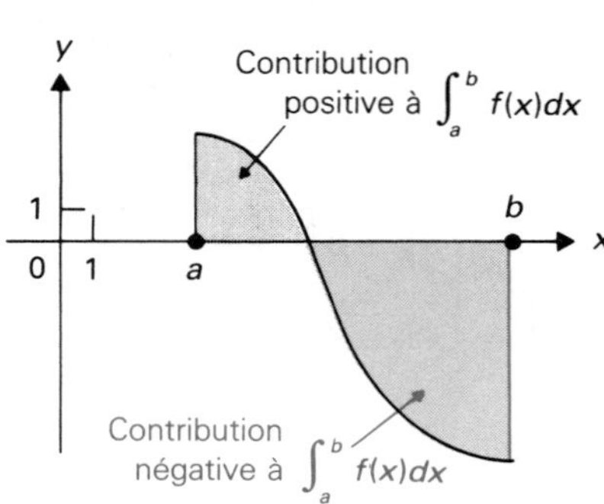

Figure 6.19 $\int_a^b f(x)\, dx$ = Aire de la région grisée − Aire de la région colorée.

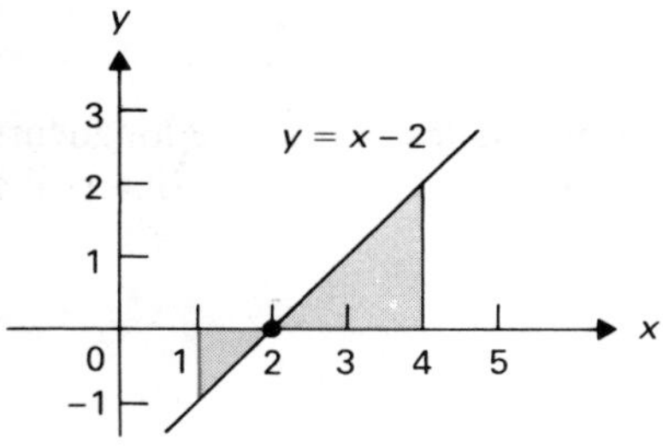

Figure 6.20
$\int_1^4 (x-2)\,dx = 2 - \frac{1}{2} = \frac{3}{2}$.

et $\overline{S}_n$, les expressions $[(b-a)/n]m_i$ et $[(b-a)/n]M_i$ correspondant au i^e intervalle sont négatives. Il faut en conclure que lorsqu'une fonction f est tantôt positive, tantôt négative, $\int_a^b f(x)\,dx$ peut s'interpréter géométriquement comme l'aire totale de la région située au-dessus de l'axe des x moins l'aire totale de la région située au-dessous (figure 6.19).

EXEMPLE 1 Évaluer géométriquement $\int_1^4 (x-2)\,dx$.

Solution Le graphique de la fonction $y = x - 2$ est représenté à la figure 6.20. Comme le petit triangle ombré est situé sous l'axe des x et que le plus grand est situé au-dessus,

$$\int_1^4 (x-2)\,dx = (\text{Aire du grand triangle}) - (\text{Aire du petit triangle})$$
$$= \frac{1}{2}\cdot 2\cdot 2 - \frac{1}{2}\cdot 1\cdot 1 = 2 - \frac{1}{2} = \frac{3}{2}. \quad \square$$

EXEMPLE 2 Évaluer $\int_{-5}^{5} \sqrt{25-x^2}\,dx$ à l'aide d'arguments géométriques.

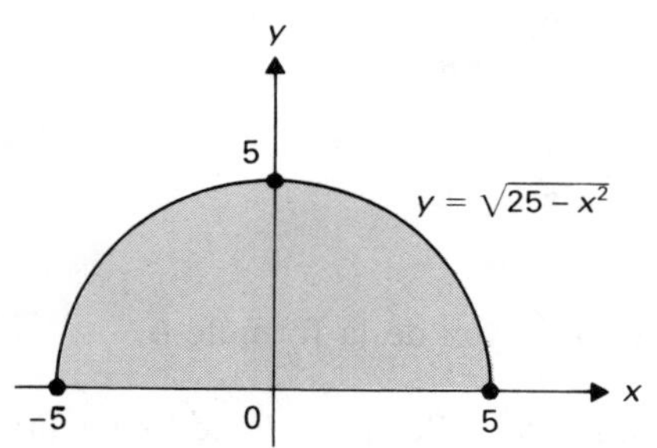

Figure 6.21 $\int_{-5}^{5} \sqrt{25-x^2}\,dx$ = Aire de la moitié supérieure du disque de centre (0,0) et de rayon 5.

Solution On voit sur la figure 6.21 que l'intégrale cherchée correspond à l'aire de la portion supérieure du disque de centre (0,0) et de rayon 5. Par conséquent,

$$\int_{-5}^{5} \sqrt{25-x^2}\,dx = \frac{1}{2}\,\pi\cdot 5^2 = \frac{25}{2}\,\pi. \quad \square$$

La réponse que nous venons de trouver est la *valeur exacte* de $\int_{-5}^{5} \sqrt{25-x^2}\,dx$. Le calcul approximatif de l'intégrale au moyen des sommes de Riemann S_{20} et S_{40} (en choisissant pour valeurs de x_i les points milieux des intervalles) donne: $S_{20} \simeq 39{,}405\,1$ et $S_{40} \simeq 39{,}317\,9$. Or, $25\pi/2 \simeq 39{,}269\,9$. On voit donc que $S_n \to \int_a^b f(x)\,dx$ quand $n \to \infty$. On constate également que l'utilisation des points milieux dans le calcul des sommes de Riemann peut donner d'excellents résultats, même lorsque n est relativement petit.

CALCUL DES INTÉGRALES À L'AIDE DE LIMITES DE SOMMES

Les formules

$$\sum_{i=1}^{n} i = \frac{n(n+1)}{2}, \tag{6}$$

$$\sum_{i=1}^{n} i^2 = \frac{n(n+1)(2n+1)}{6} \tag{7}$$

et

$$\sum_{i=1}^{n} i^3 = \frac{n^2(n+1)^2}{4} \tag{8}$$

peuvent être démontrées facilement à l'aide d'une preuve par récurrence (voir l'annexe 2). Nous pouvons utiliser ces formules pour calculer la valeur exacte d'intégrales définies de fonctions du premier, du second ou du troisième degré, comme dans les trois exemples ci-dessous.

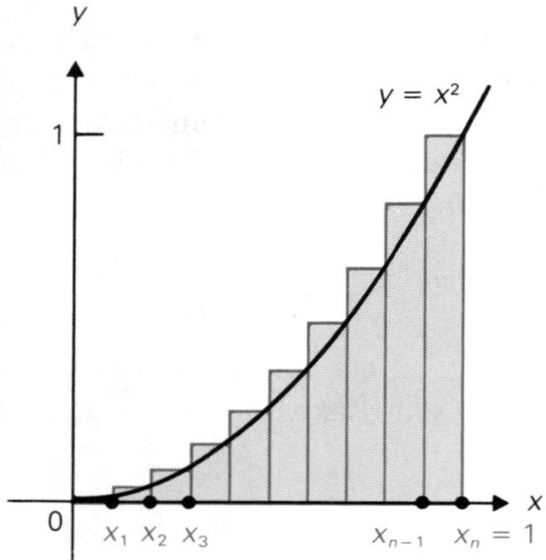

Figure 6.22 $\int_0^1 x^2\, dx$.

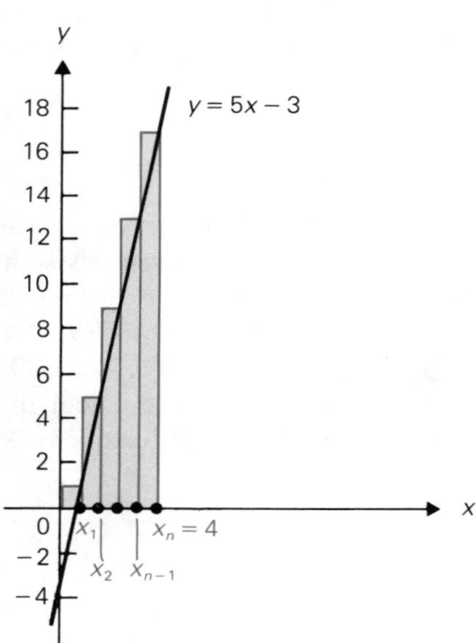

Figure 6.23 $\int_0^4 (5x - 3)\, dx$.

EXEMPLE 3 Calculer $\int_0^1 x^2\, dx$.

Solution Partageons l'intervalle [0,1] en n intervalles partiels de longueurs égales $1/n$. En choisissant pour valeur de x_i l'extrémité droite de l'intervalle partiel i (figure 6.22), on obtient

$$x_i = i \cdot \frac{1}{n} = \frac{i}{n}.$$

On a alors

$$\begin{aligned} S_n &= \frac{1}{n} \sum_{i=1}^{n} \left(\frac{i}{n}\right)^2 = \frac{1}{n}\left[\frac{1}{n^2} \sum_{i=1}^{n} i^2\right] \\ &= \frac{1}{n^3} \frac{n(n+1)(2n+1)}{6} \\ &= \frac{2n^3 + 3n^2 + n}{6n^3} \end{aligned}$$

d'où

$$\begin{aligned} \int_0^1 x^2\, dx &= \lim_{n\to\infty} S_n = \lim_{n\to\infty} \left[\frac{2n^3 + 3n^2 + n}{6n^3}\right] \\ &= \frac{2}{6} = \frac{1}{3}. \quad \square \end{aligned}$$

EXEMPLE 4 Calculer $\int_0^4 (5x - 3)\, dx$ au moyen de la formule 6.

Solution Partageons l'intervalle [0,4] en n intervalles partiels de longueurs égales $4/n$. En choisissant pour valeur de x_i l'extrémité droite de l'intervalle partiel i (figure 6.23), on obtient

$$x_i = i \cdot \frac{4}{n} = \frac{4i}{n}.$$

On a alors

$$\begin{aligned} S_n &= \frac{4}{n} \sum_{i=1}^{n} \left(5 \cdot \frac{4i}{n} - 3\right) = \frac{4}{n}\left[\frac{20}{n}\left(\sum_{i=1}^{n} i\right) - \sum_{i=1}^{n} 3\right] \\ &= \frac{4}{n}\left[\frac{20}{n} \cdot \frac{n(n+1)}{2} - 3n\right] = \frac{80(n+1)}{2n} - 12 = \frac{40(n+1)}{n} - 12 \end{aligned}$$

d'où

$$\begin{aligned} \int_0^4 (5x - 3)\, dx &= \lim_{n\to\infty} S_n = \lim_{n\to\infty} \left[\frac{40(n+1)}{n}\right] - 12 \\ &= 40 - 12 = 28. \quad \square \end{aligned}$$

EXEMPLE 5 À l'aide des formules 6, 7 et 8, calculer $\int_1^2 (x^3 - 1/2)\, dx$.

Solution Partageons l'intervalle [1,2] en n intervalles partiels de longueurs égales $1/n$ et choisissons pour valeur de x_i l'extrémité droite de l'intervalle partiel i (figure 6.24).

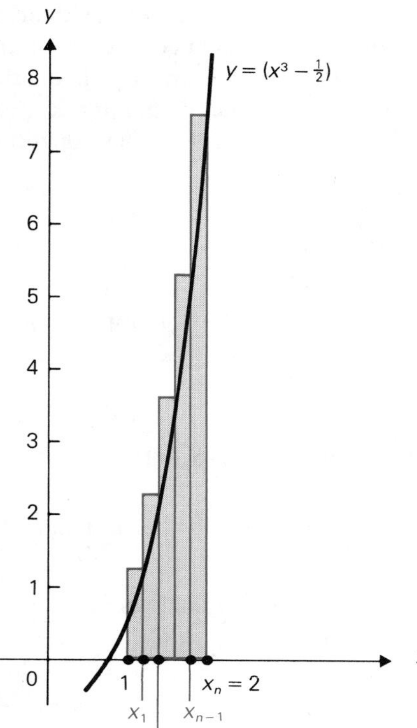

Figure 6.24 $\int_1^2 (x^3 - \frac{1}{2})\, dx$.

On obtient alors

$$x_i = 1 + i \cdot \frac{1}{n} = 1 + \frac{i}{n},$$

et

$$\begin{aligned}
S_n &= \frac{1}{n} \sum_{i=1}^{n} \left[\left(1 + \frac{i}{n}\right)^3 - \frac{1}{2}\right] \\
&= \frac{1}{n} \sum_{i=1}^{n} \left(1 + 3 \cdot \frac{i}{n} + 3 \cdot \frac{i^2}{n^2} + \frac{i^3}{n^3} - \frac{1}{2}\right) \\
&= \frac{1}{n}\left(\sum_{i=1}^{n} \frac{1}{2} + \frac{3}{n} \sum_{i=1}^{n} i + \frac{3}{n^2} \sum_{i=1}^{n} i^2 + \frac{1}{n^3} \sum_{i=1}^{n} i^3\right) \\
&= \frac{1}{n}\left[\frac{1}{2} n + \frac{3}{n} \cdot \frac{n(n+1)}{2} + \frac{3}{n^2} \cdot \frac{n(n+1)(2n+1)}{6} + \frac{1}{n^3} \cdot \frac{n^2(n+1)^2}{4}\right] \\
&= \frac{1}{2} + \frac{3(n+1)}{2n} + \frac{3(n+1)(2n+1)}{6n^2} + \frac{(n+1)^2}{4n^2}.
\end{aligned}$$

En passant à la limite quand $n \to \infty$, on obtient finalement

$$\int_1^2 (x^3 - 1/2)\, dx = \lim_{n\to\infty} S_n = \frac{1}{2} + \frac{3}{2} + 1 + \frac{1}{4} = 3{,}25. \quad \square$$

PROPRIÉTÉS DE L'INTÉGRALE DÉFINIE

Certaines des propriétés de l'intégrale définie présentent un parallèle étonnant avec la dérivée. En effet,

L'**intégrale** d'une somme de fonctions est égale à la somme des **intégrales** de ces fonctions.

La **dérivée** d'une somme de fonctions est égale à la somme de leurs **dérivées**. (Chapitre 3, page 94)

L'**intégrale** d'une constante fois une fonction est égale à la constante fois l'**intégrale** de la fonction.

La **dérivée** d'une constante fois une fonction est égale à la constante fois la **dérivée** de la fonction. (Chapitre 3, page 94)

Voici, sous forme de théorème, trois des propriétés de l'intégrale:

THÉORÈME 6.2 Propriétés de l'intégrale

Si f et g sont deux fonctions continues sur l'intervalle $[a,b]$, alors

$$\int_a^b (f(x) + g(x))\, dx = \int_a^b f(x)\, dx + \int_a^b g(x)\, dx, \qquad \textbf{(9)}$$

$$\int_a^b c \cdot f(x)\, dx = c \cdot \int_a^b f(x)\, dx \quad \text{quelle que soit la constante } c, \qquad \textbf{(10)}$$

$$\int_a^b f(x)\, dx = \int_a^h f(x)\, dx + \int_h^b f(x)\, dx \quad \text{pour tout } h \text{ compris dans } [a,b]. \textbf{(11)}$$

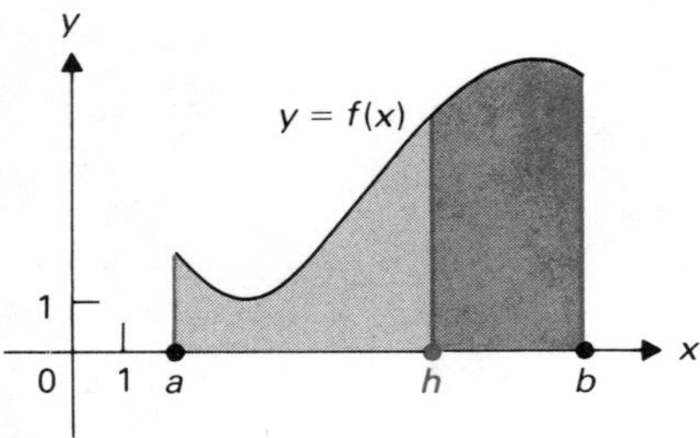

Figure 6.25
$\int_a^b f(x)\,dx = \int_a^h f(x)\,dx + \int_h^b f(x)\,dx$

Ces propriétés sont évidentes si l'on considère l'intégrale en termes d'aires. Par exemple, la figure 6.25 montre bien que l'aire sous la courbe de f entre a et b est égale à l'aire sous la courbe entre a et h plus l'aire sous la courbe entre h et b (propriété 11). On peut se reporter, pour démontrer la propriété 9, aux sommes de Riemann $S_n(f)$, $S_n(g)$ et $S_n(f+g)$ des fonctions f, g et $f+g$ respectivement. On a

$$S_n(f+g) = \frac{b-a}{n}\left(\sum_{i=1}^{n}(f(x_i)+g(x_i))\right)$$

$$= \frac{b-a}{n}\left(\sum_{i=1}^{n} f(x_i)\right) + \frac{b-a}{n}\left(\sum_{i=1}^{n} g(x_i)\right) = S_n(f) + S_n(g).$$

Par conséquent,

$$\int_a^b (f(x)+g(x))\,dx = \lim_{n\to\infty} S_n(f+g) = \lim_{n\to\infty}(S_n(f)+S_n(g))$$

$$= \lim_{n\to\infty} S_n(f) + \lim_{n\to\infty} S_n(g) = \int_a^b f(x)\,dx + \int_a^b g(x)\,dx.$$

La propriété 10 peut être établie par une démonstration analogue.

Remarquons également que si $b = a$, on a

$$\boxed{\int_a^a f(x)\,dx = 0.} \tag{12}$$

Il serait souhaitable que la relation $\int_a^b f(x)\,dx = \int_a^h f(x)\,dx + \int_h^b f(x)\,dx$ soit valable, que h soit compris entre a et b ou pas. (Bien entendu, a, b et h doivent faire partie d'un intervalle dans lequel f est continue.) En posant $b = a$, nous aurions alors

$$0 = \int_a^a f(x)\,dx = \int_a^h f(x)\,dx + \int_h^a f(x)\,dx,$$

d'où

$$\int_h^a f(x)\,dx = -\int_a^h f(x)\,dx. \tag{13}$$

La relation 13 nous amène à définir $\int_b^a f(x)\,dx$, lorsque $b > a$, de la façon suivante:

$$\boxed{\int_b^a f(x)\,dx = -\int_a^b f(x)\,dx.} \tag{14}$$

Nous verrons à la fin de la prochaine section l'utilité de la propriété 14.

EXEMPLE 6 Sachant que $\int_0^\pi \sin^2 x\,dx = \pi/2$, évaluer $\int_0^\pi (x + \sin^2 x)\,dx$.

Solution En vertu de la propriété 9, on a

$$\int_0^\pi (x+\sin^2 x)\,dx = \int_0^\pi x\,dx + \int_0^\pi \sin^2 x\,dx.$$

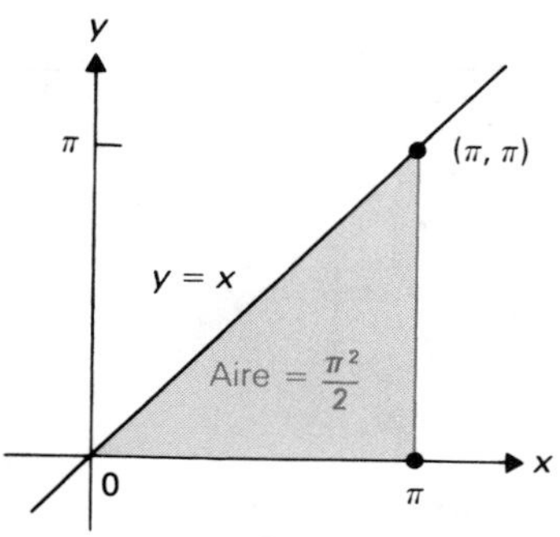

Figure 6.26
$\int_0^\pi x\,dx = (\frac{1}{2}\pi)\pi = \pi^2/2$

Or on voit, d'après la figure 6.26, que $\int_0^\pi x\,dx = \pi^2/2$. Il s'ensuit que

$$\int_0^\pi (x + \sin^2 x)\,dx = \frac{\pi^2}{2} + \frac{\pi}{2} = \frac{\pi}{2}(\pi + 1). \quad \square$$

EXEMPLE 7 Soit une fonction telle que $\int_1^4 f(x)\,dx = -5$ et $\int_1^2 2\cdot f(x)\,dx = -1$. Calculer $\int_2^4 f(x)\,dx$.

Solution Nous avons, en vertu de l'équation 11,

$$\int_1^4 f(x)\,dx = \int_1^2 f(x)\,dx + \int_2^4 f(x)\,dx.$$

Or, par la propriété 10, $\int_1^2 2\cdot f(x)\,dx = 2\int_1^2 f(x)\,dx = -1$, d'où $\int_1^2 f(x)\,dx = -1/2$. Ainsi,

$$-5 = -\frac{1}{2} + \int_2^4 f(x)\,dx$$

et $\int_2^4 f(x)\,dx = -9/2$. $\square$

RÉSUMÉ

Si f et g sont deux fonctions continues sur l'intervalle $[a,b]$,

1. $\int_a^b f(x)\,dx = \lim_{n\to\infty} \overline{S}_n = \lim_{n\to\infty} \underline{S}_n = \lim_{n\to\infty} S_n$
2. $\int_a^b (f(x) + g(x))\,dx = \int_a^b f(x)\,dx + \int_a^b g(x)\,dx$
3. $\int_a^b c\cdot f(x)\,dx = c\cdot\int_a^b f(x)\,dx$ quelle que soit la constante c
4. $\int_a^b f(x)\,dx = \int_a^h f(x)\,dx + \int_h^b f(x)\,dx$ pour tout h compris dans $[a,b]$
5. $\int_b^a f(x)\,dx = -\int_a^b f(x)\,dx$

EXERCICES

1. Soit la fonction $f(x) = 1 - x$.

a) Tracer la courbe représentative de f sur l'intervalle $[0,2]$.

b) Calculer $\overline{S}_2$ pour l'intervalle $[0,2]$. (Remarquez que $f(x)$ est parfois négative dans l'intervalle $[0,2]$.)

c) Calculer $\underline{S}_2$ pour l'intervalle $[0,2]$.

d) Vers quelle valeur unique $\overline{S}_n$ et $\underline{S}_n$ tendent-elles lorsque n devient de plus en plus grand?

2. *a*) Calculer la somme supérieure $\overline{S}_4$ et la somme inférieure $\underline{S}_4$ pour la fonction $f(x) = x^3$ entre -1 et 1.

b) D'après la courbe de x^3, vers quelle valeur unique $\overline{S}_n$ et $\underline{S}_n$ tendent-elles lorsque n devient de plus en plus grand?

Dans les exercices 3 à 12, tracer une région du plan ayant pour aire l'intégrale donnée, puis calculer cette aire afin d'évaluer l'intégrale.

3. $\int_0^2 x\,dx$

4. $\int_{-1}^2 x\,dx$

5. $\int_1^3 (2x + 3)\,dx$

6. $\int_{-3}^4 (2x - 1)\,dx$

7. $\int_{-1}^1 (x + 1)\,dx$

8. $\int_{-3}^1 (x - 1)\,dx$

9. $\int_{-3}^{3} \sqrt{9 - x^2}\, dx$ **10.** $\int_{0}^{4} \sqrt{16 - x^2}\, dx$

11. $\int_{0}^{4} (3 + \sqrt{16 - x^2})\, dx$ **12.** $\int_{-3}^{3} (5 - \sqrt{9 - x^2})\, dx$

13. Tracer la courbe représentative d'une fonction f définie sur l'intervalle $[0,2]$ et telle que la valeur de $\overline{S}_2$ sur cet intervalle soit plus rapprochée de $\int_0^2 f(x)\, dx$ que ne l'est la moyenne entre $\overline{S}_2$ et $\underline{S}_2$. (Le présent exercice montre que la technique d'approximation par la moyenne des sommes supérieure et inférieure, que nous avons utilisée à l'exemple 7 de la section 6.1, ne produit pas toujours de bons résultats.)

14. Tracer la courbe représentative d'une fonction f définie sur l'intervalle $[0,6]$ et pour laquelle $\overline{S}_3 > \overline{S}_2$. (On voit ainsi que, bien que $\overline{S}_n$ tende vers $\int_a^b f(x)\, dx$ lorsque n est grand, cela ne signifie pas nécessairement que $\overline{S}_{n+1} \leq \overline{S}_n$.)

Dans les exercices 15 à 30, trouver la valeur exacte des intégrales données en utilisant au besoin des arguments géométriques, les propriétés de l'intégrale définie et le résultat suivant, que nous prouverons sous peu: $\int_0^{\pi} \sin x\, dx = 2$.

15. $\int_{0}^{\pi/2} \sin x\, dx$ **16.** $\int_{-\pi}^{\pi} \sin x\, dx$

17. $\int_{0}^{\pi/2} \cos x\, dx$ **18.** $\int_{-\pi/2}^{\pi/2} \cos x\, dx$

19. $\int_{-2}^{2} (x^3 - 3x)\, dx$ **20.** $\int_{-2}^{2} (2x^3 + 4)\, dx$

21. $\int_{-3}^{3} (x^5 - 2x^3 - 1)\, dx$ **22.** $\int_{0}^{\pi} \cos x\, dx$

23. $\int_{0}^{5\pi} \sin x\, dx$ **24.** $\int_{0}^{2\pi} |\sin x|\, dx$

25. $\int_{-\pi}^{\pi} |\cos x|\, dx$ **26.** $\int_{-1}^{1} |2x|\, dx$

27. $\int_{0}^{\pi} (2 \sin x - 3 \cos x)\, dx$ **28.** $\int_{0}^{2\pi} (3|\sin x| + 2|\cos x|)\, dx$

29. $\int_{0}^{\pi/2} (2x - 3 \cos x)\, dx$ **30.** $\int_{0}^{\pi} (4x + 1 - 2 \sin x)\, dx$

Dans les exercices 31 à 40, on suppose que les fonctions f et g sont partout continues. Évaluer les intégrales demandées au moyen des informations données.

31. $\int_{0}^{1} (f(x) - g(x))\, dx = 3,\ \int_{0}^{1} g(x)\, dx = -1,$

$\int_{0}^{1} 3 \cdot f(x)\, dx =$ _____

32. $\int_{0}^{1} (f(x) + 2 \cdot g(x))\, dx = 8,\ \int_{0}^{1} (2 \cdot f(x) - g(x))\, dx = -2,$

$\int_{0}^{1} f(x)\, dx =$ ____

33. $\int_{2}^{5} (f(x) - g(x))\, dx = 1,\ \int_{2}^{5} 2 \cdot g(x)\, dx = 4,$

$\int_{2}^{5} f(x)\, dx =$ _____

34. $\int_{1}^{2} f(x)\, dx = 4,\ \int_{2}^{4} 3 \cdot f(x)\, dx = 5,\ \int_{1}^{4} 2 \cdot f(x)\, dx =$ _____

35. $\int_{0}^{2} g(x)\, dx = 3,\ \int_{1}^{2} 2 \cdot g(x)\, dx = 8,\ \int_{0}^{1} g(x)\, dx =$ _____

36. $\int_{0}^{4} g(x)\, dx = -3,\ \int_{4}^{2} 3 \cdot g(x)\, dx = -2,$

$\int_{0}^{2} 2 \cdot g(x)\, dx =$ _____

37. $\int_{1}^{10} f(x)\, dx = 7,\ \int_{5}^{10} 3 \cdot f(x)\, dx = 6,$

$\int_{5}^{1} 2 \cdot f(x)\, dx =$ _____

38. $\int_{1}^{4} (f(x) - g(x))\, dx = 10,\ \int_{4}^{1} (f(x) + g(x))\, dx = 3,$

$\int_{0}^{4} g(x)\, dx = 5,\ \int_{0}^{1} g(x)\, dx =$ _____

39. $\int_{0}^{10} f(x)\, dx = 5,\ \int_{0}^{6} f(x)\, dx = 3,\ \int_{10}^{4} 2 \cdot f(x)\, dx = 6,$

$\int_{6}^{4} f(x)\, dx =$ _____

40. $\int_{1}^{8} g(x)\, dx = 4,\ \int_{5}^{1} 2 \cdot g(x)\, dx = 6,\ \int_{2}^{8} g(x)\, dx = 5,$

$\int_{2}^{5} g(x)\, dx =$ _____

Dans les exercices 41 à 48, on demande d'utiliser les formules 6, 7 et 8, ainsi que la définition 6.2, pour évaluer les intégrales définies données.

41. $\int_{0}^{3} (x - 2)\, dx$ **42.** $\int_{0}^{2} (4x^2 + 5)\, dx$

43. $\int_{3}^{5} (7 - 2x)\, dx$ **44.** $\int_{2}^{5} (x^2 - 4x + 2)\, dx$

45. $\int_{0}^{1} x^3\, dx$ **46.** $\int_{0}^{2} (2x^3 - x^2)\, dx$

47. $\int_{1}^{2} (x - x^3)\, dx$

48. $\int_{1}^{3} (4x^3 - 3x^2 + 2x - 10)\, dx$

Dans les exercices 49 à 52, estimer les intégrales données à l'aide d'une calculatrice, en calculant S_n pour la valeur de n indiquée. (Prendre pour x_i les points milieux des intervalles constitués.)

49. $\int_{1}^{2} x^x\, dx\ ;\ n = 8$ **50.** $\int_{1}^{3} 2^{\sin x}\, dx\ ;\ n = 10$

51. $\int_{0}^{2} \cos x^2 dx\ ;\ n = 15$ **52.** $\int_{1}^{5} x^x\, dx\ ;\ n = 20$

6.3 THÉORÈME FONDAMENTAL DU CALCUL INTÉGRAL

Nous voici presque à l'étape la plus importante de notre étude de l'intégrale définie: *le théorème fondamental du calcul intégral*. Ce théorème, dont l'importance est aussi grande que son nom semble l'indiquer, permet de calculer directement la valeur exacte de bon nombre d'intégrales définies. Il nous apprend également l'importante propriété suivante: toute fonction continue sur un intervalle admet une primitive sur cet intervalle. (Nous avons déjà vu, à l'opposé, qu'une fonction continue n'est pas nécessairement dérivable. Ainsi, la fonction $|x|$ n'est pas dérivable en $x = 0$.)

RECHERCHE DE LA VALEUR EXACTE DE $\int_a^b f(x)\,dx$

Nous avons, à la section précédente, donné la définition de l'intégrale définie $\int_a^b f(x)\,dx$, puis calculé un certain nombre d'intégrales de ce type au moyen des sommes de Riemann. Comme l'intégrale définie a de nombreuses applications importantes, l'établissement de méthodes simples permettant de calculer $\int_a^b f(x)\,dx$ est certainement souhaitable. Or la valeur *exacte* de l'intégrale s'obtient facilement pour peu que l'on parvienne à trouver une *primitive* de $f(x)$, c'est-à-dire une fonction $F(x)$ telle que $F'(x) = f(x)$. À la section 6.1, page 225, nous avons constaté que l'intégrale touche le produit de quantités, tandis que la dérivée représente un quotient de quantités. Ainsi, comme la division et la multiplication sont deux opérations inverses, il ne faudra pas s'étonner que le calcul d'une intégrale fasse intervenir le processus inverse de la dérivation.

Voici une formule permettant de calculer la valeur exacte de $\int_a^b f(x)\,dx$ pour bon nombre de fonctions f continues sur l'intervalle $[a,b]$. (Nous allons d'abord illustrer cette formule au moyen d'exemples, puis nous énoncerons et démontrerons le théorème fondamental du calcul intégral, dont cette formule constitue l'un des éléments.)

Si $F(x)$ est une primitive de la fonction continue $f(x)$, alors

$$\int_a^b f(x)\,dx = F(b) - F(a). \qquad \textbf{(1)}$$

Calcul de $\int_a^b f(x)\,dx$

EXEMPLE 1 Calculer la valeur exacte de $\int_0^1 x^2 dx$. Comparer la réponse obtenue avec les estimations de la section 6.1 et la réponse de l'exemple 3, page 238.

Solution Une primitive de la fonction x^2 est $F(x) = x^3/3$. On a donc, en vertu de la formule 1,

$$\int_0^1 x^2\,dx = F(1) - F(0) = \frac{1}{3} - \frac{0}{3} = \frac{1}{3}.$$

La réponse obtenue est effectivement comprise à l'intérieur des bornes que nous avions établies aux exemples 5 et 7 de la section 6.1. Plus important encore est le fait que la réponse obtenue est identique à celle que nous avions trouvée à l'exemple 3 de la section 6.2. Lorsqu'on compare le calcul que nous venons d'effectuer à la démarche adoptée à la section 6.2 pour obtenir la valeur exacte de l'intégrale, on ne peut qu'apprécier la beauté et l'élégance de ce nouveau procédé de calcul. □

Pour plus de concision, on convient généralement de remplacer $F(b) - F(a)$ par la notation $F(x)|_a^b$. Le nombre b est la *borne supérieure d'intégration* et le nombre a, la *borne inférieure d'intégration*. Par exemple, le calcul de $\int_0^1 x^2\,dx$ s'effectue généralement ainsi:

$$\int_0^1 x^2\,dx = \frac{x^3}{3}\bigg|_0^1 = \frac{1}{3} - \frac{0}{3} = \frac{1}{3}.$$

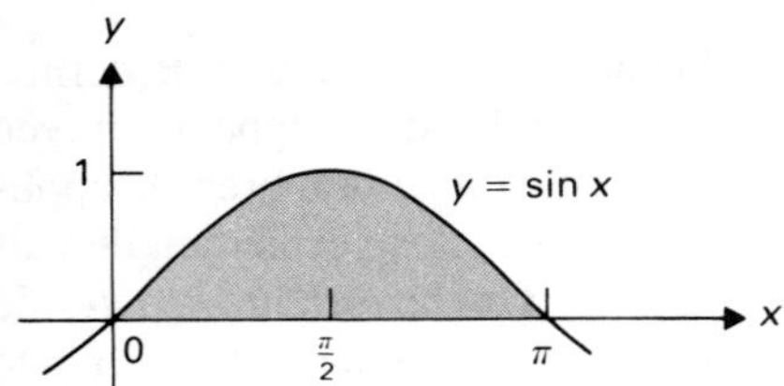

Figure 6.27 Région située sous une arche de la fonction $y = \sin x$.

EXEMPLE 2 Calculer l'aire sous une arche de la courbe de la fonction $y = \sin x$ (figure 6.27).

Solution La fonction $-\cos x$ est une primitive de $\sin x$. L'aire cherchée est donc

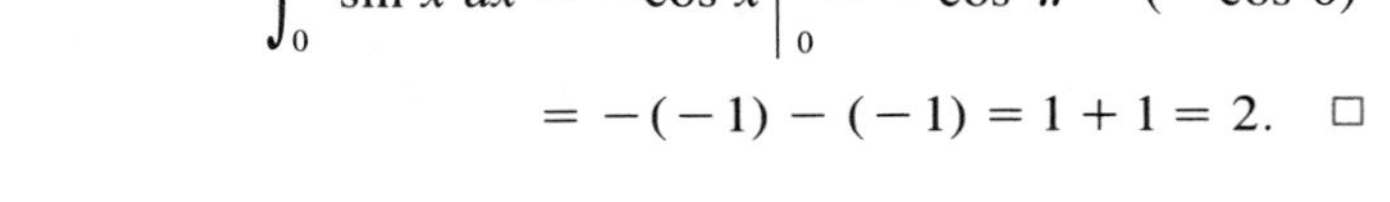

$$\int_0^{\pi} \sin x\,dx = -\cos x\bigg|_0^{\pi} = -\cos \pi - (-\cos 0)$$

$$= -(-1) - (-1) = 1 + 1 = 2. \quad □$$

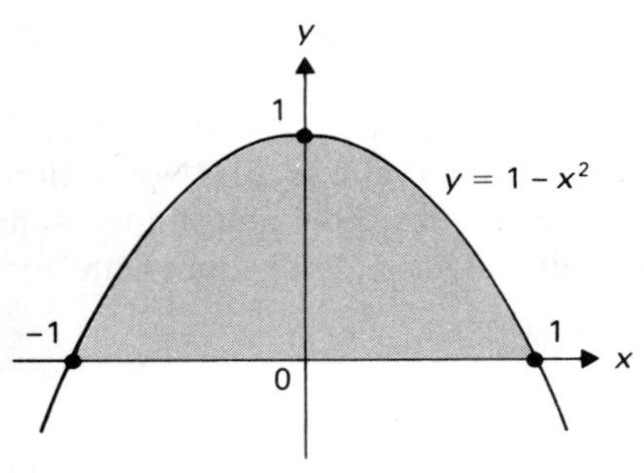

Figure 6.28 Région bornée par la fonction $y = 1 - x^2$ et l'axe des x.

EXEMPLE 3 Tracer la région du plan limitée par le graphe de la fonction polynomiale $1 - x^2$ et l'axe des x, puis en calculer l'aire.

Solution La fonction $1 - x^2$ atteint son maximum en $x = 0$ et ses valeurs décroissent à mesure que x s'éloigne de zéro. La courbe de la fonction coupe l'axe des x quand $1 - x^2 = 0$, c'est-à-dire quand $x = \pm 1$ (figure 6.28); la région cherchée correspond à la partie ombrée de la figure. L'aire de la région est $\int_{-1}^{1} (1 - x^2)\,dx$ unités carrées et l'on a

$$\int_{-1}^{1} (1 - x^2)\,dx = \left(x - \frac{x^3}{3}\right)\bigg|_{-1}^{1}$$

$$= \left(1 - \frac{1}{3}\right) - \left(-1 - \frac{-1}{3}\right) = \frac{2}{3} - \left(-\frac{2}{3}\right) = \frac{4}{3}. \quad □$$

EXEMPLE 4 Évaluer $\int_0^2 \sqrt{36 - 9x^2}\,dx$.

Solution Nous n'avons pas encore vu comment trouver une primitive de $f(x) = \sqrt{36 - 9x^2}$. Vous pouvez toujours faire certains essais, mais il vous manque encore certaines notions de calcul pour pouvoir y parvenir.

On remarque toutefois que $\sqrt{36 - 9x^2} = 3\sqrt{4 - x^2}$, de sorte que l'intégrale cherchée est égale à

$$3\int_0^2 \sqrt{4 - x^2}\,dx.$$

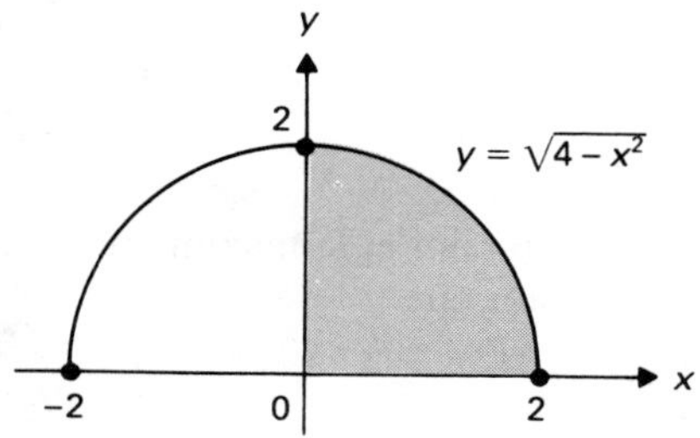

Figure 6.29 Région dont l'aire est donnée par $\int_0^2 \sqrt{4-x^2}\,dx$.

Nous avons vu précédemment que nous pouvons faire appel à la géométrie pour évaluer de telles intégrales. Comme l'indique la figure 6.29, l'intégrale $\int_0^2 \sqrt{4-x^2}\,dx$ correspond au quart de l'aire d'un disque de rayon 2. Par conséquent,

$$\int_0^2 \sqrt{36-9x^2}\,dx = 3\int_0^2 \sqrt{4-x^2}\,dx = 3\cdot\frac{\pi\cdot 2^2}{4} = 3\pi. \quad \square$$

Voyant avec quelle facilité la formule 1 nous permet de calculer des intégrales, on serait porté à croire que la démarche adoptée dans les sections 6.1 et 6.2 était parfaitement inutile. Il n'en est rien car il importe de bien comprendre les sections 6.1 et 6.2 pour pouvoir reconnaître les problèmes concrets qui peuvent être résolus au moyen d'une intégrale. De plus, il n'est pas toujours facile de trouver une primitive $F(x)$ d'une fonction $f(x)$, même lorsque $f(x)$ est une fonction relativement simple. Par exemple, bien que la fonction $\sin x^2$ admette une primitive, cette dernière ne peut s'exprimer sous forme d'une fonction élémentaire, obtenue par des opérations algébriques effectuées sur des fonctions rationnelles, trigonométriques, exponentielles ou logarithmiques. Des intégrales du type $\int_0^1 \sin x^2\,dx$ doivent donc être estimées par des méthodes numériques. Nous pourrions notamment utiliser celle que nous avons exposée à la section précédente.

THÉORÈME FONDAMENTAL DU CALCUL INTÉGRAL

Nous savons déjà qu'il existe un lien entre la recherche de primitives et le calcul de l'aire sous la courbe d'une fonction $f(x)$. Il nous reste à le démontrer. Pour ce faire, définissons une fonction $F(t)$ telle que

$$F(t) = \int_a^t f(x)\,dx\ , \text{ pour } a \le t \le b, \tag{2}$$

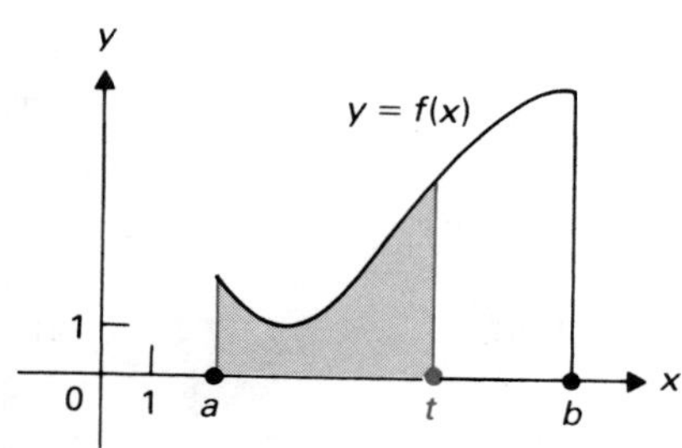

Figure 6.30 Région dont l'aire est donnée par $F(t) = \int_a^t f(x)\,dx$.

de sorte que si $f(x) \ge 0$, alors $F(t)$ représente l'aire sous la courbe de f entre a et t (figure 6.30). Il s'agit de montrer que $F'(t) = f(t)$*. En effet, si la fonction F admet pour dérivée la fonction f, il s'ensuit nécessairement que F est une primitive de f.

En vertu de la propriété 11 de l'intégrale définie, page 239,

$$\int_a^{t+\Delta t} f(x)\,dx = \int_a^t f(x)\,dx + \int_t^{t+\Delta t} f(x)\,dx.$$

Or, par définition du concept de dérivée,

$$F'(t) = \lim_{\Delta t\to 0} \frac{F(t+\Delta t) - F(t)}{\Delta t}$$

$$= \lim_{\Delta t\to 0} \frac{\int_a^{t+\Delta t} f(x)\,dx - \int_a^t f(x)\,dx}{\Delta t} = \lim_{\Delta t\to 0} \frac{\int_t^{t+\Delta t} f(x)\,dx}{\Delta t}. \tag{3}$$

* La fonction $F(t)$ est définie pour t dans l'intervalle $[a,b]$. Pour être rigoureux, il faudrait, lorsqu'on considère la dérivée de $F(t)$ aux extrémités de l'intervalle, se borner à prendre la dérivée à droite au point a et la dérivée à gauche au point b. Bien qu'il s'agisse de concepts que nous n'avons pas abordés dans le cadre de cet ouvrage, leur compréhension ne devrait pas poser de difficultés. On forme le quotient habituel en faisant tendre Δt vers zéro par des valeurs strictement positives au point a et par des valeurs strictement négatives au point b. Par abus de langage, nous allons supposer que F admet une dérivée (à gauche et à droite) sur la totalité de l'intervalle $[a,b]$.

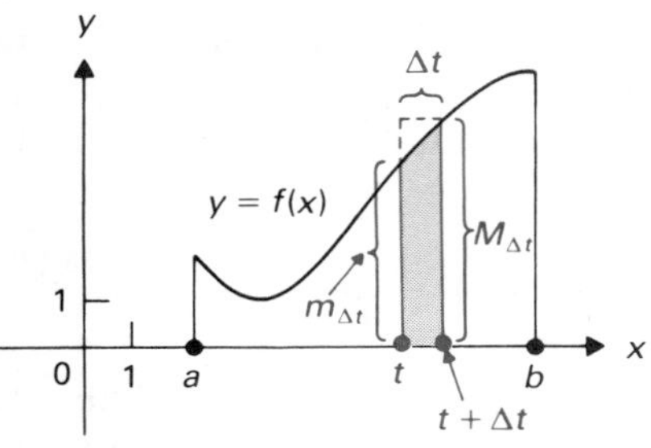

Figure 6.31
$m_{\Delta t} \cdot \Delta t \leq \int_t^{t+\Delta t} f(x)\,dx \leq M_{\Delta t} \cdot \Delta t$

On constate, sur la figure 6.31, que

$$m_{\Delta t} \cdot \Delta t \leq \int_t^{t+\Delta t} f(x)\,dx \leq M_{\Delta t} \cdot \Delta t, \tag{4}$$

où $m_{\Delta t}$ et $M_{\Delta t}$ représentent respectivement le minimum et le maximum de la fonction $f(x)$ sur l'intervalle $[t, t + \Delta t]$. Il s'ensuit que

$$m_{\Delta t} \leq \frac{\int_t^{t+\Delta t} f(x)\,dx}{\Delta t} \leq M_{\Delta t}. \tag{5}$$

Or, comme f est une fonction continue, on a $\lim_{\Delta t \to 0} m_{\Delta t} = \lim_{\Delta t \to 0} M_{\Delta t} = f(t)$. Enfin, en combinant les relations 3 et 5, on obtient

$$F'(t) = \lim_{\Delta t \to 0} \frac{\int_t^{t+\Delta t} f(x)\,dx}{\Delta t} = f(t). \tag{6}$$

Ainsi, $F'(t) = f(t)$. Voyons maintenant le théorème fondamental du calcul intégral.

THÉORÈME 6.3 Théorème fondamental du calcul intégral

Soit f une fonction continue sur l'intervalle $[a,b]$.

1. Si $F(t) = \int_a^t f(x)\,dx$ pour $a \leq t \leq b$, alors F est une fonction dérivable et $F'(t) = f(t)$, c'est-à-dire

$$\frac{d}{dt}\left(\int_a^t f(x)\,dx\right) = f(t). \tag{7}$$

2. Si $F(x)$ est une primitive *quelconque* de $f(x)$, alors

$$\int_a^b f(x)\,dx = F(b) - F(a). \tag{8}$$

La première partie du théorème, que nous avons déjà démontrée, affirme en fait que *toute fonction continue admet une primitive*. Elle contient même une formule permettant d'obtenir une telle primitive F. Récrivons cette importante propriété sous forme de corollaire:

COROLLAIRE

Si f est une fonction continue sur l'intervalle $[a,b]$, alors f admet une primitive sur $[a,b]$.

Voyons quelques exemples d'application de la première partie du théorème 6.3. Nous démontrerons ensuite la deuxième partie du théorème qui correspond en fait à la formule 1 du calcul de $\int_a^b f(x)\,dx$.

EXEMPLE 5 Trouver $\frac{d}{dt}(\int_0^t \sqrt{x^2+1}\,dx)$.

Solution La première partie du théorème fondamental du calcul intégral nous permet d'affirmer immédiatement que:

$$\frac{d}{dt}\left(\int_0^t \sqrt{x^2+1}\,dx\right) = \sqrt{t^2+1}. \quad \square$$

EXEMPLE 6 Trouver $\frac{d}{dt}(\int_t^{-3} \sin^2 x\,dx)$.

Solution Dans la première partie du théorème fondamental, il est question d'une intégrale où t apparaît en tant que borne supérieure d'intégration. Dans le cas présent, t est une borne inférieure. Toutefois,

$$\int_t^{-3} \sin^2 x\,dx = -\int_{-3}^t \sin^2 x\,dx,$$

d'où

$$\frac{d}{dt}\left(\int_t^{-3} \sin^2 x\,dx\right) = -\frac{d}{dt}\left(\int_{-3}^t \sin^2 x\,dx\right) = -\sin^2 t. \quad \square$$

EXEMPLE 7 Trouver $\frac{d}{dt}(\int_0^{t^2} \cos x^2\,dx)$.

Solution Posons $u = t^2$ et appliquons successivement la règle de la dérivation en chaîne et la première partie du théorème fondamental. On obtient:

$$\begin{aligned}\frac{d}{dt}\left(\int_0^{t^2} \cos x^2\,dx\right) &= \frac{d}{du}\left(\int_0^u \cos x^2\,dx\right)\cdot\frac{du}{dt}\\ &= (\cos u^2)2t = (\cos t^4)2t. \quad \square\end{aligned}$$

EXEMPLE 8 Trouver

$$\frac{d}{dt}\left(\int_{-2t}^t \frac{1}{1+x^2}\,dx\right).$$

Solution On fera ici appel aux propriétés de l'intégrale, à la règle de la dérivation en chaîne et à la première partie du théorème fondamental. Ainsi

$$\frac{d}{dt}\left(\int_{-2t}^t \frac{1}{1+x^2}\,dx\right)$$

$$= \frac{d}{dt}\left(\int_{-2t}^0 \frac{1}{1+x^2}\,dx + \int_0^t \frac{1}{1+x^2}\,dx\right) \qquad \text{Propriété 11, page 239}$$

$$= \frac{d}{dt}\left(-\int_0^{-2t} \frac{1}{1+x^2}\,dx\right) + \frac{1}{1+t^2} \qquad \text{Propriété 14, page 240}$$

$$= -\frac{1}{1+(-2t)^2}\cdot\frac{d(-2t)}{dt} + \frac{1}{1+t^2} \qquad \text{Dérivation en chaîne}$$

$$= \frac{-1}{1+4t^2}(-2) + \frac{1}{1+t^2} = \frac{2}{1+4t^2} + \frac{1}{1+t^2}. \quad \square$$

Prouvons maintenant la seconde partie du théorème fondamental, soit $\int_a^b f(x)\,dx = F(b) - F(a)$, où F est une primitive quelconque de f. Posons d'abord $F(t) = \int_a^t f(x)\,dx$. On a alors

$$\int_a^b f(x)\,dx = F(b). \tag{9}$$

On a également $F(a) = \int_a^a f(x)\,dx = 0$, de sorte qu'on peut récrire l'équation 9 sous la forme

$$\int_a^b f(x)\,dx = F(b) - F(a). \tag{10}$$

Or, le théorème fondamental affirme que l'équation 10 est valable non seulement pour la fonction F définie dans la première partie, mais bien pour une primitive *quelconque* de f. Supposons donc que $G(x)$ soit une primitive quelconque, de sorte que $G'(x) = f(x)$. Comme $F(x)$ et $G(x)$ ont toutes les deux pour dérivée $f(x)$, on peut affirmer, en vertu du théorème 5.7 de la page 218, qu'il existe une constante C telle que $F(x) = G(x) + C$ et que

$$\int_a^b f(x)\,dx = F(b) - F(a) = (G(b) + C) - (G(a) + C) = G(b) - G(a).$$

On peut donc obtenir $\int_a^b f(x)\,dx$ en trouvant une primitive *quelconque* de $f(x)$, puis en soustrayant sa valeur au point a de sa valeur au point b.

Si on intervertit a et b dans l'équation 8, on obtient

$$\int_b^a f(x)\,dx = F(a) - F(b) = -(F(b) - F(a)) = -\int_a^b f(x)\,dx,$$

ce qui est conforme à la définition que nous avions donnée de $\int_b^a f(x)\,dx$ à la section précédente.

RÉSUMÉ

Théorème fondamental du calcul intégral
Si f est une fonction continue sur l'intervalle $[a,b]$, alors

1. $\dfrac{d}{dt}\left(\int_a^t f(x)\,dx\right) = f(t);$

2. Si $F'(x) = f(x)$, alors $\int_a^b f(x)\,dx = F(b) - F(a)$.

EXERCICES

1. Énoncer de mémoire la première partie du théorème fondamental du calcul intégral.

2. Énoncer de mémoire la deuxième partie du théorème fondamental du calcul intégral.

Dans les exercices 3 à 42, faire appel au théorème fondamental du calcul intégral, aux propriétés de l'intégrale définie, à des arguments géométriques et, au besoin, à l'intégrale $\int_0^\pi \sin^2 x\,dx = \pi/2$ pour évaluer les intégrales données.

3. $\int_0^1 x^3\,dx$

4. $\int_{-1}^1 x^4\,dx$

5. $\int_0^2 (x^2 + 3x - 1)\,dx$

6. $\int_4^9 \sqrt{x}\,dx$

7. $\int_1^8 x^{1/3}\,dx$
8. $\int_1^2 \frac{dx}{x^2}$
9. $\int_{-2}^{-1} \frac{dx}{x^3}$
10. $\int_1^4 \left(\frac{2}{x^2} + \sqrt{x}\right) dx$
11. $\int_{-3}^{-1} \frac{x-2}{x^3}\,dx$
12. $\int_1^8 \frac{x^{1/3} + x^{1/2}}{x}\,dx$
13. $\int_0^{\pi} \sin x\,dx$
14. $\int_0^{\pi/2} 4\cos x\,dx$
15. $\int_0^{\pi/2} (\sin x + 2\cos x)\,dx$
16. $\int_{\pi/4}^{\pi/2} (\sin x - \cos x)\,dx$
17. $\int_{-\pi/4}^{\pi/4} 3\cos x\,dx$
18. $\int_0^{\pi/4} \sec^2 x\,dx$
19. $\int_{\pi/6}^{\pi/3} \operatorname{cosec}^2 x\,dx$
20. $\int_{-\pi/6}^{\pi/3} \sec x \operatorname{tg} x\,dx$
21. $\int_{\pi/6}^{\pi/2} \operatorname{cosec} x \operatorname{cotg} x\,dx$
22. $\int_1^0 x^2\,dx$
23. $\int_3^{-2} 4\,dx$
24. $\int_3^{-2} (-4)\,dx$
25. $\int_{-1}^{-2} x\,dt$
26. $\int_4^4 \sqrt{x^3+1}\,dx$
27. $\int_1^{-1} \sqrt{1-x^2}\,dx$
28. $\int_0^1 (x + \sqrt{1-x^2})\,dx$
29. $\int_0^{\pi} (\sin x + \sin^2 x)\,dx$
30. $\int_{-\pi}^{\pi} \sin^2 x\,dx$
31. $\int_0^{2\pi} (\cos x + \sin^2 x)\,dx$
32. $\int_0^{\pi} 8\sin^2 x\,dx$
33. $\int_0^{\pi} (2\sin^2 x + 3\sqrt{\pi^2 - x^2})\,dx$
34. $\int_{-\pi/2}^{\pi/2} \cos^2 x\,dx$
35. $\int_0^{\pi} (3x - 4\cos^2 x)/dx$
36. $\int_0^{\pi/2} (2\sin^2 x - \cos^2 x)\,dx$
37. $\int_1^3 \left(\frac{d(x^2)}{dx}\right) dx$
38. $\int_0^1 \left(\frac{d(\sqrt{x^3+1})}{dx}\right) dx$
39. $\int_0^1 \left(\frac{d^2(\sqrt{x^2+1})}{dx^2}\right) dx$
40. $\int_0^2 \left(\frac{d^3(x^2+3x-1)}{dx^3}\right) dx$
41. $\int_0^4 \left(\int_1^x \sqrt{t}\,dt\right) dx$
42. $\int_{-1}^3 \left(\int_x^2 4\,dt\right) dx$
43. Tracer la région délimitée par la courbe d'équation $y = 9 - x^2$ et l'axe des x, puis en calculer l'aire.
44. Tracer la région délimitée par la courbe d'équation $y = 2x - x^2$ et l'axe des x, puis en calculer l'aire.
45. Tracer la région délimitée par la courbe d'équation $y = x^4 - 16$ et l'axe des x, puis en calculer l'aire.

Dans les exercices 46 à 56, trouver les fonctions de t indiquées, en utilisant au besoin les propriétés de l'intégrale définie et le théorème fondamental du calcul intégral.

46. $\frac{d}{dt}\left(\int_1^t x^2\,dx\right)$
47. $\frac{d}{dt}\left(\int_{-50}^t \sqrt{x^2+1}\,dx\right)$
48. $\frac{d^2}{dt^2}\left(\int_2^t \sqrt{x^2+1}\,dx\right)$
49. $\frac{d}{dt}\left(\int_t^3 \frac{1}{1+x^2}\,dx\right)$
50. $\frac{d}{dt}\left(\int_2^t \sqrt{x^2+4}\,dx + \int_t^{-1} \sqrt{x^2+4}\,dx\right)$
51. $\frac{d}{dt}\left(\int_{-t}^t \sqrt{3+4x^2}\,dx\right)$
52. $\frac{d^2}{dt^2}\left(\int_{-t}^t \sqrt{3+4x^2}\,dx\right)$
53. $\frac{d}{dt}\left(\int_1^{-t} \sqrt{x^2+1}\,dx\right)$
54. $\frac{d}{dt}\left(\int_1^{3t} \frac{1}{4+x^2}\,dx\right)$
55. $\frac{d}{dt}\left(\int_0^{t^2-3} \sqrt{x^2+1}\,dx\right)$
56. $\frac{d}{dt}\left[\int_{t^2}^{t^3} \frac{1}{4+3x^2}\,dx\right]$

6.4 INTÉGRATION

Comme nous l'avons vu à la section précédente, le théorème fondamental du calcul intégral est un outil important dans le calcul de $\int_a^b f(x)\,dx$, qui repose alors essentiellement sur la recherche d'une primitive $F(x)$ de la fonction $f(x)$.

DÉFINITION Intégrale indéfinie

6.3

La forme générale des primitives de $f(x)$ est également appelée l'**intégrale indéfinie** de $f(x)$, que l'on note

$$\int f(x)\,dx$$

sans indiquer de bornes d'intégration. Le processus par lequel on obtient une primitive s'appelle l'**intégration**.

EXEMPLE 1 Trouver $\int (x^3 + 2x^2 + 1)\,dx$.

Solution On a

$$\int (x^3 + 2x^2 + 1)\,dx = \frac{x^4}{4} + 2\frac{x^3}{3} + x + C,$$

où C est une constante quelconque. □

D'après ce que nous avons vu à la section précédente, une fonction f qui admet une dérivée sur l'intervalle $[a,b]$ admet également une primitive sur $[a,b]$. En effet, si f est dérivable, alors f est continue et le théorème fondamental garantit alors que $F(t) = \int_a^t f(x)\,dx$, où $a \leq t \leq b$, est une primitive de f. En pratique, il est généralement plus difficile de trouver une primitive d'une fonction f que de calculer sa dérivée, puisqu'il n'existe pas de formules simples permettant d'intégrer le produit, le quotient ou la composée de fonctions comme il en existe pour les dérivées. De plus, contrairement au cas de la dérivée, la primitive d'une « fonction élémentaire », c'est-à-dire d'une fonction obtenue par des opérations algébriques effectuées sur des fonctions rationnelles, trigonométriques, exponentielles ou logarithmiques, n'est pas forcément elle-même une fonction élémentaire.

Nous allons donc commencer à effectuer un certain nombre de recherches de primitives. Précisons tout d'abord que la présente section comporte une dizaine de formules d'intégration, qu'il faut apprendre par cœur et savoir appliquer chaque fois qu'il est nécessaire. Ces formules d'intégration sont basées sur les formules de dérivation de fonctions élémentaires que nous avons vues au cours des chapitres précédents. Par exemple, si u est une fonction dérivable de x, alors

$$\frac{d(\text{tg } u)}{dx} = (\sec^2 u) \cdot \frac{du}{dx}$$

et, par conséquent,

$$\int (\sec^2 u) \cdot \frac{du}{dx}\,dx = \text{tg } u + C.$$

Comme $du = u'(x)\,dx = (du/dx)\,dx$, la formule d'intégration ci-dessus s'écrit généralement sous la forme

$$\int (\sec^2 u)\,du = \text{tg } u + C.$$

Voici donc la liste des formules d'intégration qui correspondent aux formules de dérivation que nous avons vues jusqu'ici. Dans les formules 4 à 10, u est une fonction dérivable de x.

1. $\int (f(x) + g(x))\, dx = \int f(x)\, dx + \int g(x)\, dx$

2. $\int c \cdot f(x)\, dx = c \cdot \int f(x)\, dx$

3. $\int x^n\, dx = \frac{x^{n+1}}{n+1} + C$, où $n \neq -1$

4. $\int u^n\, du = \frac{u^{n+1}}{n+1} + C$, où $n \neq -1$

5. $\int \sin u\, du = -\cos u + C$

6. $\int \cos u\, du = \sin u + C$

7. $\int \sec^2 u\, du = \operatorname{tg} u + C$

8. $\int \operatorname{cosec}^2 u\, du = -\operatorname{cotg} u + C$

9. $\int \sec u \operatorname{tg} u\, du = \sec u + C$

10. $\int \operatorname{cosec} u \operatorname{cotg} u\, du = -\operatorname{cosec} u + C$

La formule 3 est un cas particulier de la formule 4, qui est l'une des plus fréquemment utilisées. Voici d'ailleurs un exemple d'utilisation de la formule 4.

EXEMPLE 2 Trouver $\int 2x\sqrt{x^2+1}\, dx$.

Solution Si nous posons $u = x^2 + 1$, alors $du = 2x\, dx$. On a, par la formule 4,

$$\int 2x\sqrt{x^2+1}\, dx = \int \sqrt{\underbrace{x^2+1}_{u}}\,(\underbrace{2x\, dx}_{du})$$

$$= \int (u^{1/2})\, du = \frac{u^{3/2}}{\frac{3}{2}} + C$$

$$= \frac{2}{3}(x^2+1)^{3/2} + C. \quad \square$$

EXEMPLE 3 Trouver $\int x^2 \sin x^3\, dx$.

Solution Posons $u = x^3$, de sorte que $du = 3x^2\, dx$ et $x^2\, dx = (1/3)\, du$. En appliquant la formule 5, on obtient

$$\int x^2 \sin x^3\, dx = \int (\sin \underbrace{x^3}_{u})(\underbrace{x^2\, dx}_{\frac{1}{3}du}) = \int (\sin u)\left(\frac{1}{3}\, du\right) = \frac{1}{3}\int (\sin u)\, du$$

$$= -\frac{1}{3}\cos u + C = -\frac{1}{3}\cos x^3 + C. \quad \square$$

En pratique, on n'écrit généralement pas la substitution $u = g(x)$ dans des cas simples comme ceux des deux exemples précédents. On préférera plutôt effectuer une partie du travail mentalement. Ainsi, supposons que l'on veuille trouver $\int \cos 2x\, dx$. Si on pose $u = 2x$, on a $du = 2\, dx$ et

$$\int \cos 2x\, dx = \int \frac{1}{2} \cdot 2 \cos 2x\, dx = \frac{1}{2} \int (\cos \underbrace{2x}_{u})(\underbrace{2\, dx}_{du}).$$

En abrégé, on écrira, faisant appel à la formule 6,

$$\int \cos 2x\, dx = \frac{1}{2} \int (\cos \underbrace{2x}_{u})(\underbrace{2\, dx}_{du}) = \frac{1}{2} \sin 2x + C.$$

Nous avons écrit la substitution en couleur pour faire ressortir la fonction jouant le rôle de la variable u dans la formule 6, mais nous n'avons pas jugé nécessaire cette fois d'écrire u ou du à l'intérieur de l'intégrale.

Voici d'autres exemples qui vous aideront à vous familiariser avec cette technique.

EXEMPLE 4 Trouver $\int x^2 \sec^2 x^3\, dx$.

Solution Si $u = x^3$, alors $du = 3x^2\, dx$. Introduisons donc le facteur 3 dans l'intégrale afin de pouvoir appliquer la formule 7. Bien entendu, si nous voulons faire apparaître le nombre 3 dans l'intégrale sans changer la valeur de celle-ci, il faut en contrepartie ajouter le facteur 1/3, que la formule 2 nous permet d'écrire devant l'intégrale puisqu'il s'agit d'une constante. En appliquant la formule 7, nous obtenons

$$\int x^2 \sec^2 x^3\, dx = \frac{1}{3} \int (\sec^2 \underbrace{x^3}_{u})(\underbrace{3x^2\, dx}_{du}) = \frac{1}{3} \operatorname{tg} x^3 + C. \quad \square$$

EXEMPLE 5 Trouver $\int \sin 3x \cos^2 3x\, dx$.

Solution Posons $u = \cos 3x$, d'où $du = -3 \sin 3x\, dx$. Il nous faut donc faire apparaître le facteur -3, afin de pouvoir appliquer la formule 4, et le facteur $-1/3$ pour contrebalancer. Les formules 2 et 4 entraînent

$$\int \sin 3x \cos^2 3x\, dx = -\frac{1}{3} \int \underbrace{(\cos^2 3x)}_{u^2}(\underbrace{-3 \sin 3x\, dx}_{du})$$

$$= -\frac{1}{3} \frac{\cos^3 3x}{3} + C = -\frac{1}{9} \cos^3 3x + C. \quad \square$$

Comme nous venons de le voir, la formule 2 nous permet de contrebalancer l'introduction d'une constante par la mise en évidence de son inverse multiplicatif. Une mise en garde s'impose toutefois: *ce procédé ne peut pas être employé pour introduire une variable*. Ainsi,

$$\int x\, dx \neq \frac{1}{x} \int x \cdot x\, dx$$

puisque $\int x\, dx = x^2/2 + C$, tandis que

$$\frac{1}{x}\int x \cdot x\, dx = \frac{1}{x}\int x^2\, dx = \frac{1}{x}\left(\frac{x^3}{3} + C\right) = \frac{x^2}{3} + \frac{C}{x}\quad , \quad \text{pour } x \neq 0.$$

Par exemple, nous pouvons trouver $\int x \sin x^2\, dx$, car nous pouvons introduire la constante 2 dont nous avons besoin pour utiliser la formule 5, mais nous ne pouvons trouver $\int \sin x^2\, dx$ car nous ne pouvons pas introduire le facteur variable $2x$.

EXEMPLE 6 Trouver $\int (x/\cos^2 x^2)\, dx$.

Solution On constate immédiatement que x est, à une constante près, la dérivée de x^2. Il s'agit donc essentiellement d'intégrer $du/\cos^2 u = \sec^2 u\, du$. On a

$$\int \frac{x}{\cos^2 x^2}\, dx = \frac{1}{2}\int (\sec^2 \underbrace{x^2}_{u})(\underbrace{2x\, dx}_{du}) = \frac{1}{2}\ \mathrm{tg}\ x^2 + C. \quad \square$$

EXEMPLE 7 Trouver

$$\int \frac{\cos 3x}{(1 + \sin 3x)^5}\, dx.$$

Solution On constate que $\cos 3x$ est, à une constante près, la dérivée de $1 + \sin 3x$. Il s'agit donc essentiellement d'intégrer $du/u^5 = u^{-5}\, du$. On a

$$\begin{aligned}\int \frac{\cos 3x}{(1 + \sin 3x)^5}\, dx &= \frac{1}{3}\int (\underbrace{1 + \sin 3x}_{u})^{-5}(\underbrace{3 \cos 3x\, dx}_{du}) \\ &= \frac{1}{3}\cdot\frac{(1 + \sin 3x)^{-4}}{-4} + C \\ &= \frac{-1}{12(1 + \sin 3x)^4} + C. \quad \square\end{aligned}$$

RÉSUMÉ

1. La forme générale des primitives de $f(x)$ s'appelle également l'intégrale indéfinie de $f(x)$, notée $\int f(x)\, dx$.
2. Il existe plusieurs formules d'intégration importantes dont:

$$\int (f(x) + g(x))\, dx = \int f(x)\, dx + \int g(x)\, dx$$

$$\int c \cdot f(x)\, dx = c \cdot \int f(x)\, dx$$

$$\int x^n\, dx = \frac{x^{n+1}}{n+1} + C, \text{ où } n \neq -1$$

$$\int u^n\,du = \frac{u^{n+1}}{n+1} + C,\text{ où } n \neq -1$$

$$\int \sin u\,du = -\cos u + C$$

$$\int \cos u\,du = \sin u + C$$

$$\int \sec^2 u\,du = \operatorname{tg} u + C$$

$$\int \operatorname{cosec}^2 u\,du = -\operatorname{cotg} u + C$$

$$\int \sec u \operatorname{tg} u\,du = \sec u + C$$

$$\int \operatorname{cosec} u \operatorname{cotg} u\,du = -\operatorname{cosec} u + C$$

EXERCICES

Trouver les intégrales suivantes:

1. $\int (x^3 + 4x^2)\,dx$

2. $\int \left(x + \frac{1}{x^2}\right) dx$

3. $\int (x+1)^5\,dx$

4. $\int (2x+1)^4\,dx$

5. $\int \frac{dx}{(4x+1)^2}$

6. $\int \frac{5}{(3-7x)^3}\,dx$

7. $\int \frac{x}{(3x^2+1)^2}\,dx$

8. $\int \frac{x^2}{(4x^3-1)^4}\,dx$

9. $\int \frac{x}{(4-3x^2)^3}\,dx$

10. $\int \frac{x}{\sqrt{x^2+4}}\,dx$

11. $\int \frac{4x+2}{\sqrt{x^2+x}}\,dx$

12. $\int \frac{2x^2}{(x^3-3)^{3/2}}\,dx$

13. $\int \frac{dx}{\sqrt{x}(\sqrt{x}+1)^4}$

14. $\int \frac{dx}{\sqrt{x}(4-3\sqrt{x})^2}$

15. $\int x^2(x^3+4)^3\,dx$

16. $\int (x^2+1)(x^3+1)^2\,dx$

17. $\int \cos 3x\,dx$

18. $\int \sin(3x+1)\,dx$

19. $\int x\cos(x^2+1)\,dx$

20. $\int \frac{\sin(\sqrt{x})}{\sqrt{x}}\,dx$

21. $\int \sin x \cos x\,dx$

22. $\int \cos x \sin^2 x\,dx$

23. $\int \sin 4x \cos^3 4x\,dx$

24. $\int \frac{x^2}{\sin^2 x^3}\,dx$

25. $\int x \sec^2 x^2\,dx$

26. $\int \operatorname{cosec} 2x \operatorname{cotg} 2x\,dx$

27. $\int \operatorname{tg} x \sec^2 x\,dx$

28. $\int \sec^3 2x \operatorname{tg} 2x\,dx$

29. $\int x(\sec^2 x^2)(\operatorname{tg}^3 x^2)\,dx$

30. $\int \frac{x \operatorname{cotg} x^2}{\sin x^2}\,dx$

31. $\int \frac{\sin x}{(1+\cos x)^2}\,dx$

32. $\int \frac{\sec^2 2x}{(4+\operatorname{tg} 2x)^3}\,dx$

33. $\int \frac{1}{\sec 4x}\,dx$

34. $\int \frac{\sin x}{\cos^2 x}\,dx$

35. $\int \frac{\operatorname{tg} 3x}{\cos^4 3x}\,dx$

36. $\int \frac{\sec^2 x}{\sqrt{1+\operatorname{tg} x}}\,dx$

37. $\int (\operatorname{tg} 3x)\sqrt{\sec^2 3x + \sec^3 3x}\,dx$

38. $\int \frac{\operatorname{cotg} 3x}{\sin 3x}\,dx$

39. $\int \operatorname{cosec}^5 2x \operatorname{cotg} 2x\,dx$

40. $\int \frac{\cos x}{(1-\cos^2 x)^2}\,dx$

41. Trouver $\int \cos^2 x\,dx$. [*Suggestion* Exprimer $\cos^2 x$ en fonction de $\cos 2x$.]

42. Trouver $\int \cos^4 x\,dx$. [Procéder comme au numéro précédent.]

6.5 AIRE D'UNE RÉGION DU PLAN

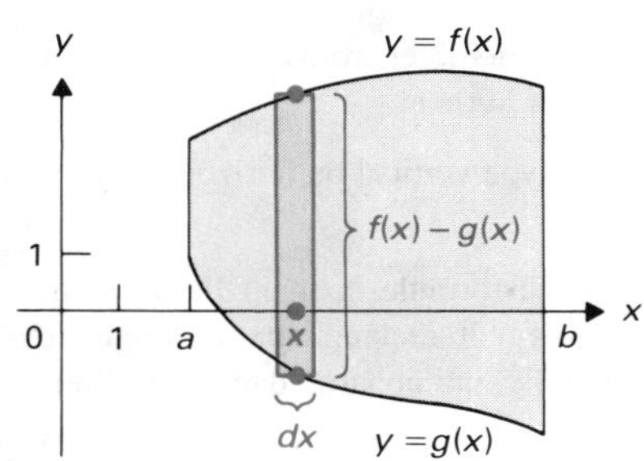

Figure 6.32 Petit rectangle vertical d'aire $dA = (f(x) - g(x))\,dx$.

Nous avons vu que l'intégrale définie peut servir à calculer l'aire sous la courbe d'une fonction continue dans un intervalle $[a,b]$. Nous pouvons également étendre cette méthode de calcul à la recherche de l'aire d'une région quelconque du plan bornée par deux courbes ou plus. Considérons, par exemple, la région ombrée comprise entre les courbes des fonctions continues f et g de la figure 6.32, entre les points a et b. On peut obtenir une estimation de l'aire de cette région en construisant entre a et b des rectangles étroits comme celui de la figure 6.32 et en additionnant les aires de ces rectangles pour l'ensemble de la région. La base du rectangle illustré mesure dx unités et sa hauteur, $f(x) - g(x)$ unités. (Remarquez que la fonction $g(x)$ est elle-même négative dans l'intervalle dx considéré. En fait, dès que la courbe de f est située au-dessus de la courbe de g en un point x, la distance verticale comprise entre f et g en ce point est donnée par $f(x) - g(x)$.) L'aire du rectangle considéré est donc donnée par

$$dA = (f(x) - g(x))\,dx.$$

Il s'agit en fait d'additionner les aires des rectangles et de calculer la limite de cette somme lorsque dx décroît et que le nombre de rectangles s'accroît. Nous savons déjà que la limite d'une telle somme correspond à $\int_a^b (f(x) - g(x))\,dx$.

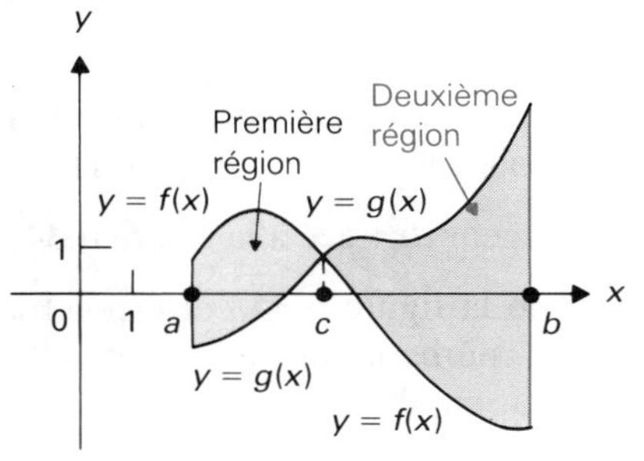

Figure 6.33 L'aire totale est donnée par $\int_a^c (f(x) - g(x))\,dx + \int_c^b (g(x) - f(x))\,dx$.

Lorsqu'on veut calculer l'aire d'une région du plan, il importe de choisir avec soin la fonction à intégrer car l'aire de la région bornée par les courbes de f et de g n'est pas toujours donnée par $\int_a^b (f(x) - g(x))\,dx$. Si $g(x) \leq f(x)$ pour tout x compris dans l'intervalle $[a,b]$, l'intégrale à calculer est effectivement $\int_a^b (f(x) - g(x))\,dx$. Toutefois, si f et g sont des fonctions du type de celles de la figure 6.33, alors $\int_a^b (f(x) - g(x))\,dx$ a pour valeur numérique la différence entre l'aire de la première région et celle de la deuxième. La meilleure façon de calculer l'aire totale de la région ombrée consiste, dans ce cas, à calculer l'aire des deux régions séparément, puis à les additionner. On peut ainsi écrire

$$\int_a^c (f(x) - g(x))\,dx + \int_c^b (g(x) - f(x))\,dx.$$

De façon générale, l'aire de la région comprise entre les courbes de f et de g dans un intervalle $[a,b]$ peut s'écrire sous la forme

$$\int_a^b |f(x) - g(x)|\,dx.$$

On pourrait parfaitement *définir* l'aire entre deux courbes au moyen de cette intégrale. Toutefois, le symbole de valeur absolue n'est pas utilisé en pratique: on préférera plutôt tracer une figure et calculer l'aire cherchée en considérant, au besoin, plus d'une intégrale. Notons que l'établissement des intégrales à calculer constitue l'étape la plus importante d'un problème de calcul d'aire, un peu comme l'établissement des équations à résoudre dans un problème d'algèbre.

Voici les différentes étapes du calcul de l'aire d'une région du plan et quelques exemples d'application.

CALCUL DE L'AIRE D'UNE RÉGION BORNÉE PAR DES COURBES

Étape 1 Représenter graphiquement la région considérée et trouver, s'il y a lieu, les points d'intersection des courbes qui la bornent.

Étape 2 Tracer sur le graphique un petit rectangle type vertical ou horizontal ayant, selon le cas, une largeur dx ou dy.

Étape 3 *En se basant sur le graphique*, établir une formule donnant l'aire dA du rectangle, en multipliant la largeur (dx ou dy) du rectangle par sa longueur. Exprimer dA au moyen de la variable (x ou y) qui apparaît dans la différentielle.

Étape 4 Intégrer dA dans l'intervalle (horizontal ou vertical) considéré. (En vertu de la définition de l'intégrale, cela revient à faire la somme des aires calculées à l'étape 3 et à en calculer la limite quand le nombre de rectangles tend vers l'infini.)

EXEMPLE 1 Trouver l'aire de la région bornée par la droite $y = 1$ et la courbe représentative de $y = x^2$ de deux façons différentes: d'abord en utilisant des rectangles verticaux, puis en utilisant des rectangles horizontaux.

Première solution ***Méthode des rectangles verticaux***

Étape 1 La région bornée par les courbes $y = 1$ et $y = x^2$ est illustrée à la figure 6.34. Les deux courbes se coupent en $(-1,1)$ et $(1,1)$.

Étape 2 Voir le petit rectangle vertical de largeur dx tracé à la figure 6.34.

Étape 3 La hauteur verticale du rectangle de la figure 6.34 correspond à la différence entre l'ordonnée de la courbe la plus élevée et celle de la courbe la plus basse; on écrira, en abrégé,

$$\text{Hauteur verticale} = y_{\text{haut}} - y_{\text{bas}}.$$

Comme la largeur du rectangle est la différentielle dx, il faut exprimer la hauteur du rectangle en fonction de la variable x. Or, $y_{\text{haut}} = 1$ et $y_{\text{bas}} = x^2$, de sorte que la hauteur est $1 - x^2$. On a, par conséquent,

$$dA = (y_{\text{haut}} - y_{\text{bas}})\,dx = (1 - x^2)\,dx.$$

Étape 4 Le problème consiste à additionner les rectangles de la région, entre $x = -1$ et $x = 1$. On a donc

$$A = \int_{-1}^{1} (1 - x^2)\,dx = \left(x - \frac{x^3}{3}\right)\Big|_{-1}^{1} = \left(1 - \frac{1}{3}\right) - \left(-1 + \frac{1}{3}\right) = \frac{4}{3}.$$

Nous aurions pu également tenir compte de la symétrie de la région par rapport à l'axe des y en procédant ainsi:

$$A = 2\int_{0}^{1} (1 - x^2)\,dx = 2\left(x - \frac{x^3}{3}\right)\Big|_{0}^{1} = 2\left(1 - \frac{1}{3}\right) - 0 = \frac{4}{3}.$$

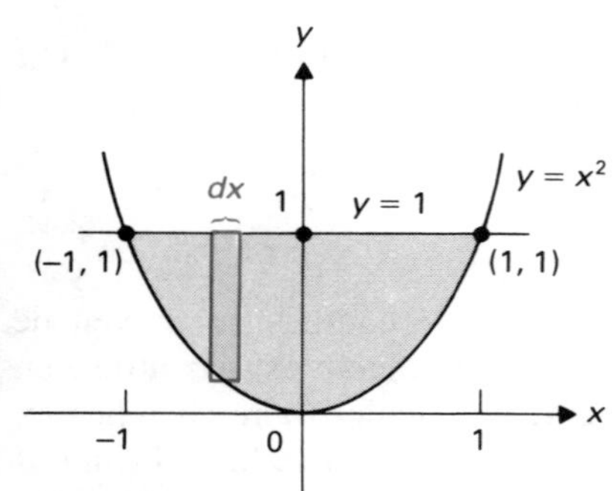

Figure 6.34 Petit rectangle vertical d'aire $dA = (1 - x^2)\,dx$.

On a avantage à utiliser la propriété de symétrie chaque fois que cela permet de ramener l'une des bornes d'intégration à zéro, facilitant ainsi les calculs.

Deuxième solution ***Méthode des rectangles horizontaux***

Étape 1 Voir la figure 6.35.

Étape 2 Voir le petit rectangle de largeur dy tracé à la figure 6.35.

Étape 3 La longueur (mesurée horizontalement) du rectangle de la figure 6.35 correspond à la différence entre l'abscisse à droite et l'abscisse à gauche, que nous abrégeons en écrivant

$$\text{Longueur horizontale} = x_{\text{droite}} - x_{\text{gauche}}.$$

Comme la largeur du rectangle est la différentielle dy, il faut exprimer la longueur horizontale du rectangle en fonction de la variable y. Les deux extrémités du rectangle reposent sur la courbe $y = x^2$; on a donc $x_{\text{droite}} = \sqrt{y}$ et $x_{\text{gauche}} = -\sqrt{y}$. Par conséquent,

$$dA = (x_{\text{droite}} - x_{\text{gauche}})\, dy = [\sqrt{y} - (-\sqrt{y})]\, dy = 2\sqrt{y}\, dy.$$

Étape 4 Le problème consiste à additionner les rectangles horizontaux situés entre $y = 0$ et $y = 1$. On a donc

$$A = \int_0^1 2\sqrt{y}\, dy = 2\int_0^1 y^{1/2}\, dy = 2 \cdot \frac{2}{3} y^{3/2} \Big|_0^1 = \frac{4}{3} \cdot 1^{3/2} - 0 = \frac{4}{3}.$$

En résumé, il suffit de se rappeler que

$dA = (y_{\text{haut}} - y_{\text{bas}})\, dx$	pour les rectangles verticaux
et	
$dA = (x_{\text{droite}} - x_{\text{gauche}})\, dy$	pour les rectangles horizontaux.

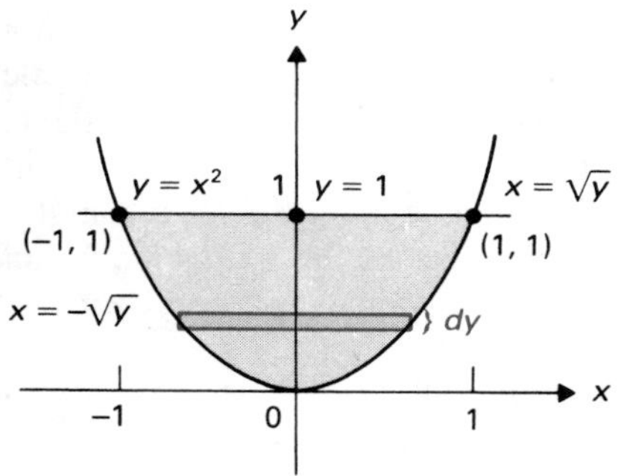

Figure 6.35 Petit rectangle horizontal d'aire $dA = [\sqrt{y} - (-\sqrt{y})]\, dy$.

EXEMPLE 2 Trouver l'aire de la région bornée par la droite $y = 2x$ et la courbe représentative de $y = x^2$, au moyen des deux méthodes exposées dans l'exemple 1.

Première solution ***Méthode des rectangles verticaux***

Étape 1 Voir la figure 6.36.

Étape 2 Voir le petit rectangle vertical de largeur dx tracé à la figure 6.36.

Étape 3 La hauteur verticale du rectangle doit être exprimée en fonction de x. Comme la droite $y = 2x$ est située au-dessus de la courbe de $y = x^2$ dans la région qui nous intéresse, on a

$$dA = (y_{\text{haut}} - y_{\text{bas}})\, dx = (2x - x^2)\, dx.$$

Étape 4 On en déduit que

$$A = \int_0^2 (2x - x^2)\, dx = \left(x^2 - \frac{x^3}{3}\right)\Big|_0^2 = \left(4 - \frac{8}{3}\right) - 0 = \frac{4}{3}.$$

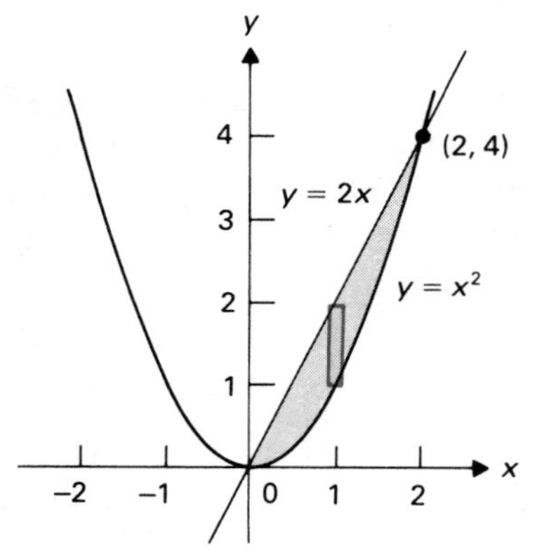

Figure 6.36 Petit rectangle vertical d'aire $dA = (2x - x^2)\, dx$.

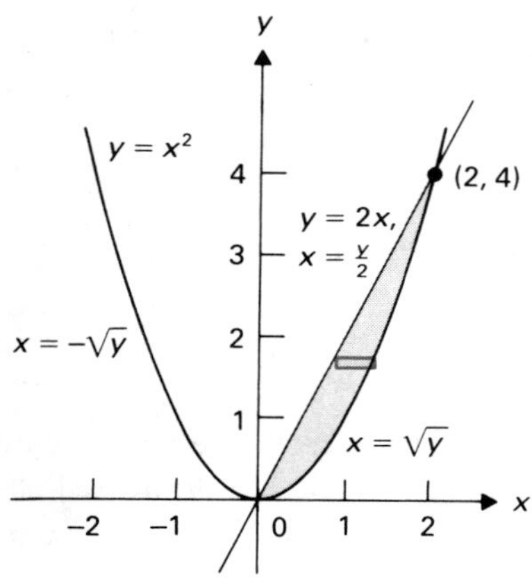

Figure 6.37 Petit rectangle horizontal d'aire $dA = (\sqrt{y} - y/2)\,dy$.

Deuxième solution ***Méthode des rectangles horizontaux***

Étape 1 Voir la figure 6.37.

Étape 2 Voir le petit rectangle horizontal de largeur dy tracé à la figure 6.37.

Étape 3 La longueur horizontale du rectangle doit être exprimée en fonction de y. Comme la courbe de $y = x^2$ est située à droite de $y = 2x$, on a $x_{\text{droite}} = \sqrt{y}$ et $x_{\text{gauche}} = y/2$. Par conséquent,

$$dA = (x_{\text{droite}} - x_{\text{gauche}})\,dy = \left(\sqrt{y} - \frac{y}{2}\right) dy.$$

Étape 4 En additionnant les aires des rectangles horizontaux entre $y = 0$ et $y = 4$, on obtient

$$A = \int_0^4 \left(\sqrt{y} - \frac{y}{2}\right) dy = \int_0^4 \left(y^{1/2} - \frac{1}{2}y\right) dy = \left(\frac{2}{3}y^{3/2} - \frac{y^2}{4}\right)\Bigg|_0^4$$

$$= \left(\frac{2}{3}\cdot 8 - \frac{16}{4}\right) = \frac{16}{3} - 4 = \frac{4}{3}. \quad \square$$

En pratique, lorsqu'on veut calculer l'aire d'une région bornée par des courbes, il n'est pas utile d'effectuer le calcul deux fois. On choisit plutôt d'utiliser celle des deux méthodes qui semble donner l'intégrale la plus facile à calculer. Aux exemples 1 et 2, on aurait probablement préféré la méthode des rectangles verticaux (particulièrement dans l'exemple 1 où l'on pouvait tenir compte de la symétrie de la courbe) bien que la méthode des rectangles horizontaux ait également donné lieu à des intégrales faciles à calculer. Voici un cas où l'une des méthodes est nettement plus avantageuse que l'autre.

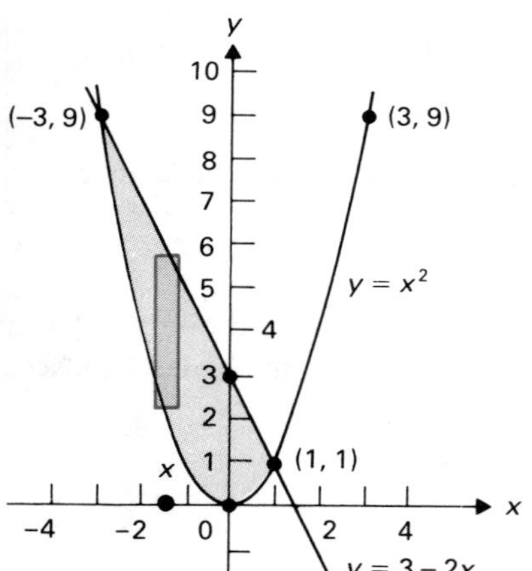

Figure 6.38 Petit rectangle vertical d'aire $dA = [(3 - 2x) - x^2]\,dx$.

EXEMPLE 3 Trouver l'aire de la région du plan bornée par les courbes d'équations $y = x^2$ et $y = 3 - 2x$. Utiliser la méthode des rectangles verticaux.

Solution

Étape 1 La région bornée par les deux courbes est illustrée à la figure 6.38. On trouve les points d'intersection $(-3,9)$ et $(1,1)$ des courbes par la résolution simultanée des équations $y = x^2$ et $y = 3 - 2x$.

Étape 2 Voir la figure 6.38.

Étape 3 La droite d'équation $y = 3 - 2x$ est située au-dessus de la courbe $y = x^2$ dans la région qui nous intéresse, de sorte que la hauteur du rectangle en un point x est $(3 - 2x) - x^2$. Par conséquent, l'aire du rectangle est $dA = [(3 - 2x) - x^2]\,dx$.

Étape 4 Il ne nous reste plus qu'à additionner les aires des petits rectangles verticaux entre $x = -3$ et $x = 1$, ce qui se traduit par l'intégrale

$$\int_{-3}^{1} [(3 - 2x) - x^2]\,dx = \left(3x - 2\frac{x^2}{2} - \frac{x^3}{3}\right)\Bigg|_{-3}^{1}$$

$$= 3 - 1 - \frac{1}{3} - (-9 - 9 + 9) = \frac{32}{3}. \quad \square$$

EXEMPLE 4 Refaire le problème de l'exemple 3 en utilisant cette fois des rectangles horizontaux.

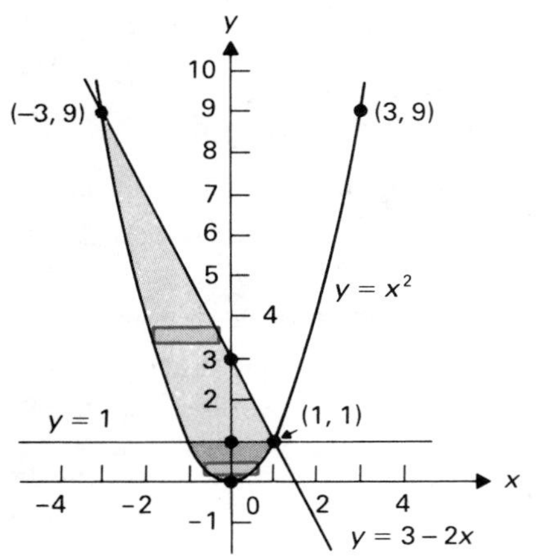

Figure 6.39 L'aire du rectangle supérieur est

$$dA = [\tfrac{1}{2}(3 - y) - (-\sqrt{y})]\, dy;$$

l'aire du rectangle inférieur est

$$dA = [\sqrt{y} - (-\sqrt{y})]\, dy.$$

Solution

Étape 1 Voir la figure 6.39.

Étape 2 On ne peut ici trouver de rectangle horizontal « type » représentant la situation dans son ensemble, puisqu'un rectangle situé au-dessus de $y = 1$ est borné à droite par la droite d'équation $y = 3 - 2x$, alors qu'un rectangle situé sous $y = 1$ est borné en ses deux extrémités par la courbe d'équation $y = x^2$. Comme la droite d'équation $y = 1$ partage la région en deux parties, chacune des aires doit donc être calculée séparément.

Étape 3 Pour obtenir la longueur horizontale des rectangles, il faut d'abord exprimer la variable x en fonction de y, ce qui donne $x = (3 - y)/2$ pour la droite et $x = \pm\sqrt{y}$ pour la courbe du second degré. Un rectangle situé au-dessus de la droite $y = 1$ a pour aire

$$dA = [\tfrac{1}{2}(3 - y) - (-\sqrt{y})]\, dy$$

et un rectangle situé au-dessous,

$$dA = [\sqrt{y} - (-\sqrt{y})]\, dy.$$

Étape 4 Les deux aires en question sont données respectivement par

$$\int_1^9 \left[\frac{1}{2}(3 - y) - (-\sqrt{y})\right] dy = \left(\frac{3}{2}y - \frac{y^2}{4} + \frac{2}{3}y^{3/2}\right)\Bigg|_1^9$$

$$= \left(\frac{27}{2} - \frac{81}{4} + \frac{2}{3}\cdot 27\right) - \left(\frac{3}{2} - \frac{1}{4} + \frac{2}{3}\right)$$

$$= \frac{28}{3},$$

et

$$\int_0^1 [\sqrt{y} - (-\sqrt{y})]\, dy = \int_0^1 2\sqrt{y}\, dy = 2\cdot\frac{2}{3}y^{3/2}\Bigg|_0^1 = \frac{4}{3} - 0 = \frac{4}{3}.$$

Par conséquent, la mesure totale de l'aire est $28/3 + 4/3 = 32/3$ unités carrées, ce qui correspond bien à la réponse que nous avions trouvée à l'exemple 3. Toutefois, la méthode que nous venons d'employer est certainement moins élégante que la précédente. □

RÉSUMÉ

Marche à suivre suggérée pour le calcul de l'aire d'une région bornée par des courbes d'équations connues:

Étape 1 Représenter graphiquement la région considérée et trouver, s'il y a lieu, les points d'intersection des courbes qui la bornent.

Étape 2 Tracer sur le graphique un petit rectangle type vertical ou horizontal ayant, selon le cas, une largeur dx ou dy.

Étape 3 En se basant sur le graphique, établir une formule donnant l'aire dA du rectangle, en multipliant la largeur (dx ou dy) du rectangle par sa longueur. Exprimer dA au moyen de la variable

(x ou y) qui apparaît dans la différentielle. On aura alors, selon le cas,

$$dA = (y_{\text{haut}} - y_{\text{bas}})\,dx \qquad \text{ou} \qquad dA = (x_{\text{droite}} - x_{\text{gauche}})\,dy.$$

Étape 4 Intégrer dA dans l'intervalle (horizontal ou vertical) considéré.

EXERCICES

Dans les exercices 1 à 25, trouver l'aire totale de la région bornée (ou, selon le cas, des régions bornées) par les courbes d'équations données.

1. $y = x^2$, $y = 4$

2. $y = x^4$, $y = 1$

3. $y = x$, $y = x^2$

4. $y = x$, $y = x^3$

5. $y = x^4$, $y = x^2$

6. $y = x^2$, $y = x^3$

7. $y = x^4 - 1$, $y = 1 - x^2$

8. $y = x^2 - 1$, $y = x + 1$

9. $x = y^2$, $y = x - 2$

10. $x = y^2 - 4$, $y = 2 - x$

11. $y = 1 - x^2$, $y = x - 1$

12. $y = \sqrt{x}$, $y = x^2$

13. $y = \sqrt{x}$, $y = x^4$

14. $x = 2y^2$, $x = 8$

15. $y = x^2 - 1$, $y = \sqrt{1 - x^2}$

[*Indice* Faire appel à des résultats connus.]

16. $y = x^2$, $y = 10x - 9$

17. $y = x^2/4$, $y = 2x - 3$

18. $x = y^2 - 1$, $y = x/4 + 1$

19. $y = \sin x$, $y = 3 \sin x$ pour $0 \leq x \leq \pi$

20. $y = \sin x$, $y = \cos x$ pour $0 \leq x \leq \pi/4$, $x = 0$

21. $y = \sec^2 x$ pour $-\pi/2 < x < \pi/2$, $y = 4$

22. $y = \operatorname{cosec}^2 x$ pour $0 < x < \pi$, $y = 4/3$

23. $y = \sin 2x$, $y = \sec^2 x - 1$ pour $-\pi/2 < x < \pi/2$

24. $y = \sin x$, $y = 2x$, $x = \pi/2$

25. $y = \sin x$, $y = \sqrt{x}$, $x = \pi$

26. Exprimer au moyen d'une intégrale l'aire de la plus petite région bornée par les courbes d'équations $x^2 + y^2 = 4$ et $y = -1$.

27. Exprimer au moyen d'une intégrale l'aire de la plus petite région bornée par les courbes d'équations $x = 2y^2$ et $x^2 + y^2 = 68$.

28. Exprimer au moyen d'une ou de plusieurs intégrales l'aire de la région du premier quadrant bornée par les courbes d'équations $x^2 + y^2 = 2$, $y = 0$ et $y = x^2$.

29. Exprimer au moyen d'une intégrale l'aire de la plus grande région bornée par la courbe d'équation $x^2 + y^2 = 25$ et la droite passant par les points $(-4,3)$ et $(3,4)$.

30. Exprimer au moyen d'une intégrale l'aire de la plus grande région bornée par la courbe d'équation $x^2 + y^2 = 25$ et la droite d'équation $x = -3$.

31. Quelle valeur doit prendre c pour que la droite $y = c$ partage le triangle borné par les droites $y = 2x$, $y = 0$ et $x = 4$ en deux régions d'aires égales?

32. Quelle valeur doit prendre c pour que la droite $y = c$ partage la région bornée par les courbes $y = x^2$ et $y = 4$ en deux régions d'aires égales?

Utiliser une calculatrice ou un ordinateur pour résoudre les deux problèmes suivants.

33. Estimer l'aire de la région bornée par les courbes d'équations $y = x^2$ et $y = \sin x$. (Utiliser la méthode de Newton pour trouver la valeur approximative d'une des deux bornes d'intégration.)

34. Estimer l'aire de la région bornée par les courbes d'équations $y = x^2$ et $y = \cos x$. (Procéder comme au numéro précédent.)

EXERCICES DIVERS

Exercices récapitulatifs — Série A

1. Calculer la somme supérieure $\overline{S}_4$ de la fonction $f(x) = 1/(x+1)$ sur l'intervalle $[2,6]$.

2. Évaluer $\int_0^3 (2 + \sqrt{9 - x^2})\,dx$ à l'aide d'arguments géométriques.

3. Trouver

$$\frac{d}{dt}\left(\int_1^{\sqrt{t}} \sqrt{2x^2 + x^4}\,dx\right).$$

4. Calculer l'aire de la région comprise entre la courbe d'équation $y = x^3 + 2x$ et l'axe des x, entre $x = 1$ et $x = 2$.

5. Soit une fonction f telle que $\int_1^4 f(x)\,dx = 5$ et $\int_4^2 f(x)\,dx = -7$. Calculer $\int_1^2 f(x)\,dx$.

6. Trouver

a) $\displaystyle\int_0^{\pi/2} \sin 2x\,dx$, *b)* $\displaystyle\int_0^1 x\sqrt{1 - x^2}\,dx$.

7. Trouver

a) $\displaystyle\int \sin 2x \cos 2x\,dx$, *b)* $\displaystyle\int \sec^3 x \operatorname{tg} x\,dx$.

8. Trouver l'aire de la région bornée par les courbes d'équations $y = \sqrt{2x}$ et $y = x^2/2$.

Exercices récapitulatifs — Série B

1. Trouver une valeur approchée de $\int_0^{2\pi} \sin (x/2)\,dx$ en calculant la somme de Riemann S_4 obtenue en prenant pour x_i les points milieux des intervalles constitués.

2. Évaluer géométriquement $\int_{-5}^{5}(5-\sqrt{25-x^2})\,dx$.
3. Trouver

$$\frac{d}{dt}\left(\int_{-t}^{2t}\sin^2 x\,dx\right).$$

4. Trouver l'aire de la région comprise entre l'axe des x et la courbe d'équation $y = 16 - x^2$ entre $x = -4$ et $x = 4$.
5. Soit une fonction f telle que $\int_{-1}^{4} f(x)\,dx = 4$ et

$$\int_2^4 (3 - f(x))\,dx = 7. \text{ Calculer } \int_2^{-1} f(x)\,dx.$$

6. Trouver

a) $\displaystyle\int_{-1}^{1} x(x^2+1)^3\,dx$, *b)* $\displaystyle\int_0^{\pi}\sin 3x\,dx$.

7. Trouver

a) $\displaystyle\int \frac{\cos 3x}{\sin^4 3x}\,dx$, *b)* $\sqrt{\operatorname{cosec} x}\operatorname{cotg} x\,dx$.

8. Trouver l'aire de la région bornée par les courbes d'équations $x = 4 - y^2$ et $x = 3y$.

Exercices récapitulatifs — Série C

1. Calculer $\displaystyle\sum_{i=1}^{4}\left(\frac{i}{2}\right)^2$.
2. Soit une fonction f telle que $\displaystyle\int_0^5 3\cdot f(x)\,dx = 2$ et $\displaystyle\int_2^5 f(x)\,dx = -1$. Calculer $\displaystyle\int_2^0 f(x)\,dx$.
3. Trouver $\displaystyle\int_{-3}^{3}(x^2 - 1 + \sqrt{9-x^2})\,dx$.
4. Trouver $(d^2/dt^2)\left(\displaystyle\int_t^3 \cos x^2\,dx\right)$.
5. Calculer l'aire comprise entre une arche de la courbe de la fonction $y = \sin 2x$ et l'axe des x.
6. Trouver *a)* $\displaystyle\int_0^{\pi/6}\sec^2 2x\,dx$, *b)* $\displaystyle\int_1^3 \frac{1}{x^2}\,dx$.
7. Trouver *a)* $\displaystyle\int \frac{x^2}{(x^3+1)^4}\,dx$, *b)* $\displaystyle\int\sqrt{\sec x}\sin x\,dx$.
8. Trouver l'aire de la région bornée par les courbes d'équations $x = 0$, $y = \sin(x/4)$ et $y = \cos(x/4)$ sur l'intervalle $[0,\pi]$.

Exercices récapitulatifs — Série D

1. Calculer S_4 pour la fonction $f(x) = x + x^2$ sur l'intervalle $[0,1]$, en prenant pour x_i les points milieux des intervalles considérés.
2. Soit des fonctions f et g telles que $\displaystyle\int_0^{10}(3\cdot f(x) - g(x))\,dx = 5$ et $\displaystyle\int_{10}^{0}(f(x)+g(x))\,dx = 2$. Calculer $\displaystyle\int_0^{10} f(x)\,dx$
3. Trouver $\displaystyle\int_0^3\sqrt{54-6x^2}\,dx$.
4. Trouver $\displaystyle\int\frac{d^3(\sin x^2)}{dx^3}\,dx$.
5. Trouver l'aire de la région bornée par la courbe d'équation $y = x^2 - 4$ et l'axe des x.
6. Trouver *a)* $\displaystyle\int_{\pi/6}^{\pi/3}\sin 2x\,dx$, *b)* $\displaystyle\int_1^2\frac{x^2+1}{x^2}\,dx$.
7. Trouver *a)* $\displaystyle\int x^2(4x^3+2)^5\,dx$, *b)* $\displaystyle\int\sin 3x\sec^2 3x\,dx$.
8. Trouver l'aire de la région du plan bornée par les courbes d'équations $y = x^4$ et $y = 16$.

Exercices d'approfondissement

1. Tracer la courbe représentative d'une fonction f définie sur l'intervalle $[0,6]$ et pour laquelle $\underline{S}_3 < \underline{S}_2$. (Remarquez que le fait que $\underline{S}_n$ tende vers $\int_a^b f(x)\,dx$ lorsque n est grand ne signifie pas nécessairement que $\underline{S}_{n+1} \geq \underline{S}_n$.)
2. Soit f une fonction quelconque, définie et continue sur l'intervalle $[a,b]$. Démontrer que, quel que soit n, $\overline{S}_{2n} \leq \overline{S}_n$. (Comparer ce résultat avec celui de l'exercice précédent.)
3. Démontrer que si f est une fonction continue et croissante sur l'intervalle $[0,1]$ et si $f(0) = 0$, alors $\overline{S}_n - \underline{S}_n = f(1)/n$.
4. L'exercice 3 peut être étendu sans difficulté au cas général d'une fonction continue et croissante sur un intervalle $[a,b]$. Trouver au moyen de quelle formule simple on peut alors exprimer $\overline{S}_n - \underline{S}_n$.
5. Par une démarche analogue à celle de l'exercice précédent, trouver une formule exprimant $\overline{S}_n - \underline{S}_n$ dans le cas d'une fonction continue et décroissante sur un intervalle $[a,b]$.
6. Trouver une fonction f définie sur l'intervalle $[0,1]$ et telle que $\overline{S}_n = 1$ et $\underline{S}_n = 0$ pour *tout* entier positif n. (En vertu du théorème 6.1, f ne peut être une fonction continue; cependant, il est possible de choisir f telle qu'elle atteigne un maximum et un minimum à l'intérieur de chaque intervalle partiel.)

Nous avons vu, aux exemples 3, 4 et 5 de la section 6.2, qu'il est possible d'évaluer des intégrales en calculant la limite d'une somme. Or, on peut également procéder à l'inverse et calculer des limites de sommes données en trouvant à quelles intégrales elles correspondent et en évaluant ces dernières à l'aide du théorème fondamental du calcul intégral. Évaluer les sommes des exercices 7 à 12 au moyen de cette démarche.

7. $\displaystyle\lim_{n\to\infty}\frac{4}{n}\cdot\sum_{i=1}^{n}\frac{4i^2}{n^2}$
8. $\displaystyle\lim_{n\to\infty}\frac{8}{n^4}\cdot\sum_{i=1}^{n} i^3$
9. $\displaystyle\lim_{n\to\infty}\frac{1}{n^{5/2}}\cdot\sum_{i=1}^{n} i\sqrt{i}$
10. $\displaystyle\lim_{n\to\infty}\frac{1}{n^5}\cdot\sum_{k=1}^{n}(1+k)^3$
11. $\displaystyle\lim_{n\to\infty}\frac{1}{n^5}\cdot\sum_{k=1}^{n}(2k+1)^4$
12. $\displaystyle\lim_{n\to\infty}\frac{1}{n^3}\cdot\sum_{k=1}^{n}(k-100)^3$
13. Trouver l'aire de la région du premier quadrant bornée par les courbes d'équations $y = x^2$, $y = x^2 + 9$, $x = 0$ et $y = 25$.

7 FONCTIONS TRANSCENDANTES

Maintenant que nous avons en tête les deux notions fondamentales du calcul, la dérivée et l'intégrale, il est certainement souhaitable d'accroître le nombre de fonctions auxquelles nous pouvons appliquer nos connaissances. Reprenons donc notre étude des *fonctions transcendantes*, qui comprennent notamment les fonctions trigonométriques et trigonométriques inverses, les fonctions exponentielles et les fonctions logarithmes. Comme nous avons déjà traité des fonctions trigonométriques au chapitre 4, le chapitre 7 portera sur l'étude des autres fonctions transcendantes.

7.1 FONCTIONS RÉCIPROQUES*

Dans la présente section sont exposés les concepts de fonction réciproque et de dérivée d'une fonction réciproque qui nous aideront à définir la fonction exponentielle en tant que réciproque de la fonction logarithme et à aborder les fonctions trigonométriques inverses. Ces notions seront reprises brièvement dans les sections suivantes, à mesure que le besoin s'en fera sentir; il n'est donc pas essentiel d'étudier cette section.

DÉFINITION DE FONCTION RÉCIPROQUE

Nous avons vu que si $y = f(x)$, alors la fonction f est une loi qui fait correspondre à chaque élément x du domaine un et un seul élément y. Ainsi, comme l'indique la figure 7.1, la courbe représentative d'une fonction nous fournit un moyen géométrique d'obtenir y à partir de x: il suffit de suivre les flèches. La courbe tracée à la figure 7.2 ne représente donc pas une fonction, puisque pour une valeur donnée de x on peut obtenir plus d'une valeur de y. Autrement dit

> Une droite verticale ne peut couper le graphe d'une fonction plus d'une fois.

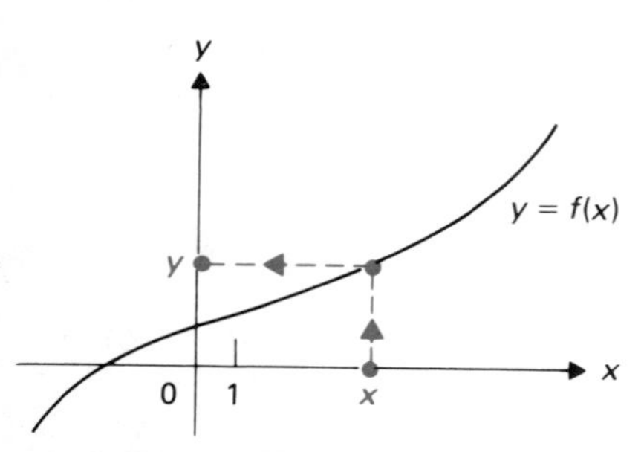

Figure 7.1 On obtient $y = f(x)$ à partir de x en suivant les flèches.

* Le reste de l'ouvrage est conçu de manière que cette section puisse être omise.

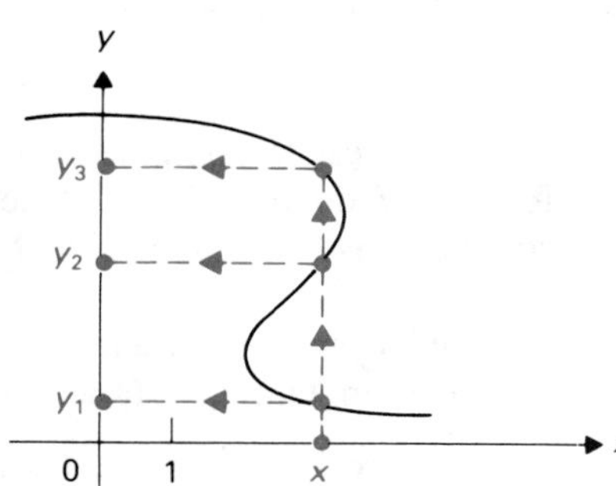

Figure 7.2 La courbe ne représente pas une fonction, car en suivant les flèches à partir de x on obtient trois valeurs de y.

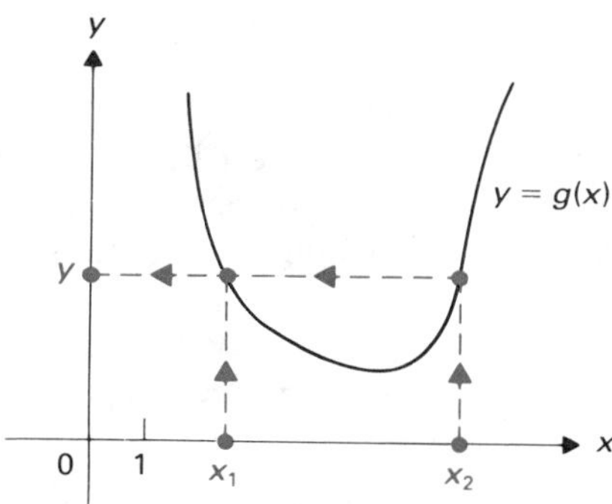

Figure 7.3 La courbe représente une fonction, car à deux valeurs différentes de x peut correspondre un même y.

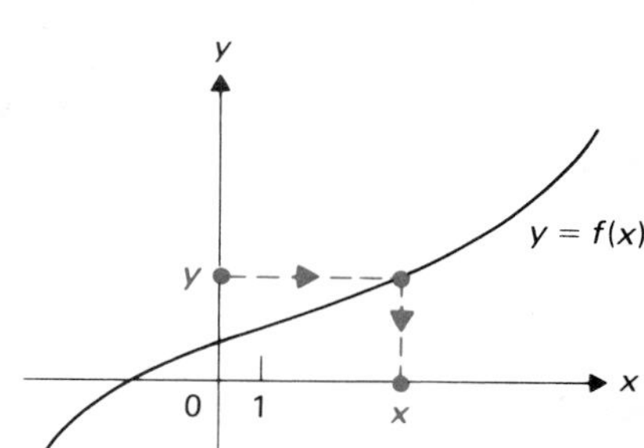

Figure 7.4 La variable x est définie en tant que fonction de y; en partant d'un y et en suivant les flèches, on obtient un seul x.

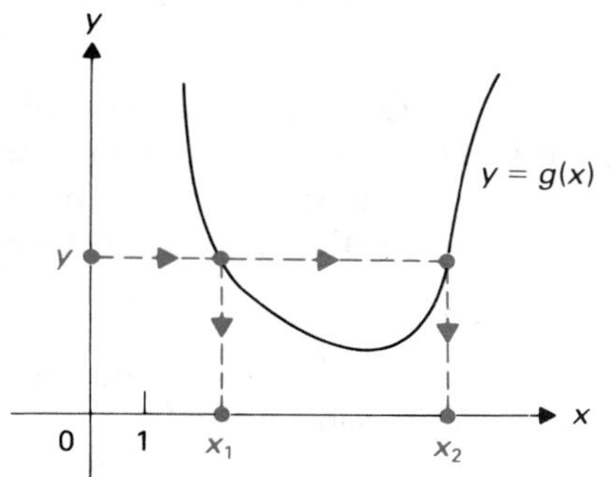

Figure 7.5 La variable x ne peut être définie en tant que fonction de y; en partant de y et en suivant les flèches, on obtient parfois plus d'un x.

Cependant, des valeurs différentes de x peuvent avoir pour correspondant un même y (figure 7.3).

Certaines fonctions $y = f(x)$ ont une courbe représentative qui permet également de définir x en tant que fonction de y. Dans ces cas, en inversant le sens des flèches illustrées à la figure 7.1 on obtient encore une fonction (figure 7.4). En d'autres termes, à chaque élément y de l'image de f ne correspond qu'*un seul* x. Une fonction du type de celle de la figure 7.3 ne remplit pas cette condition, comme nous le constatons en examinant la figure 7.5.

Pour que la courbe représentative d'une fonction $y = f(x)$ puisse aussi définir x en tant que fonction de y, il ne faut pas qu'une droite horizontale puisse couper la courbe plus d'une fois.

Lorsqu'une fonction f satisfait à la condition que nous venons d'énoncer, la fonction qui associe à chaque élément y de l'image de f l'élément correspondant x (figure 7.4) est appelée la *fonction réciproque* (ou encore, la *fonction inverse*) de f, que l'on note f^{-1}.

Mise en garde L'indice supérieur -1 apparaissant dans f^{-1} *ne doit pas* être vu comme un exposant. En d'autres termes, $f^{-1}(y)$ *ne signifie pas* $1/f(y)$.

Si une fonction f admet une fonction réciproque, on peut écrire aussi bien $y = f(x)$ que $x = f^{-1}(y)$ et les deux fonctions sont représentées par la même courbe. En résumé:

DÉFINITION 7.1 Fonction réciproque

On appelle **fonction réciproque** d'une fonction f, que l'on note f^{-1}, la fonction qui associe à chaque élément y de l'image de f l'élément correspondant x du domaine de f. Une fonction f définie par $y = f(x)$ admet une fonction réciproque si et seulement si sa courbe représentative n'est jamais coupée plus d'une fois par une droite horizontale.

Si une fonction f admet une fonction réciproque, on a à la fois

$$y = f(x) \qquad \text{et} \qquad x = f^{-1}(y). \tag{1}$$

Le *domaine* de f^{-1} est l'image de f et l'*image* de f^{-1} est le domaine de f. Lorsqu'on veut trouver f^{-1} à partir d'une fonction f donnée, il suffit de résoudre l'équation $y = f(x)$ par rapport à x, comme dans l'exemple suivant.

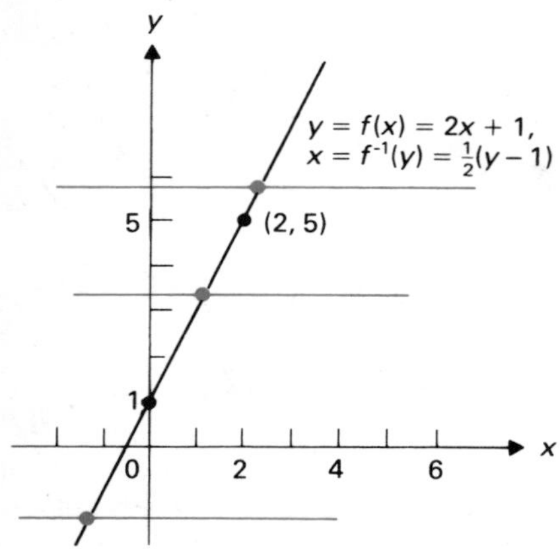

Figure 7.6 La fonction $y = 2x + 1$ admet une fonction réciproque puisque aucune droite horizontale ne rencontre la courbe plus d'une fois.

EXEMPLE 1 Soit $y = f(x) = 2x + 1$. Déterminer graphiquement si f admet une fonction réciproque; si oui, exprimer x en tant que fonction $x = f^{-1}(y)$.

Solution La courbe représentative de f est tracée à la figure 7.6. Puisque aucune droite horizontale ne rencontre la courbe plus d'une fois, la fonction f admet une fonction réciproque. Nous pouvons trouver f^{-1} en résolvant l'équation $y = 2x + 1$ en fonction de x. Ainsi, on a $2x = y - 1$, d'où $x = (y - 1)/2$. Par conséquent,

$$x = f^{-1}(y) = \frac{1}{2}(y - 1). \quad \square$$

EXEMPLE 2 Déterminer si la fonction h définie par $y = h(x) = x^2$ admet ou non une fonction réciproque; si oui, trouver l'équation définissant $h^{-1}(y)$.

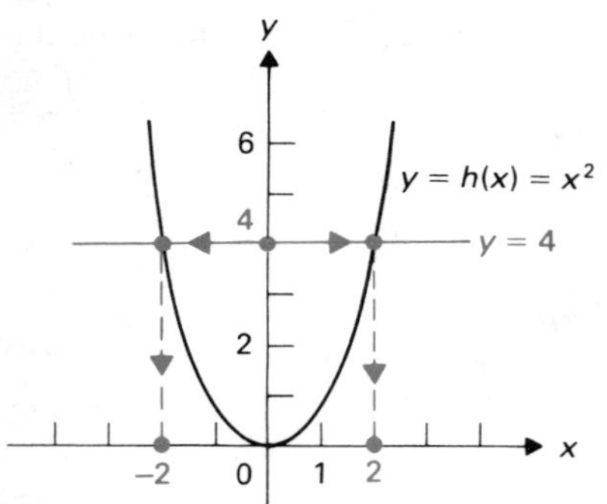

Figure 7.7 La fonction $h(x) = x^2$ n'admet pas de fonction réciproque puisqu'il existe des droites horizontales coupant la courbe plus d'une fois.

Solution Le graphe de h est illustré à la figure 7.7. On voit qu'il est possible de tracer une droite horizontale coupant le graphe en plus d'un point. Par exemple, la droite d'équation $y = 4$ coupe le graphe de $y = x^2$ en deux endroits: les points $(-2,4)$ et $(2,4)$. La fonction h n'admet donc pas de fonction réciproque. $\square$

EXEMPLE 3 Déterminer si la fonction $y = g(x) = \sqrt{x}$ admet ou non une fonction réciproque; si oui, trouver l'équation définissant $g^{-1}(y)$.

Solution L'examen du graphe de la fonction (figure 7.8) montre qu'aucune droite horizontale ne coupe la courbe plus d'une fois. En résolvant l'équation $y = \sqrt{x}$ par rapport à x, on obtient $x = y^2$. Comme le domaine de g^{-1} doit être égal à l'image de g, c'est-à-dire l'ensemble des $y \geq 0$, on a

$$x = g^{-1}(y) = y^2, \qquad \text{où } y \geq 0. \quad \square$$

EXEMPLE 4 Supposons que la fonction f admette une fonction réciproque, que $f(3) = -2$ et que $f(4) = 5$. Trouver

$$a)\ f^{-1}(-2); \quad b)\ f(f^{-1}(5)); \quad c)\ f^{-1}(f(3)).$$

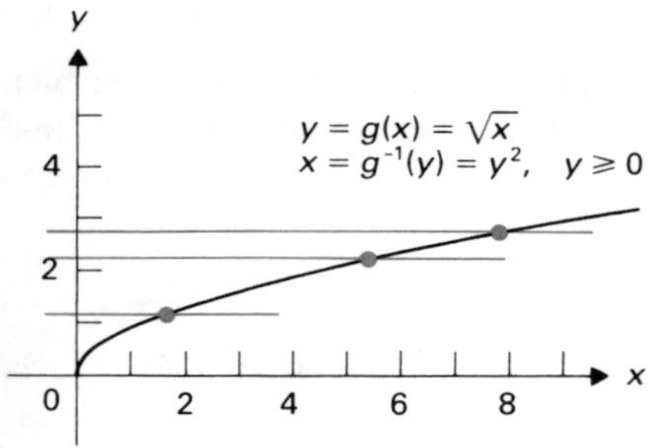

Figure 7.8 La fonction $g(x) = \sqrt{x}$ admet une fonction réciproque: $g^{-1}(y) = y^2$ pour $y \geq 0$.

Solution

a) Puisque $f(3) = -2$, on a $f^{-1}(-2) = 3$.

b) On a $f(4) = 5$; par conséquent $f(f^{-1}(5)) = f(4) = 5$.

c) On a $f(3) = -2$; par conséquent $f^{-1}(f(3)) = f^{-1}(-2) = 3$. $\square$

Comme on vient de le constater, si une fonction f admet une fonction réciproque f^{-1}, alors

$$\boxed{f^{-1}(f(x)) = x \qquad \text{et} \qquad f(f^{-1}(y)) = y.} \tag{2}$$

Cela revient à affirmer que f^{-1} « défait » ce que « fait » la fonction f, tout comme f « défait » ce que « fait » f^{-1}.

Nous avons vu que pour qu'une fonction admette une fonction réciproque, il faut qu'à un point du domaine corresponde un et un seul point de l'image (sinon, elle ne serait pas une fonction) et qu'à un point de l'image corresponde un et un seul point du domaine (sinon, elle n'admettrait pas de fonction réciproque). En d'autres termes, il faut que la fonction soit *injective*.

DÉFINITION 7.2 Fonction injective

Une fonction f est dite **injective** si à deux éléments distincts x_1 et x_2 du domaine correspondent deux éléments distincts y_1 et y_2 de l'image, c'est-à-dire si $x_1 \neq x_2$ entraîne $f(x_1) \neq f(x_2)$.

Les fonctions qui admettent une fonction réciproque sont justement les fonctions injectives. En fait, c'est habituellement à partir de cette propriété que l'on détermine si une fonction admet ou pas une fonction réciproque. Nous avons pour notre part préféré souligner la dimension géométrique du concept au moyen de la définition 7.1.

Supposons que f soit une fonction croissante. Si $x_1 < x_2$, il s'ensuit que $f(x_1) \neq f(x_2)$, de sorte que f est injective. Un raisonnement analogue permet de conclure qu'une fonction décroissante est injective, d'où le théorème suivant:

THÉORÈME 7.1 Fonctions croissantes ou décroissantes

Si f est une fonction croissante ou une fonction décroissante sur la totalité de son domaine, alors f admet une fonction réciproque.

Nous savons déjà qu'une fonction dérivable f est croissante lorsque sa dérivée première est positive et décroissante lorsque sa dérivée première est négative, ce qui nous permet de déduire le corollaire suivant:

COROLLAIRE Signe de $f'(x)$ et existence d'une fonction réciproque

Supposons que f soit une fonction dérivable ayant pour domaine un intervalle ou l'ensemble des réels. Si $f'(x) > 0$ pour tout x du domaine de f, alors f admet une fonction réciproque. De même, si $f'(x) < 0$ pour tout x du domaine de f, alors f admet une fonction réciproque.

EXEMPLE 5 Déterminer si la fonction $y = f(x) = x^3$ admet ou non une fonction réciproque.

Solution On a $f'(x) = 3x^2 > 0$ pour tout x. On peut donc affirmer, en vertu du corollaire précédent, que la fonction $f(x) = x^3$ admet une fonction réciproque. □

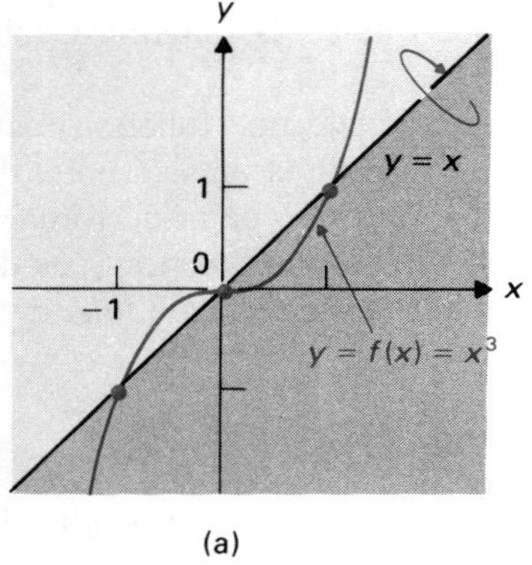

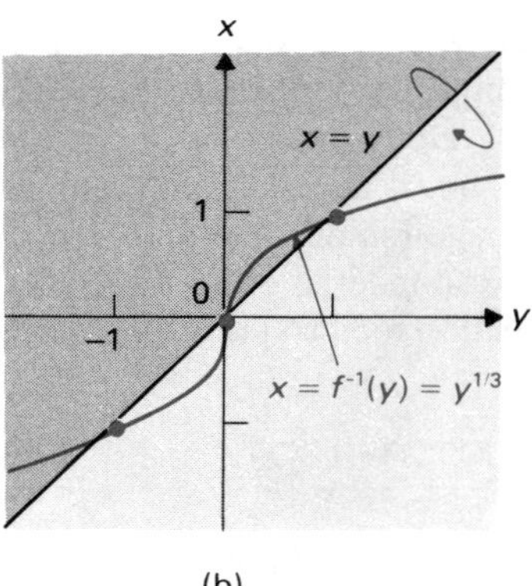

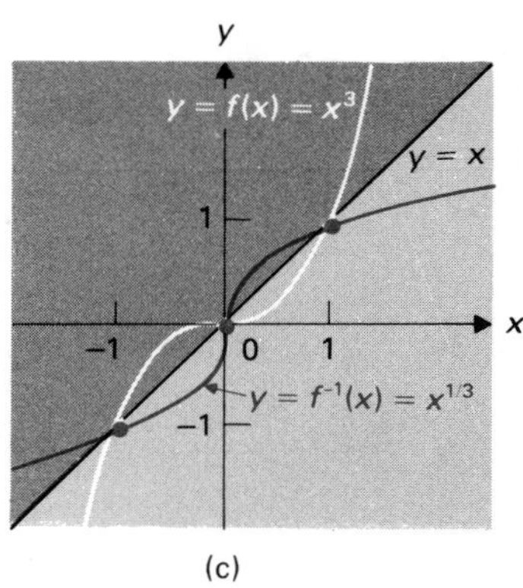

Figure 7.9 Obtention de la courbe de $y = f^{-1}(x)$ à partir de celle de $y = f(x)$, en prenant comme exemple la fonction $y = f(x) = x^3$:
(a) tracer la courbe de $y = f(x)$;
(b) effectuer une rotation du plan d'un demi-tour autour de la droite $y = x$;
(c) intervertir les lettres x et y des axes.

COURBES REPRÉSENTATIVES DES FONCTIONS RÉCIPROQUES

Nous avons l'habitude de calculer la dérivée de fonctions définies par $y = f(x)$ pour lesquelles le domaine est une partie de l'axe des x et l'image, une partie de l'axe des y. Dans ces cas, la dérivée correspond à la pente de la tangente à la courbe de la fonction. Si l'on veut conserver cette interprétation géométrique dans le cas de la dérivée de $x = f^{-1}(y)$, il faut d'abord tourner le plan cartésien de façon que l'axe des y soit en position horizontale et l'axe des x en position verticale; c'est ce que l'on obtient en effectuant une rotation d'un demi-tour autour de la droite d'équation $y = x$ (figures 7.9 (a) et (b)). On doit ensuite intervertir les lettres x et y des axes (figure 7.9 (c)), de sorte que la courbe représente maintenant la fonction $x = f(y)$ ou encore $y = f^{-1}(x)$*. En résumé, si l'on veut donner à la dérivée de f^{-1} l'interprétation habituelle de pente dy/dx de la tangente à la courbe, il faut d'abord écrire la fonction réciproque sous la forme $y = f^{-1}(x)$.

EXEMPLE 6 Soit la fonction $y = f(x) = (x - 1)/(x + 2)$. Montrer que f admet une fonction réciproque, exprimer cette dernière sous la forme $y = f^{-1}(x)$ et représenter graphiquement les deux fonctions.

Solution Isolons x dans l'équation $y = (x - 1)/(x + 2)$. On a

$$y(x + 2) = x - 1,$$

$$yx - x = -2y - 1,$$

$$x(y - 1) = -2y - 1$$

$$x = -\frac{2y + 1}{y - 1}.$$

---

* Pour bien comprendre de quoi il s'agit, munissez-vous d'un crayon feutre et d'une feuille de papier semi-transparent. Tracez le graphe de la fonction $y = f(x)$ (en ayant soin de placer les axes dans leur position habituelle), puis prenez la feuille par le coin inférieur gauche et tournez-la au verso de manière que vous puissiez voir, par transparence, l'axe des y en position horizontale et l'axe des x en position verticale. La courbe que vous voyez alors (toujours par transparence) est la courbe de la fonction $x = f^{-1}(y)$. (La courbe de $y = f^{-1}(x)$ s'obtient en intervertissant les lettres x et y désignant les axes.)

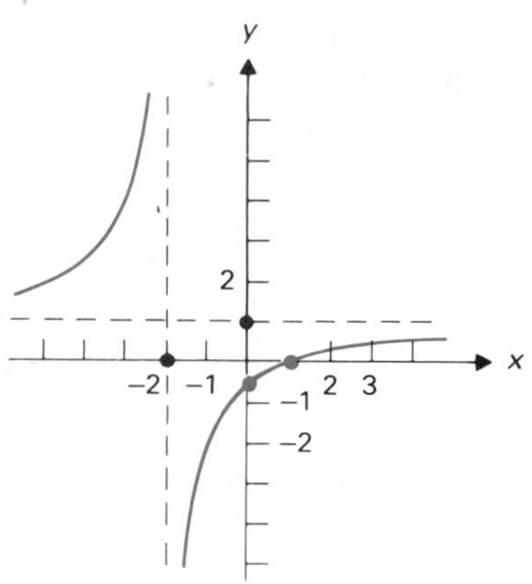

Figure 7.10 Courbe représentative de la fonction $y = f(x) = (x - 1)/(x + 2)$.

Comme aucune valeur de y ne donne plus d'une valeur de x, on peut déduire que f admet effectivement une fonction réciproque. À la figure 7.10 est représentée la courbe de la fonction $f(x) = (x - 1)/(x + 2)$ que nous avons tracée suivant les méthodes exposées à la section 2.3. Le graphe confirme également l'existence d'une fonction réciproque de f, puisque aucune droite horizontale ne le coupe plus d'une fois. On a donc

$$x = f^{-1}(y) = -\frac{2y + 1}{y - 1},$$

ou encore

$$y = f^{-1}(x) = -\frac{2x + 1}{x - 1}.$$

Rappelons que pour obtenir le graphe de $y = f^{-1}(x)$, il suffit d'effectuer une rotation d'un demi-tour de la fonction $y = f(x)$ autour de la droite $y = x$ (figure 7.11). La courbe tracée en blanc sur la figure représente la fonction $y = f(x)$ et la courbe tracée en couleur, sa fonction réciproque $y = f^{-1}(x)$. □

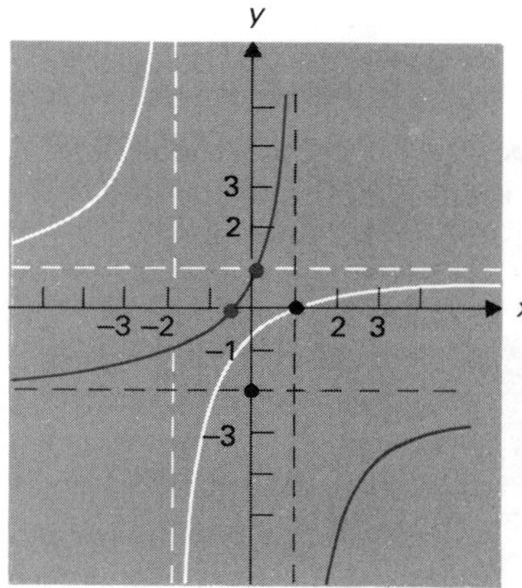

Figure 7.11 Courbe tracée en blanc:
$y = f(x) = (x - 1)/(x + 2)$.
Courbe tracée en couleur:
$y = f^{-1}(x) = -(2x + 1)/(x - 1)$.

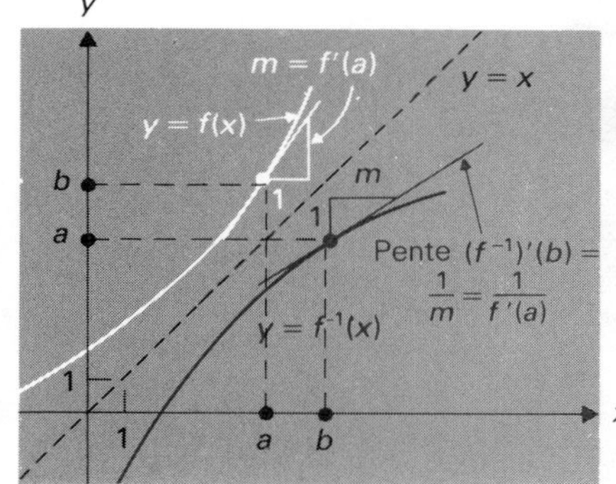

Figure 7.12 Si la tangente à la courbe de f au point (a,b) a pour pente $m = f'(a)$, alors la tangente à la courbe de f^{-1} au point (b,a) a pour pente $1/m = 1/(f'(a))$.

DÉRIVÉES DES FONCTIONS RÉCIPROQUES

Si f est une fonction dérivable qui admet une fonction réciproque, alors $f'(a)$ existe et la courbe de f admet une tangente en $x = a$. Si, de plus, $f(a) = b$ on voit, d'après la figure 7.12, que la courbe de f^{-1} admet alors une tangente en $x = b$. Si la tangente à la courbe de f au point (a,b) n'est pas horizontale, alors la tangente à la courbe de f^{-1} au point (b,a) ne sera pas verticale et, par conséquent, $(f^{-1})'(b)$ devrait exister. En calculant les pentes des tangentes comme il est indiqué à la figure 7.12, on devrait obtenir

$$\boxed{(f^{-1})'(b) = \frac{1}{f'(a)}.} \qquad \textbf{(3)}$$

L'équation 3 peut également s'obtenir par dérivation implicite. On pose $y = f^{-1}(x)$, de sorte que $x = f(y)$. Si nous supposons que dy/dx existe et que nous dérivons $x = f(y)$ implicitement, nous obtenons

$$1 = f'(y) \cdot \frac{dy}{dx} \tag{4}$$

et, par conséquent,

$$\frac{dy}{dx} = (f^{-1})'(x) = \frac{1}{f'(y)} \tag{5}$$

si $f'(y) \neq 0$. Comme $f'(y) = dx/dy$, on peut récrire l'équation 5 sous la forme

$$\boxed{\frac{dy}{dx} = \frac{1}{dx/dy},} \tag{6}$$

beaucoup plus facile à mémoriser. On voit une fois de plus l'utilité de la notation de Leibniz.

THÉORÈME 7.2 Dérivée de f^{-1}

Supposons qu'une fonction f soit dérivable et qu'elle admette une fonction réciproque. Supposons de plus que $f(a) = b$. Si $f'(a) \neq 0$, alors la fonction f^{-1} est dérivable au point b et

$$(f^{-1})'(b) = \frac{1}{f'(a)}. \tag{7}$$

EXEMPLE 7 Soit la fonction $y = f(x) = x^3$. Trouver $(f^{-1})'(8)$ de deux façons différentes.

Première solution On sait que $f(2) = 8$ et que $f'(2) = 3x^2|_2 = 12 \neq 0$. Le théorème 7.2 permet d'affirmer que f^{-1} est dérivable au point 8 et que

$$(f^{-1})'(8) = \frac{1}{f'(2)} = \frac{1}{12}.$$

Deuxième solution Puisque $y = f(x) = x^3$, on a $x = f^{-1}(y) = y^{1/3}$. Il s'ensuit que

$$(f^{-1})'(8) = \frac{1}{3} y^{-2/3}\Big|_8 = \frac{1}{3} \cdot 8^{-2/3} = \frac{1}{3} \cdot \frac{1}{8^{2/3}} = \frac{1}{3} \cdot \frac{1}{4} = \frac{1}{12}. \quad \square$$

RÉSUMÉ

1. Si on peut, à partir de la fonction $y = f(x)$, définir x en tant que fonction de y, alors f admet une fonction réciproque et x est la fonction réciproque f^{-1} de y. En d'autres termes, $x = f^{-1}(y)$.
2. Une fonction $y = f(x)$ est injective si à deux éléments distincts du domaine correspondent toujours deux éléments distincts de l'image, c'est-à-dire si $x_1 \neq x_2$ entraîne $f(x_1) \neq f(x_2)$.

3. Une fonction $y = f(x)$ admet une fonction réciproque si et seulement si elle est injective ou, de façon équivalente, si et seulement si aucune droite horizontale ne coupe le graphique de f plus d'une fois.
4. Si une fonction f admet une fonction réciproque f^{-1}, alors le domaine de f^{-1} est l'image de f et l'image de f^{-1} est le domaine de f. Si a est un élément du domaine de f et b est un élément du domaine de f^{-1}, alors $f^{-1}(f(a)) = a$ et $f(f^{-1}(b)) = b$.
5. Le graphe de la fonction $y = f^{-1}(x)$ s'obtient à partir du graphe de $y = f(x)$ en faisant faire à ce dernier une rotation d'un demi-tour autour de la droite $y = x$ et en intervertissant les lettres x et y désignant les axes.
6. Supposons que f admette une fonction réciproque et que $f(a) = b$. Si $f'(a)$ existe et est différente de zéro, alors $(f^{-1})'(b)$ existe et

$$(f^{-1})'(b) = \frac{1}{f'(a)}.$$

Cela revient à écrire, dans la notation de Leibniz,

$$\frac{dx}{dy} = \frac{1}{dy/dx}.$$

EXERCICES

Pour chacun des exercices 1 à 11, déterminer si la fonction f donnée admet ou non une fonction réciproque. Si oui, trouver $f^{-1}(x)$, puis tracer le graphique de $f(x)$ et de $f^{-1}(x)$.

1. $f(x) = x - 1$
2. $f(x) = 3 - x$
3. $f(x) = x^2 - 3$
4. $f(x) = 4 - 3x^2$
5. $f(x) = x^3 + 1$
6. $f(x) = 1 - x^3$
7. $f(x) = 4$
8. $f(x) = |x| + 1$
9. $f(x) = \sqrt{x^2}$
10. $f(x) = \dfrac{2x - 1}{x + 2}$
11. $f(x) = \dfrac{x - 1}{x + 1}$

12. Un étudiant affirme qu'on lui a déjà montré que, pour obtenir la courbe de $y = f^{-1}(x)$ à partir de celle de $y = f(x)$, il faut d'abord intervertir les lettres désignant les axes, puis effectuer une rotation de la courbe d'un demi-tour autour de la droite $y = x$. Montrer que cette méthode est équivalente à celle qui est exposée dans le texte.
13. Répondre par vrai ou faux.
   a) Si f est une fonction injective, alors f admet nécessairement une fonction réciproque.
   b) Si f admet une fonction réciproque, alors f est nécessairement une fonction injective.
   c) Si f est une fonction croissante, alors f admet nécessairement une fonction réciproque.
   d) Si f admet une fonction réciproque alors, ou bien f est croissante sur la totalité de son domaine, ou bien elle est décroissante sur la totalité de son domaine.
   e) Si une fonction f admet une fonction réciproque et si son domaine est un intervalle alors, ou bien f est croissante sur la totalité de son domaine, ou bien elle est décroissante sur la totalité de son domaine.
   f) Si une fonction continue f admet une fonction réciproque et si son domaine est un intervalle alors, ou bien f est croissante sur la totalité de son domaine, ou bien elle est décroissante sur la totalité de son domaine.

En supposant que les fonctions des exercices 14 à 20 sont dérivables et qu'elles admettent une fonction réciproque, compléter chacun des énoncés suivants:

14. Si $f(2) = 3$, alors $f^{-1}(3) =$ _____ .
15. Si $g(3) = -4$, alors $g(g^{-1}(-4)) =$ _____ .
16. Si $h^{-1}(4) = 2$ et $h^{-1}(2) = 5$, alors $h(h^{-1}(2)) =$ _____ .
17. Si $f(3) = -5$ et $f'(3) = 2$, alors $(f^{-1})'(-5) =$ _____ .
18. Si $f(-2) = 4$ et $(f^{-1})'(4) = -3$, alors $f'(-2) =$ _____ .
19. Si $g(4) = 3$ et $g'(1) = 2$, alors $(g(g^{-1}))'(3) =$ _____ .
20. Si $f(4) = 3$ et $f'(3) = -2$, alors $(f^{-1}(f))'(4) =$ _____ .
21. Sachant que $y = f(x) = 2x + 4$, trouver $(f^{-1})'(3)$ de deux façons différentes.
22. Sachant que $y = f(x) = x^3 + 1$, trouver $(f^{-1})'(28)$ de deux façons différentes.
23. Sachant que $y = g(x) = (x - 1)/(x + 2)$, trouver $(g^{-1})'(0)$ de deux façons différentes.
24. Sachant que $y = h(x) = (2x - 3)/(x + 1)$, trouver $(h^{-1})'(1)$ de deux façons différentes.

7.2 LE LOGARITHME NATUREL

En algèbre, le logarithme en base 10 d'un nombre b est habituellement défini comme la puissance à laquelle il faut élever 10 pour obtenir b; ainsi

$$10^{\log b} = b. \qquad \textbf{(1)}$$

On suppose qu'un tel nombre existe et on utilise les logarithmes notamment pour simplifier les multiplications de nombres comportant plusieurs décimales. De telles multiplications sont rendues possibles grâce à la propriété

$$\log ax = \log a + \log x. \qquad \textbf{(2)}$$

Mais d'où vient l'équation 2 et comment faire pour évaluer l'exposant apparaissant dans l'équation 1? Vous trouverez les réponses à ces questions dans les sections qui suivent.

L'invention des logarithmes constitue l'une des grandes découvertes mathématiques des seizième et dix-septième siècles. Elle a, entre autres, rendu possible le développement des mathématiques dans le domaine de la navigation. Par ailleurs, les logarithmes ont encore plus d'importance aujourd'hui qu'à l'époque où ils ont été découverts par John Napier, vers 1594.

DÉFINITION DE $\ln x$

Les fonctions que nous avons étudiées jusqu'ici pouvaient être comprises sans avoir recours à la moindre notion de calcul différentiel et intégral. Cette fois, nous allons étudier une fonction, le logarithme naturel (ou népérien), dont la définition est vraiment du domaine du calcul différentiel et intégral. Nous avons vu que si n est un entier, alors

$$\int x^n \, dx = \frac{x^{n+1}}{n+1} + C \quad \text{pour } n \neq -1.$$

Nous n'avons pas, jusqu'à présent, trouvé de primitive à la fonction $1/x$. Or, il serait bien utile de pouvoir évaluer $\int (1/x)\, dx$.

Nous savons, bien entendu, que $\int_1^2 (1/x)\, dx$ existe, puisque la fonction $1/x$ est continue sur l'intervalle $[1,2]$. De plus, le théorème fondamental du calcul intégral (théorème 6.3, page 246) nous assure de l'existence d'une primitive F de la fonction $1/x$ pour $x > 0$, où F est définie par

$$F(x) = \int_1^x \frac{1}{t}\, dt \quad \text{pour } x > 0. \qquad \textbf{(3)}$$

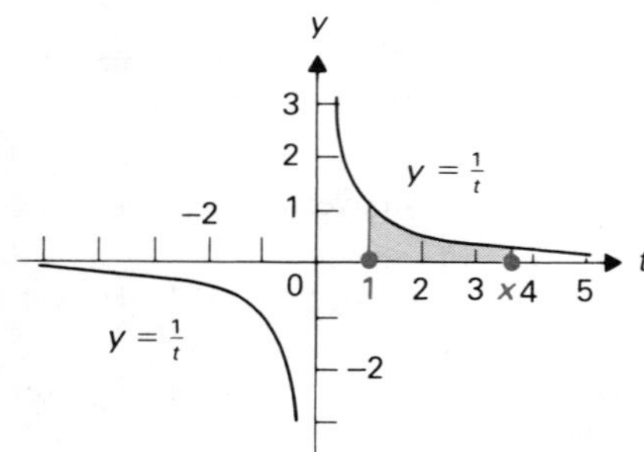

Figure 7.13 $\ln x = \int_1^x (1/t)\, dt$ = Aire de la région ombrée.

La valeur de $F(x)$ est égale à l'aire de la région ombrée de la figure 7.13. (Si on choisit pour borne inférieure de l'intégrale de l'équation 1 un nombre positif autre que 1, on obtient alors une fonction qui ne diffère de F que par une constante.) Le théorème fondamental nous permet donc de « trouver » une primitive F de la fonction $1/x$, du moins pour $x > 0$. Cette fonction F a une très grande importance. Nous verrons sous peu que F possède les mêmes propriétés algébriques que la fonction logarithme que vous connaissez déjà. C'est d'ailleurs pourquoi F sera notée « ln » dans la définition qui suit.

DÉFINITION 7.3 La fonction logarithme naturel (ou népérien)

La fonction **logarithme naturel** (ou **népérien**) de x, notée $\ln x$, est définie par

$$\ln x = \int_1^x \frac{1}{t}\,dt \qquad \text{pour } x > 0 \tag{4}$$

de sorte que $\ln a = \int_1^a (1/t)\,dt$ est le logarithme naturel de a pour tout $a > 0$.

En vertu des propriétés de l'intégrale que nous avons vues au chapitre 6 (page 240), on a $\int_1^1 (1/t)\,dt = 0$, de sorte que

$$\boxed{\ln 1 = 0.} \tag{5}$$

Les propriétés de l'intégrale permettent également d'affirmer que

$$\ln x > 0 \quad \text{si } x > 1$$
$$\text{et} \tag{6}$$
$$\ln x < 0 \quad \text{si } 0 < x < 1.$$

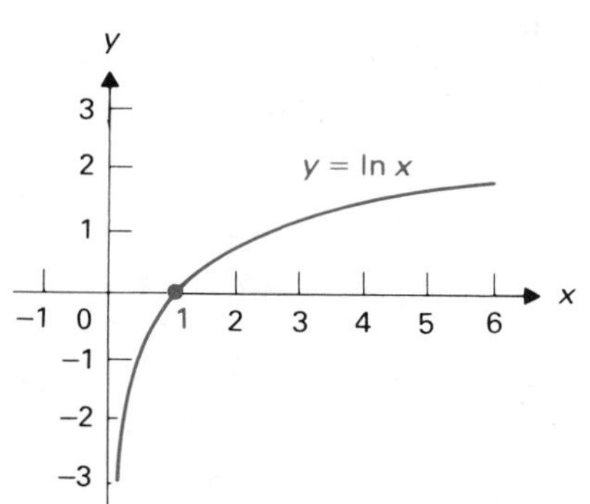

Figure 7.14 Courbe représentative de $y = \ln x$.

Dans tous les cas, pour tout x positif on peut calculer une valeur approchée de $\ln x$ en estimant $\int_1^x (1/t)\,dt$ avec la précision que l'on veut, en utilisant par exemple les sommes de Riemann.

Par ailleurs, la plupart des calculatrices de poche sont munies d'une touche « ln » au moyen de laquelle on peut obtenir directement la valeur de $\ln x$ pour tout $x > 0$. Le graphique de $\ln x$ est représenté à la figure 7.14. Nous l'analyserons plus en détail à la fin de la section.

DÉRIVÉE DE ln x

En vertu du théorème fondamental du calcul intégral, il découle de la définition 7.3 que

$$\frac{d(\ln x)}{dx} = \frac{1}{x} \qquad \text{pour } x > 0. \tag{7}$$

De façon plus générale, si $u = g(x)$, où g est une fonction dérivable de x, on a, d'après la règle de dérivation en chaîne,

$$\boxed{\frac{d(\ln u)}{dx} = \frac{1}{u} \cdot \frac{du}{dx} \qquad \text{pour } u > 0.} \tag{8}$$

La formule 8, que nous utiliserons souvent, doit être apprise par cœur.

EXEMPLE 1 Calculer la dérivée de la fonction $y = \ln(2x + 1)$.

Solution La formule 8 nous donne immédiatement

$$\frac{d(\ln(2x+1))}{dx} = \frac{1}{2x+1} \cdot \frac{d(2x+1)}{dx} = \frac{2}{2x+1}, \quad \text{pour } x > -\frac{1}{2}. \qquad \square$$

EXEMPLE 2 Dériver la fonction ln (sin x).

Solution En utilisant de nouveau la formule 8, on obtient

$$\frac{d(\ln(\sin x))}{dx} = \frac{1}{\sin x}\cdot\frac{d(\sin x)}{dx} = \frac{\cos x}{\sin x} = \operatorname{cotg} x, \quad \text{pour } \sin x > 0. \quad \square$$

EXEMPLE 3 Calculer dy/dx pour $y = (\sec x)/(\ln x)^2$.

Solution On doit appliquer ici les règles de dérivation du quotient de deux fonctions et de la puissance d'une fonction, de même que la formule 8. On obtient ainsi

$$\frac{dy}{dx} = \frac{(\ln x)^2\dfrac{d(\sec x)}{dx} - (\sec x)\dfrac{d((\ln x)^2)}{dx}}{(\ln x)^4}$$

$$= \frac{(\ln x)^2(\sec x \operatorname{tg} x) - (\sec x)2(\ln x)(1/x)}{(\ln x)^4}$$

$$= \frac{(\sec x)[(\ln x)(\operatorname{tg} x) + (2/x)]}{(\ln x)^3}. \quad \square$$

EXEMPLE 4 Calculer dy/dx pour la fonction $(\operatorname{tg}^3 2x)\ln(\sqrt{x}+1)$.

Solution En appliquant les règles de dérivation du produit de deux fonctions et de la puissance d'une fonction, de même que la formule 8, on obtient

$$\frac{dy}{dx} = \operatorname{tg}^3(2x)\frac{d(\ln(\sqrt{x}+1))}{dx} + \ln(\sqrt{x}+1)\frac{d(\operatorname{tg}^3 2x)}{dx}$$

$$= \operatorname{tg}^3(2x)\frac{1}{\sqrt{x}+1}\cdot\frac{1}{2\sqrt{x}} + [\ln(\sqrt{x}+1)]3(\operatorname{tg}^2 2x)(\sec^2 2x)2$$

$$= (\operatorname{tg}^2 2x)\left[\frac{\operatorname{tg} 2x}{2x+2\sqrt{x}} + 6(\ln(\sqrt{x}+1))\sec^2 2x\right]. \quad \square$$

L'INTÉGRALE $\int \frac{1}{u}\,du = \ln|u| + C$

La formule 8 nous fournit immédiatement la formule d'intégration

$$\int \frac{du}{u} = \ln u + C \qquad \text{pour } u > 0. \tag{9}$$

Examinons maintenant l'intégrale $\int (1/u)\,du$ pour $u < 0$. Posons $v = -u$, de sorte que $v > 0$ et $dv = -1\,du$. On peut alors affirmer que

$$\int \frac{1}{u}\,du = \int \frac{-1\,du}{-u} = \int \frac{dv}{v} = \ln v + C = \ln(-u) + C \quad \text{pour } u < 0. \tag{10}$$

On peut résumer les deux résultats donnés par les formules 9 et 10 par une seule formule, soit

$$\int \frac{du}{u} = \ln|u| + C. \tag{11}$$

La formule 11 est un résultat très important, qu'il vous faut également mémoriser.

EXEMPLE 5 Trouver $\int_{-2}^{-1} (1/x)\, dx$.

Solution On a

$$\int_{-2}^{-1} \frac{1}{x}\, dx = \ln|x| \Big|_{-2}^{-1} = \ln|-1| - \ln|-2|$$
$$= \ln 1 - \ln 2 = -\ln 2. \quad \square$$

EXEMPLE 6 Trouver $\int x/(x^2+1)\, dx$.

Solution Posons $u = x^2 + 1$, de sorte que $du = 2x\, dx$. Il ne reste plus qu'à multiplier et à diviser par 2, pour obtenir

$$\int \frac{x}{x^2+1}\, dx = \frac{1}{2} \int \frac{\overbrace{2x\, dx}^{du}}{\underbrace{x^2+1}_{u}} = \frac{1}{2} \ln|x^2+1| + C.$$

Le symbole de valeur absolue n'est pas nécessaire ici, car $x^2 + 1$ est une quantité qui est toujours positive. □

EXEMPLE 7 Trouver $\int \operatorname{tg} x\, dx$.

Solution Nous savons que $\operatorname{tg} x = \sin x/\cos x$. Or, si nous posons $u = \cos x$, alors $du = -\sin x\, dx$ et nous pouvons écrire

$$\int \operatorname{tg} x\, dx = \int \frac{\sin x}{\cos x}\, dx$$

$$= -\int \frac{\overbrace{-\sin x\, dx}^{du}}{\underbrace{\cos x}_{u}} = -\ln|\cos x| + C. \quad \square$$

EXEMPLE 8 Trouver $\int x^2(\operatorname{cotg} x^3)\, dx$.

Solution On a

$$x^2(\operatorname{cotg} x^3) = \frac{x^2(\cos x^3)}{\sin x^3}$$

et l'on remarque immédiatement que la dérivée du dénominateur est, à une constante près, égale au numérateur. C'est dire que si on pose $u = \sin x^3$, alors $du = (\cos x^3)3x^2\, dx$ et l'on obtient, en multipliant et en divisant par 3,

$$\int x^2(\operatorname{cotg} x^3)\, dx = \frac{1}{3} \int \frac{\overbrace{(\cos x^3)3x^2\, dx}^{du}}{\underbrace{\sin x^3}_{u}} = \frac{1}{3} \ln|\sin x^3| + C. \quad \square$$

PROPRIÉTÉS DU LOGARITHME NATUREL

La fonction $\ln x$ a des propriétés qui permettent de relier entre elles les opérations d'addition et de multiplication.

THÉORÈME 7.3 Propriétés de $\ln x$

Si a et b sont deux nombres positifs et r est un nombre rationnel, alors

$$\ln (ab) = \ln a + \ln b, \tag{12}$$

$$\ln (a/b) = \ln a - \ln b, \tag{13}$$

$$\ln (a^r) = r (\ln a). \tag{14}$$

En examinant les propriétés énoncées au théorème 7.3, vous devez mieux comprendre pourquoi on a donné le nom de *logarithme* à la fonction définie par l'équation 4, (page 271), puisque vous avez déjà étudié des fonctions logarithmes qui satisfont aux propriétés 12, 13 et 14. Nous allons voir qu'il est possible de déduire ces propriétés de la définition que nous avons donnée de $\ln x$ en tant qu'intégrale. Ainsi, on obtient la propriété 12 en démontrant que les fonctions

$$f(x) = \ln (ax) \qquad \text{et} \qquad g(x) = \ln a + \ln x$$

sont identiques, puis en posant $x = b$.

> On peut démontrer que deux fonctions dérivables f et g définies sur un même intervalle sont égales en procédant comme suit:
>
> **Étape 1** Démontrer que $f' = g'$.
>
> **Étape 2** Démontrer qu'il existe *au moins un* point c du domaine des fonctions pour lequel $f(c) = g(c)$.

En effet, l'étape 1 nous permet de conclure que

$$(f - g)' = f' - g' = 0,$$

de sorte que pour tout élément x du domaine des fonctions,

$$f(x) - g(x) = k, \text{ où } k \text{ est une constante.}$$

Comme, en particulier, on a $f(c) = g(c)$ par l'étape 2, on a à la fois

$$f(c) - g(c) = 0 \qquad \text{et} \qquad f(c) - g(c) = k,$$

d'où $k = 0$ et $f(x) = g(x)$ pour tout x appartenant au domaine des fonctions.

Cette technique peut s'appliquer à la démonstration des formules 12, 13 et 14. Ainsi, en posant $f(x) = \ln ax$ et $g(x) = \ln a + \ln x$ pour $x > 0$, nous avons

$$f'(x) = \frac{1}{ax} \cdot a = \frac{1}{x} \quad \text{et} \quad g'(x) = 0 + \frac{1}{x} = \frac{1}{x},$$

de sorte que $f'(x) = g'(x)$. On a, de plus,

$$f(1) = \ln a \qquad \text{et} \qquad g(1) = \ln a + \ln 1 = \ln a$$

car, d'après l'équation 3, $\ln 1 = 0$. Il s'ensuit que $f(x) = g(x)$ pour tout $x > 0$. On a, en particulier, $f(b) = g(b)$, d'où

$$\ln ab = \ln a + \ln b,$$

ce qui démontre la validité de la formule 12.

Nous pouvons démontrer la formule 14 en posant $h(x) = \ln (x^r)$ et $k(x) = r (\ln x)$ pour $x > 0$. Nous obtenons

$$h'(x) = \frac{1}{x^r}(rx^{r-1}) = \frac{r}{x} \quad \text{et} \quad k'(x) = r\frac{1}{x} = \frac{r}{x},$$

d'où $h'(x) = k'(x)$. De plus,

$$h(1) = \ln (1^r) = \ln 1 = 0 \quad \text{et} \quad k(1) = r(\ln 1) = r \cdot 0 = 0$$

d'où $h(1) = k(1)$. Les deux conditions sont donc satisfaites, de sorte que $h(x) = k(x)$ pour tout $x > 0$. En particulier, on a pour $x = a$

$$\ln (a^r) = r(\ln a)$$

et la formule 14 est démontrée.

La formule 13 s'obtient à partir des deux autres résultats. Ainsi,

$$\ln (a/b) = \ln (ab^{-1}) = \ln a + \ln (b^{-1}) = \ln a + -1 \cdot \ln b = \ln a - \ln b.$$

Les propriétés énoncées au théorème 7.3 sont parfois utilisées pour simplifier le calcul de la dérivée d'une fonction logarithme, comme dans les deux exemples qui suivent.

EXEMPLE 9 Dériver la fonction $\ln \sqrt{(x^2 + 1)(2x + 3)}$.

Solution En utilisant successivement les formules 14 et 12, on obtient

$$\begin{aligned}\frac{d(\ln \sqrt{(x^2+1)(2x+3)})}{dx} &= \frac{d(\frac{1}{2}[\ln (x^2+1) + \ln (2x+3)])}{dx} \\ &= \frac{1}{2}\left(\frac{1}{x^2+1} \cdot 2x + \frac{1}{2x+3} \cdot 2\right) \\ &= \frac{x}{x^2+1} + \frac{1}{2x+3} \quad \text{pour} \quad x > -\frac{3}{2}.\end{aligned}$$ □

EXEMPLE 10 Calculer dy/dx pour la fonction $y = \ln (\text{tg}\, x/(x^2 + 1))$.

Solution D'après la formule 13, on a

$$y = \ln\left(\frac{\text{tg}\, x}{x^2+1}\right) = \ln (\text{tg}\, x) - \ln (x^2 + 1).$$

Par conséquent,

$$\frac{dy}{dx} = \frac{1}{\text{tg}\, x} \cdot \sec^2 x - \frac{1}{x^2+1} \cdot 2x = \frac{\sec^2 x}{\text{tg}\, x} - \frac{2x}{x^2+1}, \text{ pour } \text{tg}\, x > 0.$$ □

Nous pouvons maintenant revenir à l'étude de la courbe représentative de $\ln x$, tracée à la figure 7.14. D'abord, comme la dérivée seconde de $\ln x$ est $-1/x^2$, qui est une quantité toujours négative, la courbe a sa concavité tournée vers le bas. De plus, $d(\ln x)/dx = 1/x$ et $(1/x) > 0$ pour tout $x > 0$, de sorte que $\ln x$ est une fonction croissante sur la totalité de son domaine. Cependant, comme $\lim_{x\to\infty} (1/x) = 0$, on voit que la courbe de $\ln x$ s'approche de plus en plus de l'horizontale à mesure que x augmente. On peut se demander si $\ln x$ devient de plus en plus grand à mesure que x augmente ou bien si $\ln x$ prend des valeurs plus petites qu'une certaine constante c pour tout $x > 1$. Il serait aussi intéressant de connaître le comportement de la fonction près de 0. La réponse est obtenue au moyen des deux limites suivantes:

$$\lim_{x\to\infty} \ln x = \infty \qquad \text{et} \qquad \lim_{x\to 0+} \ln x = -\infty,$$

que l'on peut démontrer sans difficulté à l'aide du théorème 7.3. On sait, par exemple, que $\ln 2 > 0$ puisque $\ln 2 = \int_1^2 (1/x)\, dx$. De fait, en estimant $\int_1^2 (1/x)\, dx$ à l'aide de la somme inférieure $\underline{S}_1$ on obtient

$$\ln 2 > \frac{1}{2}. \tag{15}$$

Or, en vertu de la formule 14, $\ln (2^n) = n(\ln 2)$, d'où l'on tire l'inéquation

$$\ln (2^n) > n\left(\frac{1}{2}\right) \qquad \text{ou encore} \qquad \ln (2^n) > \frac{n}{2}.$$

Or, $n/2 \to \infty$ quand $n \to \infty$. Par conséquent, quand x prend de grandes valeurs 2^n, $\ln x$ prend également de grandes valeurs de sorte que $\lim_{x\to\infty} \ln x = \infty$.

D'autre part, on a, en vertu des formules 13 et 15,

$$\ln (\tfrac{1}{2}) = \ln 1 - \ln 2 = 0 - \ln 2 < -\tfrac{1}{2}. \tag{16}$$

Or, en vertu de la formule 14,

$$\ln \left(\frac{1}{2}\right)^n = n\left(\ln \frac{1}{2}\right),$$

d'où l'on tire l'inéquation

$$\ln \left(\frac{1}{2}\right)^n < n\left(-\frac{1}{2}\right) \qquad \text{ou encore} \qquad \ln \left(\frac{1}{2}\right)^n < -\frac{n}{2}.$$

Quand n devient grand, $(1/2)^n \to 0$ et $-n/2 \to -\infty$. Par conséquent, $\lim_{x\to 0+} \ln x = -\infty$.

RÉSUMÉ

1. $\ln x = \displaystyle\int_1^x \frac{1}{t}\, dt$ pour $x > 0$.

2. La courbe représentative de $\ln x$ est tracée à la figure 7.14.

3. $\dfrac{d(\ln u)}{dx} = \dfrac{1}{u} \cdot \dfrac{du}{dx}$ pour $u > 0$.

4. $\displaystyle\int \frac{du}{u} = \ln |u| + C$

5. $\ln(ab) = \ln a + \ln b$ pour a et b positifs.
6. $\ln(a/b) = \ln a - \ln b$ pour a et b positifs.
7. $\ln(a^r) = r(\ln a)$ pour a positif.

EXERCICES

1. La fonction $\ln x$ est-elle continue? Justifier.
2. Estimer $\ln 2$ en calculant la somme supérieure $\overline{S}_4$ pour la fonction $1/x$ sur l'intervalle $[1,2]$, puis calculer $\ln 2$ à l'aide d'une calculatrice et comparer les deux réponses.
3. Trouver l'équation de la tangente à la courbe de la fonction $y = \ln x$ au point $(1,0)$.
4. Tracer la courbe représentative de la fonction $y = \ln|x|$.
5. Tracer la courbe représentative de la fonction $x = \ln y$.
6. Tracer la courbe représentative de la fonction $y = \ln(3 - x)$.

Dans les exercices 7 à 24, calculer la dérivée des fonctions données. Utiliser, lorsque c'est possible, les propriétés de $\ln x$ pour simplifier les réponses.

7. $\ln(3x + 2)$
8. $\ln\sqrt{x}$
9. $\ln x^3$
10. $\ln(\operatorname{tg} x)$
11. $\ln(\cos^2 x)$
12. $\ln\left(\dfrac{2x+3}{x^2+4}\right)$
13. $(\ln x)^2$
14. $(\ln x)(\sin x)$
15. $\ln\sqrt{3x^3 - 4x}$
16. $\dfrac{\ln x}{x^2}$
17. $\ln(\sec x \operatorname{tg} x)$
18. $\ln((x^2 + 4x)^2(3x - 2)^3)$
19. $\ln(\cos^2 x \sin^3 2x)$
20. $\operatorname{tg}(\ln x)$
21. $\ln(\ln x)$
22. $\ln(x\sqrt{2x + 3})$
23. $\cos(\ln x)$
24. $\ln\left(\dfrac{\cos^2 x}{\sin^3 2x}\right)$

Trouver les intégrales indéfinies proposées dans les exercices 25 à 38.

25. $\displaystyle\int \frac{1}{x+1}\,dx$
26. $\displaystyle\int \frac{1}{2x+3}\,dx$
27. $\displaystyle\int \operatorname{tg} 2x\,dx$
28. $\displaystyle\int \operatorname{cotg} 3x\,dx$
29. $\displaystyle\int \frac{x}{x^2+1}\,dx$
30. $\displaystyle\int \frac{1}{(x+1)^2}\,dx$
31. $\displaystyle\int \frac{\ln x}{x}\,dx$
32. $\displaystyle\int \frac{1}{x(\ln x)}\,dx$
33. $\displaystyle\int \frac{1}{x\ln(x^2)}\,dx$
34. $\displaystyle\int \frac{\sec^2 x}{\operatorname{tg} x}\,dx$
35. $\displaystyle\int \frac{x}{1-4x^2}\,dx$
36. $\displaystyle\int \frac{1}{(3x+1)^2}\,dx$
37. $\displaystyle\int \frac{\sin x}{1+\cos x}\,dx$
38. $\displaystyle\int \frac{\sin x}{\cos^2 x}\,dx$

Dans les exercices 39 à 41, évaluer les intégrales définies données

39. $\displaystyle\int_0^1 \frac{1}{4-x}\,dx$
40. $\displaystyle\int_1^2 \frac{x+1}{x}\,dx$
41. $\displaystyle\int_0^1 \frac{x}{x+1}\,dx$
42. La recherche de $\int \ln x\,dx$ exige la connaissance de techniques d'intégration qui dépassent le cadre de cet ouvrage. On peut cependant *vérifier* sans difficulté que $\int \ln x\,dx = x(\ln x) - x + C$. C'est ce qu'on vous demande de faire ici.
43. Montrer que $d(\ln|x|)/dx = 1/x$ pour tout $x \neq 0$. [*Indice* Analyser séparément les cas $x < 0$ et $x > 0$.]

7.3 LA FONCTION e^x

Nous avons montré à la section précédente que

$$\lim_{x\to\infty} \ln x = \infty \qquad \text{et} \qquad \lim_{x\to 0+} \ln x = -\infty.$$

Nous avons également vu que $\ln x$ est une fonction croissante. De plus, $\ln x$ est dérivable, donc continue (théorème 3.2, page 91). On peut donc affirmer que pour tout y, il existe *un et un seul* x tel que $y = \ln x$. (Voir les flèches

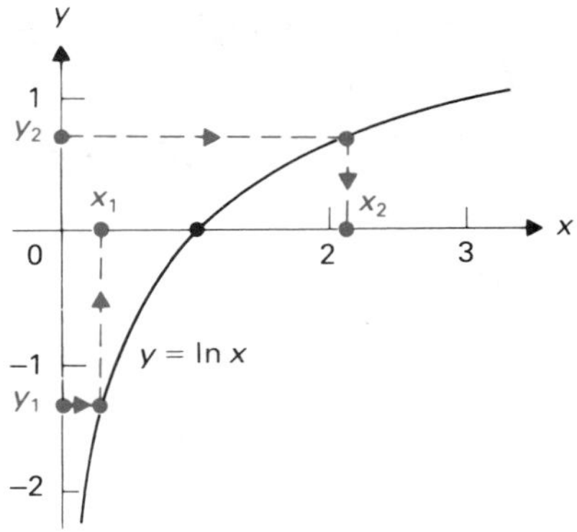

Figure 7.15 Courbe représentative de $y = \ln x$: pour tout y, il existe un et un seul x tel que $y = \ln x$.

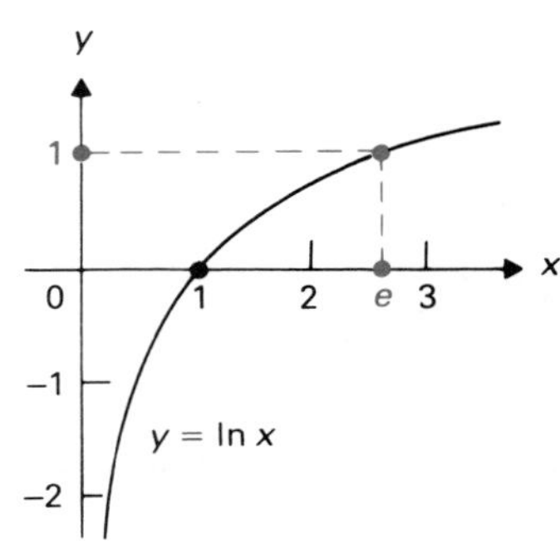

Figure 7.16 $\ln e = 1$.

à la figure 7.15.) Par conséquent, la relation $y = \ln x$ peut servir à définir x en fonction de y, pour tout y. Pour l'instant, nous écrirons simplement $x = \ln^{-1}(y)$, qui est la fonction réciproque de $y = \ln x$.

La figure 7.16 montre bien qu'il existe un seul nombre dont le logarithme népérien est 1. Ce nombre est noté e, de sorte que $e = \ln^{-1}(1)$ et que

$$\boxed{\ln e = 1.}$$

On identifie, sur la figure 7.16, la position du nombre e. Ce nombre, qui intervient dans de nombreuses formules, est l'un des nombres les plus importants du domaine des mathématiques. Il peut être estimé par la méthode de Newton en tant que racine de l'équation $\ln x - 1 = 0$. On obtient

$$e \simeq 2{,}718\ 281\ 828.$$

Le nombre e, comme le nombre π, est un nombre *irrationnel*, c'est-à-dire qu'il ne peut s'exprimer en tant que quotient de deux nombres entiers.

En vertu d'une propriété de $\ln x$ (propriété 14, page 274), on a

$$\ln(e^r) = r(\ln e) = r(1) = r, \tag{1}$$

pour tout nombre rationnel r. On en déduit que

$$\ln^{-1}(r) = \ln^{-1}(\ln e^r) = e^r \tag{2}$$

pour tout nombre rationnel r. On voit, d'après l'équation 2, que $\ln^{-1}$ est une fonction *exponentielle*, puisque $\ln^{-1}(r)$ est égale à e^r, c'est-à-dire à *e exposant r*. De plus, comme $\ln^{-1}(x)$ existe pour tout x, l'équation 2 montre également que l'on peut définir $e^x = \ln^{-1}(x)$ *pour tout nombre x*. Ainsi,

DÉFINITION 7.4 La fonction exponentielle (de base e)

Quel que soit le nombre réel x, la **fonction exponentielle (de base e)** $y = e^x$ est la fonction réciproque de la fonction logarithme naturel $y = \ln x$.

Les valeurs de la fonction e^x peuvent être calculées sur la plupart des calculatrices de poche. Certaines de celles-ci sont munies d'une touche e^x;

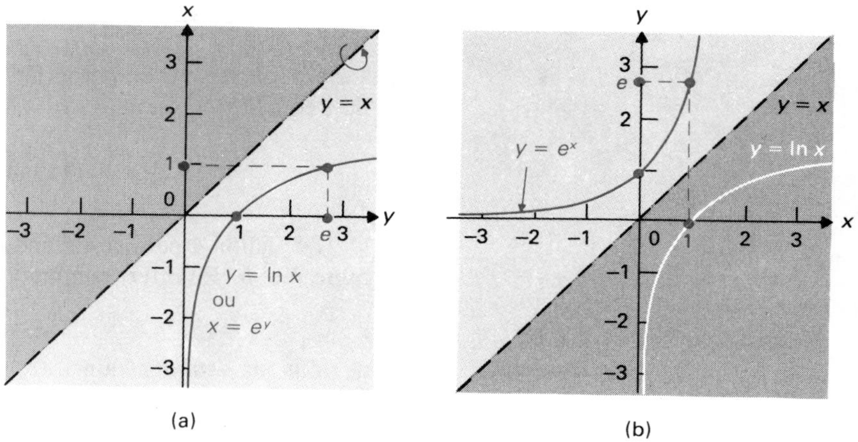

Figure 7.17 Obtention de la courbe de $y = e^x$ à partir de celle de $y = \ln x$:
(a) tracer la courbe de $y = \ln x$;
(b) effectuer une rotation du plan d'un demi-tour autour de la droite $y = x$ et intervertir les lettres x et y des axes.

il suffit alors d'entrer la valeur de x, puis d'appuyer sur la touche e^x. Dans d'autres cas, on obtient le même résultat en entrant la valeur de x puis en appuyant successivement sur les touches INV et ln x. (Le fonctionnement de ces calculatrices est basé sur le fait que la fonction exponentielle est la fonction réciproque ou *inverse* de ln x.)

D'après les notions que nous avons vues à la section 7.1, nous pouvons, en nous basant sur le graphe de la fonction $y = \ln x$, tracer le graphe de sa fonction réciproque $y = e^x$. Il suffit en effet de faire faire à la courbe de $y = \ln x$ une rotation d'un demi-tour autour de la droite $y = x$, puis d'intervertir les lettres x et y désignant les axes (figure 7.17).

PROPRIÉTÉS DE e^x

Comme le montre la figure 7.17(b), la fonction exponentielle e^x est une fonction croissante et

$$e^x > 0 \qquad \text{pour tout } x. \tag{3}$$

De plus, comme les relations réciproques $y = \ln x$ et $x = e^y$ sont vérifiées simultanément, on a $x = e^y = e^{\ln x}$, de sorte que

$$e^{\ln x} = x \qquad \text{pour tout } x > 0. \tag{4}$$

On obtient de façon similaire

$$\ln (e^x) = x \qquad \text{pour tout } x, \tag{5}$$

du fait que $y = e^x$ et que $x = \ln y$. D'après l'équation 4, on voit que

ln x est la puissance à laquelle il faut élever e pour obtenir x.

Cette « définition » est certainement la façon la plus simple d'interpréter les logarithmes. D'ailleurs, vous connaissez probablement déjà la fonction log x, pour $x > 0$, comme étant la puissance à laquelle il faut élever 10 pour obtenir x.

EXEMPLE 1 Simplifier l'expression $\ln(1/e^5)$.

Solution En vertu d'une propriété des logarithmes (propriété 13, page 274) et de l'équation 5, on a

$$\ln\left(\frac{1}{e^5}\right) = \ln(1) - \ln(e^5) = 0 - 5 = -5. \quad \square$$

L'équation 4 permet d'étendre la définition de a^b à tout $a > 0$ et à *tout* nombre réel b. En effet, comme

$$a = e^{\ln a},$$

nous pouvons *définir* a^b ainsi:

$$\boxed{a^b = e^{b(\ln a)} \qquad \text{pour tout } a > 0.} \tag{6}$$

Bien entendu, la fonction e^x satisfait aux lois des exposants. Ainsi,

$$e^a \cdot e^b = e^{a+b}, \tag{7}$$

$$\frac{e^a}{e^b} = e^{a-b}, \tag{8}$$

$$(e^a)^b = e^{ab}. \tag{9}$$

Pour démontrer la propriété 7, il suffit de prendre le logarithme de chaque côté de l'égalité et de montrer que les deux expressions obtenues sont égales. Comme la fonction $\ln x$ est croissante, donc injective (voir page 265), nous pouvons ensuite déduire de $\ln x_1 = \ln x_2$ que $x_1 = x_2$. Ainsi, nous avons

$$\ln(e^a \cdot e^b) = \ln(e^a) + \ln(e^b) = a + b,$$

tandis que

$$\ln(e^{a+b}) = a + b$$

également. Par conséquent, $\ln(e^a \cdot e^b) = \ln(e^{a+b})$ et, comme $\ln x$ est une fonction croissante, $e^a \cdot e^b = e^{a+b}$. De même,

$$\ln\left(\frac{e^a}{e^b}\right) = \ln(e^a) - \ln(e^b) = a - b$$

et

$$\ln(e^{a-b}) = a - b,$$

ce qui démontre l'équation 8. Finalement, en vertu de l'équation 6,

$$(e^a)^b = e^{b(\ln e^a)} = e^{ba} = e^{ab}.$$

EXEMPLE 2 Simplifier l'expression $(e^2)^{\ln 3}$.

Solution En vertu des équations 9 et 4,

$$(e^2)^{\ln 3} = e^{2(\ln 3)} = (e^{\ln 3})^2 = 3^2 = 9. \quad \square$$

DÉRIVÉE DE e^x

Comme $\ln x$ est dérivable partout sur son domaine, la courbe de $y = \ln x$ admet une tangente en tout point. Cette tangente n'est jamais horizontale, puisque $d(\ln x)/dx = 1/x \neq 0$ pour tout $x > 0$. Par conséquent, comme la courbe de $y = e^x$ est obtenue de celle de $y = \ln x$ au moyen d'une rotation d'un demi-tour autour de la droite $y = x$, il s'ensuit qu'elle admet une tangente en chaque point et que cette tangente n'est jamais verticale (voir la figure 7.17(b)). La fonction e^x est donc également dérivable en tout point.

La dérivée de e^x peut être obtenue par dérivation implicite. Ainsi, $y = e^x$ entraîne $x = \ln y$, que l'on dérive implicitement, obtenant ainsi

$$1 = \frac{1}{y} \cdot \frac{dy}{dx},$$

de sorte que

$$\frac{dy}{dx} = y = e^x.$$

Par conséquent,

$$\frac{d(e^x)}{dx} = e^x.$$

La dérivée de la fonction exponentielle e^x est donc *égale à la fonction elle-même*. C'est d'ailleurs l'une des raisons pour lesquelles la fonction exponentielle est si importante.

Si u est une fonction dérivable de x, on a, en vertu de la règle de dérivation en chaîne,

$$\boxed{\frac{d(e^u)}{dx} = e^u \cdot \frac{du}{dx}.} \qquad \textbf{(10)}$$

La formule 10 doit être mémorisée. Faites bien attention de ne pas confondre la formule 10, qui donne la « dérivée de la *constante* e *élevée à une fonction* », avec la formule $d(u^n)/dx = nu^{n-1}\,(du/dx)$ qui permet de calculer la « dérivée d'une *fonction élevée à une constante* ».

EXEMPLE 3 Calculer la dérivée de $e^{\sin x}$.

Solution On a

$$\frac{d(e^{\sin x})}{dx} = e^{\sin x} \cdot \frac{d(\sin x)}{dx} = e^{\sin x} \cos x. \qquad \square$$

EXEMPLE 4 Calculer dy/dx pour $y = e^{\sqrt{x}}$.

Solution

$$\frac{dy}{dx} = e^{\sqrt{x}} \cdot \frac{d(\sqrt{x})}{dx} = e^{\sqrt{x}} \cdot \frac{1}{2\sqrt{x}} = \frac{e^{\sqrt{x}}}{2\sqrt{x}}. \qquad \square$$

INTÉGRALE DE e^x

On peut déduire de la formule $d(e^x)/dx = e^x$ l'intégrale

$$\int e^x\,dx = e^x + C, \tag{11}$$

et de la formule 10, l'intégrale

$$\boxed{\int e^u\,du = e^u + C,} \tag{12}$$

où u est une fonction dérivable. La formule 12 doit également être apprise par cœur.

EXEMPLE 5 Trouver $\int xe^{x^2}\,dx$.

Solution Posons $u = x^2$, de sorte que $du = 2x\,dx$. On a alors

$$\int xe^{x^2}\,dx = \frac{1}{2}\int e^{\overbrace{x^2}^{u}} \cdot \underbrace{2x\,dx}_{du} = \frac{1}{2}e^{x^2} + C. \quad \square$$

EXEMPLE 6 Trouver

$$\int \frac{e^{2x}}{1 - e^{2x}}\,dx.$$

Solution Le numérateur de la fonction à intégrer est, à une constante près, la dérivée du dénominateur. Ainsi, en posant $u = 1 - e^{2x}$, on a

$$du = -e^{2x} \cdot 2\,dx,$$

de sorte que

$$\int \frac{e^{2x}}{1 - e^{2x}}\,dx = -\frac{1}{2}\int \frac{\overbrace{(-e^{2x} \cdot 2)\,dx}^{du}}{\underbrace{1 - e^{2x}}_{u}} = -\frac{1}{2}\int \frac{du}{u}$$

$$= -\frac{1}{2}\ln|u| + C = -\frac{1}{2}\ln|1 - e^{2x}| + C. \quad \square$$

RÉSUMÉ

1. e est le seul nombre dont le logarithme naturel est égal à 1.
2. $y = e^x$ est la fonction réciproque de la fonction $y = \ln x$.
3. $e^{\ln x} = x$ pour tout $x > 0$
4. $\ln e^x = x$ pour tout x
5. $e^a e^b = e^{a+b}$
6. $e^a/e^b = e^{a-b}$

7. $(e^a)^b = e^{ab}$

8. $\dfrac{d(e^u)}{dx} = e^u \cdot \dfrac{du}{dx}$

9. $\int e^u\,du = e^u + C$

EXERCICES

Dans les exercices 1 à 12, faire appel aux propriétés des exponentielles et des logarithmes pour simplifier les expressions données.

1. $\ln(e^2)$
2. $e^{\ln 3}$
3. $\ln(e^{\ln 1})$
4. $\ln(e^{1/2})$
5. $\ln\left(\dfrac{1}{e^2}\right)$
6. $e^{(1+\ln 2)}$
7. $e^{(\ln 2+\ln 3)}$
8. $e^{\ln 3-\ln 4}$
9. $e^{4(\ln 2)}$
10. $\ln\left(\dfrac{\sqrt{e}}{e^2}\right)$
11. $(e^2)^{\ln 3}$
12. $\ln(\ln e)$

Pour les exercices 13 à 28, calculer la dérivée des fonctions données.

13. e^{2x}
14. xe^x
15. $e^{2x}\sin x$
16. $e^x + e^{-x}$
17. $e^x(\ln 2x)$
18. $\operatorname{tg}(e^x)$
19. $e^{\sec x}$
20. $e^{(x^2+x)}$
21. $e^{1/x}$
22. $x^2e^{-x^2}$
23. $\dfrac{e^x+1}{e^x}$
24. $\dfrac{e^{2x}}{1+e^x}$
25. $\dfrac{e^{\sin x}}{\cos x}$
26. $e^{x^2}(\ln x)$
27. $\dfrac{e^{-x^2}}{x+1}$
28. $\dfrac{e^x-e^{-x}}{e^x+e^{-x}}$

Trouver les intégrales des exercices 29 à 40.

29. $\displaystyle\int_0^{\ln 3} e^{2x}\,dx$
30. $\displaystyle\int x^2e^{x^3}\,dx$
31. $\displaystyle\int (\sin x)e^{\cos x}\,dx$
32. $\displaystyle\int_0^{\ln 2} (e^x - e^{-x})\,dx$
33. $\displaystyle\int \frac{e^x}{1+e^x}\,dx$
34. $\displaystyle\int \frac{e^{\sqrt{x}}}{\sqrt{x}}\,dx$
35. $\displaystyle\int \frac{e^x+e^{-x}}{e^x-e^{-x}}\,dx$
36. $\displaystyle\int e^{\ln\sqrt{x}}\,dx$
37. $\displaystyle\int (e^{3x}+e^{2x})^{1/2}\,dx$
38. $\displaystyle\int \frac{e^{2x}}{\sqrt{e^{2x}-4}}\,dx$
39. $\displaystyle\int e^{1+\ln x}\,dx$
40. $\displaystyle\int e^{3+\ln(\sin x)}\,dx$

41. Tracer la courbe représentative de e^{-x}.

42. Tracer, sur un même système d'axes, les courbes représentatives de e^x et de e^{x^2}.

43. Tracer, sur un même système d'axes, les courbes représentatives de e^{-x} et de e^{-x^2}.

7.4 DÉRIVATION LOGARITHMIQUE

Les propriétés des logarithmes peuvent être utilisées pour calculer des dérivées de produits, de quotients, de racines ou de puissances. La méthode est connue sous le nom de *dérivation logarithmique*. Elle consiste à prendre les logarithmes des deux membres de l'équation $y = f(x)$, soit

$$\ln y = \ln f(x),$$

à simplifier $\ln f(x)$ au maximum en utilisant les propriétés des logarithmes et à dériver implicitement l'équation obtenue. Voici quelques illustrations de cette méthode.

EXEMPLE 1 Calculer dy/dx pour la fonction $y = x^x$.

Solution Puisque $y = x^x$, on a

$$\ln y = \ln (x^x),$$

ou encore

$$\ln y = x(\ln x).$$

En dérivant implicitement cette dernière équation, on obtient

$$\frac{1}{y} \cdot \frac{dy}{dx} = x \cdot \frac{1}{x} + \ln x = 1 + \ln x.$$

Il ne reste plus qu'à isoler dy/dx pour obtenir

$$\frac{dy}{dx} = y(1 + \ln x) = x^x(1 + \ln x).$$ □

EXEMPLE 2 Calculer dy/dx pour $y = 2^x \cdot (\sin x)^{\cos x}$.

Solution Procédons de nouveau par dérivation logarithmique:

$$\ln y = \ln (2^x) + \ln ((\sin x)^{\cos x}),$$

$$\ln y = x(\ln 2) + (\cos x) \cdot \ln (\sin x),$$

$$\frac{1}{y} \cdot \frac{dy}{dx} = (\ln 2) + (\cos x) \cdot \frac{1}{\sin x} \cdot (\cos x) + (\ln (\sin x))(-\sin x),$$

$$\frac{dy}{dx} = y\left[(\ln 2) + \frac{\cos^2 x}{\sin x} - (\sin x)(\ln (\sin x))\right],$$

$$\frac{dy}{dx} = 2^x(\sin x)^{\cos x}[(\ln 2) + \cos x \operatorname{cotg} x - (\sin x)(\ln (\sin x))].$$ □

EXEMPLE 3 Calculer dy/dx pour la fonction

$$y = \frac{x^3 \sin^2 x}{(x + 1)(x - 2)^2}.$$

Solution En vertu des propriétés des logarithmes, on a

$$\ln y = 3(\ln x) + 2 \ln (\sin x) - \ln (x + 1) - 2 \ln (x - 2).$$

En dérivant implicitement, on obtient

$$\frac{1}{y} \cdot \frac{dy}{dx} = \frac{3}{x} + 2\,\frac{\cos x}{\sin x} - \frac{1}{x - 1} - \frac{2}{x - 2},$$

puis finalement

$$\frac{dy}{dx} = \frac{x^3 \sin^2 x}{(x + 1)(x - 1)^2}\left(\frac{3}{x} + 2 \operatorname{cotg} x - \frac{1}{x - 1} - \frac{2}{x - 2}\right).$$

Nous aurions pu, bien entendu, calculer cette dérivée dès le chapitre 4. Cependant, nous pouvons facilement imaginer la complexité des calculs qu'il aurait alors fallu effectuer. □

Soit u une fonction dérivable de x telle que $u > 0$. Nous sommes maintenant en mesure de démontrer la validité de la formule

$$\frac{d(u^r)}{dx} = ru^{r-1} \cdot \frac{du}{dx}$$

pour *tout nombre réel r*. (Elle n'avait, jusqu'à présent, été démontrée que pour des *r rationnels*.)
En effet, soit $y = u^r$. Alors

$$\ln y = \ln (u^r) = r(\ln u),$$

d'où

$$\frac{1}{y} \cdot \frac{dy}{dx} = r \cdot \frac{1}{u} \cdot \frac{du}{dx}$$

et

$$\frac{dy}{dx} = r \cdot y \cdot \frac{1}{u} \cdot \frac{du}{dx} = ru^r \cdot \frac{1}{u} \cdot \frac{du}{dx} = ru^{r-1} \cdot \frac{du}{dx}.$$

RÉSUMÉ

La dérivation logarithmique permet de simplifier le processus de dérivation de produits, de quotients et d'exponentielles.

EXERCICES

Dans les exercices 1 à 8, trouver la dérivée des fonctions données en utilisant la technique de dérivation logarithmique.

1. $y^2 = x(x + 1)$ **2.** $y = x^{\ln x}$

3. $y = 5^{x^2}/7^x$ **4.** $y = \dfrac{5^{\sin x}}{2^{1/x}}$

5. $y = x^2 e^x \cos x$ **6.** $y = \dfrac{x^2 3^x}{\operatorname{tg} x}$

7. $y = (x^2 + 1)\sqrt{2x + 3}(x^3 - 2x)$

8. $y = x^{\sin x}/(\cos x)^x$

9. Soit a^x, où $a > 0$, la fonction exponentielle de base a définie par l'équation $y = a^x = e^{x \ln a}$ pour tout x.
   a) En utilisant la technique de dérivation logarithmique, démontrer que $d(a^x)/dx = a^x \ln a$.
   b) Sachant que u est une fonction dérivable de x, démontrer que $d(a^u)/dx = a^u \ln a\ (du/dx)$.

10. Démontrer que si on prend pour base, dans le numéro précédent, le nombre e, on retrouve le résultat connu $d(e^x)/dx = e^x$.

11. Soit $\log_a x$, pour a positif différent de 1, la fonction réciproque de a^x, de sorte que $y = \log_a x$ si et seulement si $a^y = x$.
   a) Démontrer que $d(\log_a x)/dx = (1/x) \cdot (1/\ln a)$. [*Indice* De $y = \log_a x$, déduire $a^y = x$, puis utiliser la méthode de dérivation logarithmique.]
   b) Sachant que u est une fonction dérivable de x, démontrer que $d(\log_a u)/dx = (1/u) \cdot (1/\ln a)(du/dx)$.

12. Démontrer que si on prend pour base, dans le numéro précédent, le nombre e, on retrouve le résultat connu $d(\ln x)/dx = 1/x$.

Les résultats des exercices 9 et 11 ne sont pas absolument essentiels: la dérivation logarithmique est un moyen efficace, quoique parfois un peu long, d'arriver au même résultat. Pour chacun des exercices 13 à 16, dériver une première fois la fonction donnée en utilisant les résultats des exercices 9 et 11, puis refaire le problème en utilisant la dérivation logarithmique.

13. 2^{3x} **14.** $x^2 3^{2x-1}$

15. $\log_{10} 2x$ **16.** $\log_5 \dfrac{2x + 1}{x}$

17. Sachant que $a^x = e^{(\ln a)x}$, démontrer que

$$\int a^x\, dx = \frac{1}{\ln a} \cdot a^x + C.$$

18. Soit la fonction $y = x^x$.
   a) Trouver les maximums et les minimums relatifs de f.
   b) Montrer que la courbe de f a sa concavité tournée vers le haut.
   c) Sachant que $\lim_{x \to 0} x^x = 1$, trouver $\lim_{x \to 0} f'(x)$.
   d) Tracer la courbe de f.

7.5 FONCTIONS TRIGONOMÉTRIQUES INVERSES

LA FONCTION Arc sin x OU $\sin^{-1} x$

Examinons la courbe de la fonction $y = \sin x$, tracée à la figure 7.18. On voit que $\sin x$ ne peut admettre de fonction réciproque, puisqu'il existe plus d'une valeur de x ayant pour image une valeur donnée de y comprise entre -1 et 1.

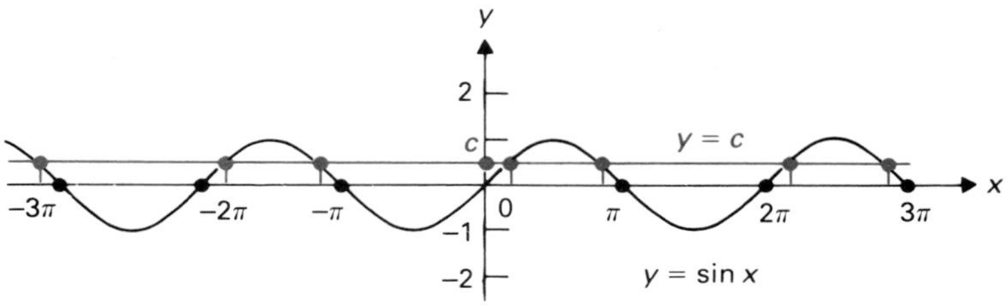

Figure 7.18 La fonction $\sin x$ n'admet pas de fonction réciproque puisqu'une valeur c de y peut être l'image de plus d'une valeur de x.

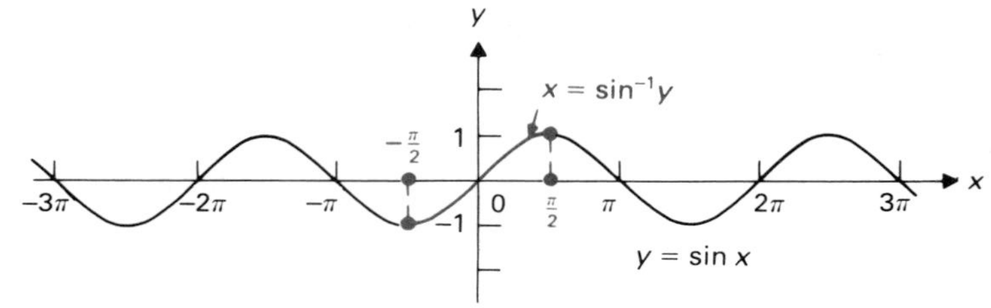

Figure 7.19 On définit la fonction Arc sin x à partir de l'arc de courbe tracé en couleur.

Par exemple, il existe une infinité de valeurs de x pour lesquelles $\sin x = c$. À la figure 7.19 nous avons indiqué en couleur un arc continu de la courbe de $\sin x$, pour lequel chaque élément de l'intervalle $[-1,1]$ est l'image d'une et une seule valeur de x. Nous avons tout naturellement choisi l'arc de courbe le plus rapproché de l'origine. Ainsi, nous définissons la fonction Arc sinus de la manière suivante: étant donné une valeur y telle que $-1 \leq y \leq 1$, il existe une et une seule valeur de x telle que $-\pi/2 \leq x \leq \pi/2$ et $\sin x = y$. La fonction réciproque (ou *inverse*) de la fonction sinus est notée $x = \sin^{-1} y$ ou encore $x = \text{Arc sin } y$. Nous préférons employer la première de ces deux notations, qui est la plus fréquemment utilisée sur les calculatrices. Il faut toutefois se rappeler que le -1 de $\sin^{-1} y$ *ne doit pas être vu comme un exposant* et que $\sin^{-1} y$ *n'est pas synonyme de* $1/\sin y$. (Il existe d'ailleurs déjà un terme, cosec y, pour désigner $1/\sin y$).

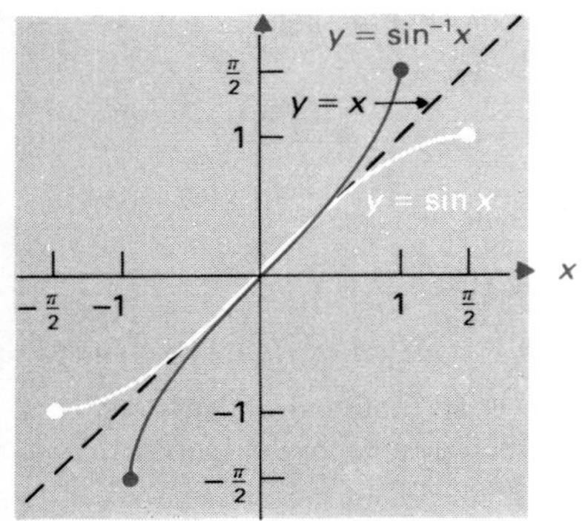

Figure 7.20 Courbe représentative de la fonction $y = \sin^{-1} x$.

L'arc de courbe tracé en couleur à la figure 7.19 est le graphique de la fonction $x = \sin^{-1} y$. Pour obtenir le graphe de $y = \sin^{-1} x$, il suffit, comme nous l'avons déjà vu, de faire faire à la courbe de $x = \sin^{-1} y$ une rotation d'un demi-tour autour de la droite $y = x$, puis d'intervertir les lettres x et y désignant les axes (figure 7.20). Comme l'indique la figure 7.20, le domaine de $\sin^{-1} x$ est l'intervalle $[-1,1]$ et l'image de la fonction est l'intervalle $[-\pi/2, \pi/2]$. Nous verrons sous peu qu'il est très important de connaître l'image de $\sin^{-1} x$.

EXEMPLE 1 Trouver $\sin^{-1}(1/2)$.

Solution Puisque $\sin(\pi/6) = 1/2$ et que $\pi/6$ est compris dans l'intervalle $[-\pi/2, \pi/2]$, $\sin^{-1}(1/2) = \pi/6$. □

EXEMPLE 2 Trouver $\sin^{-1}(-\sqrt{3}/2)$.

Solution Nous savons que $\sin(2\pi/3) = -\sqrt{3}/2$, mais $2\pi/3$ ne fait pas partie de l'intervalle $[-\pi/2, \pi/2]$. Il existe toutefois un angle compris dans cet intervalle et dont la valeur du sinus est $-\sqrt{3}/2$: $-\pi/3$. Par conséquent, $\sin^{-1}(-\sqrt{3}/2) = -\pi/3$. □

L'usage de la calculatrice demeure le moyen le plus simple de trouver les valeurs de $\sin^{-1} x$. En mode « radian », les valeurs de $\sin^{-1} x$ obtenues sont automatiquement comprises dans l'intervalle $[-\pi/2, \pi/2]$.

Nous allons maintenant calculer la dérivée de $\sin^{-1} x$ et voir pourquoi il est si important de fixer une fois pour toutes l'image de $\sin^{-1} x$. Si nous posons $y = \sin^{-1} x$, alors $x = \sin y$ et nous obtenons, en dérivant implicitement,

$$1 = (\cos y)\frac{dy}{dx}$$

et

$$\frac{dy}{dx} = \frac{1}{\cos y}.$$

Or, nous voudrions bien exprimer dy/dx en fonction de x plutôt que y. Comme $\sin y = x$,

$$\cos y = \pm\sqrt{1 - \sin^2 y} = \pm\sqrt{1 - x^2}.$$

Mais $-\pi/2 \le y \le \pi/2$, de sorte que $\cos y \ge 0$ et, par conséquent,

$$\cos y = \sqrt{1 - x^2}.$$

La formule de la dérivée de $\sin^{-1} x$ dépend donc de l'intervalle $[-\pi/2, \pi/2]$ que nous avons choisi comme image de $\sin^{-1} x$. On obtient finalement

$$\frac{dy}{dx} = \frac{1}{\sqrt{1 - x^2}},$$

c'est-à-dire

$$\frac{d(\sin^{-1} x)}{dx} = \frac{1}{\sqrt{1 - x^2}}.$$

Il s'ensuit immédiatement, par la règle de dérivation en chaîne, que si u est une fonction dérivable de x, alors

$$\boxed{\frac{d(\sin^{-1} u)}{dx} = \frac{1}{\sqrt{1 - u^2}} \cdot \frac{du}{dx}.} \quad \textbf{(1)}$$

EXEMPLE 3 Calculer dy/dx pour la fonction $y = \sin^{-1} 2x$.

Solution On a, en vertu de l'équation 1,

$$\frac{d(\sin^{-1}2x)}{dx} = \frac{1}{\sqrt{1-(2x)^2}} \cdot \frac{d(2x)}{dx} = \frac{1}{\sqrt{1-4x^2}} \cdot 2 = \frac{2}{\sqrt{1-4x^2}}. \quad \square$$

On peut déduire de l'équation 1 l'intégrale suivante:

$$\boxed{\int \frac{du}{\sqrt{1-u^2}} = \sin^{-1}u + C.} \qquad \textbf{(2)}$$

On s'aperçoit donc que la fonction Arc sin x permet d'obtenir une nouvelle formule d'intégration. C'est d'ailleurs l'une des grandes utilités des fonctions trigonométriques inverses.

EXEMPLE 4 Trouver

$$\int \frac{dx}{\sqrt{1-9x^2}}.$$

Solution En utilisant la formule 2, où $u = 3x$, on obtient

$$\int \frac{dx}{\sqrt{1-9x^2}} = \int \frac{dx}{\sqrt{1-(3x)^2}} = \frac{1}{3}\int \frac{\overbrace{3\,dx}^{du}}{\sqrt{1-\underbrace{(3x)}_{u}^2}}$$

$$= \frac{1}{3}\sin^{-1}(3x) + C. \quad \square$$

AUTRES FONCTIONS TRIGONOMÉTRIQUES INVERSES

On peut définir une fonction réciproque ou *inverse* pour toutes les fonctions trigonométriques. Il faut cependant restreindre chaque fois l'intervalle de variation de l'angle.

À la figure 7.21 sont représentés les graphiques des six fonctions trigonométriques. Sous cette forme, aucune d'entre elles n'admet de fonction réciproque puisque pour chacune, il existe au moins une droite horizontale coupant le graphique en plus d'un endroit. Cependant, nous avons dessiné en couleur les arcs de courbe à partir desquels sont définies les fonctions trigonométriques inverses. Vous remarquerez sans doute que dans le cas des fonctions sec x et cosec x il est impossible de choisir un arc de courbe *continu* qui vaudrait à la fois pour $y \geq 1$ et pour $y \leq -1$.

Les fonctions trigonométriques inverses sont illustrées à la figure 7.22 et leurs différentes propriétés sont inscrites au tableau 7.1. Le domaine et l'image de chacune des fonctions peuvent être obtenus sans difficulté par un examen attentif de la figure 7.22. L'obtention des formules de dérivation est laissée en exercice.

On constate que les dérivées de $\cos^{-1} x$, de $\text{cotg}^{-1} x$ et de $\text{cosec}^{-1} x$ sont, au signe près, les mêmes que celles de $\sin^{-1} x$, de $\text{tg}^{-1} x$ et de $\sec^{-1} x$

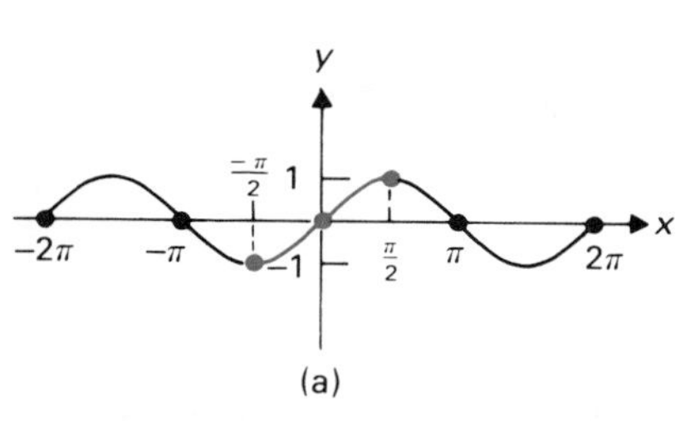

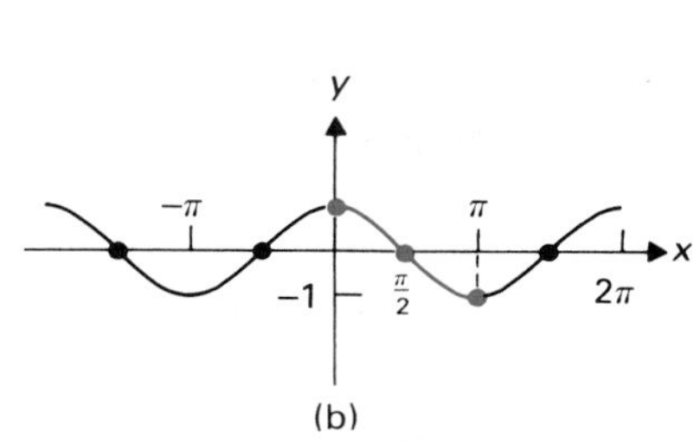

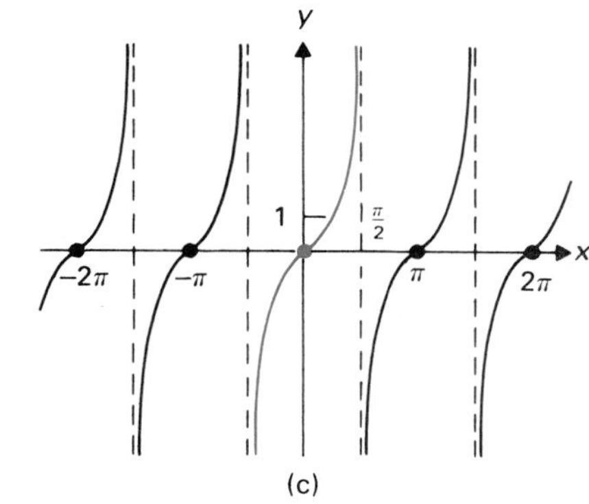

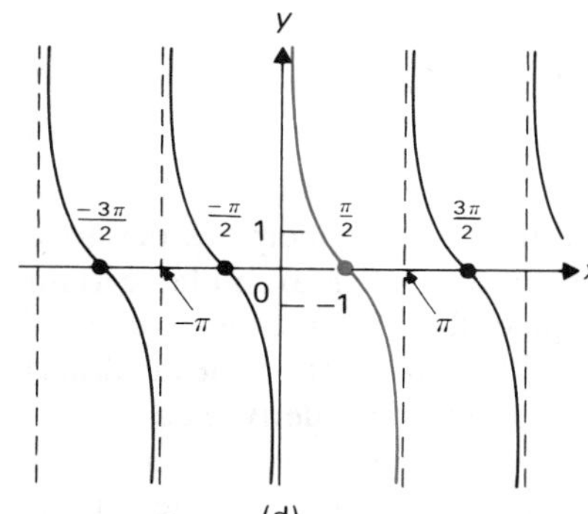

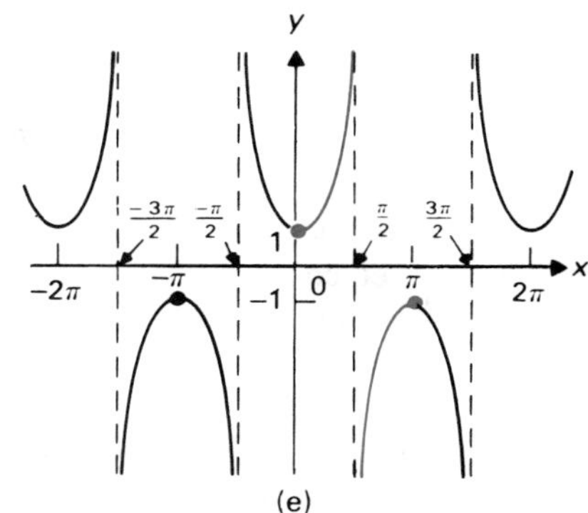

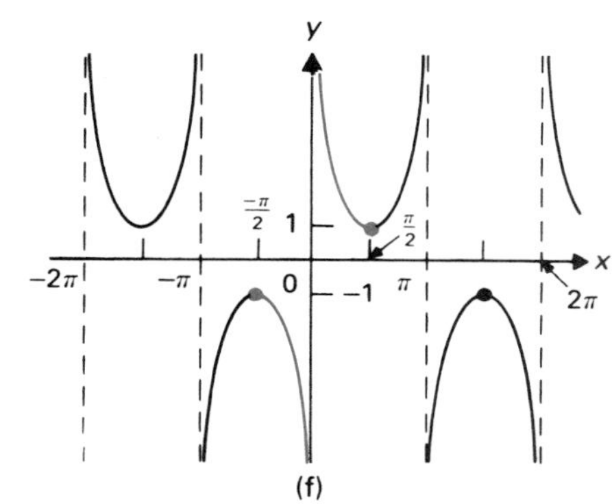

Figure 7.21 Arcs de courbes des fonctions trigonométriques utilisés pour définir les fonctions trigonométriques inverses:
(a) $y = \sin x$; (b) $y = \cos x$; (c) $y = \text{tg}\, x$;
(d) $y = \text{cotg}\, x$; (e) $y = \sec x$; (f) $y = \text{cosec}\, x$.

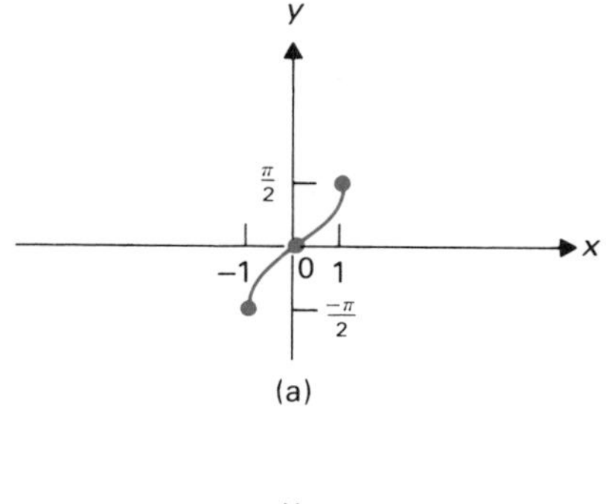

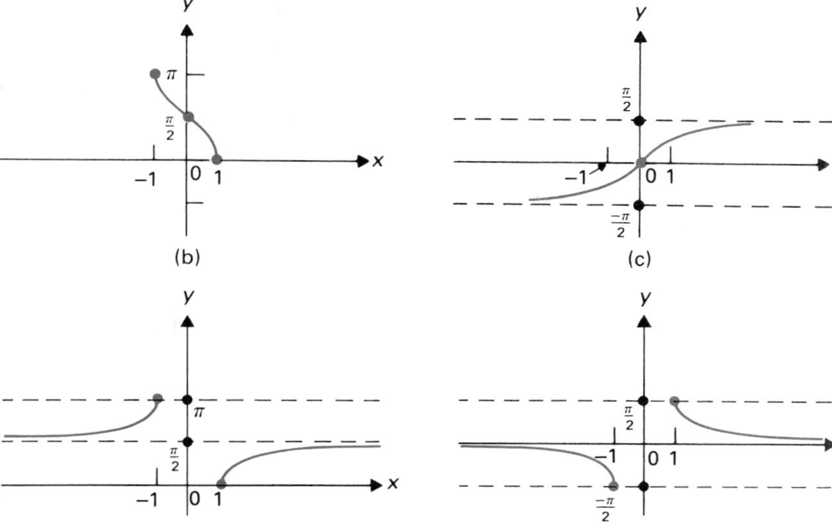

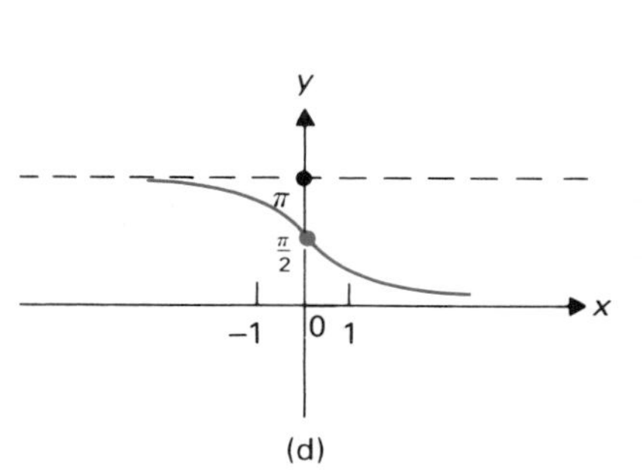

Figure 7.22 Courbes représentatives des fonctions trigonométriques inverses:
(a) $y = \sin^{-1} x$; (b) $y = \cos^{-1} x$; (c) $y = \text{tg}^{-1} x$; (d) $y = \text{cotg}^{-1} x$;
(e) $y = \sec^{-1} x$; (f) $y = \text{cosec}^{-1} x$.

respectivement. C'est dire que les « cofonctions inverses » n'engendrent pas de nouvelles formules d'intégration. Aussi écrit-on généralement

$$\int \frac{-1 \cdot dx}{\sqrt{1-x^2}} = -\int \frac{dx}{\sqrt{1-x^2}} = -\sin^{-1} x + C$$

plutôt que

$$\int \frac{-1 \cdot dx}{\sqrt{1-x^2}} = \cos^{-1} x + C.$$

Les images des fonctions trigonométriques inverses inscrites au tableau 7.1 s'appellent les **déterminations principales** des fonctions. Ces dernières ont été choisies de manière que les trois propriétés suivantes soient satisfaites:

$$\operatorname{cosec}^{-1} x = \sin^{-1} (1/x), \quad \textbf{(3)}$$

$$\sec^{-1} x = \cos^{-1} (1/x), \quad \textbf{(4)}$$

$$\operatorname{cotg}^{-1} x = \pi/2 - \operatorname{tg}^{-1} x. \quad \textbf{(5)}$$

Il faut signaler que le choix des déterminations principales des fonctions $\sec^{-1} x$ et $\operatorname{cosec}^{-1} x$ ne fait pas l'unanimité. Par exemple, certains auteurs choisissent la détermination principale de $\sec^{-1} x$ entre π et $3\pi/2$ quand $x \leq -1$ (c'est-à-dire comme un angle situé dans le troisième quadrant). Ce choix présente l'avantage de simplifier la formule de la dérivée de $\sec^{-1} x$; cependant, avec cette définition, la formule 4 ne tient plus pour $x \leq -1$. Or, comme la plupart des calculatrices ne donnent que les valeurs de $\sin^{-1} x$, de $\cos^{-1} x$ et de $\operatorname{tg}^{-1} x$, on a tout avantage à choisir des formules de conversion aussi simples que possible.

Tableau 7.1 Fonctions trigonométriques inverses

Fonction	Domaine	Image	Dérivée
$\sin^{-1} x$	$[-1,1]$	$\left[-\frac{\pi}{2}, \frac{\pi}{2}\right]$	$\frac{1}{\sqrt{1-x^2}}$
$\cos^{-1} x$	$[-1,1]$	$[0,\pi]$	$\frac{-1}{\sqrt{1-x^2}}$
$\operatorname{tg}^{-1} x$	Tous les réels	$-\frac{\pi}{2} < y < \frac{\pi}{2}$	$\frac{1}{1+x^2}$
$\operatorname{cotg}^{-1} x$	Tous les réels	$0 < y < \pi$	$\frac{-1}{1+x^2}$
$\sec^{-1} x$	$x \geq 1$	$0 \leq y < \frac{\pi}{2}$	$\frac{1}{\lvert x\rvert\sqrt{x^2-1}}$
	$x \leq -1$	$\frac{\pi}{2} < y \leq \pi$	
$\operatorname{cosec}^{-1} x$	$x \geq 1$	$0 < y \leq \frac{\pi}{2}$	$\frac{-1}{\lvert x\rvert\sqrt{x^2-1}}$
	$x \leq -1$	$-\frac{\pi}{2} \leq y < 0$	

En nous basant sur le tableau 7.1 et en vertu de la règle de dérivation en chaîne, nous pouvons constituer le formulaire suivant:

DÉRIVÉES

6. $\dfrac{d(\sin^{-1} u)}{dx} = \dfrac{1}{\sqrt{1-u^2}} \cdot \dfrac{du}{dx}$, pour $-1 < u < 1$

7. $\dfrac{d(\cos^{-1} u)}{dx} = \dfrac{-1}{\sqrt{1-u^2}} \cdot \dfrac{du}{dx}$, pour $-1 < u < 1$

8. $\dfrac{d(\operatorname{tg}^{-1} u)}{dx} = \dfrac{1}{1+u^2} \cdot \dfrac{du}{dx}$

9. $\dfrac{d(\operatorname{cotg}^{-1} u)}{dx} = \dfrac{-1}{1+u^2} \cdot \dfrac{du}{dx}$

10. $\dfrac{d(\sec^{-1} u)}{dx} = \dfrac{1}{|u|\sqrt{u^2-1}} \cdot \dfrac{du}{dx}$, pour $|u| > 1$

11. $\dfrac{d(\operatorname{cosec}^{-1} u)}{dx} = \dfrac{-1}{|u|\sqrt{u^2-1}} \cdot \dfrac{du}{dx}$, pour $|u| > 1$

INTÉGRALES

12. $\displaystyle\int \frac{du}{\sqrt{1-u^2}} = \sin^{-1} u + C$

13. $\displaystyle\int \frac{du}{1+u^2} = \operatorname{tg}^{-1} u + C$

14. $\displaystyle\int \frac{du}{u\sqrt{u^2-1}} = \int \frac{d(-u)}{(-u)\sqrt{u^2-1}} = \sec^{-1} |u| + C$

Voici quelques applications de ces formules.

EXEMPLE 5 Calculer dy/dx pour la fonction $y = \operatorname{tg}^{-1}(3x+5)$.

Solution En vertu de la formule 8, où $u = 3x + 5$, nous avons

$$\frac{d[\operatorname{tg}^{-1}(3x+5)]}{dx} = \frac{1}{1+(3x+5)^2} \cdot \frac{d(3x+5)}{dx}$$

$$= \frac{1}{1+(3x+5)^2} \cdot 3 = \frac{3}{1+(3x+5)^2}. \qquad \square$$

EXEMPLE 6 Évaluer

$$\int_0^{1/2} \frac{dx}{\sqrt{1-x^2}}.$$

Solution On a

$$\int_0^{1/2} \frac{1}{\sqrt{1-x^2}}\, dx = \sin^{-1} x \Big|_0^{1/2} = \sin^{-1}\frac{1}{2} - \sin^{-1} 0$$

$$= \frac{\pi}{6} - 0 = \frac{\pi}{6}. \qquad \square$$

EXEMPLE 7 Évaluer

$$\int_0^3 \frac{1}{1+4x^2}\,dx.$$

Solution En vertu de la formule 13, où $u = 2x$ et $du = 2dx$, nous avons

$$\int_0^3 \frac{1}{1+4x^2}\,dx = \frac{1}{2}\int_0^3 \frac{2}{1+(2x)^2}\,dx = \frac{1}{2}\operatorname{tg}^{-1} 2x\,\Big|_0^3$$

$$= \frac{1}{2}\operatorname{tg}^{-1}6 - \frac{1}{2}\operatorname{tg}^{-1}0 \simeq 0{,}703. \quad \square$$

EXEMPLE 8 Évaluer

$$\int_{-5}^{-2} \frac{1}{x\sqrt{x^2-1}}\,dx.$$

Solution On a, par la formule 14,

$$\int_{-5}^{-2} \frac{1}{x\sqrt{x^2-1}}\,dx = \sec^{-1}|x|\,\Big|_{-5}^{-2}$$

$$= \sec^{-1}|-2| - \sec^{-1}|-5|$$

$$= \sec^{-1}(2) - \sec^{-1}(5)$$

$$= \cos^{-1}(1/2) - \cos^{-1}(1/5) \qquad \text{(propriété 4)}$$

$$\simeq 1{,}047 - 1{,}369 = -0{,}322. \quad \square$$

RÉSUMÉ

1. Au tableau 7.1 sont résumées les principales propriétés des fonctions trigonométriques inverses.
2. Se reporter au formulaire de la page 291 pour la liste des dérivées et intégrales en rapport avec les fonctions trigonométriques inverses.

EXERCICES

Pour chacun des exercices 1 à 17, évaluer l'expression donnée.

1. $\sin^{-1} 1$
2. $\cos^{-1}(0{,}75)$
3. $\operatorname{tg}^{-1}(-0{,}85)$
4. $\operatorname{cosec}^{-1} 2$
5. $\sec^{-1}(-8)$
6. $\sin^{-1}(-0{,}42)$
7. $\operatorname{cotg}^{-1} 1$
8. $\sec^{-1} 1$
9. $\operatorname{cosec}^{-1}(-1)$
10. $\cos^{-1}(-1)$
11. $\sec^{-1}(-1)$
12. $\operatorname{cosec}^{-1}(-2{,}5)$
13. $\operatorname{tg}^{-1} 0$
14. $\sin^{-1}(-0{,}05)$
15. $\operatorname{cotg}^{-1}(-5)$
16. $\operatorname{tg}^{-1} 1$
17. $\operatorname{tg}^{-1}(-1)$

18. Un tableau de a mètres de hauteur est placé sur un mur, la base du tableau étant à b mètres au-dessus du niveau des yeux d'un observateur. Sachant que cet observateur est debout à x mètres du mur, montrer que l'angle visuel* sous lequel il regarde le tableau est donné par

$$\theta = \operatorname{cotg}^{-1}\frac{x}{a+b} - \operatorname{cotg}^{-1}\frac{x}{b}.$$

* Rappelons que l'angle visuel est l'angle formé dans l'œil de l'observateur par le croisement des rayons qui partent des extrémités de l'objet regardé.

19. Trouver $\lim_{x \to \infty} \text{tg}^{-1} x$.
20. Trouver $\lim_{x \to -\infty} \text{tg}^{-1} x$.
21. Trouver $\lim_{x \to \infty} \sec^{-1} x$.
22. Trouver $\lim_{x \to -\infty} \sec^{-1} x$.
23. Trouver $\lim_{x \to \infty} \text{cotg}^{-1} x$.
24. Trouver $\lim_{x \to -\infty} \text{cotg}^{-1} x$.

Pour les exercices 25 à 35, calculer la dérivée des fonctions données.

25. $\sin^{-1}(2x)$
26. $\cos^{-1}(x^2)$
27. $\text{tg}^{-1}(\sqrt{x})$
28. $x \sec^{-1} x$
29. $\text{cosec}^{-1}(1/x)$
30. $(\sin^{-1} x)(\cos^{-1} x)$
31. $(\text{tg}^{-1} 2x)^3$
32. $\sec^{-1}(x^2 + 1)$
33. $\dfrac{1}{\text{tg}^{-1} x}$
34. $\sqrt{\text{cosec}^{-1} x}$
35. $(x + \sin^{-1} 3x)^2$
36. Un professeur de mathématiques distrait a donné à ses élèves le problème d'examen suivant: « Trouver dy/dx pour la fonction $y = \sin^{-1}(1 + x^2)$. » Expliquer ce qui ne va pas.

Trouver les intégrales des exercices 37 à 44.

37. $\displaystyle\int_{-1}^{1} \frac{1}{1 + x^2}\, dx$
38. $\displaystyle\int \frac{1}{\sqrt{1 - 9x^2}}\, dx$
39. $\displaystyle\int_{-1}^{\sqrt{3}} \frac{1}{\sqrt{1 - (x^2/4)}}\, dx$
40. $\displaystyle\int_{2/\sqrt{3}}^{2} \frac{1}{x\sqrt{x^2 - 1}}\, dx$
41. $\displaystyle\int_{-0,2}^{0,3} \frac{dx}{1 + x^2}$
42. $\displaystyle\int_{0}^{0,75} \frac{dx}{\sqrt{1 - x^2}}$
43. $\displaystyle\int_{-3}^{-8} \frac{dx}{x\sqrt{x^2 - 1}}$
44. $\displaystyle\int_{2}^{10} \frac{dx}{x\sqrt{x^2 - 1}}$

45. Dans l'exercice 18, à quelle distance du mur doit se tenir l'observateur pour que l'angle de vision θ soit maximal?
46. Démontrer que $d(\cos^{-1} x)/dx = -1/\sqrt{1 - x^2}$.
47. Démontrer que $d(\text{tg}^{-1} x)/dx = 1/(1 + x^2)$.
48. Démontrer que $d(\text{cotg}^{-1} x)/dx = -1/(1 + x^2)$.
49. Démontrer que $d(\sec^{-1} x)/dx = 1/(|x|\sqrt{x^2 - 1})$.
50. Démontrer que $d(\text{cosec}^{-1} x/dx = -1/(|x|\sqrt{x^2 - 1})$.

EXERCICES DIVERS

Exercices récapitulatifs — Série A

1. *a*) Définir $\ln x$ au moyen d'une intégrale.
   b) Tracer la courbe de la fonction $\ln(x/2)$.
2. *a*) Calculer dy/dx pour la fonction $y = \ln(x^2 + 1)$.
   b) Trouver $\int [(\sin x)/(1 + \cos x)]\, dx$.
3. *a*) Calculer dy/dx pour la fonction $y = e^{\text{tg}\, x}$.
   b) Évaluer $\int_0^{\ln 2} e^{3x}\, dx$, en simplifiant la réponse le plus possible.
4. *a*) Dériver la fonction 2^{3x+4}.
   b) Dériver la fonction x^{5x}, pour $x > 0$.
5. *a*) Trouver $\sin^{-1}(-1/2)$.
   b) Trouver $\text{tg}^{-1}(8)$.
6. *a*) Calculer dy/dx pour la fonction $y = \sin^{-1}(\sqrt{x})$.
   b) Calculer $\int_{-1}^{\sqrt{3}} [1/(1 + x^2)]\, dx$.
7. Soit la fonction $f(x) = (x + 1)/(x - 2)$. Trouver $f^{-1}(x)$.

Exercices récapitulatifs — Série B

1. *a*) Définir le nombre e.
   b) Tracer la courbe de la fonction e^{-x^2}.
2. *a*) Calculer dy/dx pour la fonction $y = \ln(\text{tg}\, x)$.
   b) Trouver $\int [x^2/(4 + x^3)]\, dx$.
3. *a*) Calculer dy/dx pour la fonction $y = e^{\sin^{-1} x}$.
   b) Trouver $\int (\sec^2 3x) e^{\text{tg}\, 3x}\, dx$.
4. *a*) Dériver $10^{x^2 - x}$.
   b) Dériver $(\cos x)^{\sin x}$.
5. *a*) Évaluer $\cos^{-1}(1/3)$.
   b) Évaluer $\sec^{-1}(-3,5)$.
6. *a*) Calculer dy/dx pour la fonction $y = \text{tg}^{-1} 4x$.
   b) Évaluer $\int_{-1/4}^{1/4} (1/\sqrt{1 - 4x^2})\, dx$.
7. Estimer $\ln 1,2$ en calculant la somme inférieure $\underline{S}_{10}$ pour la fonction $1/x$ sur l'intervalle $[1, 1,2]$, puis calculer $\ln 1,2$ à l'aide d'une calculatrice et comparer les deux réponses.

Exercices récapitulatifs — Série C

1. *a*) Quelle doit être la valeur de x pour que $\ln x = 500$?
   b) Quelle doit être la valeur de x pour que $\ln x = -4$?
2. *a*) Calculer dy/dx pour la fonction $y = \ln[x^3(x + 1)^2(\sin x)]$.
   b) Trouver $\int \text{cotg}\, 2x\, dx$.
3. *a*) Calculer dy/dx pour la fonction $y = e^{2x} \cos x$.
   b) Trouver $\displaystyle\int \frac{e^x - 1}{e^x}\, dx$.
4. *a*) Calculer dy/dx pour la fonction $y = 3^{\sin x}$.
   b) Calculer dy/dx pour la fonction $y = \dfrac{3^x \cdot 4^{x^3}}{5^x}$.
5. *a*) Évaluer $\text{cotg}^{-1}(-1/2)$.
   b) L'expression $\sin^{-1}(-2)$ a-t-elle du sens? Expliquer.
6. *a*) Calculer dy/dx pour la fonction $y = \sec^{-1}(x^2)$.
   b) Trouver $\displaystyle\int_{-1,4}^{1,4} \frac{dx}{4 + x^2}$.
7. Montrer que la fonction $f(x) = x + \sin x$ admet une fonction réciproque.

Exercices récapitulatifs — Série D

1. Simplifier chacune des expressions suivantes.

a) $e^{\ln x}$ *b*) $\ln(e^x)$ *c*) $e^{-\ln(x^2)}$
d) $\ln(e^{-x^2})$ *e*) $\ln(e^{1/x})$ *f*) $\ln(1/e^x)$
g) $e^{\ln(1/x)}$ *h*) $e^{-\ln(1/x)}$ *i*) $e^{\ln 2+\ln x}$
j) $e^{2\ln x}$ *k*) $\ln(e^{x-x^2})$ *l*) $\ln(x^2e^{-2x})$
m) $e^{x+\ln x}$

2. *a*) Calculer dy/dx pour la fonction $y = \ln(\ln 4x)$.
b) Trouver $\int_{e^2}^{e^6}[dx/x(\ln x)]$.

3. *a*) Calculer dy/dx pour la fonction $y = \text{tg}(e^{\sqrt{x}})$.
b) Évaluer $\int_{\ln 2}^{\ln 6} e^{2x+1}\,dx$, en simplifiant la réponse le plus possible.

4. *a*) Calculer dy/dx pour la fonction $x^{\ln x}$, où $x > 0$.
b) Calculer dy/dx pour la fonction $y = x^{\sqrt{x}}$, où $x > 0$.

5. *a*) Évaluer $\cos^{-1}(-0{,}85)$.
b) Évaluer $\sec^{-1}(1{,}84)$.

6. *a*) Calculer dy/dx pour la fonction $y = (\text{tg}^{-1} 2x)^3$.
b) Trouver $\displaystyle\int_{1,1}^{2,5}\frac{x\,dx}{x^2\sqrt{x^4-1}}$.

7. *a*) La fonction $y = \sin x$ admet-elle une fonction réciproque? Justifier.
b) La fonction $y = \sin^{-1} x$ admet-elle une fonction réciproque? Justifier.

Exercices d'approfondissement

1. Montrer que

$$\lim_{h\to 0}\frac{\ln(1+h)}{h} = 1,$$

en utilisant la définition et la valeur de $f'(1)$ pour $f(x) = \ln x$.

2. Utiliser le résultat de l'exercice précédent et la continuité des fonctions logarithmiques et exponentielles pour montrer que

$$\lim_{h\to 0}(1+h)^{1/h} = e.$$

(Cette limite sert souvent à définir le nombre e).

3. Montrer que pour tout entier $n > 1$,

$$\frac{1}{2}+\frac{1}{3}+\cdots+\frac{1}{n} < \ln n < 1+\frac{1}{2}+\frac{1}{3}+\cdots+\frac{1}{n-1}.$$

[*Indice* Définir $\ln n$ par une intégrale, puis estimer celle-ci au moyen de la somme inférieure $\underline{S}_{n-1}$ et de la somme supérieure $\overline{S}_{n-1}$.]

4. Utiliser la méthode de Newton pour trouver une valeur approchée d'une racine x de l'équation $\ln x = x - 2$.

5. Utiliser la méthode de Newton pour trouver une valeur approchée d'une racine x de l'équation $e^x = 10 - x$.

ANNEXE

ALGÈBRE ET GÉOMÉTRIE — QUELQUES RAPPELS

A. ALGÈBRE

1. INÉGALITÉS

Notation

$a < b$	a est plus petit que b
$a > b$	a est plus grand que b
$a \le b$	a est plus petit ou égal à b
$a \ge b$	a est plus grand ou égal à b

Propriétés

$a \le a$

Si $a \le b$ et $b \le a$, alors $a = b$.

Si $a \le b$ et $b \le c$, alors $a \le c$.

Si $a \le b$, alors $a + c \le b + c$.

Si $a \le b$ et $c \le d$, alors $a + c \le b + d$.

Si $a \le b$ et $c > 0$, alors $ac \le bc$.

Si $a \le b$ et $c < 0$, alors $ac \ge bc$.

2. VALEUR ABSOLUE

Notation

$|a|$ Valeur absolue de a

Propriétés

$$|a| = \begin{cases} a & \text{si } a \ge 0 \\ -a & \text{si } a < 0 \end{cases}$$

$|a| \ge 0$ et $|a| = 0$ si et seulement si $a = 0$

$|ab| = |a| \cdot |b|$

$|a + b| \le |a| + |b|$

$|a - b| \ge |a| - |b|$

$|a - b|$ = distance de a à b sur la droite numérique

3. ARITHMÉTIQUE DES NOMBRES RATIONNELS

$$\frac{a}{b} + \frac{c}{d} = \frac{ad + bc}{bd}, \qquad \frac{a}{b} \cdot \frac{c}{d} = \frac{ac}{bd}, \qquad \frac{a/b}{c/d} = \frac{ad}{bc}$$

4. LOIS DES SIGNES

$$(-a)(b) = a(-b) = -(ab), \qquad (-a)(-b) = ab$$

5. PROPRIÉTÉS DE DISTRIBUTIVITÉ

$$a(b + c) = ab + ac, \qquad (a + b)c = ac + bc$$

6. PROPRIÉTÉS DES EXPOSANTS

$$a^m a^n = a^{m+n}, \qquad (ab)^m = a^m b^m, \qquad (a^m)^n = a^{mn}$$

$$a^{m/n} = \sqrt[n]{a^m} = (\sqrt[n]{a})^m, \qquad a^{-n} = \frac{1}{a^n}, \qquad \frac{a^m}{a^n} = a^{m-n}$$

7. ARITHMÉTIQUE DU NOMBRE ZÉRO

$a \cdot 0 = 0 \cdot a = 0$ pour tout nombre a

$a + 0 = 0 + a = a$ pour tout nombre a

$\frac{0}{a} = 0$

$a^0 = 1$ et $0^a = 0$ si $a > 0$

8. ARITHMÉTIQUE DU NOMBRE UN

$1 \cdot a = a \cdot 1 = a$ pour tout nombre a

$\frac{a}{1} = a^1 = a$ pour tout nombre a

$1^n = 1$ pour tout entier n

9. THÉORÈME DU BINÔME

$$(a+b)^n = a^n + na^{n-1}b + \frac{n(n-1)}{1\cdot 2}a^{n-2}b^2 + \frac{n(n-1)(n-2)}{1\cdot 2\cdot 3}a^{n-3}b^3 + \cdots + nab^{n-1} + b^n,$$

où n est un entier positif.

10. FORMULE QUADRATIQUE

Si $a \neq 0$, alors les solutions de l'équation du second degré $ax^2 + bx + c = 0$ s'obtiennent au moyen de la formule

$$x = \frac{-b \pm \sqrt{b^2 - 4ac}}{2a}.$$

B. GÉOMÉTRIE

Signification des lettres employées dans les formules qui suivent:

A = Aire
a = Apothème
C = Circonférence
b = Longueur de la base
r = Rayon
S = Aire latérale
h = Hauteur
V = Volume

1. Triangle

$$A = \tfrac{1}{2}bh$$

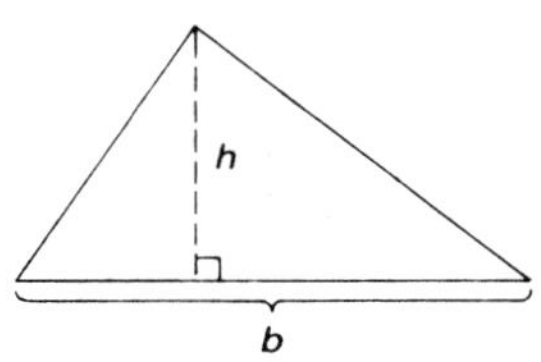

2. Triangles semblables

$$\frac{a'}{a} = \frac{b'}{b} = \frac{c'}{c}$$

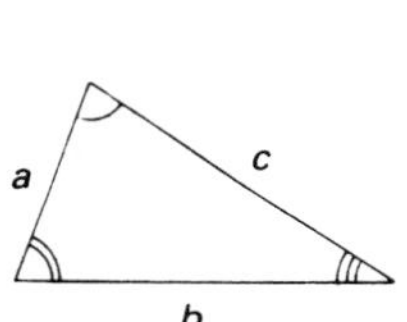

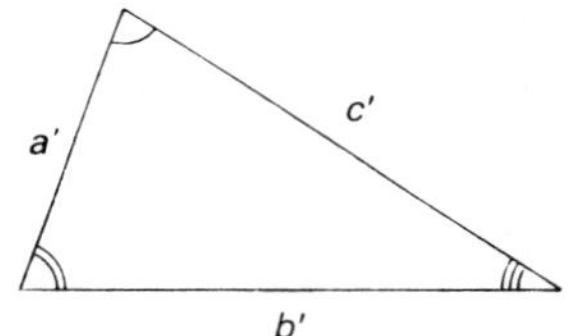

3. Théorème de Pythagore

$$c^2 = a^2 + b^2$$

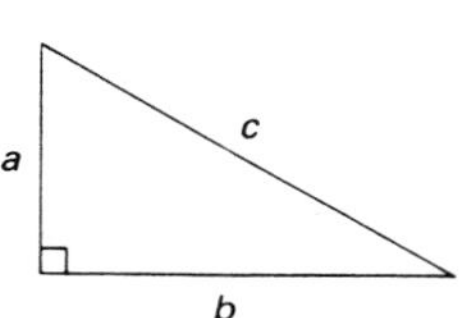

4. Parallélogramme

$$A = bh$$

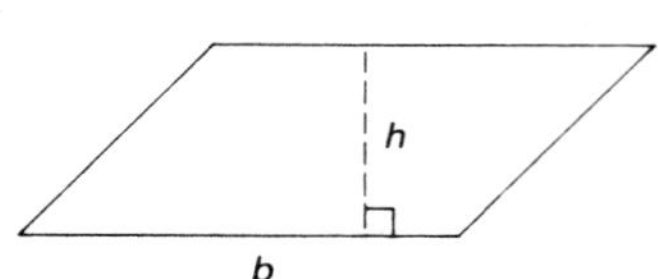

5. Trapèze

$$A = \tfrac{1}{2}(b_1 + b_2)h$$

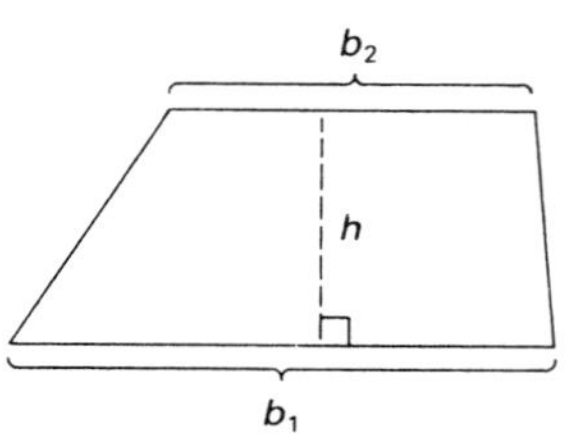

6. Cercle

$$A = \pi r^2, \qquad C = 2\pi r$$

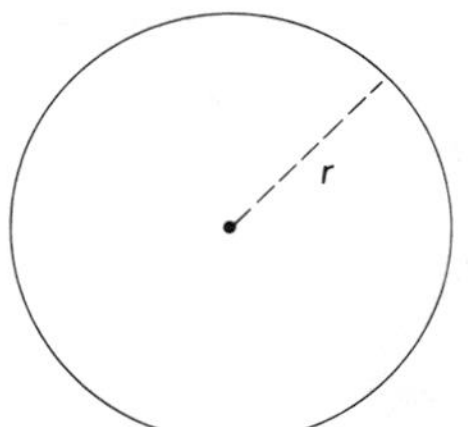

7. Cylindre circulaire droit

$$V = \pi r^2 h, \qquad S = 2\pi r h$$

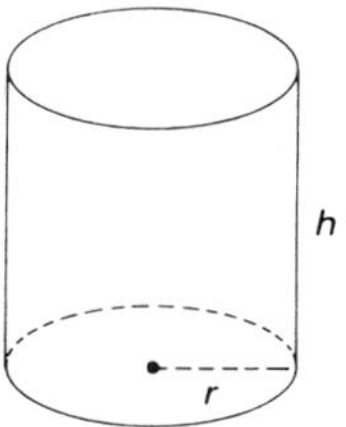

8. Cône circulaire droit

$$V = \tfrac{1}{3}\pi r^2 h, \qquad S = \pi r a$$

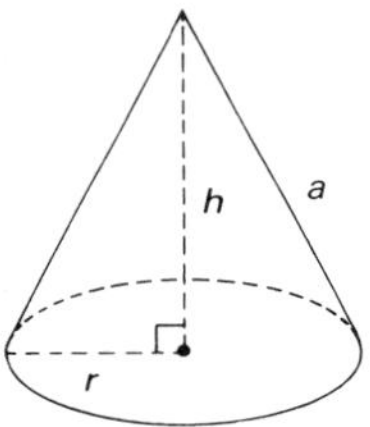

9. Sphère

$$V = \tfrac{4}{3}\pi r^3, \qquad S = 4\pi r^2$$

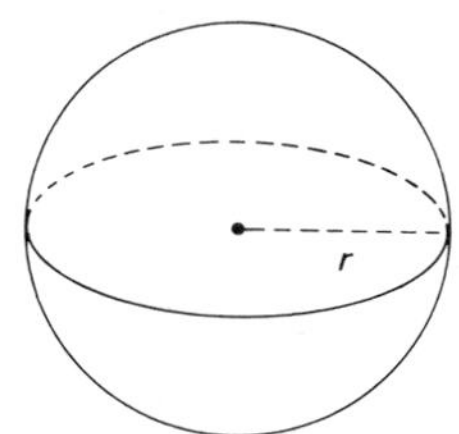

ANNEXE

RAISONNEMENT PAR RÉCURRENCE

Nous avons vu au chapitre 6 que l'évaluation des intégrales définies à l'aide des sommes de Riemann fait appel à des résultats du type de

$$\sum_{i=1}^{n} i = \frac{n(n+1)}{2} \qquad \text{et} \qquad \sum_{i=1}^{n} i^2 = \frac{n(n+1)(2n+1)}{6}\,.$$

Ces formules, qui sont valables pour tout entier n, peuvent être établies au moyen d'un *raisonnement par récurrence*, basé sur le principe suivant, appelé principe d'induction:

> Soit E_n un énoncé dépendant d'un entier positif n. Si l'énoncé E_1 est vrai et si, quel que soit $k \geq 1$, la validité de E_k entraîne la validité de E_{k+1}, alors l'énoncé E_n est vrai pour tout entier n.
>
> On procède donc ainsi:
>
> **1.** On montre que la formule est valable pour $n = 1$;
> **2.** On montre que si la formule est valable pour un entier quelconque $n = k$, alors elle l'est également pour $n = k + 1$.

En vertu du principe d'induction, si ces deux conditions sont remplies, alors la formule est valable quel que soit n. En effet, la première condition nous assure de la validité de la formule pour $n = 1$. Si la deuxième condition est remplie, la formule est alors valable pour $n = 2$, et comme elle est valable pour $n = 2$, elle l'est également pour $n = 3$, et ainsi de suite. On peut faire l'analogie avec un alignement de dominos disposés de telle façon que si l'on fait tomber le premier, celui-ci fait tomber le deuxième, qui fait tomber le troisième, qui à son tour fait tomber le quatrième, jusqu'à ce que finalement tous les dominos tombent. Illustrons le procédé au moyen de quelques exemples.

EXEMPLE 1 Démontrer que

$$\sum_{i=1}^{n} i = \frac{n(n+1)}{2}$$

pour tout entier positif n.

Solution

1. La formule est valable pour $n = 1$, puisque

$$\sum_{i=1}^{1} i = 1 = \frac{1(1+1)}{2}.$$

2. Si

$$\sum_{i=1}^{k} i = \frac{k(k+1)}{2},$$

alors

$$\begin{aligned}\sum_{i=1}^{k+1} i &= \sum_{i=1}^{k} i + (k+1)\\ &= \frac{k(k+1)}{2} + (k+1)\\ &= \frac{k^2 + k + 2k + 2}{2}\\ &= \frac{(k+1)(k+2)}{2}\\ &= \frac{(k+1)((k+1)+1)}{2}.\end{aligned}$$

Cette dernière égalité montre la validité de la formule pour $n = k + 1$.

En vertu du principe d'induction, nous pouvons donc affirmer que la formule est valable pour tout entier positif n.

EXEMPLE 2 Employer un raisonnement par récurrence pour démontrer que

$$\frac{d}{dx}(x^n) = nx^{n-1}$$

pour tout entier n, en utilisant le théorème sur la dérivée d'un produit de fonctions

$$\frac{d}{dx}(uv) = u \cdot \frac{dv}{dx} + v \cdot \frac{du}{dx}$$

et le résultat $\frac{d}{dx}(x) = 1$.

Solution

1. La formule est valable pour $n + 1$ puisque

$$\frac{d}{dx}(x^1) = 1 \cdot x^{1-1} = 1 \cdot x^0 = 1.$$

2. Si

$$\frac{d}{dx}(x^k) = kx^{k-1}$$

alors

$$\begin{aligned}\frac{d}{dx}(x^{k+1}) &= \frac{d}{dx}(x^k \cdot x)\\ &= x^k \cdot \frac{d}{dx}(x) + x \cdot \frac{d}{dx}(x^k)\\ &= x^k \cdot 1 + x \cdot kx^{k-1}\\ &= x^k + kx^k\\ &= (k+1)x^k\\ &= (k+1)x^{(k+1)-1}\end{aligned}$$

Cette dernière égalité montre la validité de la formule pour $n = k + 1$. Le principe d'induction nous permet donc d'affirmer que l'égalité est vraie pour tout entier positif n.

EXERCICES

En utilisant un raisonnement par récurrence, démontrer que les deux égalités suivantes sont vraies pour tout entier n.

1. $\displaystyle\sum_{i=1}^{n} i^2 = \frac{n(n+1)(2n+1)}{6}$

2. $\displaystyle\sum_{i=1}^{n} i^3 = \frac{n^2(n+1)^2}{4}$

RÉPONSES DES EXERCICES IMPAIRS

CHAPITRE 1

Section 1.1

1. ***a)*** 0 1 2 3 4 x ***b)*** −3 −2 −1 0 1 2 3 x

c) −3 −2 −1 0 1 2 3 x (Ensemble vide) **3.** ***a)*** 3 ***b)*** 5 ***c)*** 3 **5.** ***a)*** 2 ***b)*** −2 **7.** $x > -2$

9. La distance entre $(a + b)/2$ et a est

$$\left|a - \frac{a+b}{2}\right| = \left|\frac{a}{2} - \frac{b}{2}\right| = \left|\frac{a-b}{2}\right|.$$

De même, la distance entre $(a + b)/2$ et b est

$$\left|b - \frac{a+b}{2}\right| = \left|\frac{b}{2} - \frac{a}{2}\right| = \left|\frac{b-a}{2}\right| = \left|\frac{a-b}{2}\right|.$$

Par conséquent, $(a + b)/2$ est situé à égale distance de a et de b.

11. ***a)*** $-4{,}5$ ***b)*** $-\sqrt{2}/2$ ***c)*** $(\sqrt{2} + \pi)/2$ **13.** ***a)*** -10 ***b)*** -8 **15.** $[2,4]$ **17.** $[-5,2]$ **19.** $[-4,4]$

21. $[1,\frac{13}{3}]$ **23.** ***a)***

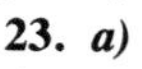

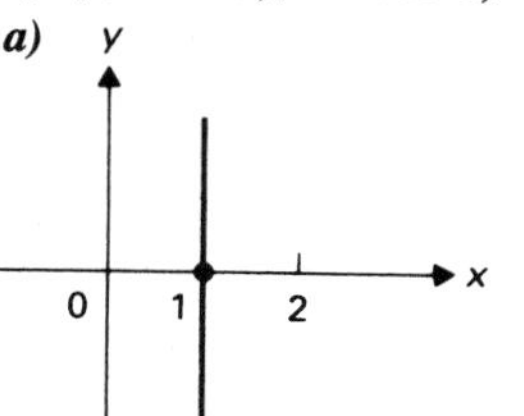

b)

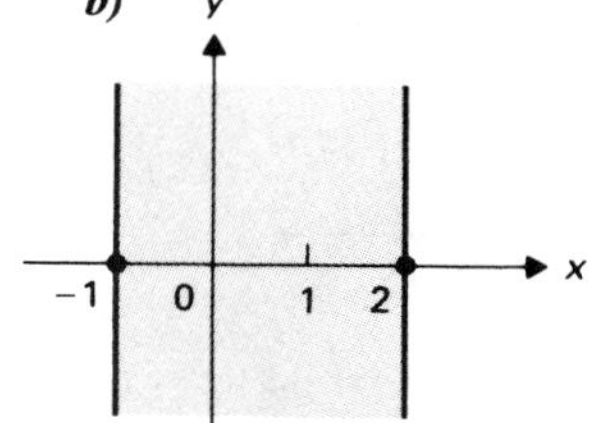

c)

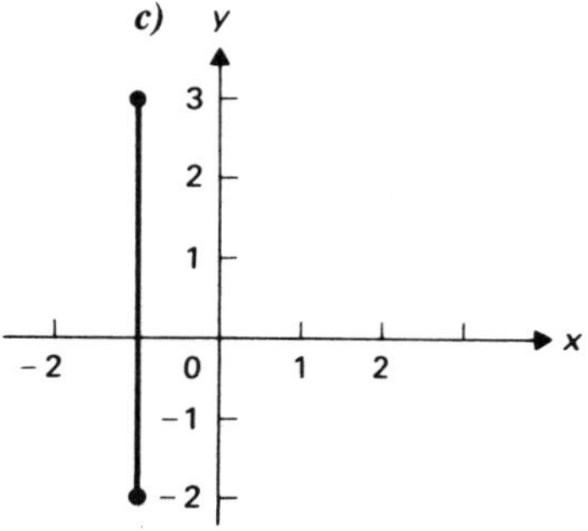

d)

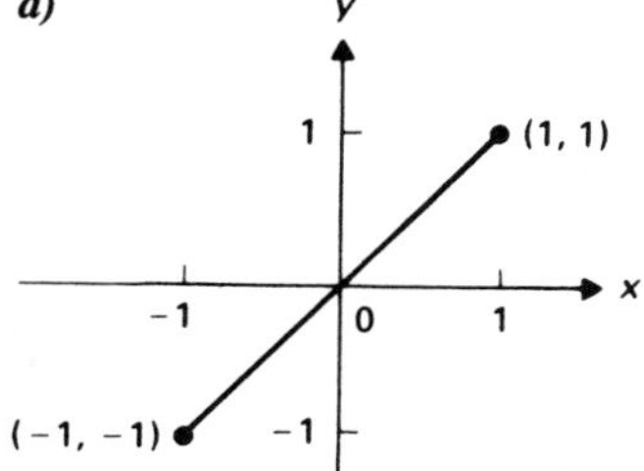

25. ***a)*** 5 ***b)*** $\sqrt{171}$
27. 4,882 33
29. −4,4430
31. 29,844 45

Section 1.2

1. $x^2 + y^2 = 25$ **3.** $(x - 3)^2 + (y + 4)^2 = 30$ **5.** Centre $(-1,-4)$, rayon $5\sqrt{2}$
7. Centre $(\frac{3}{2},3)$, rayon $9/2\sqrt{2}$ **9.** $(x - 2)^2 + (y + 3)^2 = 58$.

11. ***a)*** $(1, -1)$ ***b)*** $(9, -2)$ ***c)*** $(12,0)$ **13.** $\frac{1}{11}$ **15.** $\frac{4}{5}$ **17.** -9 **19.** $\frac{13}{2}$
21. ***a)*** Parallélogramme ***b)*** Rectangle (il s'agit en fait d'un carré)
23. ***a)*** Pas un parallélogramme ***b)*** Pas un rectangle **25.** ***a)*** 0 ***b)*** $\frac{5}{4}$
27. Non colinéaires **29.** $(-13,20)$ **31.** $(3,0)$ et $(-5,4)$
33. Centre $(-1{,}578,\ 0{,}618)$, rayon 2,492 **35.** $-9{,}069\ 08$

Section 1.3

1. $y - 4 = 5(x + 1)$ ou $y = 5x + 9$ **3.** $y - 2 = 0(x - 4)$ ou $y = 2$ **5.** $y + 5 = -\frac{6}{5}(x - 4)$ ou $5y + 6x = -1$ **7.** $x = -3$
9. $2x + 3y = -1$ **11.** $y = 5x + 15$ **13.** $3y + 2x = 26$ **15.** Parallèles **17.** Perpendiculaires
19. Pente 0, pas d'abscisse à l'origine, ordonnée à l'origine 11

21.

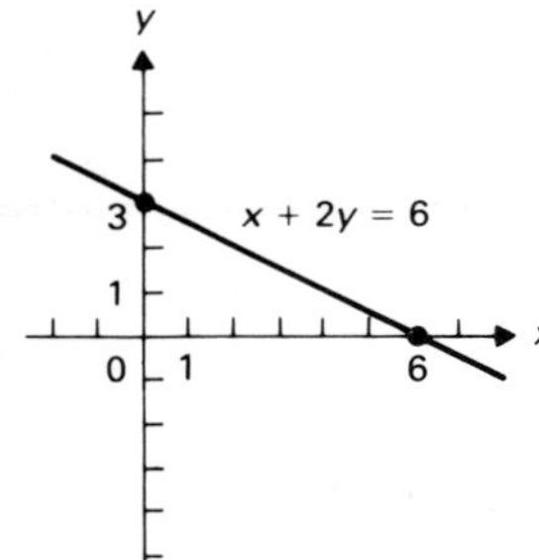

23.

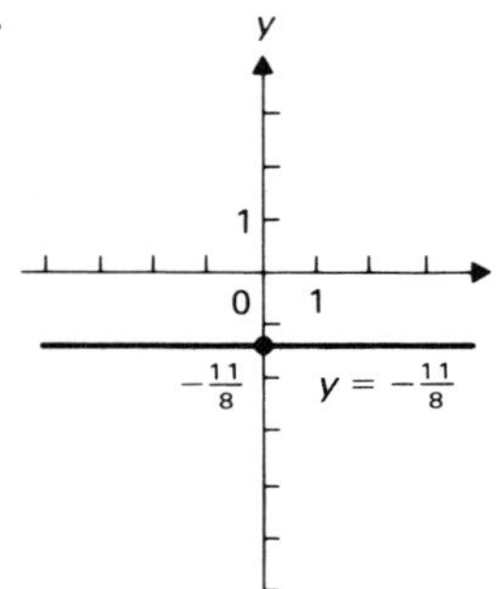

25.

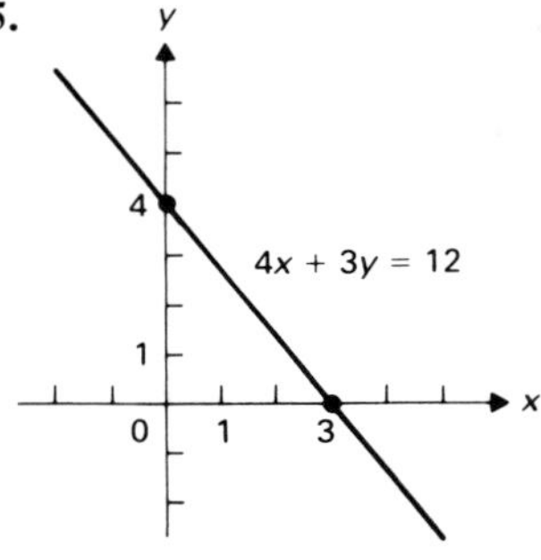

27. $F = (9/5)C + 32$

Section 1.4

1. $V = x^3$, où $x > 0$ **3.** $A = C^2/(4\pi)$, où $C > 0$ **5.** $d = 35 - 5t$, pour $0 \leq t \leq 7$ **7.** ***a)*** 1 ***b)*** 6 ***c)*** 6
9. ***a)*** $-\frac{5}{3}$ ***b)*** -1 ***c)*** 5 **11.** ***a)*** 1 ***b)*** 11 ***c)*** $\frac{1}{2}$ ***d)*** $\frac{63}{4}$ **13.** ***a)*** $4 + 4(\Delta x) + (\Delta x)^2$ ***b)*** $4(\Delta x) + (\Delta x)^2$ ***c)*** $4 + \Delta x$, $\Delta x \neq 0$
15. ***a)*** $1/(-3 + \Delta t)$ ***b)*** $\Delta t/[3(-3 + \Delta t)]$ ***c)*** $1/[3(-3 + \Delta t)]$, où $\Delta t \neq 0$ **17.** $x \neq 0$ **19.** $x \neq 1,2$ **21.** $u \leq -1$ et $u \geq 1$
23. $x \geq 4$ **25.** $x \neq \pm 1$ **27.** 2, où $x \neq 0$ **29.** $t - 2$, où $t \neq -2$ **31.** $\begin{cases} -1 \text{ quand } x < 0 \\ 1 \text{ quand } x > 0 \end{cases}$ **33.** $4 + \Delta x$, où $\Delta x \neq 0$ **35.** ***a)*** 1 ***b)*** $\frac{1}{2}$ ***c)*** $-\frac{3}{2}$

37.

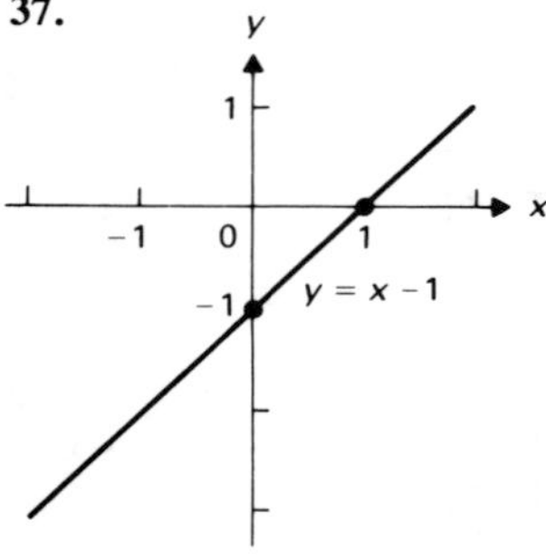

39.

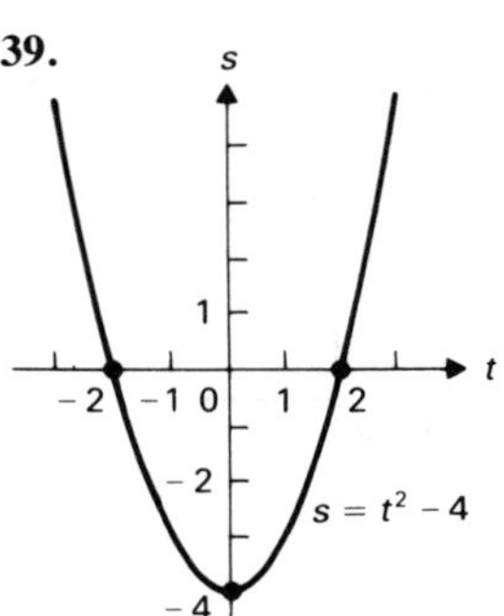

41.

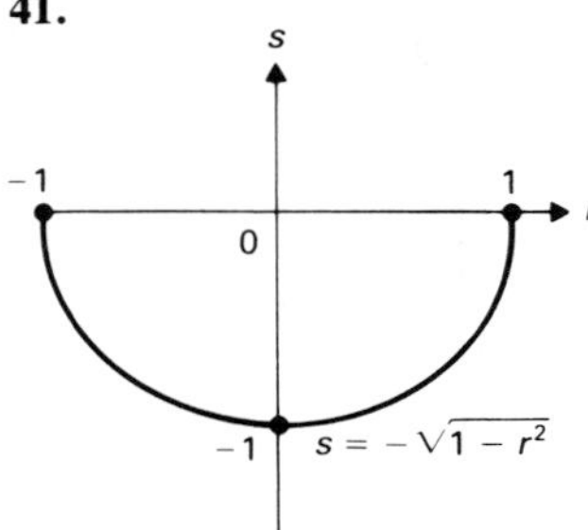

43.

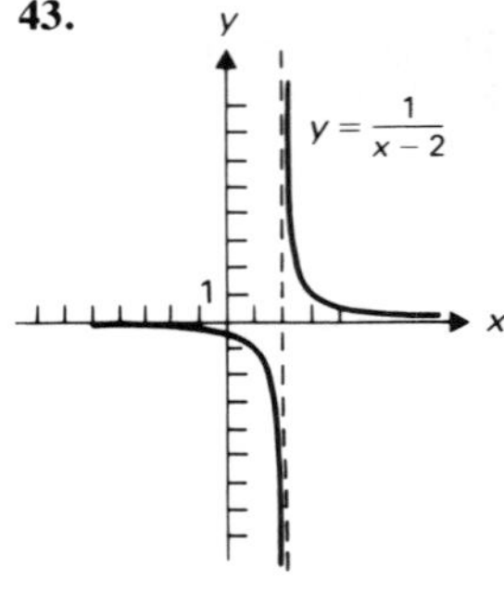

45.

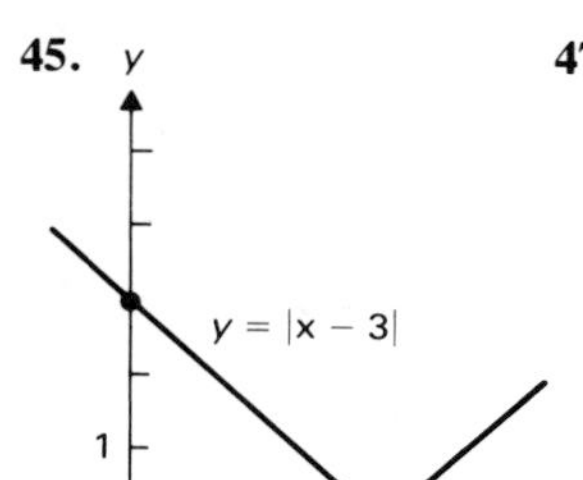

47.

x	y
-1	0
$-\frac{1}{2}$	$-\frac{1}{3}$
0	-1
$\frac{1}{2}$	-3
$\frac{3}{4}$	-7
$\frac{7}{8}$	-15
$\frac{9}{8}$	17
$\frac{5}{4}$	9
$\frac{3}{2}$	5
2	3
$\frac{5}{2}$	$\frac{7}{3}$
3	2

$y = \frac{x+1}{x-1}$

49.

x	$(x+1)/\sqrt{x^3+1}$
0	1,0
1	1,4142
2	1,0
3	0,7559
4	0,6202
5	0,5345
6	0,4752
7	0,4313
8	0,3974
9	0,3701
10	0,3477

$y = \frac{(x+1)}{\sqrt{x^3+1}}$

Section 1.5

1. $y = 3x$

3.

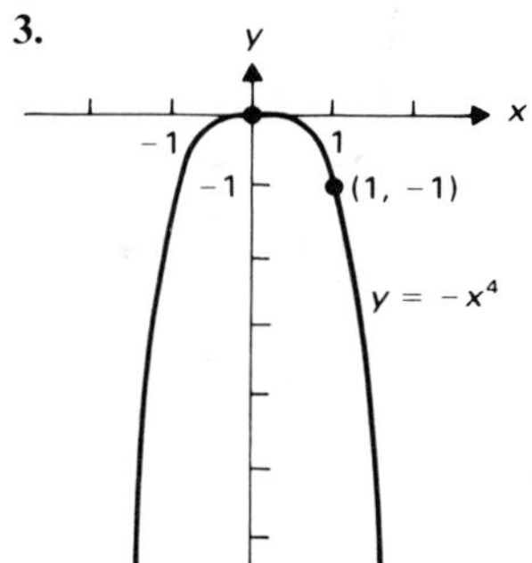

5.

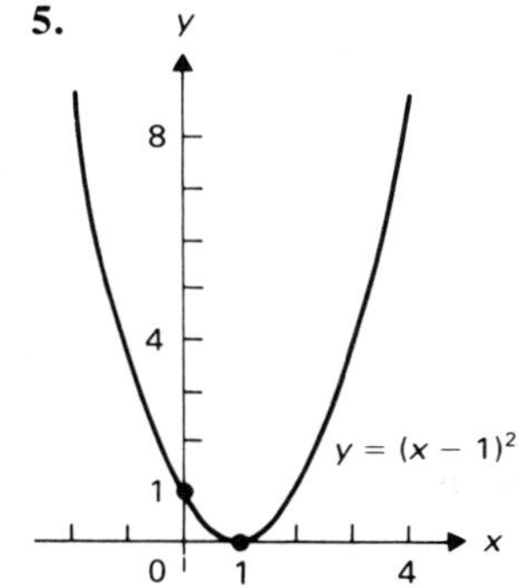

7.

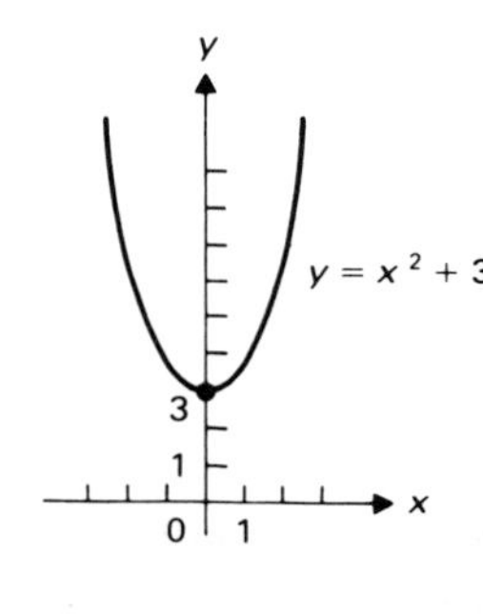

9.

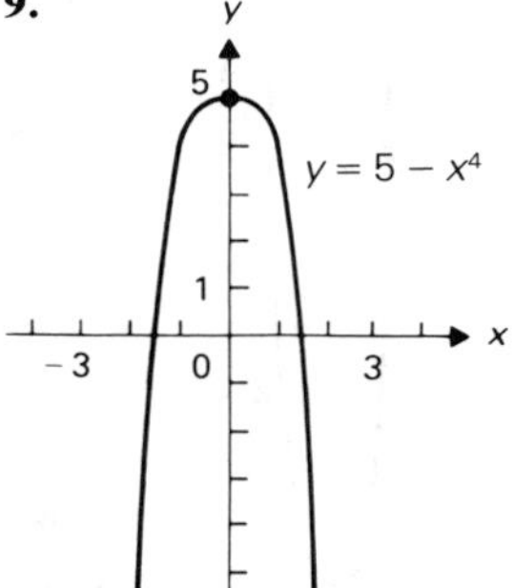

11.

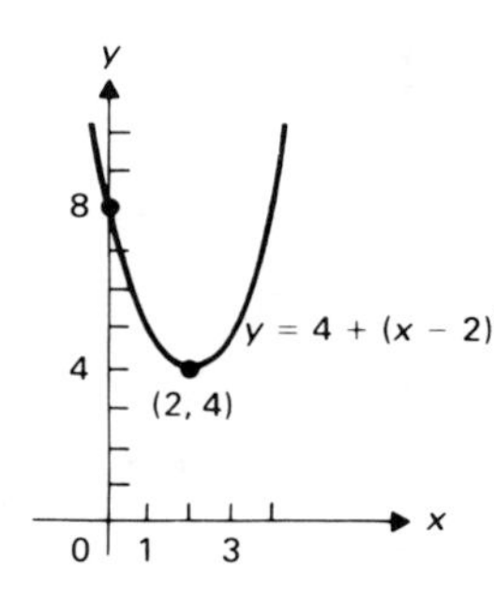

13.

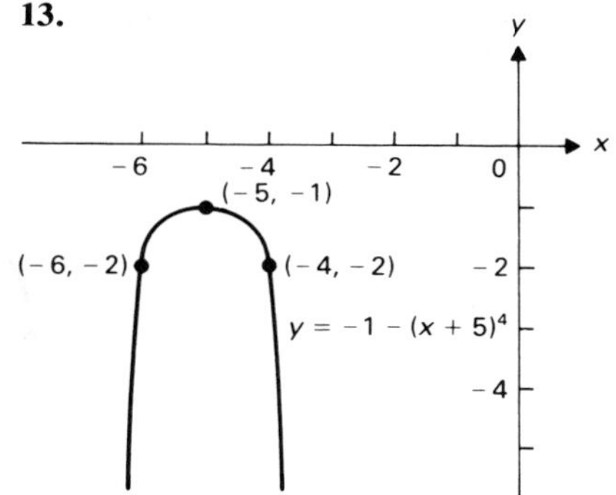

15.

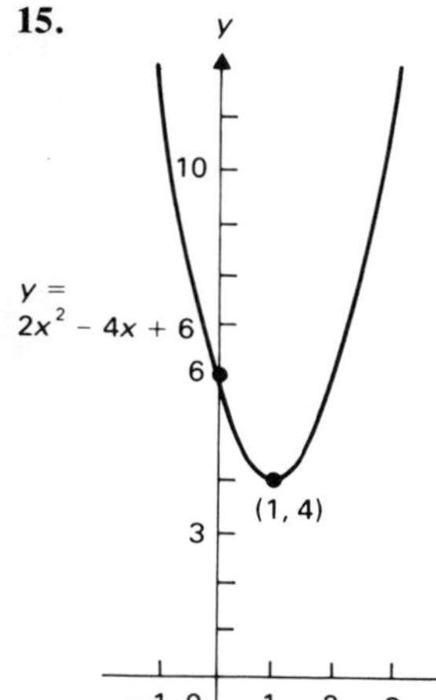

17.

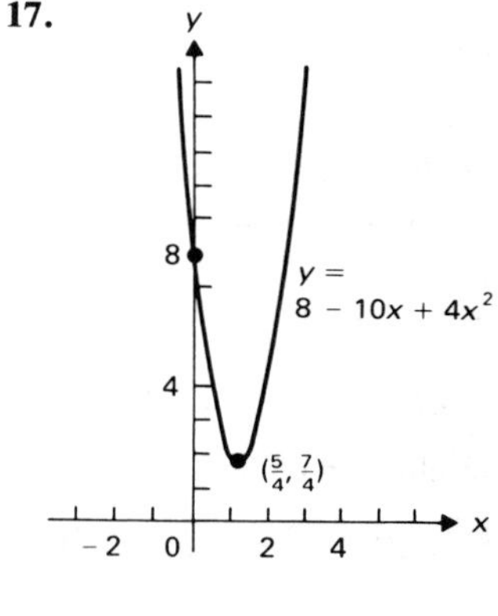

19. Non

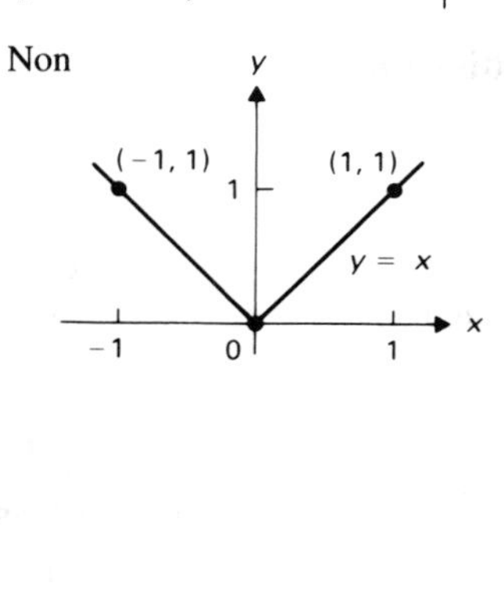

Exercices récapitulatifs — Série A

1. *a)*

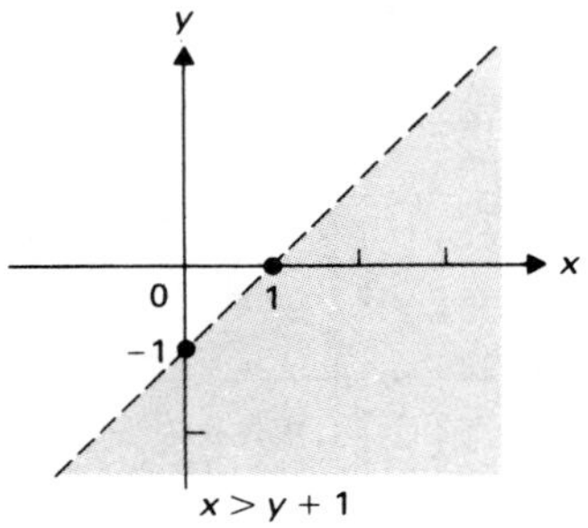

b) $[-2,6]$

3. *a)* $(x-2)^2+(y+1)^2=53$ *b)*

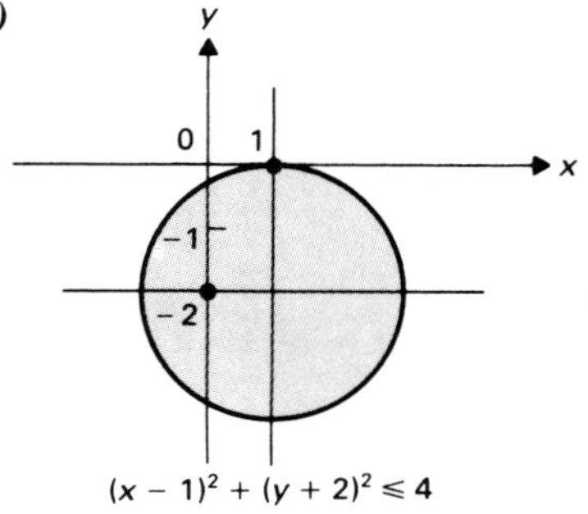

5. *a)* $x=3$ *b)* $4x+3y=4$ **7.** *a)* $x \neq 0$, $x \neq 5$ *b)* $\frac{6}{7}$ **9.**

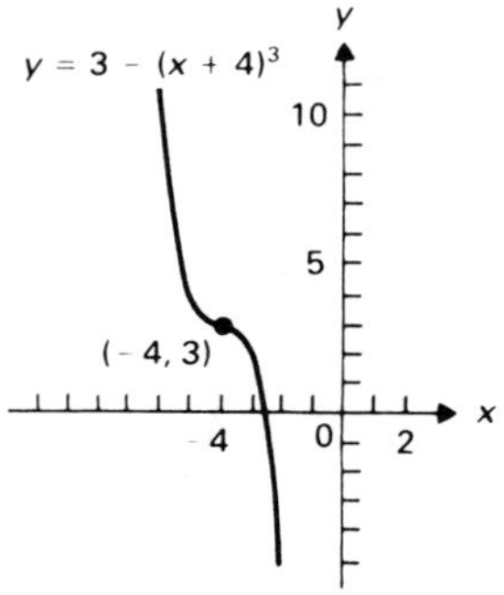

Exercices récapitulatifs — Série B

1. *a)*

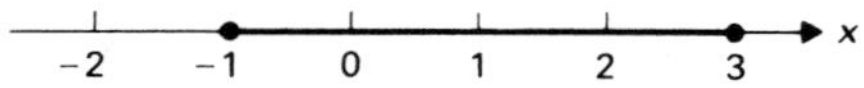

b) $-1{,}6$ **3.** *a)* $x=-4$ *b)* $x-3y=-7$

5. *a)* 1 *b)* -7 *c)* 7 **7.** *a)* $-5 \leq x \leq 5$ *b)* 4 *c)*

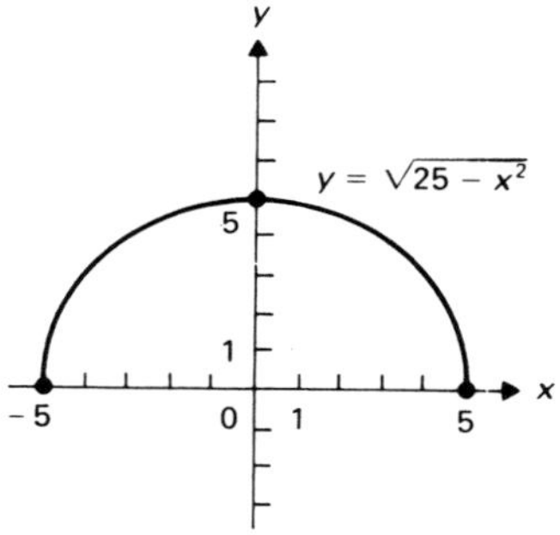

9.

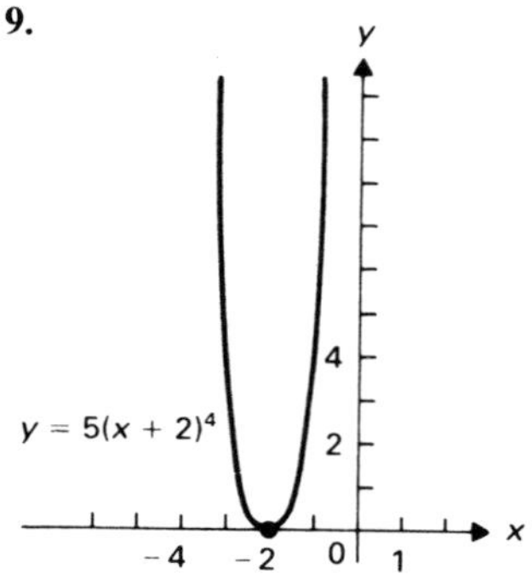

Exercices d'approfondissement

1. *a)* La somme des inégalités

$$\begin{array}{c} -|a| \leq a \leq |a| \\ -|b| \leq b \leq |b| \\ \hline -(|a|+|b|) \leq a+b \leq |a|+|b| \end{array}$$

permet de déduire que $|a+b| \leq |a|+|b|$.

b) D'après ***a***, $|a| = |(a-b)+b| \leq |a-b|+|b|$, d'où $|a-b| \geq |a|-|b|$.

3. D'après l'exercice 2,

$$2(a_1a_2+b_1b_2) \leq 2\sqrt{a_1^2+b_1^2}\cdot\sqrt{a_2^2+b_2^2}.$$

En additionnant $a_1^2+a_2^2+b_1^2+b_2^2$ à chaque membre de l'inégalité, on obtient

$$(a_2+a_1)^2+(b_2+b_1)^2 \leq (\sqrt{a_1^2+b_1^2}+\sqrt{a_2^2+b_2^2})^2.$$

5. $2-\sqrt{5} < x < 2+\sqrt{5}$ **7.** $g(y) = (3y+7)/(2-y)$

CHAPITRE 2

Section 2.1

1. 8,01 **3.** $-4{,}2$ **5.** 0,31 **7.** 0,001 **9.** 0,249 22 **11.** 8 **13.** -4 **15.** 0 **17.** 0 **19.** $\frac{1}{4}$ **21.** $y = 2x - 1$
23. $y = -\frac{1}{4}x + 1$ **25.** ***a)*** 26 km/h ***b)*** 23 km/h ***c)*** 21,5 km/h ***d)*** 20 km/h environ
27. ***a)*** $0 \leq t \leq 4$ ***b)*** 19,6 m/s ***c)*** Vitesse = $9{,}8t$ m/s ***d)*** $t = 2$ s **29.** ***a)*** $-0{,}06$ dynes/s ***b)*** $-0{,}02$ dynes/s
31. 3,425 52 **33.** 1,341 64 **35.** 9,887 51 **37.** 2,582

Section 2.2

1. 3 **3.** 0 **5.** 2 **7.** $\frac{1}{2}$ **9.** N'existe pas **11.** 0 **13.** 2 **15.** $-\frac{2}{3}$ **17.** $\frac{2}{5}$ **19.** $\lim_{s \to 1} \left| \frac{2(s-1)}{(s-1)^2} \right| = \infty$ **21.** -1 **23.** 2 **25.** 0
27. $-\frac{1}{9}$ **29.** ***a)*** -2 ***b)*** 0 ***c)*** 9 **31.** ***a)*** 2 ***b)*** N'existe pas ***c)*** 2 **33.** ***a)*** $\frac{1}{8}$ ***b)*** ∞ ***c)*** $\frac{1}{3}$ **35.** ***a)*** $\frac{1}{2}$ ***b)*** ∞ ***c)*** ∞
37. Le domaine de $\sqrt{-(x+3)^2}$ ne contient pas de point voisin de -3 sauf -3 lui-même.
39. Le domaine de $1/\sqrt{x^2 - 9}$ ne contient pas de point voisin de 0. **41.** Tout $\delta > 0$ **43.** $0 < \delta \leq \varepsilon/3$
45. $0 < \delta \leq 3\varepsilon$ **47.** $-0{,}0185$ **49.** 2,718 **51.** N'existe pas **53.** -1

Section 2.3

1. $\lim_{x \to 2} \left| \frac{1}{2-x} \right| = \infty$ **3.** ∞ **5.** ∞ **7.** $-\infty$ **9.** $-\infty$ **11.** ∞ **13.** ∞ **15.** ∞ **17.** $-\infty$ **19.** 1 **21.** -1 **23.** 0 **25.** $-\infty$
27. -2 **29.** $-\infty$ **31.** 0 **33.** $-\infty$ **35.** ∞ **37.** 15 m

39. Asymptote verticale $x = 2$, asymptote horizontale $y = 0$, ordonnée à l'origine $-\frac{1}{2}$

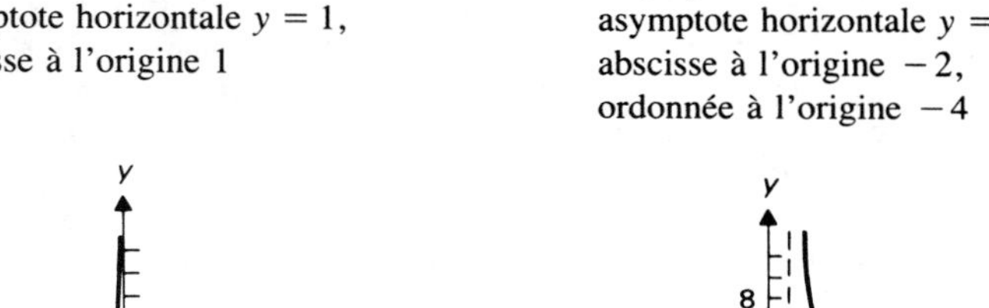

41. Asymptote verticale $x = 0$, asymptote horizontale $y = 1$, abscisse à l'origine 1

43. Asymptote verticale $x = 1$, asymptote horizontale $y = 2$, abscisse à l'origine -2, ordonnée à l'origine -4

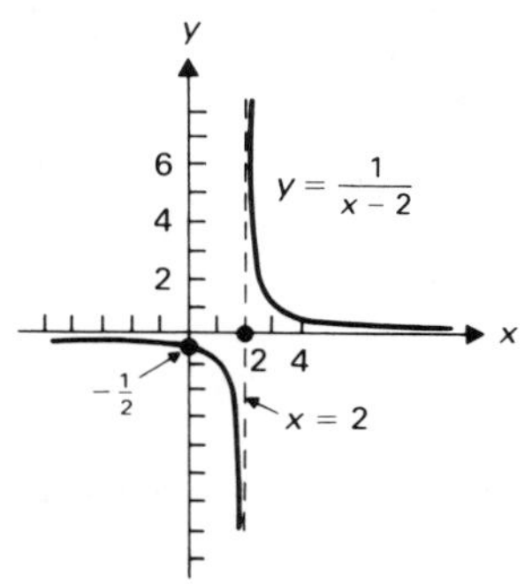

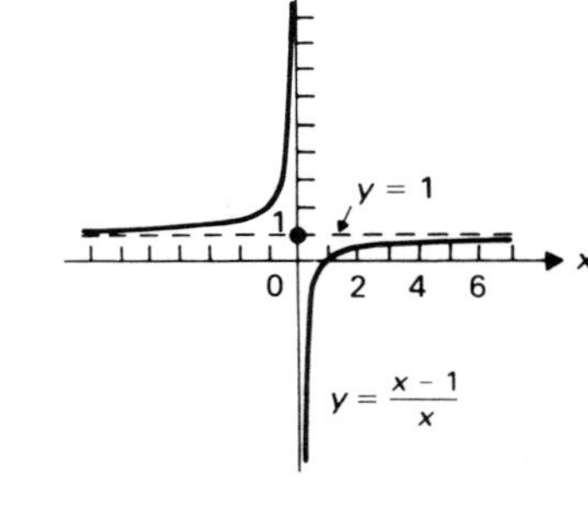

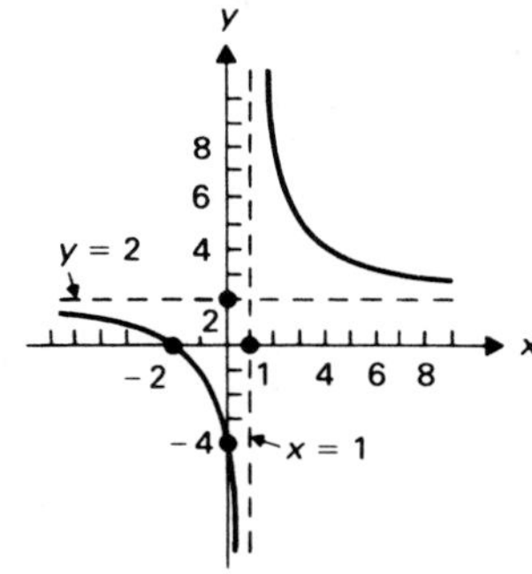

45. Asymptote verticale $x = 2$, asymptote horizontale $y = -1$, abscisse à l'origine 1, ordonnée à l'origine $-\frac{1}{2}$

47. Asymptote verticale $x = -3$, asymptote horizontale $y = -\frac{1}{2}$, abscisse à l'origine 2, ordonnée à l'origine $\frac{1}{3}$

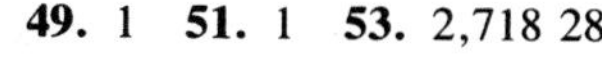

49. 1 **51.** 1 **53.** 2,718 28

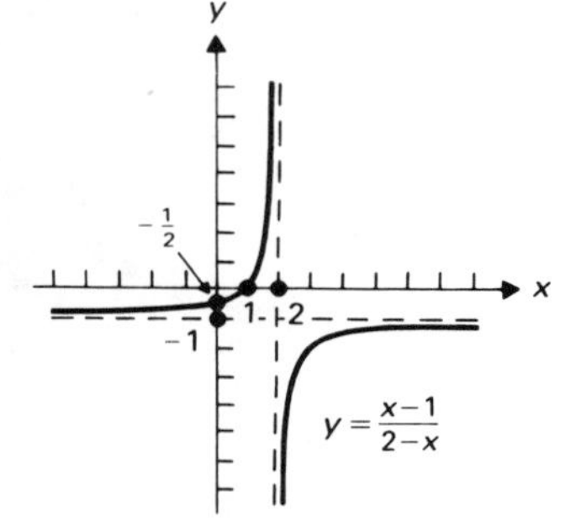

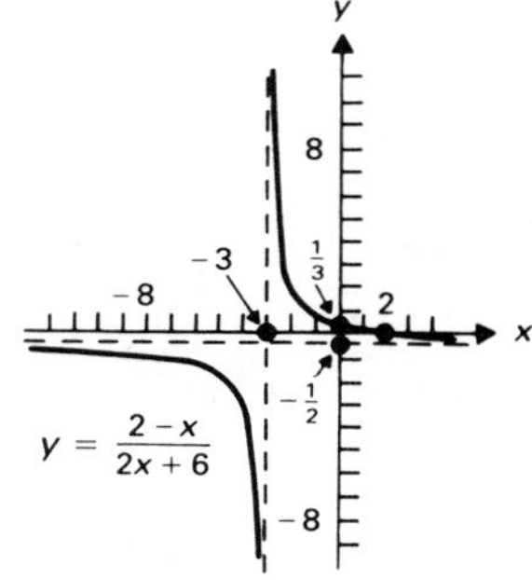

Section 2.4

1. **3.** 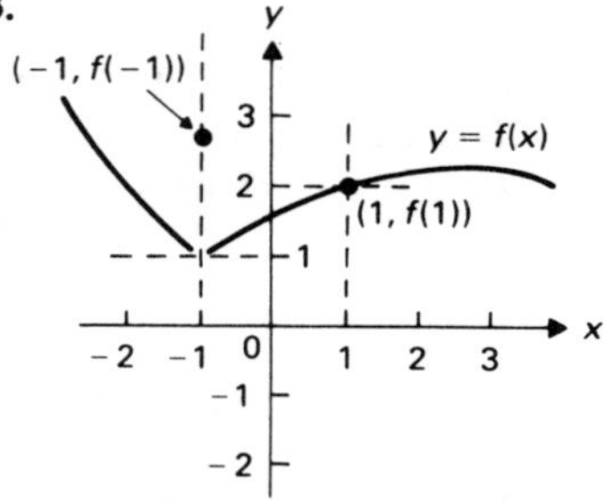 **5.** 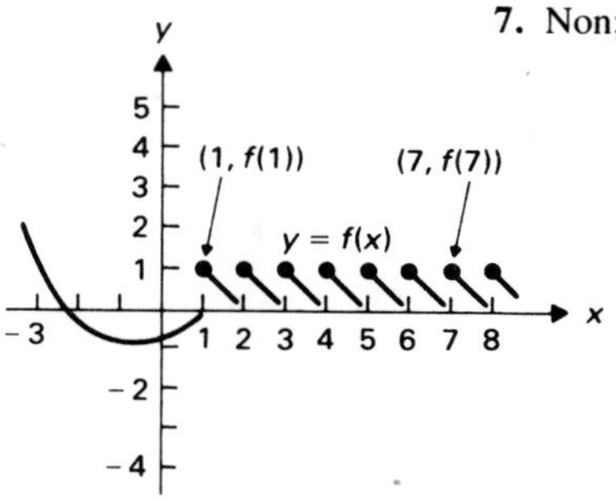 **7.** Non; $\lim_{x\to 2} f(x) = -8 \neq 8$.

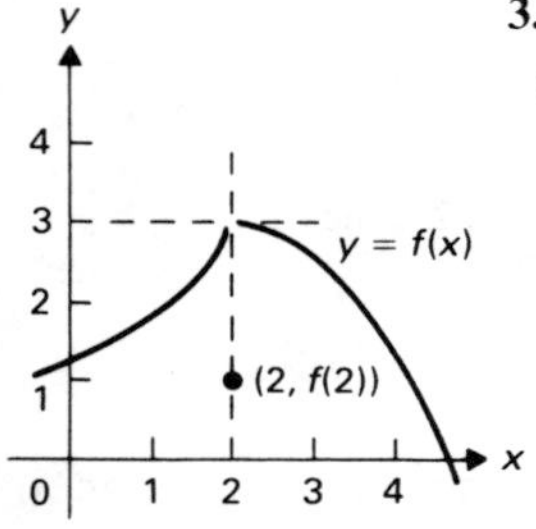

9. *a)* Oui; $\lim_{x\to 3+} f(x) = 0 = \lim_{x\to 3-} f(x) = f(3)$. *b)* Oui; $\lim_{x\to 1+} f(x) = -2 = \lim_{x\to 1-} f(x) = f(1)$. *c)* Oui; elle est continue pour $x \neq 1$ et $x \neq 3$ parce qu'elle y est définie par des polynômes et elle est continue en $x = 1$ et $x = 3$ d'après ***a*** et ***b***.

11. **i)** Si vous pesiez 4 kg à la naissance et que vous pesez maintenant 61 kg, vous avez, à un moment de votre vie, pesé exactement 31,25 kg. **ii)** Si, lors d'une promenade en voiture, vous rouliez à 80 km/h à 13 h et à 102 km/h à 14 h, alors à un moment donné entre 13 h et 14 h vous avez roulé à la vitesse de 87,3 km/h exactement. **iii)** S'il faisait 15°C à 10 h et qu'il fait 21°C à 14 h, alors à un moment donné entre 10 h et 14 h il a fait exactement 16,248°C.

13. Comme $f(a)$ et $f(b)$ sont de signe opposé, zéro est situé entre $f(a)$ et $f(b)$. En vertu du théorème 2.3, il existe un point x_0 dans $[a,b]$ tel que $f(x_0) = 0$.

15. Soit $f(x) = x^4 + 3x^3 + x + 4$. *a)* $f(-2) = -6$, $f(0) = 4$; d'après le corollaire, $f(x) = 0$ a une racine dans l'intervalle $[-2,0]$. *b)* Non; $f(x) > 0$ pour $x \geq 0$ car elle est la somme de quantités positives.

17. Non; $x^2 - 4x + 5 = (x-2)^2 + 1 > 0$ pour tout x. **19.** F F V F V

21. Si $f(S/2) = 155$, l'assertion est démontrée. Supposons que $f(S/2) \neq 155$. Alors $f(0) = 155 -$ (Vitesse en $S/2$) et $f(S/2) =$ (Vitesse en $S/2$) $- 155 = -f(0)$. Alors $f(0)$ et $f(S/2)$ sont de signe opposé et il existe un c compris dans $]0,S/2[$ pour lequel $f(c) =$ (Vitesse en c) $-$ (Vitesse en $c + S/2$) $= 0$. Donc (Vitesse en c) $=$ (Vitesse en $c + S/2$).

23. *a)* $\lim_{x\to\infty} f(x) = \lim_{x\to-\infty} f(x) = \infty$ *b)* Il existe un $K_1 > 0$ tel que $f(x) > f(0)$ pour $x > K_1$ et un $K_2 > 0$ tel que $f(x) > f(0)$ pour $x < -K_2$. Poser $C =$ maximum de K_1 et K_2. *c)* En vertu du théorème 2.4, f admet un minimum sur l'intervalle $[-C,C]$. Comme $f(x) > f(0)$ lorsque $|x| > C$, ce minimum est aussi le minimum de la fonction pour tout x.

Exercices récapitulatifs — Série A

1. $-\frac{2}{3}$ **3.** $-\infty$ **5.** 0 **7.** ∞ **9.** Non, car $\lim_{x\to-3} f(x) = \lim_{x\to-3} \frac{(x+3)(x-3)}{x+3} = -6 \neq f(3)$.

Exercices récapitulatifs — Série B

1. $-2/(2x_1+1)^2$ **3.** $\frac{1}{4}$ **5.** 0 **7.** $\frac{7}{4}$

9. *a)* 6 *b)* 6 *c)* Oui; $\lim_{x\to 5} f(x) = 6 = f(5)$. *d)* Oui; d'après ***a***, ***b*** et ***c***, f est continue au point 5 et elle est continue partout ailleurs car elle est définie par des fonctions rationnelles.

Exercices récapitulatifs — Série C

1. $1/\sqrt{2x_1 - 3}$ **3.** *a)* N'existe pas *b)* 0 **5.** $-\infty$ **7.** $-\infty$

9. Oui; en tant que fonction rationnelle, elle est continue en tout point de son domaine.

Exercices récapitulatifs — Série D

1. $[1/2(\sqrt{x_1})] + 1$ **3.** $-\frac{4}{5}$ **5.** $-\infty$ **7.**

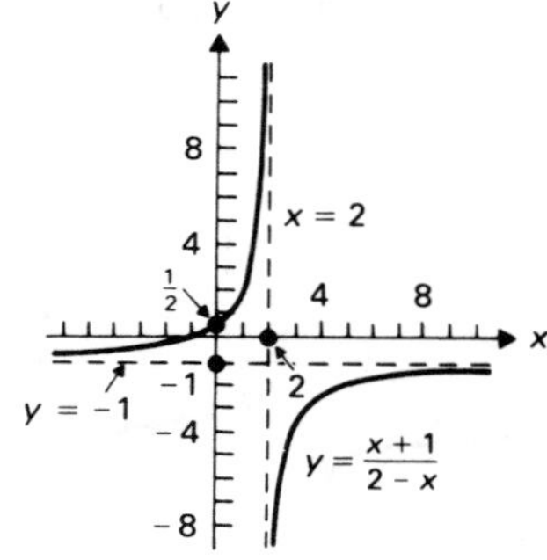

9. $\lim_{x\to-1+} f(x) = 0 = \lim_{x\to-1-} f(x) \neq 1 = f(-1)$. Par conséquent, $f(x)$ n'est pas continue au point -1.

Exercices d'approfondissement

1. 1 **3.** 2 **5.** 0 **7.** ∞ **9.** 1
11. ***a)*** Il existe un $\varepsilon > 0$ pour lequel il n'existe pas de $\delta > 0$. ***b)*** Il existe un arbre pour lequel il n'y a pas de fruit. ***c)*** Il s'agit de trouver un $\varepsilon > 0$ tel que pour tout $\delta > 0$, il existe un x_δ tel que $0 < |x_\delta - a| < \delta$, mais $|f(x_\delta) - c| \geq \varepsilon$.
13. Soit $\varepsilon > 0$. Il existe un $\delta_1 > 0$ tel que

$$L - \frac{\varepsilon}{2} < f(x) < L + \frac{\varepsilon}{2} \quad \text{si} \quad 0 < |x - a| < \delta_1$$

et il existe un $\delta_2 > 0$ tel que

$$M - \frac{\varepsilon}{2} < g(x) < M + \frac{\varepsilon}{2} \quad \text{si} \quad 0 < |x - a| < \delta_2.$$

Soit δ le maximum de δ_1 et δ_2, de sorte que les deux inéquations soient satisfaites si $0 < |x - a| < \delta$. En additionnant les inéquations, on obtient

$$L + M - \varepsilon < f(x) + g(x) < L + M + \varepsilon \quad \text{si} \quad 0 < |x - a| < \delta.$$

15. ***a)*** Erronée; remplacer $|f(x) - a|$ par $|f(x) - f(a)|$. ***b)*** Erronée; retrancher $0 <$. ***c)*** Correcte ***d)*** Erronée; remplacer « un certain » par « pour tout ». ***e)*** Erronée; remplacer $\leq$ par $<$. ***f)*** Correcte.
17. Soit

$$f(x) = \begin{cases} 1 & \text{si } x \geq 2, \\ 0 & \text{si } x < 2, \end{cases} \quad \text{et} \quad g(x) = \begin{cases} 0 & \text{si } x \geq 2, \\ 10 & \text{si } x < 2. \end{cases}$$

Alors $f(x)g(x) = 0$ pour tout x.

CHAPITRE 3

Section 3.1

1. $2x - 3$ **3.** $-2(2x + 3)^2$ **5.** $1/(x + 1)^2$ **7.** 3 **9.** $14x^6 + 8x$ **11.** $x - \frac{3}{2}$ **13.** $324x^3 - 160x^4$
15. $4x^3 + 12x^2 + 8x$ **17.** $36x^2 + 40x$ **19.** $x^2 - \frac{1}{3}$ **21.** ***a)*** 2 ***b)*** 0 **23.** ***a)*** 28 ***b)*** -8 **25.** ***a)*** -1 ***b)*** $-\frac{3}{2}$
27. ***a)*** $y = -14x - 11$ ***b)*** $14y = x + 240$ **29.** ***a)*** $y = 21x - 32$ ***b)*** $x + 21y = 212$ **31.** ***a)*** $y = -4x - 1$ ***b)*** $4y = x + 13$
33. ***a)*** $1/(2\sqrt{x})$

b)
$$\lim_{\Delta x \to 0} \frac{\sqrt{x + \Delta x} - \sqrt{x}}{\Delta x} = \lim_{\Delta x \to 0} \frac{(\sqrt{x + \Delta x} - \sqrt{x})(\sqrt{x + \Delta x} + \sqrt{x})}{\Delta x(\sqrt{x + \Delta x} + \sqrt{x})}$$
$$= \lim_{\Delta x \to 0} \frac{x + \Delta x - x}{\Delta x(\sqrt{x + \Delta x} + \sqrt{x})}$$
$$= \lim_{\Delta x \to 0} \frac{1}{\sqrt{x + \Delta x} + \sqrt{x}} = \frac{1}{2\sqrt{x}}$$

c) $\dfrac{3}{2\sqrt{x}} - 4x$ ***d)*** $\dfrac{\sqrt{5}}{2\sqrt{x}} - \dfrac{\sqrt{7}}{2\sqrt{x}}$
35. ***a)*** 12 cm³/s ***b)*** 75 cm³/s **37.** ***a)*** 1600π cm² ***b)*** 1600π cm²/s **39.** $f(x) = |x - 3| + |x + 3|$
41. $f(x) = |x|$ au point $x_1 = 0$ **43.** $-0{,}108\,577$ **45.** $-12{,}519\,29$ **47.** 45,545

Section 3.2

1. $6x + 17$ **3.** $2x/3$ **5.** $-3/x^2$ **7.** $12x^2 + (4/x^3)$ **9.** $(x^2 - 1)(2x + 1) + (x^2 + x + 2)(2x)$
11. $(x^2 + 1)[(x - 1)3x^2 + (x^3 + 3)] + [(x - 1)(x^3 + 3)](2x)$ **13.** $\left(\dfrac{1}{x^2} - \dfrac{4}{x^3}\right)2 + (2x + 3)\left(\dfrac{-2}{x^3} + \dfrac{12}{x^4}\right)$
15. $4 + (3/x^2)$ **17.** $[(x + 3)2x - (x^2 - 2)]/(x + 3)^2$
19. $[(x^2 + 2)((x^2 + 9) + (x - 3)2x) - (x^2 + 9)(x - 3)2x]/(x^2 + 2)^2$
21. $\dfrac{(x - 1)(4x^2 + 5)[(2x + 3)2x + (x^2 - 4)2] - (2x + 3)(x^2 - 4)[(x - 1)8x + (4x^2 + 5)]}{(x - 1)^2(4x^2 + 5)^2}$
23. $\dfrac{x + 1}{2x + 3}\left(\dfrac{-1}{x^2} + \dfrac{2}{x^3}\right) + \left(\dfrac{1}{x} - \dfrac{1}{x^2}\right)\dfrac{1}{(2x + 3)^2}$ **25.** $x \cos x + \sin x$ **27.** $2 \sin x \cos x$ **29.** $\dfrac{(\cos x)^2 + (\sin x)^2}{(\cos x)^2}$
31. $\dfrac{3x^2 \sin x - x^3 \cos x}{(\sin x)^2}$ **33.** $\dfrac{(x^2 - 4x) \cos x - (2x - 4) \sin x}{(x^2 - 4x)^2}$ **35.** -3 **37.** 2 **39.** $-1380/169$ **41.** $\frac{41}{6}$
43. $f(4) = \frac{28}{17}$, $f'(4) = -\frac{1}{17}$ **45.** $f'(3) = -5$, $g'(3) = 2$ **47.** Tangente: $x + y = 2$; normale: $y - x = 0$
49. Tangente: $y + 5x = -3$; normale: $5y - x = -15$

Section 3.3

1. $dy = \dfrac{1}{(x+1)^2}\,dx$ **3.** $dA = 2\pi r\,dr$ **5.** $dx = \dfrac{-4t}{(t^2-1)^2}\,dt$ **7.** $dV = 3\pi r^2\,dr$ **9.** 0,99 **11.** 3,975
13. $\frac{23}{12}$ **15.** $\frac{93}{46}$ **17.** *a)* $3/\pi$ m *b)* L'estimation est parfaitement exacte, car la circonférence de la Terre est une fonction linéaire de son rayon. **19.** $\frac{7}{8}\,\text{m}^2$ **21.** $1/(14\pi)$ m **23.** 0,5% **25.** 6% **27.** *a)* 4% *b)* 8%
29. $\varepsilon = \Delta x$; $\lim_{\Delta x\to 0} \varepsilon = \lim_{\Delta x \to 0} \Delta x = 0$ **31.** 3,0541 **33.** 4,1803 **35.** 1,9991

Section 3.4

1. *a)* 3 *b)* 3 **3.** *a)* 1404 *b)* 1404 **5.** $12(3x+2)^3$ **7.** $9x^2(x^2+3x)^2(x^3-1)^2 + 2(x^3-1)^3(x^2+3x)(2x+3)$
9. $\dfrac{16x(4x^2+1)^2 - 16x(8x^2-2)(4x^2+1)}{(4x^2+1)^4}$ **11.** $8x - 2 + 5x^{2/3}$ **13.** $-\frac{1}{2}x^{-3/2}$ **15.** $\frac{2}{3}x^{-1/3} + \frac{1}{5}x^{-4/5}$ **17.** $(2x+1)^{-1/2}$
19. $-(5x^2+10x)^{-3/2}(5x+5)$ **21.** $x(x^2+1)^{-1/2}$ **23.** $\dfrac{\frac{1}{2}(x+1)x^{-1/2} - \sqrt{x}}{(x+1)^2}$
25. $\frac{8}{3}\sqrt{3x+4}(4x+2)^{-1/3} + \frac{3}{2}(4x+2)^{2/3}(3x+4)^{-1/2}$
27. $\sqrt{2x+1}\left[\dfrac{2(2x+5)(4x^2-3x)(8x-3) - 2(4x^2-3x)^2}{(2x+5)^2}\right] + \dfrac{(4x^2-3x)^2}{2x+5}(2x+1)^{-1/2}$ **29.** $2\cos 2x$ **31.** $3\sin^2 x\cos x$
33. $\frac{1}{2}(x+\sin x)^{-1/2}(1+\cos x)$ **35.** -2 **37.** 40 **39.** $4y + 3x = 25$ **41.** $3y - x = 5$

Section 3.5

1. $y' = 5x^4 - 12x^3$, $y'' = 20x^3 - 36x^2$, $y''' = 60x^2 - 72x$
3. $y' = (1/\sqrt{5})(-\frac{1}{2})x^{-3/2}$, $y'' = (1/\sqrt{5})(\frac{3}{4})x^{-5/2}$, $y''' = (1/\sqrt{5})(-\frac{15}{8})x^{-7/2}$
5. $y' = x(x^2+1)^{-1/2}$, $y'' = -x^2(x^2+1)^{-3/2} + (x^2+1)^{-1/2}$, $y''' = 3x^3(x^2+1)^{-5/2} - 3x(x^2+1)^{-3/2}$
7. $y' = (x+1)^{-2}$, $y'' = -2(x+1)^{-3}$, $y''' = 6(x+1)^{-4}$ **9.** $-1/(10\sqrt{10})$ **11.** $\frac{3}{4}$ **13.** Vitesse 2; accélération 18
15. *a)* $x = -10$ quand $t = 0$; x augmente lorsque t augmente et $\lim_{t\to\infty} x = 10$, de sorte que la distance parcourue est toujours inférieure à $10 - (-10) = 20$. *b)* $v = 40t/(t^2+1)^2$, où $t \geq 0$ *c)* La particule se déplace en direction positive de l'axe des x lorsque $t > 0$.
17. *a)* $v = -9{,}8t + 14{,}7$ m/s *b)* $a = -9{,}8\ \text{m/s}^2$ *c)* 14,7 m/s *d)* $t = \frac{3}{2}$ s *e)* 11,025 m *f)* $0 \leq t \leq 3$
19. Diminue **21.** Augmente; vers le bas **23.** Augmente; vers le haut **25.** Intensité de la vitesse $= \sqrt{65}/4$; pente $= 8$
27. Intensité de la vitesse $= \frac{1}{4}$; pente non définie **29.** Intensité de la vitesse $= 2\sqrt{34}/25$; pente $= -\frac{3}{5}$ **31.** $3x + y = 3$
33. $x + 3y = 12$ **35.** $dy/dx = -\frac{1}{2}$; $d^2y/dx^2 = \frac{3}{4}$ **37.** *a)* 4,2 m/s *b)* 4,2 m/s *c)* 25 m *d)* $\dfrac{10+5\sqrt{10}}{7} \simeq 3{,}687$ s
39. *a)* 122,5 m *b)* 300 m *c)* $\sqrt{3301} \simeq 57{,}454$ m/s **41.** $f''(1) \simeq 16{,}25$; $f'''(1) \simeq 16{,}875$
43. $f''(3) \simeq 3{,}843\,62$; $f'''(3) \simeq 2{,}6642$ **45.** $f''(1) \simeq 14{,}466\,99$; $f'''(1) \simeq 25{,}72$

Section 3.6

1. $\frac{3}{4}$ **3.** 1 **5.** $-\frac{5}{3}$ **7.** -3 **9.** $\frac{7}{5}$ **11.** 2 **13.** $-\frac{20}{33}$ **15.** $-\frac{3}{4}$ **17.** $-\frac{160}{97}$
19. Tangente: $5y - 2x = 1$; normale: $2y + 5x = 12$ **21.** $x + 16y = 40$ **23.** $(2, 4), (-2, -4)$ **25.** $(4, 2)$ **27.** $\frac{29}{30}$
29. $-\frac{7}{27}$ **31.** 4
33. La pente de la première courbe au point (2,4) est -1 et celle de la deuxième courbe, 1. Les courbes sont donc orthogonales au point (2,4).
35. Soit (x_0, y_0) un point d'intersection. Comme c et k sont tous les deux non nuls, x_0 et y_0 sont différents de zéro. La pente, obtenue par dérivation implicite, de $y^2 - x^2 = c$ au point (x_0, y_0) est x_0/y_0 et celle de $xy = k$ est $-y_0/x_0$. Les courbes sont donc orthogonales.

Exercices récapitulatifs — Série A

1. *a)* $f'(x_1) = \lim\limits_{\Delta x \to 0} \dfrac{f(x_1 + \Delta x) - f(x_1)}{\Delta x}$ *b)*
$$f'(x) = \lim_{\Delta x\to 0} \frac{(x+\Delta x)^2 - 3(x+\Delta x) - (x^2-3x)}{\Delta x}$$
$$= \lim_{\Delta x\to 0} \frac{x^2 + 2x\cdot\Delta x + (\Delta x)^2 - 3x - 3\cdot\Delta x - x^2 + 3x}{\Delta x}$$
$$= \lim_{\Delta x\to 0} \frac{\Delta x(2x - 3 + \Delta x)}{\Delta x} = \lim_{\Delta x\to 0}(2x - 3 + \Delta x) = 2x - 3$$
3. $(x^2-3x)(12x^2-2) + (4x^3-2x+17)(2x-3)$ **5.** $\pm 5072\pi\ \text{km}^2$ **7.** $\frac{1}{2}(x^2-17x)^{-1/2}(2x-17)$ **9.** $32y - x = 67$

Exercices récapitulatifs — Série B

1. $f'(x) = \lim_{\Delta x \to 0} \dfrac{[1/(2(x+\Delta x)+1)] - [1/(2x+1)]}{\Delta x}$

$= \lim_{\Delta x \to 0} \dfrac{(2x+1-2x-2\cdot\Delta x - 1)/[(2(x+\Delta x)+1)(2x+1)]}{\Delta x}$

$= \lim_{\Delta x \to 0} \dfrac{-2}{[2(x+\Delta x)+1](2x+1)} = \dfrac{-2}{(2x+1)^2}$

3. $\dfrac{x^2+3}{x} + 2x(\ln x)$ **5.** $dy = (6x-6)\,dx$ **7.** $-\frac{15}{4}$ **9.** ***a)*** $t = 1$ et $t = 2$ ***b)*** $t = 0$ et $t = 6$ ***c)*** $6\sqrt{17}$

Exercices récapitulatifs — Série C

1. $y = 2x$ **3.** $\frac{14}{5}$ **5.** $-\frac{512}{625}$ **7.** ***a)*** 4 ***b)*** 3 ***c)*** 5 **9.** $\frac{13}{152}$

Exercices récapitulatifs — Série D

1. $x + 8y = -22$ **3.** $[(x^2+3)/\sqrt{2x+4}] + 2x\sqrt{2x+4}$ **5.**

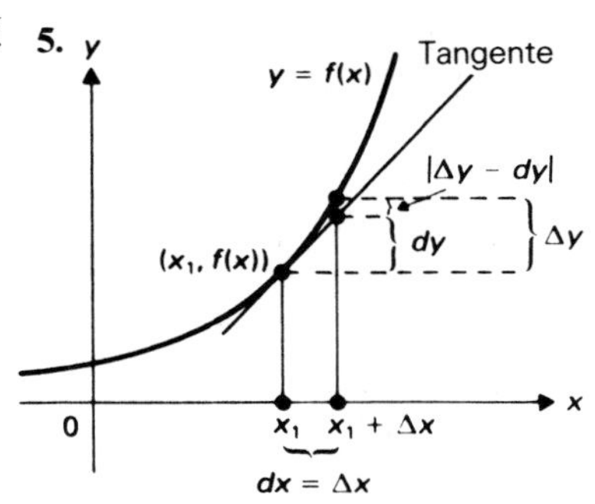

7. -57 **9.** $(-7,1)$ et $(3,1)$

Exercices d'approfondissement

1. 20 **3.** 24 **5.** 8 **7.** $(fg)'(a) = f(a)g'(a) + f'(a)g(a) = 0\cdot g'(a) + f'(a)\cdot 0 = 0$

9. Soit $p(x) = (x-a)^2 q(x)$. On a $p(a) = 0\cdot q(a) = 0$. De plus,

$$p'(x) = (x-a)^2 q'(x) + 2(x-a)q(x),$$

d'où

$$p'(a) = 0\cdot q'(a) + 0\cdot q(a) = 0.$$

11. $y = 2x + 2$, $y = 6x - 14$

13. De $y = f(x)/g(x)$, on déduit $y\cdot g(x) = f(x)$. On a

$$y\cdot g'(x) + \frac{dy}{dx}g(x) = f'(x),$$

d'où

$$\frac{dy}{dx} = \frac{f'(x) - y\cdot g'(x)}{g(x)} = \frac{f'(x) - (f(x)/g(x))g'(x)}{g(x)}$$

$$= \frac{f'(x)g(x) - f(x)g'(x)}{g(x)^2}.$$

15. $\left.\dfrac{d(f(g(h(t))))}{dt}\right|_{t=t_1} = f'(g(h(t_1)))\cdot g'(h(t_1))\cdot h'(t_1)$ **17.** ***a)*** 0,248 m ***b)*** 0,006 04 s ***c)*** Il perd 8 min 42 s par jour.

CHAPITRE 4

Section 4.1

1. $\sqrt{3}/2$ **3.** $-1/\sqrt{3}$ **5.** $-\sqrt{2}$ **7.** $2/\sqrt{3}$ **9.** Non définie **11.** Non définie **13.** $-\sqrt{2}$ **15.** $-\sqrt{2}$ **17.** -2
19. 0 **21.** 1 **23.** 0 **25.** -1 **27.** Non définie **29.** $\sqrt{2}$ **31.** $2\sqrt{2}/3$ **33.** $-1/\sqrt{24}$ **35.** $-\sqrt{15}$
37. $-4\sqrt{5}/9$ **39.** $-\frac{7}{8}$ **41.** ***a)*** $(u, -v)$ ***b)*** $\sin(-x) = -v = -\sin x$; $\cos(-x) = u = \cos x$

43. *a)* $(v, -u)$ *b)* $\sin\left(x - \frac{\pi}{2}\right) = -u = -\cos x$; $\cos\left(x - \frac{\pi}{2}\right) = v = \sin x$ **45.** $\sec(-x) = \frac{1}{\cos(-x)} = \frac{1}{\cos x} = \sec x$

47. $\sin\left(x - \frac{\pi}{2}\right) = \sin x \cos\left(-\frac{\pi}{2}\right) + \cos x \sin\left(-\frac{\pi}{2}\right) = (\sin x)(0) + (\cos x)(-1) = -\cos x$

49. $\sec\left(x - \frac{\pi}{2}\right) = \frac{1}{\cos[x - (\pi/2)]} = \frac{1}{(\cos x)\cos(-\pi/2) - (\sin x)\sin(-\pi/2)}$

$$= \frac{1}{(\cos x)(0) - (\sin x)(-1)} = \frac{1}{\sin x} = \operatorname{cosec} x$$

51. $\cos 2x = \cos^2 x - \sin^2 x = \cos^2 x - (1 - \cos^2 x) = 2\cos^2 x - 1$,
$\cos 2x = \cos^2 x - \sin^2 x = (1 - \sin^2 x) - \sin^2 x = 1 - 2\sin^2 x$.

53. $\frac{3}{10}$ **55.** $\sqrt{74 - 35\sqrt{2}} \simeq 4{,}95$ **57.** $\sqrt{1 - (\frac{37}{40})^2} \simeq 0{,}38$

Section 4.2

1. Amplitude 3, période 2π, déphasage 0

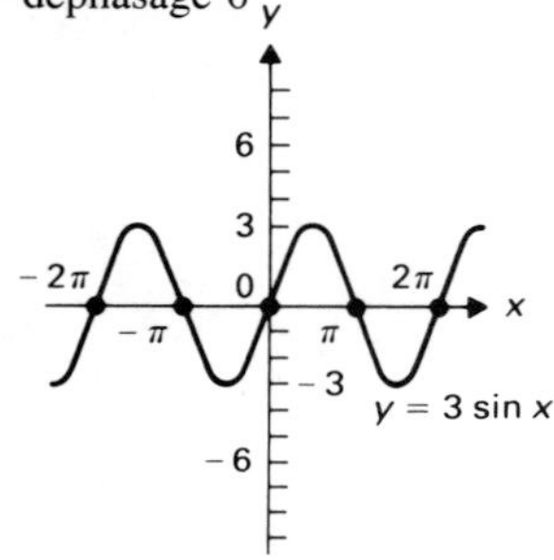

3. Amplitude $\frac{1}{2}$, période 2π, déphasage 0

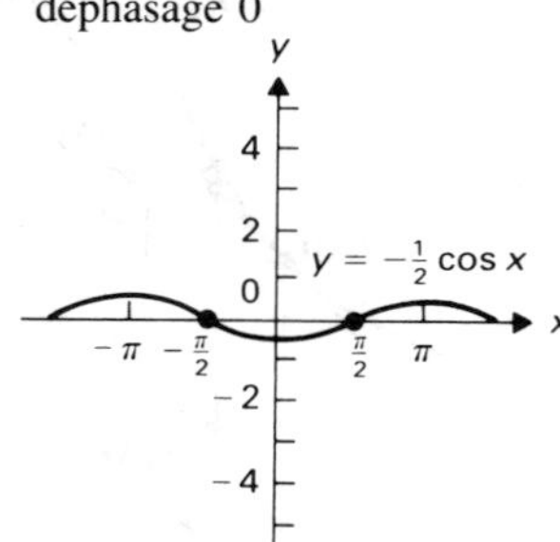

5. Amplitude 1, période 2π, déphasage 0

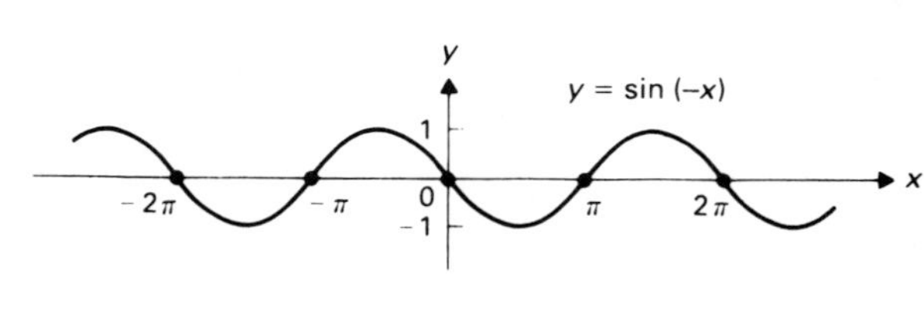

7. Amplitude 3, période $2\pi/3$, déphasage 0

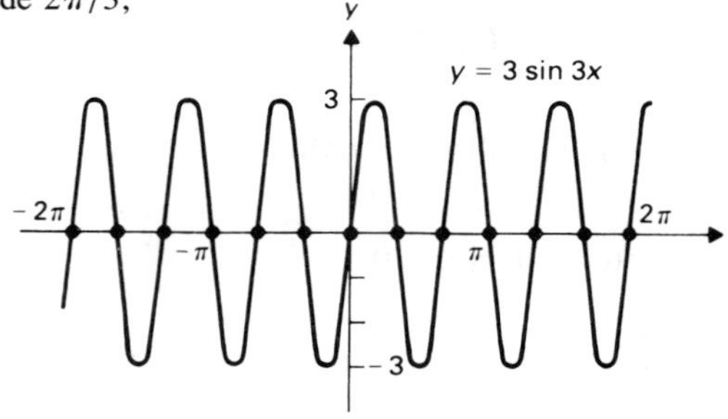

9. Amplitude 4, période π, déphasage 0

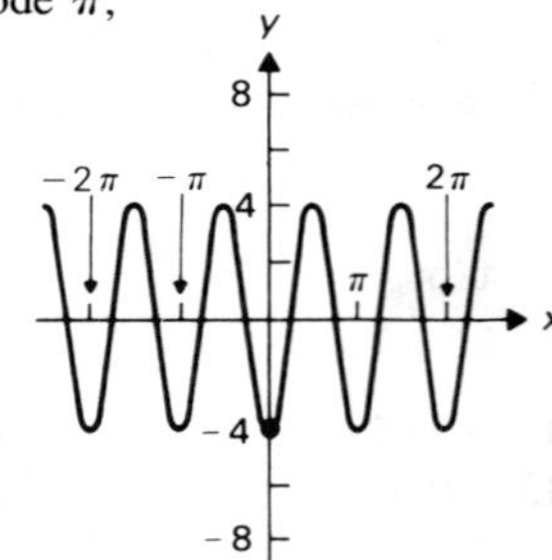

11. Amplitude 2, période 2π, déphasage $\pi/2$

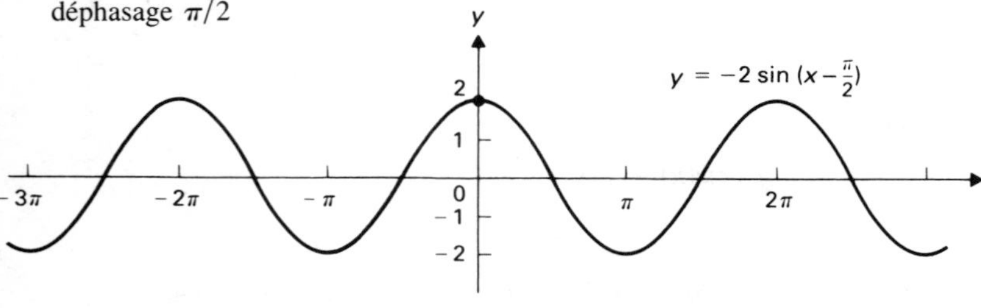

13. Amplitude 5, période 4π, déphasage $\pi/2$

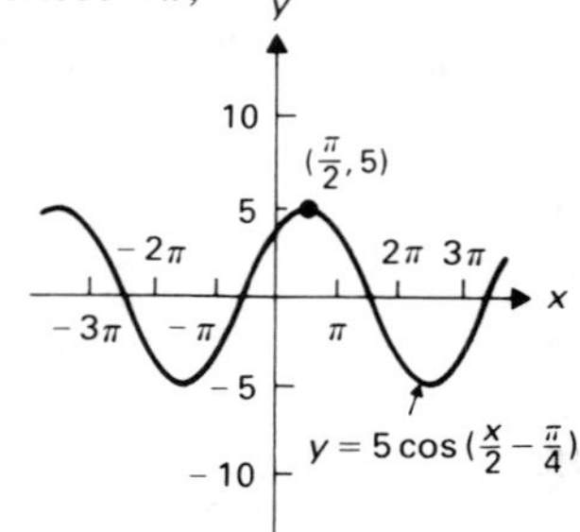

15. Amplitude 5, période 8π, déphasage 4π

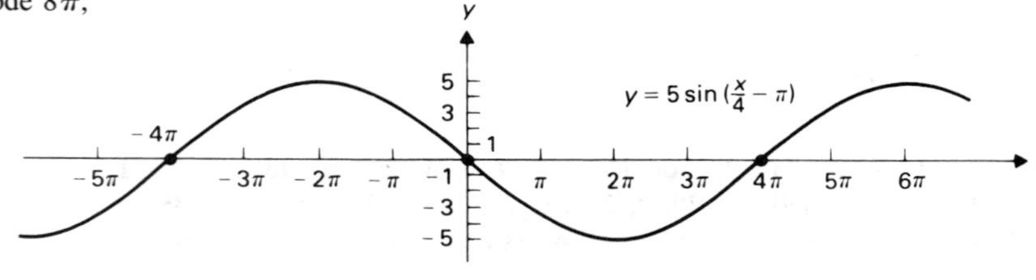

17. Période π

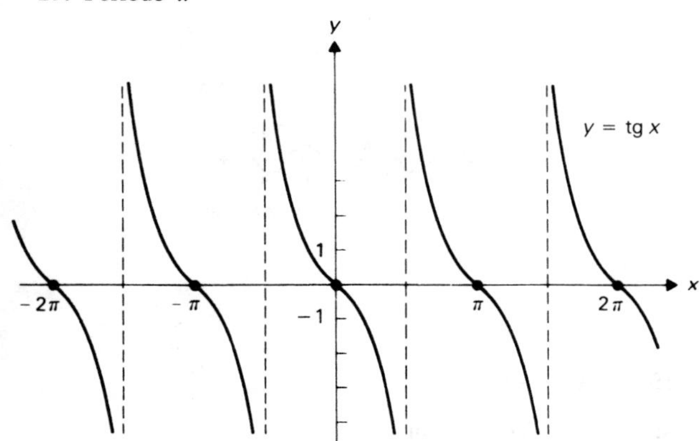

19. Période 2π

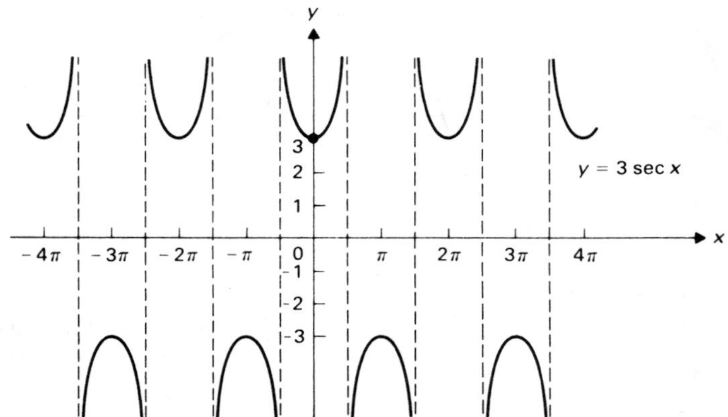

21. Période π

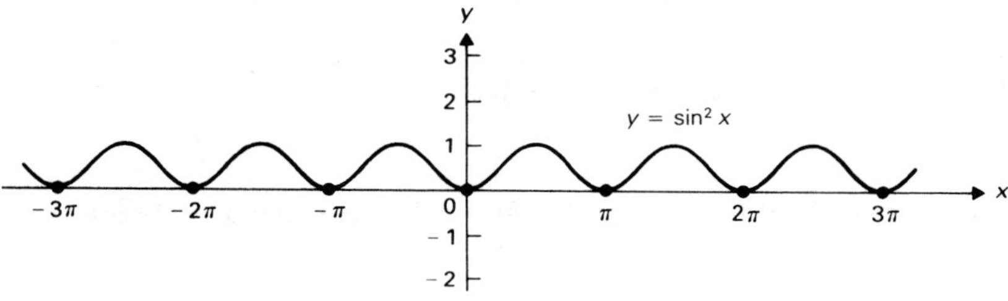

23. Période π

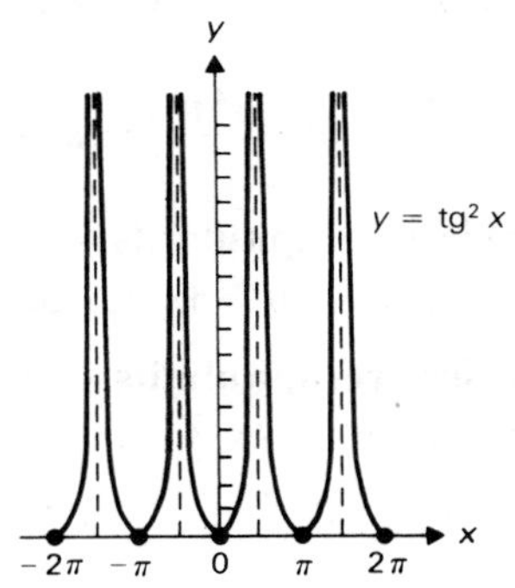

25.

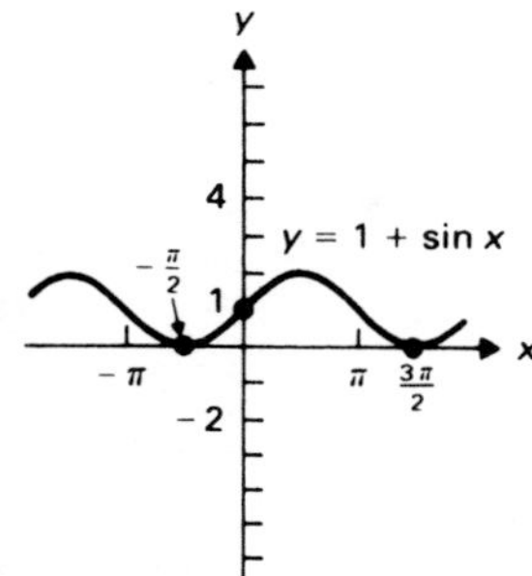

27.

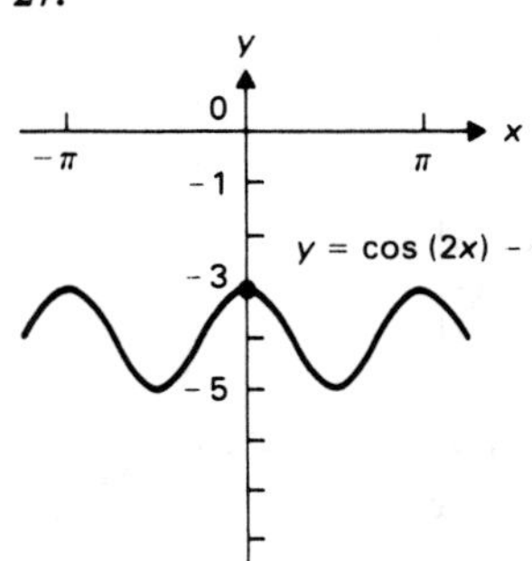

29.

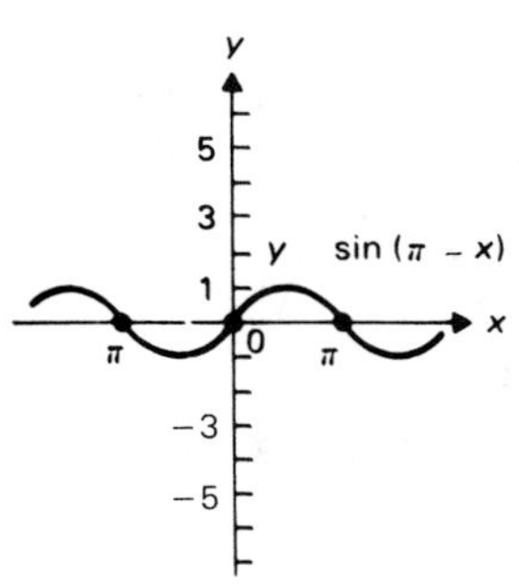

31.

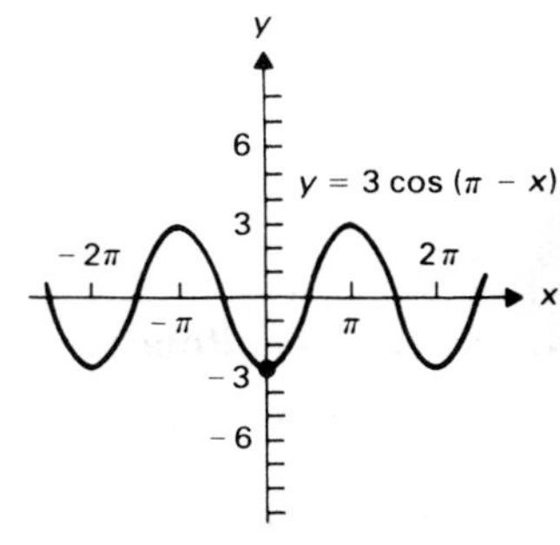

33.

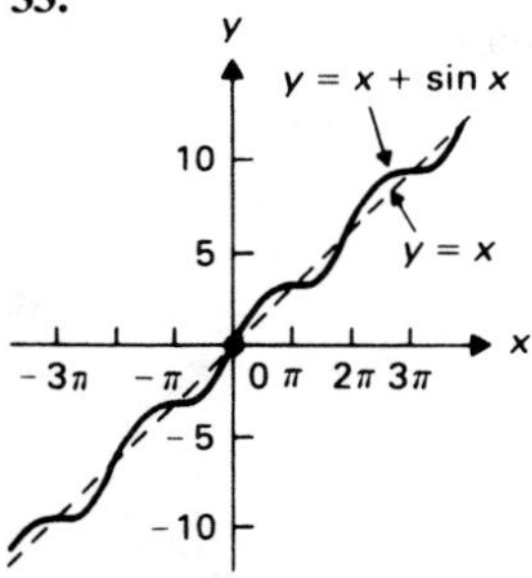

35.

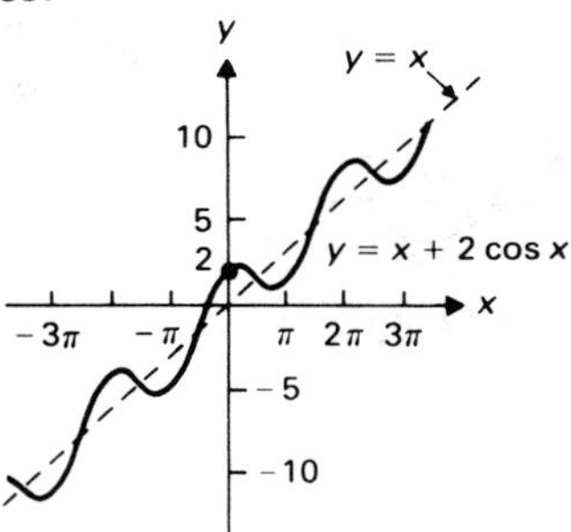

37.

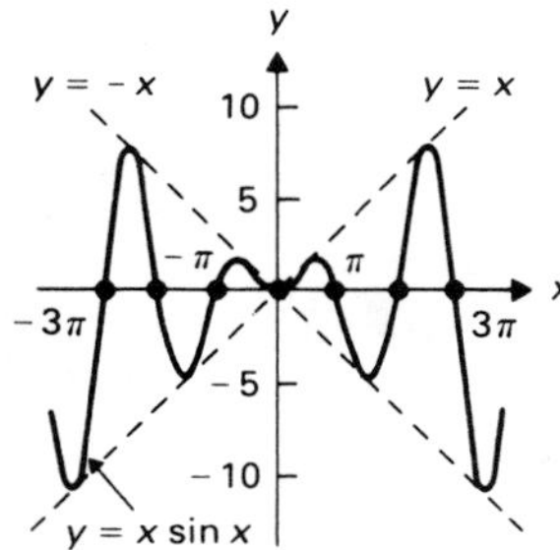

39.

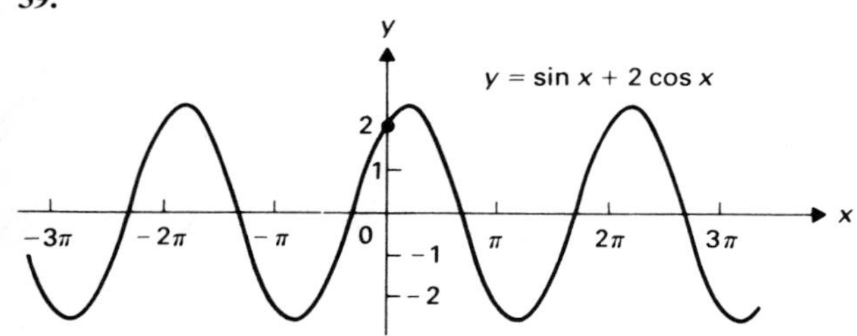

41.

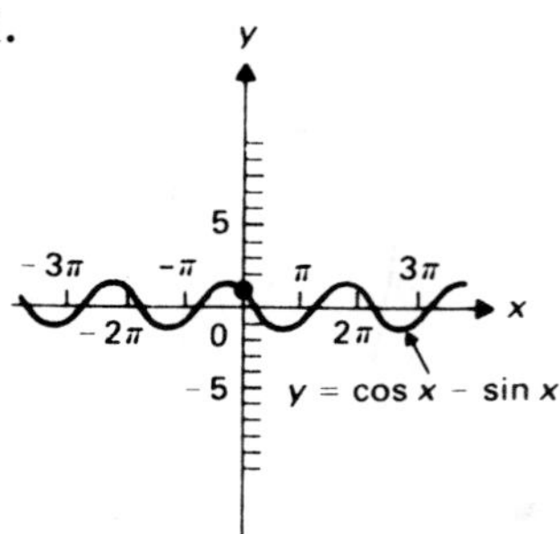

Section 4.3

1. N'existe pas **3.** 2 **5.** 1 **7.** 1 **9.** 3 **11.** $\frac{1}{4}$ **13.** N'existe pas **15.** 1 **17.** $-\infty$

19. $y = \sec x = (\cos x)^{-1}$; $\dfrac{dy}{dx} = -1(\cos x)^{-2}(-\sin x) = \dfrac{1}{\cos x}\dfrac{\sin x}{\cos x} = \sec x \operatorname{tg} x$. **21.** $-x \sin x + \cos x$

23. $(x^2 + 3x) \sec x \operatorname{tg} x + (2x + 3) \sec x$ **25.** $2 \sin x \cos x$ **27.** $2 \sec^2 x \operatorname{tg} x$ **29.** $(\operatorname{cotg} x + x \operatorname{cosec}^2 x)/\operatorname{cotg}^2 x$ **31.** $2 \cos 2x$

33. $6 \cos (2x - 3x) \sin (2x - 3x)$ **35.** $-2 \sin^3 x \cos x + 2 \sin x \cos^3 x$ **37.** $\frac{1}{2}(1 + 2 \operatorname{cotg}^2 x)^{-1/2}(-4 \operatorname{cotg} x \operatorname{cosec}^2 x)$

39. $3[\cos (\operatorname{tg} 3x)] \sec^2 3x$ **41.** 1 **43.** 0 **45.** 0 **47.** $y - \dfrac{1}{\sqrt{2}} = \dfrac{1}{\sqrt{2}}\left(x - \dfrac{\pi}{4}\right)$ **49.** $2y + x = -1$

51. ***a)*** 5 cm ***b)*** $-\dfrac{5\pi}{2}$ cm/s ***c)*** $\dfrac{5\pi}{2}$ cm/s ***d)*** $\dfrac{5\sqrt{3}\pi^2}{2}$ cm/s² **53.** $a = 0$ cm, $b = 3/\pi$ cm

Exercices récapitulatifs — Série A

1. ***a)*** $-1/\sqrt{3}$ ***b)*** $-1/\sqrt{2}$ **3.** $(\sqrt{3} - 1)/(2\sqrt{2})$ **5.** $\pi/3$ **7.** ***a)*** $6 \sin^2 2x \cos 2x$ ***b)*** $-3x^4 \operatorname{cosec} x^3 \operatorname{cotg} x^3 + 2x \operatorname{cosec} x^3$

Exercices récapitulatifs — Série B

1. ***a)*** $-\frac{1}{2}$ ***b)*** $-1/\sqrt{3}$ **3.** $-\frac{5}{16}$ **5.**

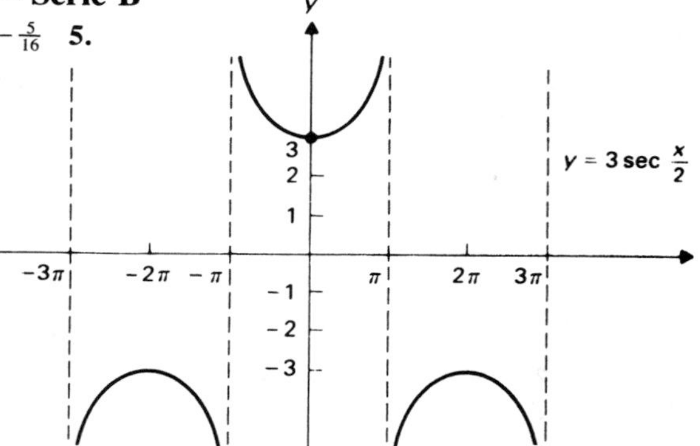

7. ***a)*** $2x \sec^2 (x^2 + 1)$

b) $\dfrac{(x - 4)(2 \sin x \cos x) - \sin^2 x}{(x - 4)^2}$

Exercices récapitulatifs — Série C

1. ***a)*** -1 ***b)*** $\sqrt{2}$ **3.** $2\sqrt{5 - 2\sqrt{3}} \simeq 2{,}479$ **5.** $2\pi/3$ **7.** ***a)*** $\dfrac{(\cos x) + (x + 1)(\sin x)}{\cos^2 x}$ ***b)*** $\dfrac{y \sin (xy)}{2y - x \sin (xy)}$

Exercices récapitulatifs — Série D

1. ***a)*** -1 ***b)*** $-\sqrt{3}/2$ **3.** $5\sqrt{2}$ **5.** Période 4π, amplitude 2

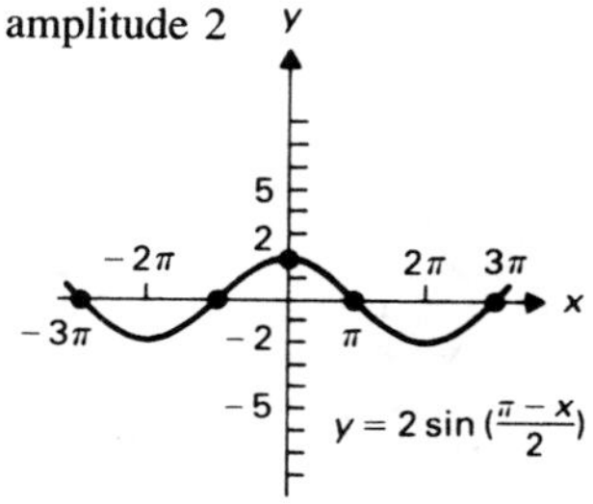

$y = 2 \sin \left(\frac{\pi - x}{2}\right)$

7. ***a)*** $3 \sin 2x \operatorname{tg}^3 x \sec^2 x + 2 \cos 2x \operatorname{tg}^3 x$

b) $\dfrac{y \cos x - \sin y}{x \cos y - \sin x}$

Exercices d'approfondissement

1. 1 **3.** 0 **5.** 2 **7.** 1 **9.** 2

CHAPITRE 5

Section 5.1

1. $1/(4\pi)$ m/s **3.** $10\sqrt{3}$ cm²/min **5.** ***a)*** 0,1 km/s ***b)*** 0,5 km/s **7.** $125\pi/12$ cm²/min **9.** 4 volts/min
11. 0,46 m/s **13.** 2,11 m/s **15.** $\frac{5}{6}$ unités/s **17.** 0,43 m/s **19.** $-\sqrt{2}/14$ rad/min **21.** 0,23 rad/s
23. Il faut montrer que dr/dt = constante. Or, $dV/dt = kS = k(4\pi r^2)$, et

$$V = \frac{4}{3}\pi r^3, \quad \text{d'où} \quad \frac{dV}{dt} = 4\pi r^2 \frac{dr}{dt}, \qquad k \cdot 4\pi r^2 = 4\pi r^2 \frac{dr}{dt} \quad \text{et} \quad \frac{dr}{dt} = k.$$

25. 0,62 cm/s **27.** $-\pi a^3/(60\sqrt{2})$ unités³/s **29.** 11,57 m/s

Section 5.2

1. $f(-3) = f(2) = 10,\ c = -\frac{1}{2}$ **3.** $f(0) = f(\pi) = 0,\ c = \pi/2$ **5.** $f(1) = f(5) = 3,\ c = 2 + \sqrt{7/3}$

7. Soit $f(x) = x^2 - 3x + 1$. Alors $f(2) = -1$ et $f(6) = 19$ sont de signe opposé; il existe donc un a dans $[2,6]$ tel que $f(a) = 0$. Mais $f'(x) = 2x - 3 = 0$ pour $x = \frac{3}{2}$ qui n'est pas dans $[2,6]$. Il ne peut donc y avoir de b dans $[2,6]$ tel que $f(b) = f(a) = 0$ (théorème de Rolle). Donc a est la seule racine de $f(x) = 0$.

9. Soit $f(x) = \sin x - x/4$. Alors $f(\pi/2) = 1 - (\pi/8) > 0$ et $f(\pi) = 0 - (\pi/4) < 0$; il existe donc un a dans $[\pi/2, \pi]$ tel que $f(a) = 0$. Mais $f'(x) = (\cos x) - \frac{1}{4} < 0$ dans $[\pi/2, \pi]$. Il ne peut donc y avoir un b dans $[\pi/2, \pi]$ tel que $f(b) = f(a) = 0$ (théorème de Rolle). Donc a est la seule racine de $f(x) = 0$.

11. Soit $f(x) = 0$ aux points $x_1, x_2, \ldots, x_r$ de $[a,b]$, inscrits en ordre croissant. Alors $f(x_i) = f(x_{i+1}) = 0$ pour $i = 1, 2, \ldots, r-1$. En vertu du théorème de Rolle, il existe chaque fois un c_i, où $x_i < c_i < x_{i+1}$, tel que $f'(c_i) = 0$.

13. Tout nombre compris entre 1 et 4. **15.** $\sqrt{3}$ **17.** $-\frac{5}{4}$

19. ***a)*** L'expression désigne le taux moyen d'accroissement de $f(x)$ dans l'intervalle $[a,b]$. ***b)*** L'expression désigne le taux instantané d'accroissement de $f(x)$ au point c. ***c)*** Si f est une fonction continue sur $[a,b]$ et dérivable sur $]a,b[$, alors il existe un point c de $]a,b[$ tel que le taux instantané d'accroissement de $f(x)$ au point c est égal au taux moyen d'accroissement de $f(x)$ dans l'intervalle $[a,b]$.

21. On a

$$\frac{f(x_2) - f(x_1)}{x_2 - x_1} = \frac{a(x_2^2 - x_1^2) + b(x_2 - x_1)}{x_2 - x_1} = a(x_2 + x_1) + b. \qquad \text{Or} \quad f'\left(\frac{x_2 + x_1}{2}\right) = 2a\left(\frac{x_2 + x_1}{2}\right) + b = a(x_2 + x_1) + b$$

également. (Voir l'exemple 3, page 169.)

23. Appliquons le théorème des accroissements finis sur l'intervalle $[a,x]$, où $a < x \le b$. Alors il existe un point c de $]a,x[$ tel que $(f(x) - f(a))/(x - a) = f'(c)$. On a alors $m \le (f(x) - f(a))/(x - a) \le M$, de sorte que $m(x - a) \le f(x) - f(a) \le M(x - a)$ pour tout x tel que $a < x \le b$. L'inéquation est également satisfaite pour $x = a$.

25. $-9 - 5x \le f(x) \le 11 + 5x$ où x est dans l'intervalle $[-2,4]$

27. $-6 + 5x \le f(x)$ où x est dans l'intervalle $[0,2]$

Section 5.3

1. F V V V F **3.** $x_0 = 0$ n'appartient pas au domaine de f. **5.** Maximum relatif au point critique $x = 1$

7. Minimum relatif au point critique $x = 1$ **9.** Point critique $x = 0$; pas d'extremum relatif

11. Minimum relatif au point critique $x = 0$ **13.** Maximum relatif au point critique $x = 0$

15. Maximum relatif au point critique $x = -1$; minimum relatif au point critique $x = 1$

17. Maximums relatifs aux points critiques $x = n\pi$ pour tout entier n; maximums relatifs aux points critiques $x = n\pi + (\pi/2)$ pour tout entier n

19. Maximums relatifs aux points critiques $x = n\pi$ pour tout entier n; minimums relatifs aux points critiques $x = n\pi + (\pi/2)$ pour tout entier n

21. Maximum: 16; minimum: 0 **23.** Maximum: 1; minimum: $\frac{1}{5}$

25. ***a)*** Maximum: 2; minimum: -6 ***b)*** Maximum: -3; minimum: -7 ***c)*** Maximum: -3; minimum: -7

27. ***a)*** Maximum: $\frac{7}{5}$; minimum: $\frac{13}{10}$ ***b)*** Maximum: $\frac{3}{2}$; minimum: 1 ***c)*** Maximum: 1; minimum: $\frac{1}{2}$ ***d)*** Maximum: $\frac{3}{2}$; minimum: $\frac{1}{2}$

29. ***a)*** Maximum: $\sqrt{2}$; minimum: 1 ***b)*** Maximum: $\sqrt{2}$; minimum: -1 ***c)*** Maximum: $\sqrt{2}$; minimum: -1 ***d)*** Maximum: 1; minimum: $-\sqrt{2}$

31. Maximum: 1; minimum: 0

33. ***a)*** Maximum: 490 m; minimum: 367,5 m ***b)*** Maximum: 0 m/s; minimum: -49 m/s ***c)*** Maximum: 49 m/s; minimum: 0 m/s

35. ***a)*** Maximum: 1122,5 m; minimum: 1102,9 m ***b)*** Maximum: 19,6 m/s; minimum: $-9,8$ m/s ***c)*** Maximum: 19,6 m/s; minimum: 0 m/s

37. Écrivons $f(x)$ sous la forme

$$f(x) = x^n\left(a_n + \frac{a_{n-1}}{x} + \cdots + \frac{a_1}{x^{n-1}} + \frac{a_0}{x^n}\right), \quad \text{où } x \neq 0.$$

On a alors $\lim_{x\to\infty} f(x) = \lim_{x\to\infty} f(x) = \infty$. Par conséquent, il existe un $c > 0$ tel que $f(x) > f(1)$ si $|x| > c$. Le minimum de la fonction sur l'intervalle $[-c, c]$, dont l'existence est assurée par le théorème 5.1, est donc également le minimum de la fonction pour l'ensemble des valeurs de x.

39. -14 **41.** -27

Section 5.4

1. Croissante pour $x > 3$; décroissante pour $x < 3$ **3.** Croissante pour $x < -3$ et $x > 1$; décroissante pour $-3 < x < 1$
5. Croissante pour $-2 < x < 2$; décroissante pour $x < -2$ et $x > 2$ **7.** Croissante pour $-\infty < x < \infty$
9. Décroissante pour $x < -2$ et $x > 2$ **11.** Décroissante pour $x < -1$, $-1 < x < 1$ et $x > 1$
13. Croissante pour $-2 < x < 0$ et $x > 2$; décroissante pour $x < -2$ et $0 < x < 2$ **15.** -8
17. *a)* $b/a = -4$ *b)* $a = 3$, $b = -12$ *c)* Non **19.** Non **21.** *a)* $-1 < x < 3$ et $x > 3$ *b)* $x < -1$ *c)* Aucune *d)* -1
23. *a)* $x < -2$ et $x > 1$ *b)* $-2 < x < 0$ et $0 < x < 1$ *c)* Aucune *d)* Aucune
25. *a)* $-2 < x < 0$, $0 < x < 1$ et $x > 4$ *b)* $x < -2$ et $1 < x < 4$ *c)* Aucune *d)* 4 **27.** $n - 1$ **29.** $n/2$, $n/2 - 1$
31. F F V V F
33. V F V F F **35.**

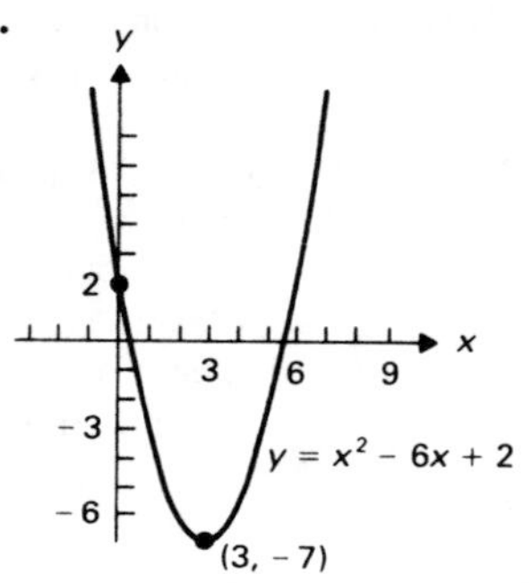

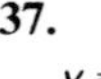

37.

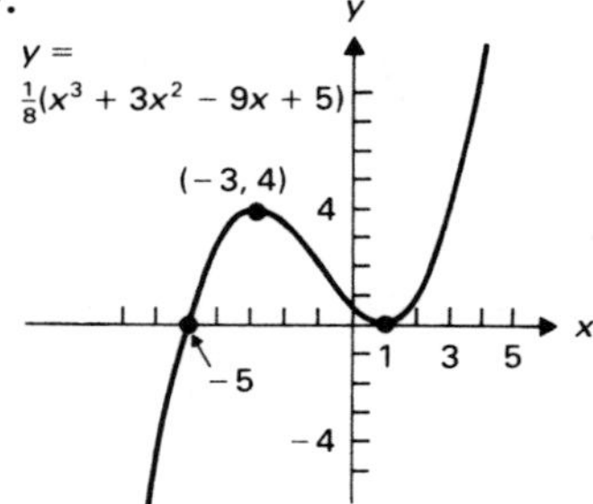

39.

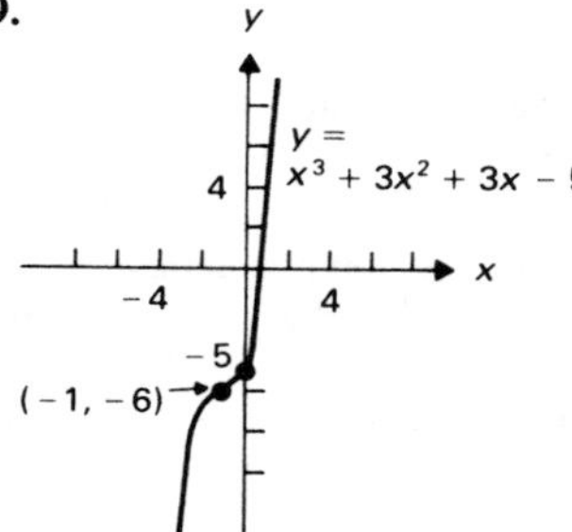

41.

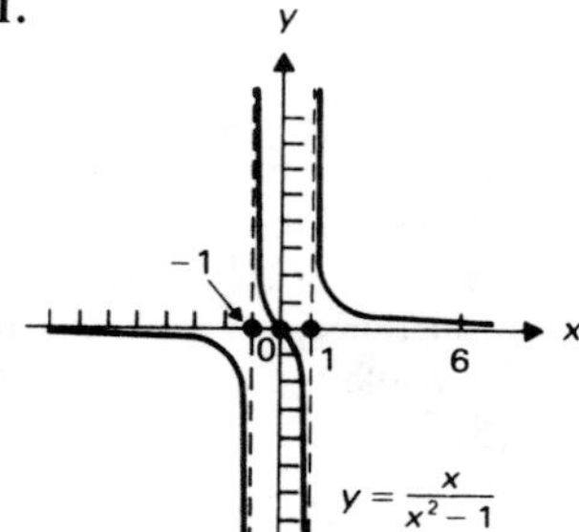

43.

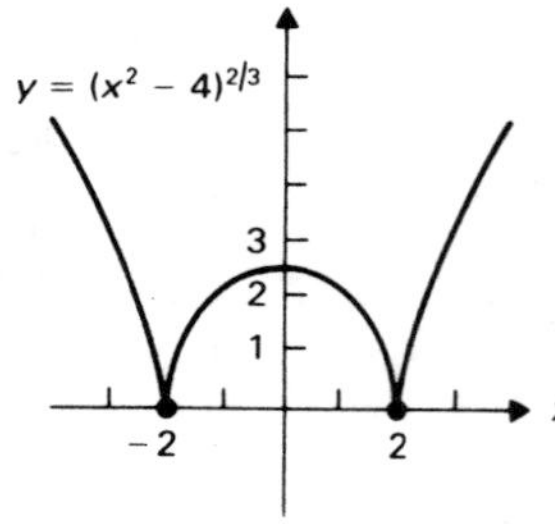

Section 5.5

1. V F F V V F V F V V **3.**

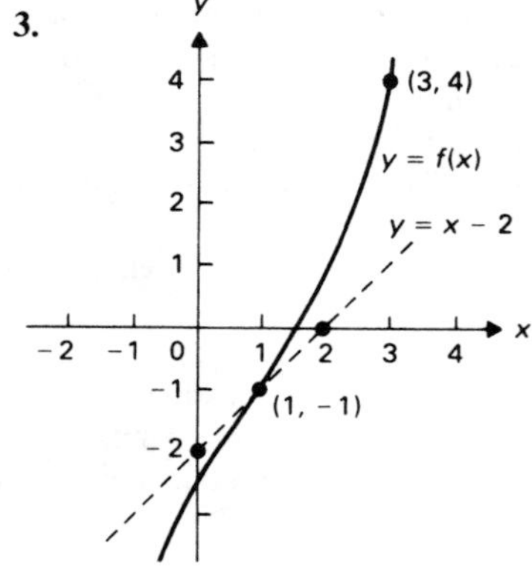

5. Non. La tangente à la courbe de f au point $(0,0)$ passe par le point $(1,1)$ et est située sous la courbe, puisque $f''(x) > 0$. Par conséquent, la courbe de f doit être située au-dessus du point $(1,1)$, d'où l'on a $f(1) > 1$. Ou encore: puisque $f''(x) > 0$, $f'(x)$ est croissante, d'où $f'(x) > 1$ si $x > 0$. Si, de plus, $f(1) = 1$, alors le théorème des accroissements finis appliqué à l'intervalle $[0,1]$ garantit l'existence d'un nombre c compris dans l'intervalle $]0,1[$ pour lequel $f'(c) = 1$, ce qui contredit l'affirmation précédente.

7. ***a)*** $-\infty < x < \infty$ ***b)*** Aucun **9.** ***a)*** $x > -1$ ***b)*** $x < -1$ **11.** ***a)*** $x > 1$ ***b)*** $x < 1$ **13.** ***a)*** $x > 0$ ***b)*** $x < 0$
15. ***a)*** $x < -1/\sqrt{3}$ et $x > 1/\sqrt{3}$ ***b)*** $-1/\sqrt{3} < x < 1/\sqrt{3}$ **17.** ***a)*** $(2n - \frac{1}{2})\pi < x < (2n + \frac{1}{2})\pi$ ***b)*** $(2n + \frac{1}{2})\pi < x < (2n + \frac{3}{2})\pi$
19. ***a)*** $x < -1$, $-1 < x < 0$ et $x > 1$ ***b)*** $0 < x < 1$ **21.** ***a)*** $-3 < x < 0$ et $x > 1$ ***b)*** $x < -3$ et $0 < x < 1$
23. ***a)*** $-3 < x < 0$ et $x > 1$ ***b)*** $x < -3$ et $0 < x < 1$ **25.** ***a)*** $x > 2$ ***b)*** $x < -1$, $-1 < x < 0$ et $0 < x < 2$
27. F V F V F **29.** V F V V V **31.** ***a)*** 4 au point $x = 0$ ***b)*** Aucun ***c)*** Aucun ***d)***

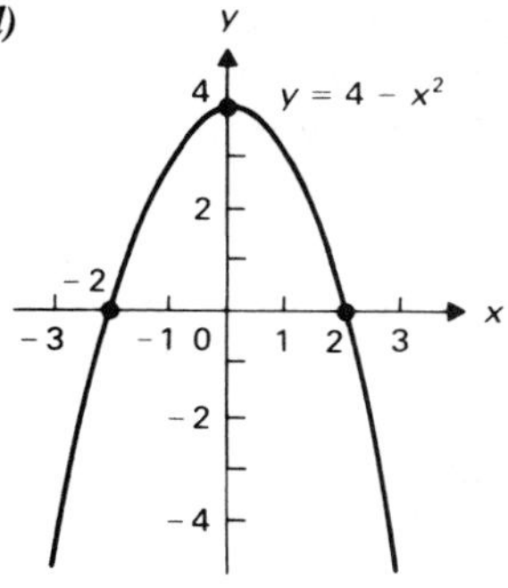

33. ***a)*** Aucun ***b)*** Aucun ***c)*** Aucun ***d)***

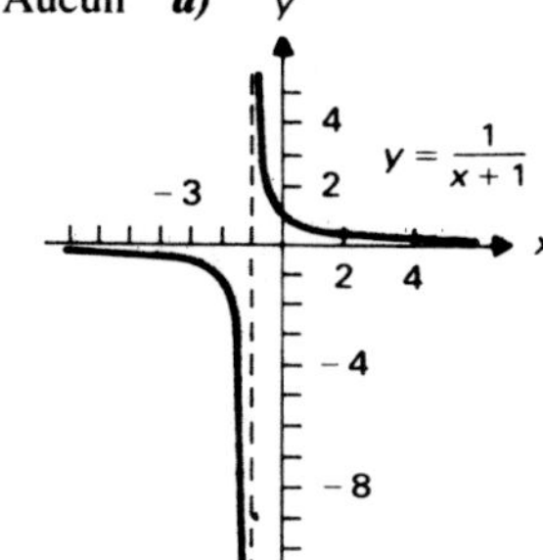

35. ***a)*** Aucun ***b)*** Aucun ***c)*** $(-1, -\frac{19}{3})$ ***d)***

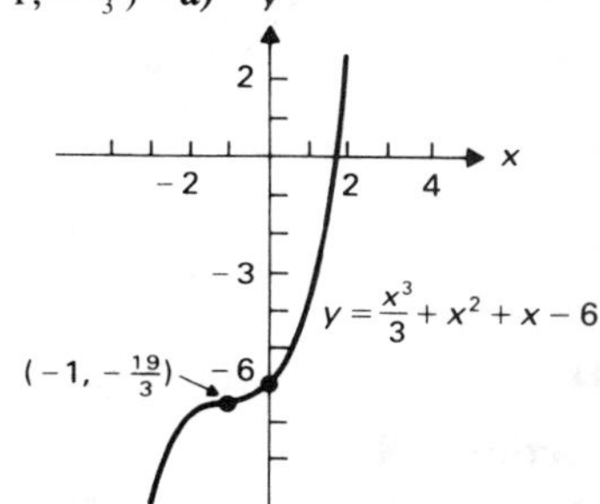

37. ***a)*** Aucun ***b)*** -2 au point $x = 1$ ***c)*** Aucun ***d)***

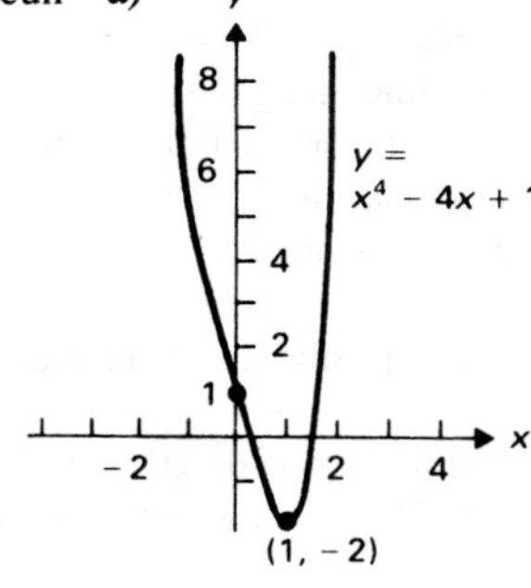

39. ***a)*** Aucun ***b)*** -1 au point $x = 1$
c) $(0, 0), \left(\dfrac{2}{3}, \dfrac{-16}{27}\right)$ ***d)***

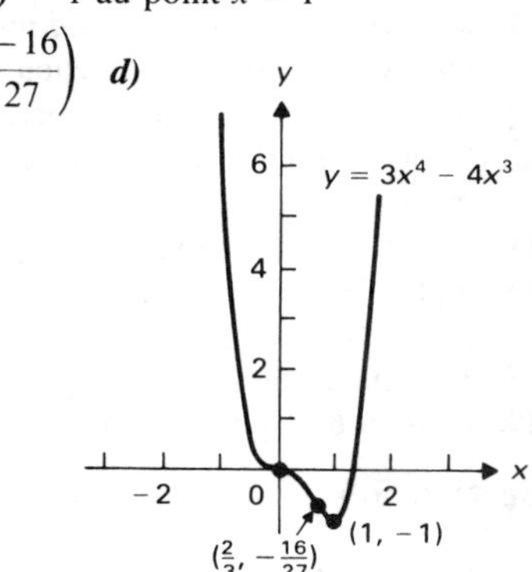

41. ***a)*** $2n\pi + \frac{2}{3}\pi + \sqrt{3}$ aux points $x = 2n\pi + \frac{2}{3}\pi$ pour tout n entier
b) $2n\pi + \frac{4}{3}\pi + \sqrt{3}$ aux points $x = 2n\pi + \frac{4}{3}\pi$ pour tout n entier
c) $(n\pi, n\pi)$ ***d)***

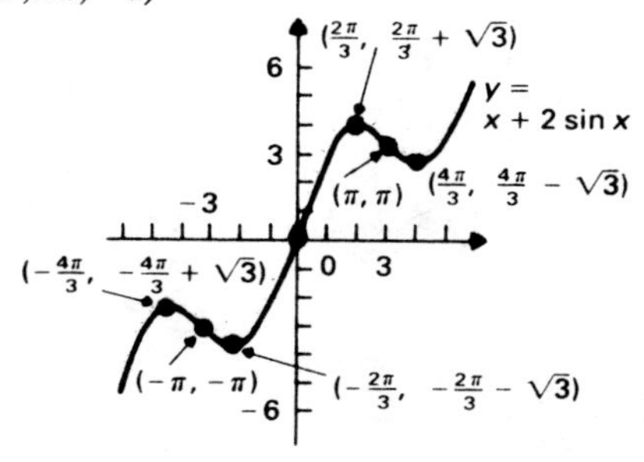

43.

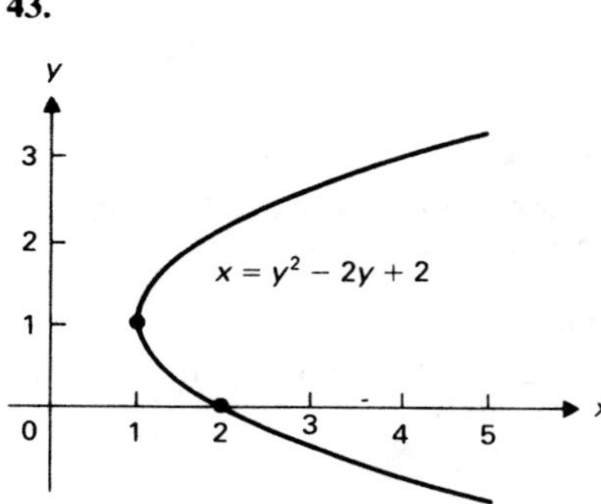

45.

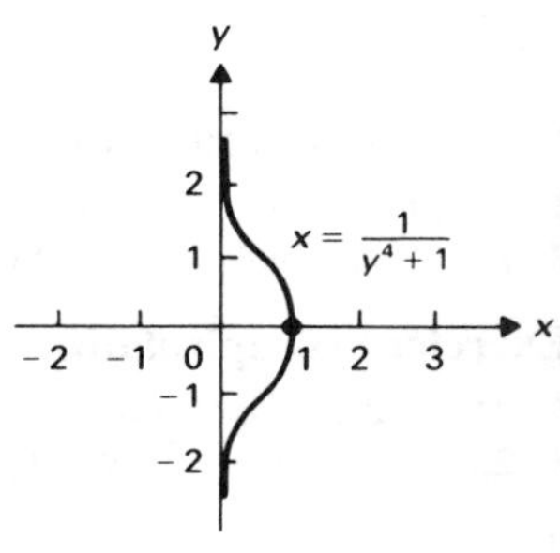

Section 5.6

1. 25 m² **3.** $x = 2$, $y = 4$ **5.** 6 et 6 **7.** $8\sqrt{2}$ unités² **9.** 42 unités² **11.** 108 cm² **13.** *a)* 0,128 m³ *b)* 0,163 m³
15. 20 000/3 m² **17.** 10 cm de largeur sur 5 cm de hauteur **19.** $\sqrt{2}a$ sur $a/\sqrt{2}$ **21.** $4a/3$
23. 100 m de longueur sur $200/\pi$ m de largeur **25.** 60 cm sur 96 cm **27.** $3/\sqrt{5}$ km **29.** $a/(\sqrt[3]{c} + 1)$ m
31. *a)* Couper le fil en deux morceaux de 50 cm chacun *b)* Plier le fil en un seul triangle équilatéral
33. *a)* $(2 + \pi)/4$ *b)* $(4 + \pi)/8$ *c)* 1 m **35.** À 10 h 36 **37.** $(a + b - \sqrt{a^2 + b^2 - ab})/6$
39. *a)* $x = (A + B - b - t)/(2B + 2c)$ *b)* $t = (A + B - b)/2$ **41.** $(h^{2/3} + b^{2/3})^{3/2}$ **43.** 12,29 m

Section 5.7

1. $\frac{59}{86}$ **3.** $\frac{333}{440}$

5. *a)*

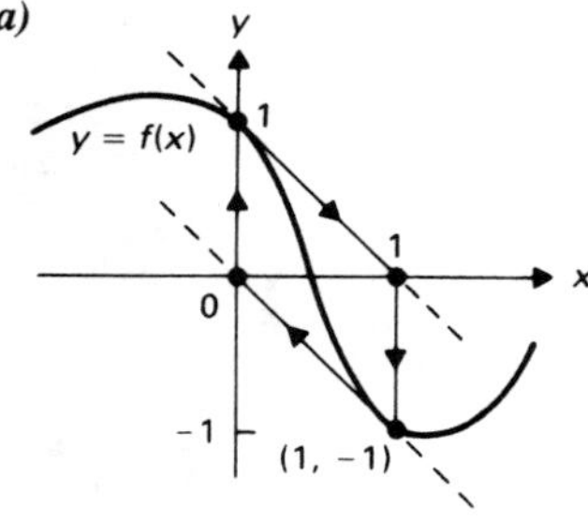

b) i) $d = 1$ ii) $a + b + c + d = -1$ iii) $c = -1$ iv) $3a + 2b + c = -1$
v) $f(x) = 2x^3 - 3x^2 - x + 1$ **7.** −2,387 687 **9.** 0,739 085 133 2

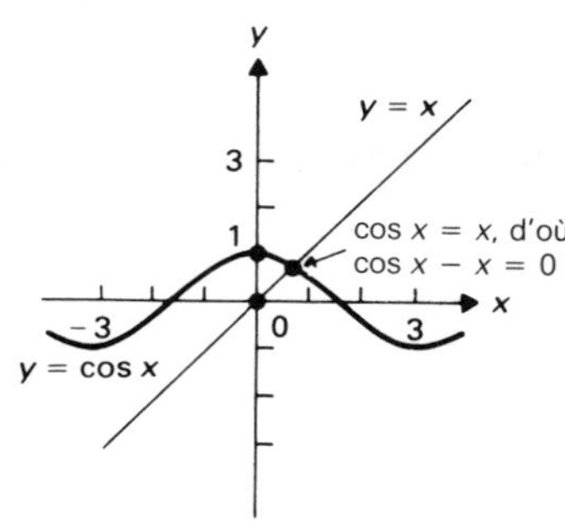

11. 3,169 925 001 **13.** 2,129 372 483 **15.** 3,352 823 623

Section 5.8

1. *a)* 540 $/unité *b)* 800 $/unité *c)* 260 $/unité *d)* 335 $/unité
3. *a)* 90 $/poêle *b)* 1000 poêles, pour un profit de 40 000 $. **5.** *a)* 78 $/corde *b)* 79 $/corde *c)* 500 cordes
7. *a)* 0 corde *b)* 1 corde. Le revenu moyen tend vers un maximum de 80 $/corde quand $x \to 0$, mais la vente de 0 corde entraîne un revenu de 0 $. La fonction revenu moyen n'est pas définie en $x = 0$.
9. Si le coût moyen était supérieur au coût marginal, alors la production d'une unité supplémentaire réduirait le coût moyen. Si, au contraire, le coût moyen était inférieur au coût marginal, alors la production d'une unité de moins réduirait encore le coût moyen. Ainsi, le coût moyen n'atteint un minimum que s'il est égal au coût marginal.
11. *a)* $\frac{2}{9}$ $/dollar de revenu *b)* $\frac{7}{9}$ $/dollar de revenu
13. *a)* 0,373 *b)* Il n'y a pas de taux minimal ou maximal d'imposition: le taux d'imposition est toujours croissant, mais ne dépasse jamais 0,6.
15. 10 commandes de 20 réfrigérateurs chaque fois. **17.** 10 livraisons de 200 arbres chacune.
19. *a)* 0 ou 60 lapins *b)* On peut capturer un maximum de 75 lapins, à condition de maintenir une population de 30 lapins.

Section 5.9

1. $2x + C$ **3.** $\frac{x^3}{3} - \frac{3x^2}{2} + 2x + C$ **5.** $\frac{2}{3}x^{3/2} + C$ **7.** $2x^2 + \frac{2}{3}x^{3/2} + C$ **9.** $-\frac{1}{x} + \frac{3}{2}x^2 + x + C$ **11.** $-\frac{1}{x} - \frac{1}{2x^2} + C$
13. $\frac{6}{5}x^{5/2} - \frac{4}{3}x^{3/2} + 2\sqrt{x} + C$ **15.** $\frac{x^4}{4} + \frac{x^2}{2} + C$ **17.** $\frac{2}{3}(x - 1)^{3/2} + C$ **19.** $2\sqrt{x + 1} + C$ **21.** $-\cos x + C$
23. $-\frac{5}{8}\cos 8x + C$ **25.** $-\frac{1}{4}\sin(2 - 4x) + C$ **27.** $-2\,\text{cotg}\, 2x + C$ **29.** $-\frac{1}{4}\,\text{cosec}\, 4x + C$

Exercices récapitulatifs — Série A

1. $3/(10\pi)$ m/min **3.** *a)* $x > 2$ *b)* $x < -1$ et $-1 < x < 2$ **5.** *a)* $x < -1$, $\frac{1}{5} < x < 2$ et $x > 2$ *b)* $-1 < x < \frac{1}{5}$
7. $r = 4\sqrt{6}$ unités **9.** *a)* 25 *b)* 249,5

Exercices récapitulatifs — Série B

1. $3\sqrt{3}/(2\sqrt{7})$ m²/min **3.** *a)* $x < -2$ et $-2 < x < 0$ *b)* $0 < x < 2$ et $x > 2$ **5.** *a)* $x > 2$ *b)* $x < 2$
7. $256/(3\sqrt{3})$ unités² **9.** 29 300 $

Exercices récapitulatifs — Série C

1. $\frac{1}{16}$ ampère/s **3.** *a)* Aucune *b)* -1 **5.** $\frac{11}{7}$ et 5 **7.** $\sqrt{3}a^2/8$ m^2 **9.** 80 paires

Exercices récapitulatifs — Série D

1. $5\sqrt{3}/4$ m^2/min **3.** *a)* Aucune *b)* -1 et 4 **5.** *a)* $-3 < x < 0$ et $x > 2$ *b)* $x < -3$ et $0 < x < 2$
7. $x = \frac{20}{3}$ et $y = \frac{40}{3}$ **9.** 6250

Exercices d'approfondissement

1. L'enclos carré devra avoir 31,62 m de côté et l'enclos circulaire, 27,61 m de rayon. La superficie totale des enclos est alors 3395,73 m^2.

3. Si f est une fonction dont les dérivées d'ordre 1, 2, ..., n sont définies dans l'intervalle $[a,b]$ et si $f(x)$ prend la même valeur en $n + 1$ points distincts de $[a,b]$, alors il existe un point c dans l'intervalle $]a,b[$ tel que $f^{(n)}(c) = 0$.

5. Elle doit faire tout le tour du lac au pas de course.

7. Une telle suite se produira si $f(0) = -1$, $f'(0) = 1$, $f(1) = -1$, $f'(1) = 1$, $f(2) = -2$ et $f'(2) = -1$. Ces six conditions seront satisfaites par une fonction polynomiale de la forme $f(x) = ax^5 + bx^4 + cx^3 + dx^2 + ex + f$ où les six coefficients auront été judicieusement choisis.

CHAPITRE 6

Section 6.1

1. $a_0 + a_1 + a_2 + a_3$ **3.** $a_2 + a_4 + a_6 + a_8$ **5.** $c + c^2 + c^3 + c^4 + c^5$ **7.** 30 **9.** 35 **11.** 44 **13.** $\sum_{i=1}^{3} a_i b_{i+1}$ **15.** $\sum_{i=1}^{3} a_i^{i+1}$

17. $\sum_{i=1}^{3} a_i^{b_{3i}}$

19.
$$\begin{aligned}\sum_{i=1}^{n}(a_i + b_i)^2 &= (a_1 + b_1)^2 + \cdots + (a_n + b_n)^2\\ &= a_1^2 + 2a_1b_1 + b_1^2 + \cdots + a_n^2 + 2a_nb_n + b_n^2\\ &= a_1^2 + \cdots + a_n^2 + 2(a_1b_1 + \cdots + a_nb_n) + b_1^2 + \cdots + b_n^2\\ &= \sum_{i=1}^{n} a_i^2 + 2\sum_{i=1}^{n} a_ib_i + \sum_{i=1}^{n} b_i^2\end{aligned}$$

21. 1,575 **23.** $\overline{S}_2 = 5$, $\underline{S}_2 = 1$ **25.** $\overline{S}_4 \simeq 0{,}76$, $\underline{S}_4 \simeq 0{,}63$ **27.** 153 **29.** π **31.** 40 newtons-mètres **33.** 46 m
35. 1,89 **37.** 2,006 **39.** 3,142 **41.** 19,703 **43.** 7,455 88

Section 6.2

1. *a)*

b) 1 *c)* -1 *d)* 0 **3.** 2

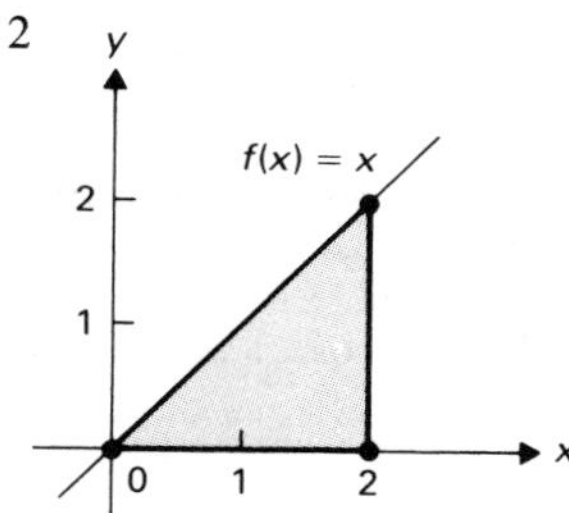

5. 14

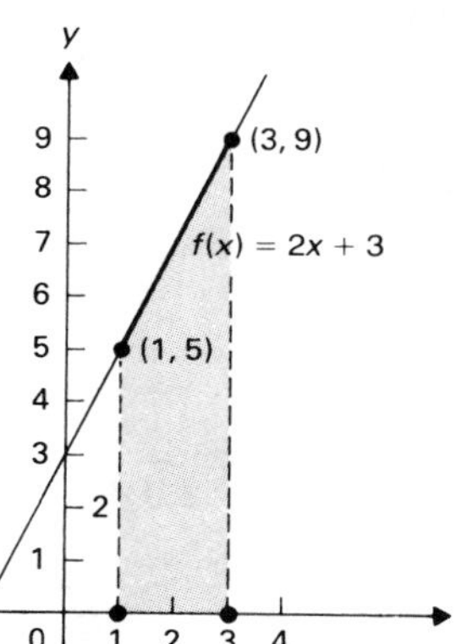

7. 2

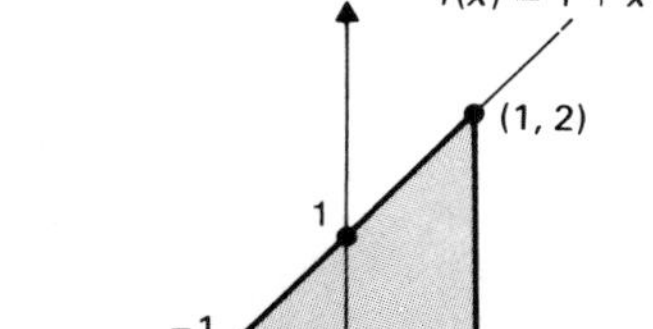

9. $9\pi/2$

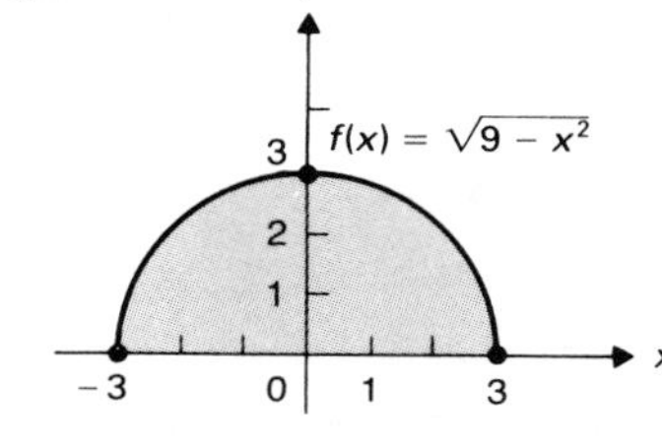

11. $12 + 4\pi$

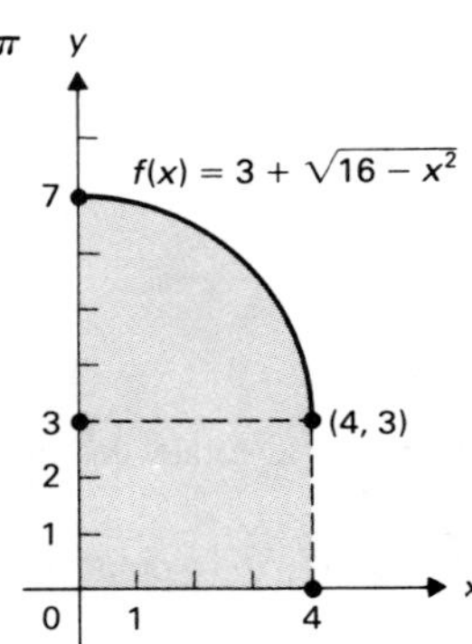

13.

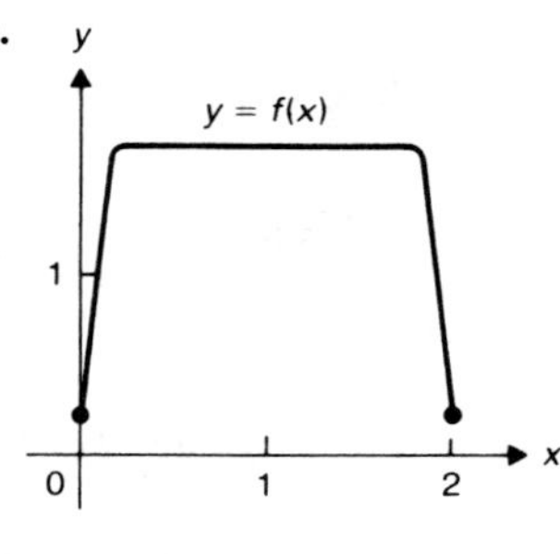

15. 1 **17.** 1 **19.** 0 **21.** -6 **23.** 2 **25.** 4 **27.** 4 **29.** $(\pi^2/4) - 3$ **31.** 6
33. 3 **35.** -1 **37.** -10 **39.** 5 **41.** $-\frac{3}{2}$ **43.** -2 **45.** $\frac{1}{4}$ **47.** $-\frac{9}{4}$ **49.** 2,046 696
51. 0,459 481

Section 6.3

1. Se reporter au théorème 6.3, page 246 **3.** $\frac{1}{4}$ **5.** $\frac{20}{3}$ **7.** $\frac{45}{4}$ **9.** $-\frac{3}{8}$ **11.** $\frac{14}{9}$ **13.** 2 **15.** 3 **17.** $3\sqrt{2}$ **19.** $2/\sqrt{3}$
21. 1 **23.** -20 **25.** $\frac{3}{2}$ **27.** $-\pi/2$ **29.** $2 + (\pi/2)$ **31.** π **33.** $\pi + (3\pi^3/4)$ **35.** $(3\pi^2/2) - 2\pi$ **37.** 8 **39.** $1/\sqrt{2}$ **41.** $\frac{88}{15}$
43. 36

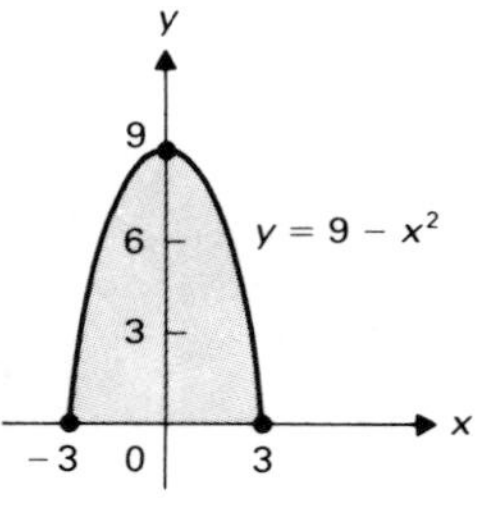

45. $\frac{256}{5}$

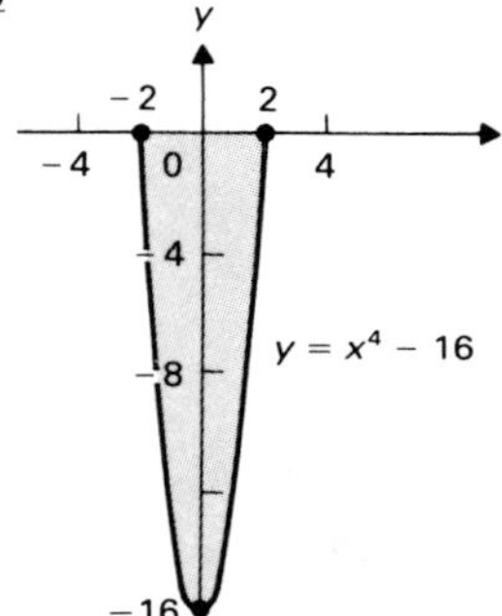

47. $\sqrt{t^2 + 1}$ **49.** $-1/(1 + t^2)$ **51.** $2\sqrt{3 + 4t^2}$
53. $-\sqrt{t^2 + 1}$ **55.** $2t\sqrt{t^4 - 6t^2 + 10}$

Section 6.4

1. $\frac{1}{4}x^4 + \frac{4}{3}x^3 + C$ **3.** $\frac{1}{6}(x + 1)^6 + C$ **5.** $\dfrac{-1}{4(4x + 1)} + C$ **7.** $\dfrac{-1}{18x^2 + 6} + C$ **9.** $\dfrac{1}{12(4 - 3x^2)^2} + C$ **11.** $4\sqrt{x^2 + x} + C$
13. $\dfrac{-2}{3(\sqrt{x} + 1)^3} + C$ **15.** $\frac{1}{12}(x^3 + 4)^4 + C$ **17.** $\frac{1}{3}\sin 3x + C$ **19.** $\frac{1}{2}\sin(x^2 + 1) + C$ **21.** $\frac{1}{2}\sin^2 x + C$ **23.** $-\frac{1}{16}\cos^4 4x + C$
25. $\frac{1}{2}\operatorname{tg} x^2 + C$ **27.** $\frac{1}{2}\operatorname{tg}^2 x + C$ **29.** $\frac{1}{8}\operatorname{tg}^4 x^2 + C$ **31.** $(1 + \cos x)^{-1} + C$ **33.** $\frac{1}{4}\sin 4x + C$ **35.** $\frac{1}{12}\sec^4 3x + C$
37. $\frac{2}{9}(1 + \sec 3x)^{3/2} + C$ où $\sec 3x > 0$ **39.** $-\frac{1}{10}\operatorname{cosec}^5 2x + C$ **41.** $\frac{1}{2}x + \frac{1}{4}\sin 2x + C$

Section 6.5

1. $\frac{32}{3}$ **3.** $\frac{1}{6}$ **5.** $\frac{4}{15}$ **7.** $\frac{44}{15}$ **9.** $\frac{9}{2}$ **11.** $\frac{9}{2}$ **13.** $\frac{7}{15}$ **15.** $\dfrac{4}{3} + \dfrac{\pi}{2}$ **17.** $\frac{8}{3}$ **19.** 4 **21.** $\dfrac{8\pi}{3} - 2\sqrt{3}$ **23.** $\dfrac{\pi - 2}{4}$ **25.** $\frac{2}{3}\pi^{3/2} - 2$
27. $2\displaystyle\int_0^2 (\sqrt{68 - y^2} - 2y^2)\,dy$ **29.** $25\pi - \displaystyle\int_{-4}^{3} \left(\sqrt{25 - x^2} - \frac{x + 25}{7}\right) dx$ **31.** $8 - 4\sqrt{2}$ **33.** 0,135 697 507 2

Exercices récapitulatifs — Série A

1. $\dfrac{19}{20}$ **3.** $\dfrac{\sqrt{2t + t^2}}{2\sqrt{t}}$ **5.** -2 **7.** *a)* $\frac{1}{4}\sin^2 2x + C$ *b)* $\frac{1}{3}\sec^3 x + C$

Exercices récapitulatifs — Série B

1. $\dfrac{\pi}{2}\left[\sin\dfrac{\pi}{8} + \sin\dfrac{3\pi}{8} + \sin\dfrac{5\pi}{8} + \sin\dfrac{7\pi}{8}\right]$ **3.** $2\sin^2 2t + \sin^2 t$ **5.** -5 **7.** *a)* $-\frac{1}{9}\operatorname{cosec}^3 3x + C$
b) $-2\sqrt{\operatorname{cosec} x} + C$

Exercices récapitulatifs — Série C

1. $\frac{15}{2}$ **3.** $12 + \frac{9\pi}{2}$ **5.** 1 **7.** *a)* $\frac{-1}{9(x^3 + 1)^3} + C$ *b)* $-2\sqrt{\cos x} + C$

Exercices récapitulatifs — Série D

1. $\frac{53}{64}$ **3.** $9\sqrt{6}\pi/4$ **5.** $\frac{32}{3}$ **7.** *a)* $\frac{(4x^3 + 2)^6}{72} + C$ *b)* $\frac{\sec 3x}{3} + C$

Exercices d'approfondissement

1.

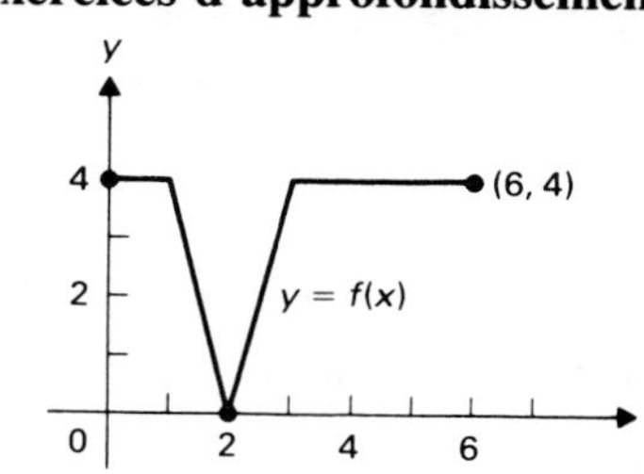

3. On a $\overline{S}_n = \frac{1}{n}\left[f\left(\frac{1}{n}\right) + f\left(\frac{2}{n}\right) + f\left(\frac{3}{n}\right) + \cdots + f\left(\frac{n-1}{n}\right) + f(1)\right]$

et $\underline{S}_n = \frac{1}{n}\left[f(0) + f\left(\frac{1}{n}\right) + f\left(\frac{2}{n}\right) + \cdots + f\left(\frac{n-1}{n}\right)\right]$,

d'où

$$\overline{S}_n - \underline{S}_n = \frac{1}{n}[f(1) - f(0)] = f(1)/n$$

5. $\frac{b-a}{n}[f(a) - f(b)]$ **7.** $\frac{16}{3}$ **9.** $\frac{2}{5}$ **11.** $\frac{16}{5}$ **13.** $\frac{122}{3}$

CHAPITRE 7

Section 7.1

1. f admet une fonction réciproque; $f^{-1}(x) = x + 1$

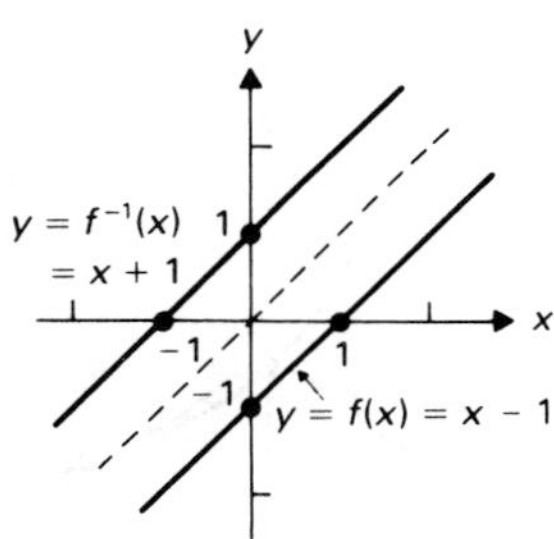

3. f n'admet pas de fonction réciproque.

5. f admet une fonction réciproque; $f^{-1}(x) = \sqrt[3]{x-1}$

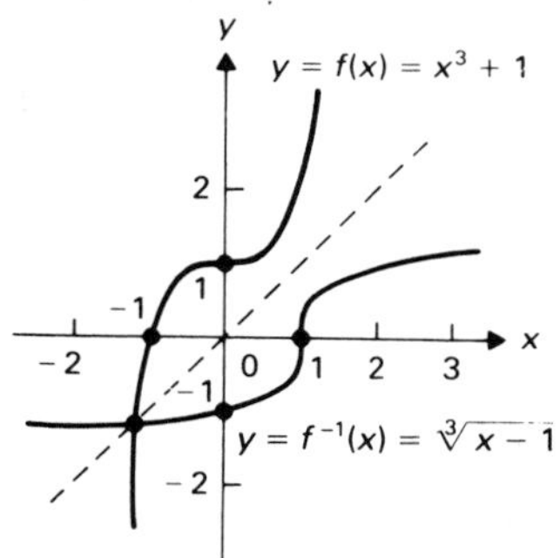

7. f n'admet pas de fonction réciproque

9. f n'admet pas de fonction réciproque

11. f admet une fonction réciproque; $f^{-1}(x) = \frac{x+1}{1-x}$

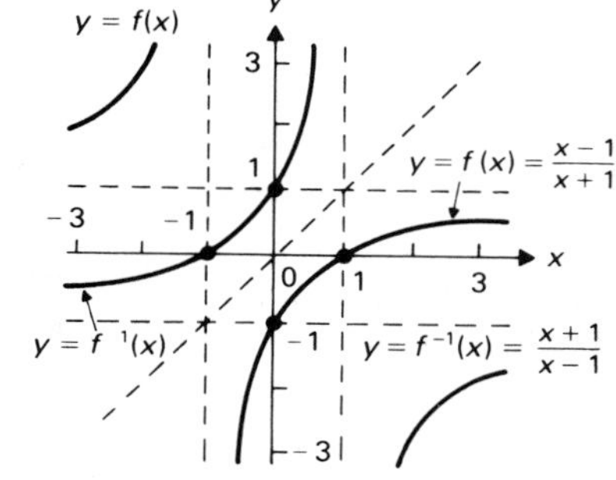

13. V V V F F V
15. -4
17. $\frac{1}{2}$
19. 1
21. $\frac{1}{2}$
23. 3

Section 7.2

1. Oui, puisqu'elle est dérivable. **3.** $y = x - 1$ **5.**

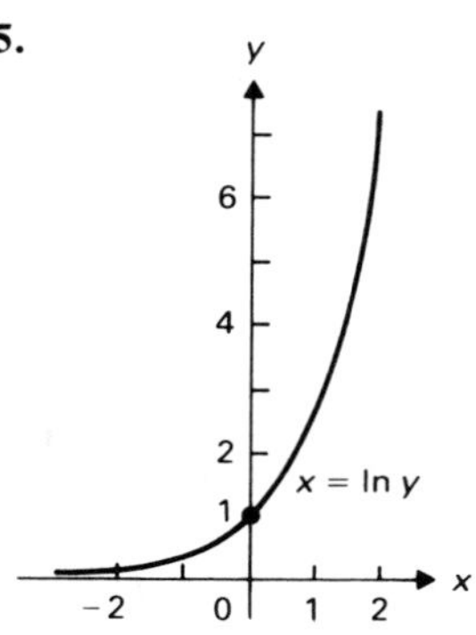

7. $3/(3x + 2)$, où $x > -\frac{2}{3}$ **9.** $3/x$, où $x > 0$ **11.** $-2 \operatorname{tg} x$ **13.** $2(\ln x) \cdot \dfrac{1}{x}$ **15.** $(9x^2 - 4)/(6x^3 - 8x)$, où $3x^3 - 4x > 0$
17. $\operatorname{tg} x + \dfrac{\sec^2 x}{\operatorname{tg} x}$, où $\sec x \operatorname{tg} x > 0$ **19.** $-2 \operatorname{tg} x + 6 \operatorname{cotg} 2x$, où $\sin 2x > 0$ **21.** $\dfrac{1}{\ln x} \cdot \dfrac{1}{x}$ **23.** $-\sin(\ln x) \cdot \dfrac{1}{x}$
25. $\ln |x + 1| + C$ **27.** $-\frac{1}{2} \ln |\cos 2x| + C$ **29.** $\frac{1}{2} \ln (x^2 + 1) + C$ **31.** $\frac{1}{2}(\ln x)^2 + C$ **33.** $\frac{1}{2} \ln |\ln |x|| + C$
35. $-\frac{1}{8} \ln |1 - 4x^2| + C$ **37.** $-\ln |1 + \cos x| + C$ **39.** $\ln (4/3)$ **41.** $1 - \ln 2$

Section 7.3

1. 2 **3.** 0 **5.** −2 **7.** 6 **9.** 16 **11.** 9 **13.** $2e^{2x}$ **15.** $e^{2x} \cos x + 2e^{2x} \sin x$ **17.** $\dfrac{e^x}{x} + e^x (\ln 2x)$ **19.** $e^{\sec x} \sec x \operatorname{tg} x$
21. $\dfrac{-e^{1/x}}{x^2}$ **23.** $-e^{-x}$ **25.** $\dfrac{e^{\sin x}(\cos^2 x + \sin x)}{\cos^2 x}$ **27.** $\dfrac{-e^{-x^2}(2x^2 + 2x + 1)}{(x + 1)^2}$ **29.** 4 **31.** $-e^{\cos x} + C$ **33.** $\ln (1 + e^x) + C$
35. $\ln |e^x - e^{-x}| + C$ **37.** $\frac{2}{3}(e^x + 1)^{3/2} + C$ **39.** $\dfrac{ex^2}{2} + C$ **41.**

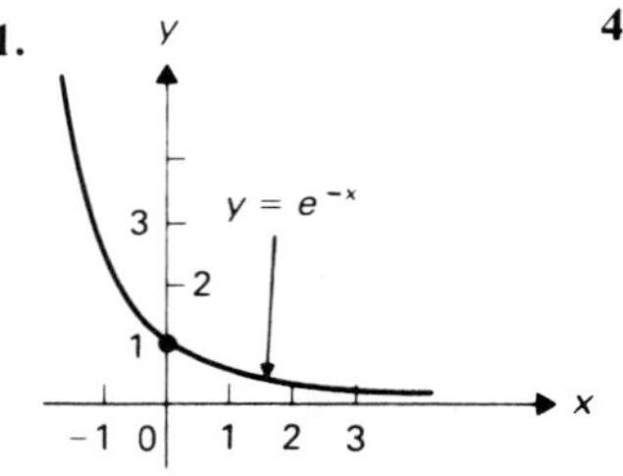

43.

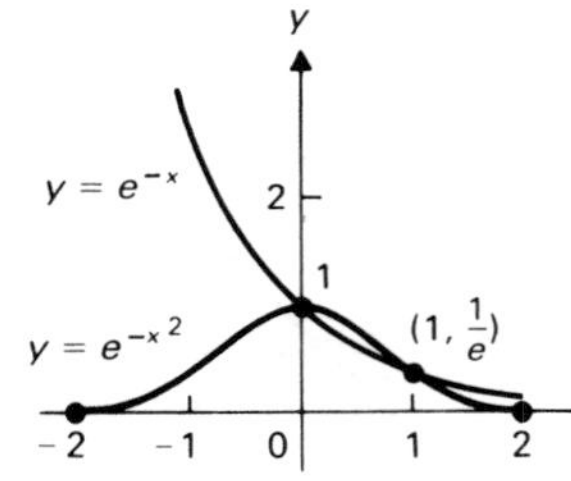

Section 7.4

1. $(2x + 1)/(2y)$ **3.** $\dfrac{5^{x^2}}{7x} [2x(\ln 5) - (\ln 7)]$ **5.** $x^2 e^x (\cos x)\left(\dfrac{2}{x} + 1 - \operatorname{tg} x\right)$

7. $(x^2 + 1)\sqrt{2x + 3}(x^3 - 2x)\left(\dfrac{2x}{x^2 + 1} + \dfrac{1}{2x + 3} + \dfrac{3x^2 - 2}{x^3 - 2x}\right)$

9. ***a)*** Soit $y = a^x$. Alors $\ln y = \ln a^x = x \cdot \ln a$. En dérivant implicitement, on obtient $\dfrac{1}{y} \cdot \dfrac{dy}{dx} = \ln a$, de sorte que $\dfrac{dy}{dx} = y \cdot \ln a$ et finalement $\dfrac{dy}{dx} = a^x \cdot \ln a$ ***b)*** Soit $y = a^u$. Alors $\dfrac{dy}{dx} = \dfrac{dy}{du} \cdot \dfrac{du}{dx} = a^u \cdot \ln a \cdot \dfrac{du}{dx}$

11. ***a)*** Soit $y = \log_a x$. Alors $x = a^y$. En dérivant implicitement, on obtient $1 = a^y(\ln a) \cdot \dfrac{dy}{dx}$ de sorte que $\dfrac{dy}{dx} = \dfrac{1}{a^y(\ln a)} = \dfrac{1}{x} \cdot \dfrac{1}{\ln a}$
b) Soit $y = \log_a u$. Alors $\dfrac{dy}{dx} = \dfrac{dy}{du} \cdot \dfrac{du}{dx} = \dfrac{1}{u} \cdot \dfrac{1}{\ln a} \cdot \dfrac{du}{dx}$

13. $3(\ln 2)\, 2^{3x}$
15. $(1/x)(1/\ln 10)$

17. $\int a^x\, dx = \int e^{(\ln a)x}\, dx = \dfrac{1}{\ln a}\int (e^{(\ln a)x} \cdot \ln a)\, dx$

$$= \frac{1}{\ln a} e^{(\ln a)x} + C = \frac{1}{\ln a} \cdot a^x + C.$$

Section 7.5

1. 1,5708 **3.** −0,7045 **5.** 1,6961 **7.** 0,7854 **9.** −1,5708 **11.** 3,1416 **13.** 0 **15.** 2,9442 **17.** −0,7854 **19.** $\pi/2$
21. $\pi/2$ **23.** 0 **25.** $2/\sqrt{1-4x^2}$ **27.** $1/[2\sqrt{x}(1+x)]$ **29.** $1/[|x|\sqrt{(1/x)^2-1}]$ **31.** $6(\text{tg}^{-1} 2x)^2/(1+4x^2)$
33. $-1/[(1+x^2)(\text{tg}^{-1} x)^2]$ **35.** $2(x+\sin^{-1} 3x)[1+(3/\sqrt{1-9x^2})]$ **37.** 1,57 **39.** 3,14 **41.** 0,4889 **43.** 0,2145
45. $\sqrt{b(a+b)}$ m

47. Soit $y = \text{tg}^{-1} x$. Alors $x = \text{tg}\, y$ et $1 = (\sec^2 y)(dy/dx)$, d'où

$$\frac{dy}{dx} = \frac{1}{\sec^2 y} = \frac{1}{1+\text{tg}^2 y} = \frac{1}{1+x^2}.$$

49. Soit $y = \sec^{-1} x$. Alors $x = \sec y$, où $0 \le y < \pi/2$ ou $\pi/2 < y \le \pi$.

On a $1 = (\sec y\ \text{tg}\, y)(dy/dx)$, d'où $\dfrac{dy}{dx} = \dfrac{1}{\sec y\ \text{tg}\, y}$.

Si $x > 1$, de sorte que $0 < y < \pi/2$, alors $\text{tg}\, y > 0$ et $\text{tg}\, y = \sqrt{\sec^2 y - 1} = \sqrt{x^2-1}$. Si $x < -1$, de sorte que $\pi/2 < y < \pi$, alors $\text{tg}\, y < 0$ et $\text{tg}\, y = -\sqrt{\sec^2 - 1} = -\sqrt{x^2-1}$. Par conséquent,

$$\frac{dy}{dx} = \begin{cases} \dfrac{1}{x\sqrt{x^2-1}} & \text{quand } x > 1, \\ \dfrac{1}{-x\sqrt{x^2-1}} & \text{quand } x < -1, \end{cases} \qquad \text{c'est-à-dire } \frac{dy}{dx} = \frac{1}{|x|\sqrt{x^2-1}}.$$

Exercices récapitulatifs — Série A

1. ***a)*** $\ln x = \int_1^x \frac{1}{t}\, dt$, où $x > 0$ ***b)***

$y = \ln \frac{x}{2}$

3. ***a)*** $e^{\text{tg}\, x} \sec^2 x$ ***b)*** $\frac{7}{3}$ **5.** ***a)*** −0,5236 ***b)*** 1,4464
7. $f^{-1}(x) = (2x+1)/(x-1)$

Exercices récapitulatifs — Série B

1. ***a)*** e est le seul nombre dont le logarithme naturel est égal à 1. ***b)***

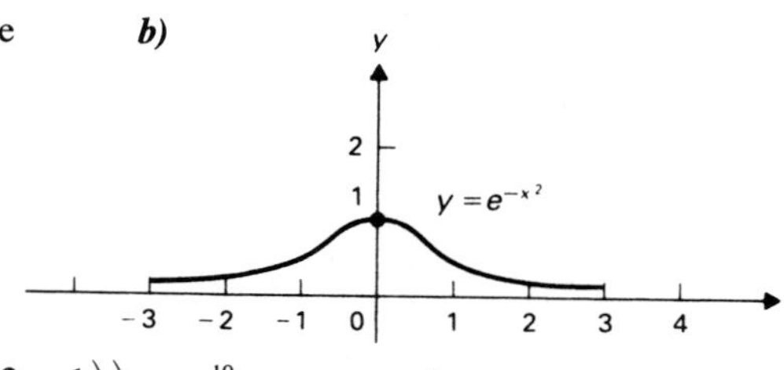

3. ***a)*** $\dfrac{e^{\sin^{-1} x}}{\sqrt{1-x^2}}$ ***b)*** $\frac{1}{3} e^{\text{tg}\, 3x} + C$
5. ***a)*** 1,2310 ***b)*** 1,8605

7. On a $\underline{S}_{10} = \sum_{i=1}^{10} \left(\frac{1{,}2-1}{10}\right) \cdot f\left(1 + i\left(\frac{1{,}2-1}{10}\right)\right) = \sum_{i=1}^{10} 0{,}02 \cdot \frac{1}{1+0{,}02i}$

$$= 0{,}02\left[\frac{1}{1{,}02} + \frac{1}{1{,}04} + \frac{1}{1{,}06} + \frac{1}{1{,}08} + \frac{1}{1{,}10} + \frac{1}{1{,}12} + \frac{1}{1{,}14} + \frac{1}{1{,}16} + \frac{1}{1{,}18} + \frac{1}{1{,}20}\right]$$

$$\simeq 0{,}1807$$

Or, à 4 chiffres significatifs près, $\ln 1{,}2 \simeq 0{,}1823$.

Exercices récapitulatifs — Série C

1. *a)* e^{500} *b)* $1/e^4$ **3.** *a)* $-e^{2x}\sin x + 2e^{2x}\cos x$ *b)* $x + e^{-x} + C$

5. *a)* 2,0344 *b)* Non, puisque le domaine de la fonction $\sin^{-1}$ est l'intervalle $[-1,1]$.

7. $f'(x) = 1 + \cos x \geq 0$. De plus $f'(x) = 0$ seulement pour $x = (2n+1)\pi$. Par conséquent, f est une fonction croissante. En vertu du théorème 7.1, elle admet donc une fonction réciproque.

Exercices récapitulatifs — Série D

1. *a)* x *b)* x *c)* $1/x^2$ *d)* $-x^2$ *e)* $1/x$ *f)* $-x$ *g)* $1/x$ *h)* x *i)* $2x$ *j)* x^2

k) $x - x^2$ *l)* $2\ln x - 2x$ *m)* xe^x **3.** *a)* $\dfrac{e^{\sqrt{x}}}{2\sqrt{x}}\sec^2(e^{\sqrt{x}})$ *b)* $16e$ **5.** *a)* 2,5868 *b)* 0,9962

7. *a)* Non, car $\sin(0) = \sin\pi = 0$. *b)* Oui, car elle est croissante puisque sa dérivée $1/\sqrt{1-x^2} > 0$.

Exercices d'approfondissement

1. Soit $f(x) = \ln x$. Alors $\dfrac{d(\ln x)}{dx} = \lim\limits_{h\to 0}\dfrac{\ln(x+h) - \ln x}{h} = \dfrac{1}{x}$. En particulier, pour $x = 1$, $\lim\limits_{h\to 0}\dfrac{\ln(1+h) - \ln 1}{h} = 1$.

Comme, d'autre part, $\ln 1 = 0$, on a $\lim\limits_{h\to 0}\dfrac{\ln(1+h)}{h} = 1$.

3. $\ln n = \displaystyle\int_1^n \frac{1}{x}\,dx$. On a, en subdivisant l'intervalle $[1,n]$ en $(n-1)$ intervalles partiels:

$$\underline{S}_{n-1} = \frac{1}{2} + \frac{1}{3} + \ldots + \frac{1}{n} \quad \text{et} \quad \overline{S}_{n-1} = 1 + \frac{1}{2} + \frac{1}{3} + \ldots + \frac{1}{n-1}.$$

5. 2,070 579 905

INDEX

A

Abscisse 7
- à l'origine 18

Accélération 117, 119
Accroissement 6, 85
Aire d'une région:
- entre deux courbes 255, 256
- sous une courbe 226

Amplitude 146
Approximation 103
- à l'aide des différentielles 105
- par la méthode de Newton 204

Asymptote:
- horizontale 70
- verticale 70

B

Binôme de Newton 88
Bornes d'intégration 244

C

Calcul d'erreur 106
Cercle:
- équation du 10
- trigonométrique 136

Concavité:
- vers le bas 186
- vers le haut 186

Constante d'intégration 217
Continuité:
- d'une fonction polynomiale 76
- d'une fonction rationnelle 76
- des fonctions dérivables 91
- en un point 73, 74

Coordonnées cartésiennes 7
Courbe(s):
- construction d'une – à l'aide de la
  - dérivée première 181
  - dérivée seconde 189
- orthogonales 131
- pente d'une 41
- représentative d'une fonction 27

Coût:
- marginal 211
- moyen par unité 212

D

Déphasage 146
Dérivation:
- en chaîne 111, 112
- implicite 130
- logarithmique 283

Dérivée(s):
- d'ordre n 117
- d'une fonction:
  - composée 111
  - élevée à une puissance 113
  - implicite 130
  - polynomiale 90
  - réciproque 267, 268
- de e^x 281
- de $\ln x$ 271
- des fonctions trigonométriques 152, 153, 154
  - inverses 287, 291
- en un point 48, 86
- fonction 87
- formules 88, 89, 90, 96, 98, 99, 100
- interprétation géométrique de la 43, 45

Différentielle(s) 101,104
- approximation à l'aide des 103, 105
- interprétation géométrique de la 102
- calcul d'erreurs à l'aide de la 106

Discontinuité 76
Distance:
- algébrique 6
- entre deux points:
  - d'un axe 5
  - du plan 8

Domaine d'une fonction 23
Droite:
- équation de la 17, 18
- numérique 1
- parallèle 13
- pente d'une 13
- perpendiculaire 14
- verticale 12

E

e (nombre d'Euler) 278
Égalité de fonctions 26
Équations paramétriques 121
Erreur relative 106
Exponentielle, fonction:
  de base *a* 285
    dérivée de la 285
  de base *e* 278
    dérivée de la 281
    intégrale de la 282
    propriétés de la 279, 280
Exposants (*Voir* l'annexe 1)
Extremum 79
  relatif 166

F

Fonction(s):
  algébrique 136
  circulaire 138
  composée 110
  constante 88
  continue 75
    en un point 73, 74
  croissante 178, 179
  décroissante 178, 179
  dérivable 87
  discontinue 76
    en un point 76
  du second degré 36
  explicite 129
  exponentielle:
    de base *a* 285
    de base *e* 278
  implicite 129
  injective 265
  inverse (*Voir* Fonction réciproque)
  logarithme:
    de base *a* 285
    naturel (ou népérien) 270, 271
  monomiale 32
  polynomiale 58
  puissance 32
  quadratique 36
  rationnelle 58
  réciproque 263
  réelle d'une variable réelle 24
  transcendante 136
  trigonométrique(s) 136
    dérivée des 152, 153, 154
    inverse(s) 286, 288, 289, 290
      dérivée des 287, 291
      détermination principale 290

G

Graphe d'une fonction 27
Graphique d'une fonction 27
  construction du – à l'aide de la
    dérivée première 181
    dérivée seconde 189

I

Identités trigonométriques 142, 143
Image d'une fonction 23
Inégalités, propriétés des 4
Intégrale:
  définie 235, 236, 243
    propriété de l' 239, 240
  indéfinie 250
Intégration 216
  constante d' 217
  formules d' 251
Intensité de la vitesse 118
Intervalle:
  fermé 3
  ouvert 3
  semi-ouvert 3

L

Limite(s) 42
  à droite 63, 64
  à gauche 63, 65
  à l'infini 67, 68
  d'une fonction 52
    polynomiale 58
    rationnelle 58
  définition formelle 56
  de $(\sin x)/x$ quand $x \to 0$ 149
  infinie 60
  propriétés des 57
  unicité de la 50
Logarithme:
  de base *a* 285
    dérivée du 285
  naturel (*ou* népérien) 270, 271
    dérivée du 270
    propriétés du 274
Loi:
  des cosinus 143
  des sinus 143

M

Maximum(s) 79
  problèmes de – et de minimums 194
  relatif 166, 180, 189
  sur un intervalle fermé 79
Méthode de Newton 204
Minimum(s) 79
  problèmes de maximums et de 194
  relatif 166, 181, 189
  sur un intervalle fermé 79
Mouvement:
  dans le plan 121

que simple 155
ne 118

mbre(s):
d'Euler (le nombre e) 278
entiers 1
irrationnels 1
rationnels 1
réels 1
Normale à une courbe 94

O

Ordonnée 7
à l'origine 18
Origine 7

P

Paramètre 121
Pente:
d'une courbe 41
d'une droite 12
d'une sécante 41, 86
d'une tangente 43, 86
indéfinie 12
Période 146
Point(s):
colinéaires 17
critique 173
d'inflection 186, 189
milieu 5, 19
Primitive 216
d'une fonction polynomiale 218
existence de la 246
intégrale indéfinie 250
Problèmes de taux liés 160, 162
Produit de fonctions:
dérivée d'un 96
limite d'un 57
Profit marginal 211

Q

Quadrants 7
Quotient de fonctions, dérivée d'un 98

R

Radian 137
Règle de la dérivation en chaîne 111, 112
Relation linéaire 21
Revenu marginal 211

S

Sécante 43
Signe de la dérivée:
première 179, 181
seconde 185, 186, 189
Somme:
de Riemann 223, 227
dérivée d'une – de fonctions 90
inférieure de Riemann 228
intégrale d'une 239
limite d'une – de fonctions 57
supérieure de Riemann 228

T

Tangente 43
à une courbe 14
pente de la – à une courbe 43, 44
Taux:
d'accroissement 86
instantané d'accroissement 44, 87
liés 160, 162
moyen d'accroissement 44, 86
Théorème:
de la moyenne pour la dérivée (*Voir* Théorème des accroissements finis)
de Rolle 167
des accroissements finis 169
des valeurs intermédiaires 78
corollaire du 205
fondamental du calcul intégral 243, 246
Translation des axes 12
Travail 225, 231

U

Unicité de la limite 50

V

Valeur:
absolue 4
critique (*Voir* Point critique)
Variable:
dépendante 23
indépendante 23
réelle 2
Vitesse 93, 117
instantanée 42
moyenne 41
intensité de la 118

W

Weierstrass, théorème des valeurs intermédiaires de 78